龍宇純先生七秩晉五壽慶論文集

臺灣學生書局印行

龍宇純先生近影

龍教授宇純七秩晉伍壽誕祝辭

龍公長農庚叻學不知老著述藏名山示我新編好

愚也讀范詩詁訓蒙不瞭春耳美字義与此不相紋

蕖葭云道右迂回均轉窳葉之諧心胷雜誌光緯縞

秉媽即來敗壽堂同壽喜如星辰明經題義盡通曉

斂裕肅誠拜老老小長保

學弟 汪中拜葉

廿七年九月

弁　言

中華民國九十一年歲次壬午十一月三十日（農曆十月
二十六日），恭逢　龍師宇純先生七秩晉五華誕。門人
等以　先生懷音聲說文之絕學，事訓傳詁經之鴻猷，
藉等身之著作，敷教上庠，以扶危之襟抱，提攜後進，
為學界之典型，群倫之師表。值茲嘉辰，宜各獻所業，
為奉觴上壽之助，並請　先生誨教。於是主事者先行
馳函徵文，而　先生學友素好，亦有共襄盛舉者，凡
得論文二十九篇。爰依類編次，裒為一集，敬呈
先生之前，用申祝嘏之忱。傳曰：「善歌者，使人繼其
聲；善教者，使人繼其志。」今睹斯集，繼聲繼志，
則善歌善教者，其　先生之謂歟！詩云：「樂只君子，
遐不眉壽。樂只君子，德音是茂。」載是弁首，並以
為頌。

龍宇純先生七秩晉五壽慶論文集編輯委員會謹識

龍宇純先生七秩晉五壽慶論文集

目　次

龍宇純先生七秩晉五壽慶論文集序

　　西潮東涌，蓋百餘年，吾國之政治社會、思想文化，莫不深受其影響。民國以還，學術教育，日趨新變。治國學者，多能持故納新，濬源疏流，於是經典之闡析益精，而文史之傳習不輟，其中最爲關鍵基礎之學，則文字、音韻、訓詁實爲其管鑰。此三科艱奧難入，入亦難精。蓋中國之語文，衍遞數千年，音形別於異邦，訓詁通之今古，自漢迄清，研治益密，討論愈深，羼之小學，蔚爲大國。顧殷契猶闕，說文僅恃乎許君；別聲雖微，擬音尙待於高氏。輓近材料迭出，方法更進，分工愈細，兼通彌難；今日三科並擅，卓然有成，而爲學界所盛稱者蓋鮮，幸而有之，則龍教授宇純其尤也。

　　初，宇純教授肄業臺灣大學時，從戴君仁、董同龢二先生受文字、音韻、訓詁之學；又從董作賓、屈萬里、王叔岷諸師習甲骨學及《詩經》、《尙書》、《莊子》。諸先生皆徑途正大，治學謹嚴，咸以宇純爲難得之才，同龢先生尤深器之，其碩士論文《韻鏡校注》即先生所指導也。既卒業，入中央研究院歷史語言研究所；所中名家萃止，乃益自砥礪，頭角嶄然。既而赴香港，執教崇基書院。後十年，臺大邀返任中文系教授，嗣兼主任；史語所同時合聘爲研究員。中山大學在臺復校，主事者殷慕之，請借聘創辦中文系。前後主持兩校系務，盡心愼事，守正拓新，而不軼先範。講筵之際，撰著益富，聲譽日隆，屢獲國家科學委員會傑出研究獎，受聘該會人文組學術委員。其治學敷教，允爲時表。既屆還曆，思怡志林泉，乃請退休，同仁諸生，莫能挽止，惟相悵歎。越明年，東海大學力請復出，遂就中文研究所講座教授。時周法高、李孝定二教授已先在所，分別主講音韻、文字之研究課程。二先生皆前輩，各以專門之學享名於時，而年事俱高，均幸宇純教授能至，則不虞替人，以其學兼兩家之長也。於是東海一時竟成國內語文學之重鎮。是後十年，經其指授培成者多有，一如曩之成就於臺大者。及七十，再榮退，北京大學復敦聘渡海講學，其爲學術教育界所欽重也如此。

宇純教授之治小學，旁達精邃，無往而不深造自得，所著《中國文字學》，自立體系，論六書能揭新義，學者往往始而驚，繼而疑，終乃歟然歎服。其通講字學，因義立例，循理成綱，弗囿舊說，論見徹達。書凡三訂，暢行於臺。大陸亦請重印出版，以播廣遠。其治音韻，尤見根柢。所校《韻鏡》、《全本王仁煦刊謬補闕切韻》，行世數十年，學者是賴；而檢討音學，舉凡切語條例，等韻源流、古音擬測，解義析疑，亦莫不本原典則而洞察幽微。所撰論文廿餘篇，逾五十萬言，精極考辨，勝義紛披，輒出獨見，不避前賢，裒成《中上古漢語音韻論文集》，頃已出版。《詩》無達詁，訓解實難，前儒異說，莫衷一是。清世以還，名家輩出，然亦各或有偏，鮮能無蔽。宇純教授以其字學之深博，音理之精至，疏通毛鄭，發明孔陸，釐正清儒，駁別時彥，所為解《詩》論文及雜記，總歷年發表及新近撰作，又二十餘萬言，亦都為一輯，即將版行，世之治《詩經》者，當因其創獲而各有取焉。宇純教授又嘗治荀卿書，著有《荀子論集》，久行於世。總其學術之成就，凡所結撰，莫不各造其微，實令學者歆歆而門人鑽仰無既也。

　　今當宇純教授七秩晉五華誕之期，群弟子籌獻論文集祝嘏，來請為序。自惟學業荒疏，文行無似，奚足以附麗游夏？而辭不獲免，因思與宇純教授差肩同學，相交五十年，共事廿五載，有平生久要之誼，雖於其學問之精詣非所盡窺，而其立身之志尚要能默識；知其學也獨造，行也方直，皓首窮經，弗媚俗以取譽；琴歌自樂，不屈己而溺時，宜得諸生之景慕，而為同道所欽遲也。遂乃不揣其陋而贅言之。宇純教授雖告老，然其精力未衰，學問日富，尤望無吝所蓄積，指授後生，益著述以傳其學，則海屋之籌，亦添於經苑儒林也。既以為序，且以為壽。

同學弟楊承祖拜撰

中華民國九十一年十一月于臺北

龍宇純先生簡歷

出生日期：1928 年 10 月 26 日

籍貫：安徽省望江縣

1953.7	國立臺灣大學中國文學系畢業（學士）。
1954	《韻鏡校注》榮獲中央研究院歷史語言研究所傅斯年獎學金。
1957.6	國立臺灣大學中國文學研究所畢業（碩士）。
1957.8.1-1962.7.31	中央研究院歷史語言研究所助理研究員。
1962.8.1-1966.7.31	香港崇基學院文學院中國語文學系副講師。
1966.8.1-1973.7.31	香港崇基學院文學院中國語文學系講師。
1968.8.1-1969.7.31	國立臺灣大學文學院中國文學系客座副教授。
1972.8.1-1973.7.31	國立臺灣大學文學院中國文學系客座教授。
1973.8.1-	國立臺灣大學文學院中國文學系教授兼系主任。
1973.9.1	中央研究院歷史語言研究所合聘研究員。
1979.8.1-	辭卸國立臺灣大學中國文學系所主任職務，專任中央研究院歷史語言研究所研究員，國立臺灣大學中國文學系合聘教授。
1980.8.1-1983.7.31	借調國立中山大學中國文學系教授兼主任。
1984.8.1	歸建中央研究院歷史語言研究所研究員，仍與國立臺灣大學合聘。
1987	〈論重紐等韻及其相關問題〉榮獲國家科學委員會76、77 兩年傑出獎。
1989.8.1	自國立臺灣大學退休。
1990.8.1	任東海大學中國文學研究所講座教授。

1992	〈也談詩經的興〉榮獲國家科學委員會 81、82 兩年度傑出獎。
1993.10	中央研究院歷史語言研究所研究員聘期屆齡期滿。
1994.5.2-迄今	中央研究院歷史語言研究所兼任研究員。
1999.2	東海大學聘期屆滿。
1999.8	北京大學中文研究所講授上古漢語音韻一學期。

龍宇純先生著作目錄

一、期刊論文及文集論文

1955，墨子閒詁補正，學術月刊，4 卷 3 期，頁 25-40。

1956，韓非子集解補正（上）、（下），大陸雜誌，13 卷 2、3 期，頁 6-11、25-31。

1957，評「釋詩經中的士」，民主評論，8 卷 2 期，頁 24-25。

1958，「造字時有通借證」辨惑，幼獅學報，1 卷 1 期，頁 1-5。

1959，說帥，中央研究院歷史語言研究所集刊，30 周年專號，頁 597-603。

1959，說婚，中央研究院歷史語言研究所集刊，30 周年專號，頁 605-614。

1959，說羸與贏，大陸雜誌，20 卷 2 期，頁 4-9。

1960，說文古文字子字考，大陸雜誌、21 卷 1、2 期合刊，頁 91-95。

1960，釋夷居夷處，大陸雜誌，21 卷 10 期，頁 4-18。

1961，英倫藏敦煌「切韻殘卷」校記，中央研究院歷史語言研究所集刊外編，
頁 803-825。

1962，先秦散文中的韻文（上），崇基學報（香港，中文大學），2 卷 2 期，頁
137-168。

1963，先秦散文中的韻文（下），崇基學報（香港，中文大學），3 卷 1 期，頁
55-67。

1963，反訓，華國（香港，中文大學），4 卷，頁 22-42。

1963，甲骨文金文𡗜字及其相關問題，中央研究院歷史語言研究所集刊—故院
長胡適先生紀念論文集，頁 405-433。

1965，例外反切的研究，中央研究院歷史語言研究所集刊，36 卷 1 期，頁 331-373。

1965，文字學論稿初輯，崇基學報（香港，中文大學），5 卷 1 期。

1965，論周官六書，清華學報—慶祝李濟先生七十歲論文集，頁 203-209。

1968，荀卿非思孟五行說楊注疏證，華國（香港，中文大學），54 卷，頁 1-4。

1969，《荀子·正名篇》重要語言理論闡述—從學術背景說明「名無固宜」說之由來及「名固有善」說之積極意義，文史哲學報，18 卷，頁 443-455。

1970，《廣韻》重紐音值試論兼論幽韻及喻母音值，崇基學報（香港，中文大學），9 卷 2 期，頁 164-181。

1970，續「嘉吉元年本韻鏡跋」及「韻鏡研究」，大陸雜誌，40 卷 12 期，頁 18-23。

1970，比較語義發凡，許世瑛先生六秩誕辰論文集，頁 105-123，臺北，淡江大學。

1971，論聲訓，清華學報，9 卷 1、2 期合刊，頁 86-95。

1972，讀荀子札記，華國（香港，中文大學），6 卷，頁 1-42。

1972，荀子後案，中央研究院歷史語言研究所集刊—慶祝建國六十周年專號，頁 657-671。

1974，正名主義之語言與訓詁，中央研究院歷史語言研究所集刊，54 卷 4 期。

1974，試說《詩經》的雙聲轉韻，幼獅月刊，44 卷 6 期，頁 29-33。

1976，釋甲骨文字兼解犧尊，沈剛伯先生八秩榮慶論文集，頁 1-16。

1978，有關古韻分部內容的兩點意見，中華文化復興月刊，11 卷 4 期，頁 5-10。

1978，上古清脣鼻音聲母說檢討，屈萬里先生七秩榮慶論文集，頁 67-81。

1979，上古陰聲字具輔音韻尾說檢討，中央研究院歷史語言研究所集刊，50 卷 4 期，頁 679-716。

1981，論照穿床審四母兩類上字讀音，中央研究院第一屆國際漢學會議論文集，頁 247-265。

1981，李登聲類考，臺靜農先生八十壽慶論文集，頁 51-66，臺北，聯經出版事業公司。

1982，陳澧以來幾家反切系聯法商兌並論切韻書反切系聯法的學術價值，清華學報，14 卷 1、2 期合刊，頁 193-205。

1983，荀子真偽問題，中山學術文化集刊，30 期，頁 107-125。

1983，從臻節兩韻性質的認定到韻圖列二四等字的擬音，中央研究院歷史語言研究所集刊，54 卷 4 期，頁 35-49。

1983，閩南語與古漢語，高雄文獻，17、18 期合刊，頁 1-19。

1984，讀詩管窺，中央研究院歷史語言研究所集刊，55 卷 2 期，頁 225-243。

1985，析《詩經》止字用義，書目季刊，18 卷 4 期，頁 10-31。

1985，〈詩序〉與《詩經》，鄭因百先生八十壽慶論文集，頁 19-35，臺北，臺灣商務印書館。又見於文史論文集，頁 19-35，臺北，臺灣商務印書館。

1985，荀子思想研究，國立中山大學學報，2 期，頁 1-18。

1985，再論上古音-b 尾說，臺大中文學報，1 期，頁 151-185。

1988，說呢訾栗斯喔咿儒兒，臺大中文學報，2 期，頁 107-112。

1988，試釋《詩經》式字用義，書目季刊，22 卷 3 期，頁 5-19。

1988，廣同形異字，文史哲學報，36 期，頁 1-22。

1991，也談《詩經》的興，中央研究院中國文哲研究集刊，1 期，頁 117-133。

1992，說文讀記之一，東海學報，33 期，頁 39-51。

1993，《詩》「彼其之子」及「於焉嘉客」釋義，中央研究院中國文哲研究集刊，3 期，頁 153-171。

1993，《詩》義三則，王叔岷先生八十壽慶論文集，頁 242-264。

1993，說簠臣區及其相問題，中央研究院歷史語言研究所集刊，64 卷，頁 1025-1064。

1993，說《論語》「史之闕文」與「有馬者借人乘之」讀後，中國文哲研究通訊，3 卷 4 期，頁 83-97。

1995，中古音的聲類與韻類，第四屆國際暨第十三屆全國訓詁學學術研討會論文集，頁 3-15。

1995，支脂諸韻重紐餘論，漢學研究，13 卷 1 期，頁 329-348。

1995，說「匪骰匪鳶」，王靜芝先生八秩壽慶論文集，頁 73-84，臺北，輔仁大學。

1997，有關古書假借的幾點淺見，第一屆國際暨第三屆全國訓詁學學術研討會論文集，頁 7-19。

1998，上古音芻議，中央研究院歷史語言研究所集刊，69 卷 2 期，頁 331-397。

1998，《詩經》于以說，東海中文學報，12 期，頁 13-18。

1999，荀卿子記餘，中央研究院中國文哲研究集刊，15 期，頁 199-259。

1999，古漢語曉匣二母語送氣聲母的送氣成分—從語文現象論全濁音及塞擦音為送氣讀法，紀念許世瑛先生九十冥誕學術討論會論文集，頁 217-264。

2000，上古漢語四聲三調說證，中上古漢語音韻論文集，臺北，五四書店。

2000，陳澧反切系聯法再論，北京大學紀念王力教授百歲冥誕論文集。

2001，內外轉名義後案，中上古語音韻論文集，臺北，五四書店。

2002，讀《詩》雜記，中國文哲研究通訊，12 卷 1 期，頁 111-141。

2002，試說《詩經》的虛詞侯，絲竹軒詩說，臺北，五四書店。

2002，上古音中二三事，邵榮芬教授八秩榮慶論文集，北京，首都師範大學。

2002，先秦古籍文句釋疑，中央研究院歷史語言研究所集刊，第 74 本第 1 分。

二、會議論文

1999，從音韻的觀點讀《詩》，中國與文學學術會議大會講演論文。

2000，從兩個層面談漢字的形構，中央研究院第三屆國際漢學會議文字學組講演論文。

2001，中國學與國家，韓國第廿一屆中國學國際學術會議基調講演論文。

三、學術專書

1963，韻鏡校注，臺北，國立臺灣大學中文系。

1964，韻鏡校注，臺北，藝文印書館。

1968，唐寫全本王仁刊謬補缺切韻校箋，香港中文大學。

1968，中國文字學，香港，著者發行。

1984，中國文字學（修訂本），臺北，著者發行，臺灣學生書局經銷。

1987，荀子論集，臺北，臺灣學生書局。

1994，中國文字學（定本），臺北，著者發行，五四書店經銷。

2002，中上古漢語音韻論文集，臺北，五四書店。

2002，絲竹軒詩說，臺北，五四書店。

龍宇純先生七秩晉五壽慶論文集
2002 年 11 月　　頁 1～16

詩序與詩教
——從《詩序》內容看《詩經》之教化理想

胡楚生[*]

一、引言

詩有四家，齊魯韓毛，《毛詩》獨傳於今，四家詩或各自有其詩序，《毛詩序》獨傳於今，故今稱《詩經》者，實指《毛詩》而言，今稱《詩序》者，亦實指《毛詩序》而言。

《詩序》之作者，究爲何人？自來即有不同的說法，舉其大要而言，或者以爲是孔子所作，或者以爲是子夏所作，或者以爲是毛公所作，但都沒有明確的證據，《後漢書・儒林傳》云：「衞宏字敬仲，東海人也，少與河南鄭興俱好古學，初，九江謝曼卿善《毛詩》，乃爲其訓，宏從曼卿受學，因作《毛詩序》，善得風雅之旨，於今傳於世。」所說較有依據，差可憑信。

詩本於歌謠，本應明白易曉，但是，詩有作詩之義，有賦詩之義，有斷章之義，也有引申之義，譬喻之義，因此，居後世而討論詩義，反而更增困難。

先秦說詩，不過引用詩句，作爲人們立身處世的南針，以及作爲人們從政治事的準則[1]，並不討論詩的本旨。然而，自從《詩序》出現以後，漢人說詩，即多據《詩序》，以說《詩經》之義，自是之後，以迄唐代，敕撰《五經正義》，《詩》取毛公鄭玄之《傳》《箋》，而《詩序》也併入其中，成爲朝廷頒定之標準讀本，影響於後世者極大。

---

[*]　東吳大學中國文學系教授。
[1]　參屈萬里先生：〈先秦說詩的風尚和漢儒說詩之迁曲〉，《南洋大學學報》1971 年第 5 期。

　　《詩經》之有《詩序》，本以解說詩旨，使之愈爲彰明，但是，後世討論《詩經》，反多以爲，《詩序》之與《詩》旨，切合者極少，故自宋代朱子以下，懷疑《詩序》者甚多，進而主張廢棄《詩序》，直接逕就詩之本文以求詩之義旨者，也愈益增多。

　　《詩序》之受人懷疑，以爲並不切合詩旨，推究原因，主要在於：

　　其一，詩本多義，詩之體裁，本可表達多重的意義，本可多方解釋，則《詩序》執持一種意義，自不能切合多義的詩旨。

　　其二，《詩序》之作者，與《詩經》詩篇之作者，並非一人，也非同時之人，以相隔懸遠後世之人，推測前人作詩之詩旨，自難一一切合。

　　其三，《詩經》的每篇詩題，並不以義名篇，詩題所標示者，並不代表全詩的大旨，而僅止約取詩前數字爲題，因此，詩題既未明標詩旨，則《詩序》之說詩旨，以後人所作之《詩序》，欲求替代詩篇之詩題，進而標示詩旨，自屬困難重重。

　　其四，《詩序》之說，往往於《詩經》本文詞面之中，不易覓得佐證，故其解說詩旨，不易取信於人。

　　因此，就《詩序》以探求詩人作詩之本旨，自不易一一相符，也不易取信於世人。

　　其實，漢人之作《詩序》，用以說詩，本自另外有其教化之理想存在，推其用意，本不用爲解說《詩經》作者作詩之本義而發，後人根據《詩序》，以求《詩經》每篇詩作中之本義，自然不能一一相符相合。

　　因此，本文不就《詩序》以求每篇詩作之本義，本文乃就《詩序》而求了解漢人對於《詩經》之觀點，進而了解漢人對於《詩經》所賦予之理想功能，了解漢人撰著《詩序》之用意。

　　以下，即就《詩序》，歸納其關鍵之詞，試作分析，以見《詩序》作者，憑藉《詩經》，所欲彰顯之詩教理想，所欲推行之詩教功能。

二、分析

《詩序》中有美刺，所謂「美」，大抵皆作序者是表示正面肯定之事項，所謂「刺」，大抵皆是作序者表示負面否定之事項，因此，前者代表「應爲」之事項，後者代表「不應爲」之事項。

以下，即就《詩序》中所指爲「美」及爲「刺」者，取其關鍵之詞，試作不同層次重點之統計分析，以見《詩序》中教化理想之一斑。

《詩經》三百十一篇，除笙詩六篇，有序無辭，暫不予計之外，其餘三百零五篇，皆篇篇有序，此三百零五篇詩，其詩中或其序中，有明顯只論史事，而其《詩序》並不涉及「美」「刺」者，似此之類，共約九十二首，則也暫不加以統計分析，而另作說明。因此，此項分析，實際所加入統計者，共爲二一三首詩篇之《詩序》。

（一）分析《詩序》中有關「美」之部分

1.「美」之數量

(1)明言爲「美」者

二一三首《詩序》之中，其明言爲「美」某某者，如《周南・甘棠》序云：「美召伯也。」《鄘風・定之方中》序云：「美衛文公也。」《衛風・木瓜》序云：「美齊桓公也。」[2]似此之類，計有二十八首。

(2)與「美」義近者

二一三首《詩序》之中，其雖不明言「美」某某，而易言「勤」、「止」、「樂」、「澤」、

2　此據《毛詩注疏》（臺北：藝文印書館，1965 年影印阮刻《十三經注疏》本）。下引《詩序》並同。

「頌」等與「美」義相近之辭者，如《召南‧殷其靁》序云：「勸以義也。」《小雅‧南有嘉魚》序云：「樂與賢也。」《魯頌‧駉》序云：「頌僖公也。」似此之類，計有十一首。

(3)有「美」之用意者

二一三首《詩序》之中，其雖不明言「美」某某，而推究其義，實係有「美」之用意者，如《周南‧螽斯》序云：「后妃子孫眾多也。」《召南‧草蟲》序云：「大夫妻能以禮自防也。」《召南‧小星》序云：「惠及下也。」似此之類，計有二十首。

綜合以上三類，約略統計，其《詩序》之旨，凡屬廣義之「美」某某者，計有五十九首，在二一三首《詩序》之中，約佔百分之二十八。

2.「美」之對象

(1)專指一人者

在五十九首《詩序》之中，其所「美」之對象，其專指一人者，則爲周宣王（九首）、文王（五首）、周公、魯僖公（各四首）、衛文公、秦襄公（各二首），其餘衛武公、齊桓公、鄭武公、晉武公、秦仲（各一首），計有十一人。

(2)泛指一類人者

其泛指一類人者，則爲后妃（九首）、夫人、君子（各三首）、大夫妻（二首）、其餘大夫、臣、賢人、貞女（各一首），計有八類人物。

以上之人，皆屬五十九首《詩序》中正面取向，加以稱美之人，至於彼等各人所受稱美程度之高低，則也可自《詩序》中出現次數之多寡，而加以顯現。

3.「美」之事項

(1)天子

約有「能建國親諸侯」（《大雅·崧高》序）、「任賢使能」（《大雅·烝民》序）、「能錫命諸候」（《大雅·韓奕》序）、「能興衰撥亂」（《大雅·江漢》序）、「有常德以立武事」（《大雅·常武》序）、「能慎微接下」（《小雅·吉日》序）、「能勞來還定安集之」（《小雅·鴻雁》序）、「世世修德」（《大雅·皇矣》序）、「王化復行」（《大雅·雲漢》序）、「德廣所及」（《周南·漢廣》序）、「澤及四海」（《小雅·蓼蕭》序）、「道化行也」（《周南·汝墳》序）、「節儉正直」（《召南·羔羊》序）、「能備禮」（《小雅·魚麗》序）、「天下無犯非禮」（《周南·麟之趾》序）、「人倫既正」（《召南·騶虞》序）、「男女及時」（《召南·摽有梅》序）等事項，是則天子能具有上述之行為，皆屬可予稱頌贊美者。

(2)后妃

約有「輔佐君子，求賢審官」（《周南·卷耳》序）、「無嫉妒之心」（《周南·樛木》序）、「不妒忌」（《周南·桃夭》序）、「樂得淑女，以配君子」（《周南·關雎》序）、「化天下以婦道」（《周南·葛覃》序）、「莫不好德」（《周南·兔罝》序）、「婦人樂有子」（《周南·芣苢》序）、「子孫眾多」（《周南·螽斯》序）、「嫡能悔過」（《召南·江有汜》序）、「猶執婦道」（《召南·何彼襛矣》序）等事項，是則后妃能具有上述之行為，皆屬可予稱頌贊美者。

(3)諸候

約有「樂與賢也」（《小雅·南有嘉魚》序）、「樂得賢也」（《小雅·南山有臺》序）、「樂育材也」（《小雅·菁菁者莪》序）、「能以道化其民」（《鄘風·蝃蝀》序）、「不失其聖」（《豳風·狼跋》序）、「以禮自防」（《衛風·淇澳》序）、「君臣之有道」（《魯頌·有駜》序）、「臣子多好善」（《鄘風·干旄》序）、「國家殷富」（《鄘風·

定之方中》序）、「備其甲兵，以討四方」（《秦風‧小戎》序）、「有車馬禮樂侍御之好」（《秦風‧車鄰》序）、「有田狩之事，園囿之樂」（《秦風‧駟鐵》序）、「儉以足用，寬以愛民，務農重穀」（《魯頌‧駉》序）、「能修泮宮」（《魯頌‧泮水》序）、「能復周公之宇」（《魯頌‧閟宮》序）等事項，是則諸候能具有上述之行爲，皆屬可予稱頌贊美之者。

(4)大夫

約有「召伯之教，明於南國」（《召南‧甘棠》序）之事項，是則大夫能具有上述之行爲，皆屬可予稱頌贊美者。

(5)大夫妻

約有「能循法度」（《召南‧采蘋》序）、「無妒忌之行」（《召南‧小星》序）、「能以禮自防」（《召南‧草蟲》序）、「勸以義也」（《召南‧殷其靁》序）、「不失職也」（《召南‧采蘩》序）、「德如鳲鳩」（《召南‧鵲巢》序）、「勤而無怨」（《召南‧江有汜》序）等事項，是則大夫妻能具有上述之行爲，皆屬可予稱頌贊美者。

(6)孝子

約有「能盡其孝道」（《邶風‧凱風》序）之事項，是則孝子能具有上述之行爲，皆屬可予稱頌贊美者。

(7)貞女

約有「彊暴之男，不能侵陵」（《召南‧行露》序）之事項，是則貞女能具有上述之行爲，皆屬可予稱頌贊美者。

以上分析，儘量使用《詩序》之原文，擇其關鍵之詞，略加調整其次第，以求具有先後之貫串，以呈現《詩序》中所稱美之事項重點。

（二）分析《詩序》中有關「刺」之部分

1.「刺」之數量

(1)明言為「刺」者

二一三首《詩序》之中，其明言「刺」某某者，如《邶風·谷風》序云：「刺夫婦失道也。」《衛風·伯兮》序云：「刺時也。」《鄭風·揚之水》序云：「刺平王也。」似此之類，計有一二九首。

(2)與「刺」義近者

二一三首《詩序》之中，其雖不明言「刺」某某者，而易言「惡」、「傷」、「怨」、「責」、「閔」、「戒」、「哀」、「疾」、「憂」、「規」、「誨」、「悔」等與「刺」義相近之辭者，如《邶風·旄丘》序云：「責衛伯也。」《秦風·蒹葭》序云：「戒襄公也。」《小雅·小明》序云：「夫夫悔仕於亂世也。」似此之類，計有二十五首。

綜合以上兩類，約略統計，其《詩序》之旨，凡屬廣義之「刺」某某者，計有一百五十四首，在二一三首《詩序》之中，約佔百分之七十二。

2.「刺」之對象

(1)專刺一人者

在一百五十四首《詩序》之中，其所「刺」之對象，其專指一人者，則為周幽王（三十五首）、周厲王、周宣王（各七首）、鄭世子忽、莊姜（各四首）、衛宣公、鄭莊公、周平王、齊襄公、晉昭公、秦襄公（各三首）、晉獻公（二首），其餘衛夫人、衛宣姜、衛莊公、衛惠公、鄭文公、齊文姜、魯莊公、晉僖公、晉武公、秦康公、陳幽公、陳佗、陳靈公、周暴公、周幽后、州吁、衛伯（各一首），計有二十九人。

(2)泛刺一類人者

其泛指一類人者，則為周大夫，讒賊（各一首），計有二類人物。

以上之人，皆屬一百五十四首《詩序》中負面取向，加以譏刺之人，至於彼等各人所受譏刺程度之高低，則也可自《詩序》中出現次數之多寡，而加以顯現。

3.「刺」之事項

(1)天子

約有「周室道衰，棄其九族」（《王風・葛藟》序）、「不親九族而好讒佞，骨肉相怨」（《小雅・角弓》序）、「暴戾無親，不能宴樂同姓，親睦九族，孤危將亡」（《小雅・頍弁》序）、「不能修成王之業，疆理天下」（《小雅・信南山》序）、「侮慢諸候」（《小雅・采菽》序）、「暴虐無親，而刑罰不中，諸侯皆不欲朝」（《小雅・菀柳》序）、「褒姒嫉妒，無道並進，讒巧敗國」（《小雅・車舝》序）、「上棄禮而不能行」（《小雅・瓠葉》序）、「天下蕩蕩，無綱紀文章」（《大雅・蕩》序）、「君臣上下，動無禮文」（《小雅・桑扈》序）、「飲酒無度，天下化之，君臣上下，沈湎淫液」（《小雅・賓之初筵》序）、「戎狄叛之，荊舒不至」（《小雅・漸漸之石》序）、「西戎東夷，交侵中國，師旅並起，因之以饑饉」（《小雅・苕之華》序）、「四夷交侵，中國背叛，用兵不息，視民如禽獸」（《小雅・何草不黃》序）、「萬物失其性」（《小雅・魚藻》序）、「天下俗薄，朋友道絕」（《小雅・谷風》序）、「小人在位，君子在野」（《小雅・隰桑》序）、「小人在位，則讒諂並進」（《小雅・裳裳者華》序）、「在位貪殘，下國構禍，怨亂並興」（《小雅・四月》序）、「政煩賦重，田萊多荒，饑饉降喪，民卒流亡，祭祀不饗」（《小雅・楚茨》序）、「役使不均」（《小雅・北山》序）、「君子行役無期度」（《王風・君子于役》序）、「民人勞苦，孝子不得終養」（《小雅・蓼莪》序）、「不撫其民，而遠屯戍于母家」（《王風・揚之水》序）、「矜寡不能自存」（《小雅・大田》序）等事項，是則天子具有上述之行為，皆屬可予譏切諷刺者。

(2)諸侯

約有「未能用周禮，將無以固其國」（《秦風‧蒹葭》序）、「驕而無禮」（《衛風‧芄蘭》序）、「無禮義也」（《鄘風‧相鼠》序）、「不能三年」（《檜風‧素冠》序）、「無禮義而求大功，不修德而求諸侯」（《齊風‧甫田》序）、「無禮義，故盛其車服，疾驅於通道大都」（《齊風‧載驅》序）、「鳥獸之行，淫乎其妹」（《齊風‧南山》序）、「公與夫人，並爲淫亂」（《邶風‧匏有苦葉》序）、「不能以禮防閑其母，失子之道」（《齊風‧猗嗟》序）、「淫乎夏姬，驅馳而往，朝夕不休息」（《陳風‧株林》序）、「君臣淫於其國」（《陳風‧澤陂》序）、「淫荒昏亂，游蕩無度」（《陳風‧宛丘》序）、「在位不好德而說美色」（《陳風‧月出》序）、「國人疾其君之淫恣」（《檜風‧隰有萇楚》序）、「納伋之妻，作新臺于河上而要之」（《邶風‧新臺》序）、「不勝其母，以害其弟」（《鄭風‧將仲子》序）、「淫亂不恤國事，軍旅數起，大夫久役，男女怨曠」（《邶風‧雄雉》序）、「好田獵畢弋，而不修民事，百姓苦之」（《齊風‧盧令》序）、「好田獵，從禽獸而無厭，國人化之，遂成風俗」（《齊風‧還》序）、「忘先君之舊臣，與賢者有始而無終」（《秦風‧權輿》序）、「棄其賢臣」（《秦風‧晨風》序）、「不用賢」（《邶風‧簡兮》序）、「無良師傅，以至於不義，惡加於萬民」（《陳風‧墓門》序）、「不求賢以自輔」（《唐風‧有杕之杜》序）、「使賢者退而窮處」（《衛風‧考槃》序）、「仁人不遇，小人在側」（《邶風‧柏舟》序）、「好聽讒」（《唐風‧采苓》序）、「多信讒，君子憂懼」（《陳風‧防有鵲巢》序）、「遠君子而好近小人」（《曹風‧候人》序）、「好奢而任小人」（《曹風‧蜉蝣》序）、「百姓不親，莫不相攜持而去」（《邶風‧北門》序）、「其君重斂，蠶食於民，不修其政，貪而畏人」（《魏風‧碩鼠》序）、「君好攻戰，亟用兵，而不與民同欲」（《秦風‧無衣》序）、「好攻戰，則國人多喪」（《唐風‧葛生》序）、「儉不中禮」（《唐風‧蟋蟀》序）、「以人從死」（《秦風‧黃鳥》序）、「不能修道，以正其國，有財不能用，有鐘鼓不能自樂，有朝廷不能洒埽，政荒民散，將以危亡，四鄰謀取其國家而不知」（《唐風‧山有樞》序）等事項，是

則諸侯具有上述之行爲，皆屬可予譏切諷刺者。

(3)時

時運不佳，亦可譏刺，所刺具事項，約有「君無道，夫人無德」（《邶風・靜女》序）、「朝廷興居無節，號令不時」（《齊風・東方未明》序）、「在位無君子，用心之不壹」（《曹風・鳲鳩》序）、「在位貪鄙，無功而受祿，君子不得進仕」（《魏風・伐檀》序）、「昏姻失時，男女多違，親迎女猶有不至者」（《陳風・東門之楊》序）、「時不親迎」（《齊風・著》序）、「君臣失道，男女淫奔，不能以禮化」（《齊風・東方之日》序）、「昏姻之道缺，陽倡而陰不和，男行而女不隨」（《鄭風・丰》序）、「男女有不待禮而相奔者」（《鄭風・東門之墠》序）、「男女失時，喪其妃耦」（《衛風・有狐》序）、「國亂，則昏姻不得其時」（《唐風・綢繆》序）、「淫於新昏，而棄其舊室，夫婦離絕，國俗傷敗」（《邶風・谷風》序）、「禮義消亡，淫風大行，男女無別，遂相奔誘，華落色衰，復相棄背」（《衛風・氓》序）、「天下大亂，彊暴相陵，遂成淫風」（《召南・野有死麕》序）、「兵革不息，男女相棄，淫風大行，莫之能救」（《鄭風・溱洧》序）、「亂世則學校不修」（《鄭風・子衿》序）、「衣服無常」（《小雅・都人士》序）、「君子行役，爲王前驅，過時而不反」（《衛風・伯兮》序）、「君子下從征役，不得養其父母」（《唐風・鴇羽》序）、「國小而迫，而儉以嗇，不能用其民，而無德教」（《魏風・園有桃》序）、「困於役而傷於財」（《小雅・大東》序）、「其國削小，民無所居」（《魏風・十畝之間》序）、「君不能親其宗族，骨肉離散」（《唐風・杕杜》序）等事項，是則各國其時，風氣不佳，具有上述之事項行爲，皆屬可予譏切諷刺者。

(4)夫人

對諸侯夫人之有所譏刺，大約有「衛君無道，夫人無德」（《邶風・靜女》序）、「夫人淫亂，失事君子之道」（《鄘風・君子偕老》序）、「妾上僭，夫人失位」（《邶風・綠衣》序）、「衛人以爲宣姜，鶉鵲之不若」（《鄘風・鶉之奔奔》序）等事項，是則諸侯夫人，具有上述之事項行爲，皆屬可予譏切諷刺者。

(5)公子

對各國公子之譏刺，約有「鄭人刺忽之不昏于齊」，「齊女賢而不取，卒以無大國之助，至於見逐」（《鄭風·有女同車》序）、「所美非美然」（《鄭風·山有扶蘇》序）、「君弱臣強，不倡而和」（《鄭風·蘀兮》序）、「不能與賢人圖事，權臣擅命」（《鄭風·狡童》序）、「公子頑，通乎君毋，國人疾之，而不可道」（《鄘風·牆有茨》序）等事項，是則各國公子具有上述之事項行為，皆屬可予譏切諷刺者。

(6)大夫

各國大夫之受譏刺，約有「不說德而好色」（《鄭風·女曰雞鳴》序）、「在位貪鄙，無功而受祿，君子不得進仕」（《魏風·伐檀》序）、「仕不得志」（《邶風·北門》序）、「大臣不用仁心，遺忘微賤，不肯飲食教載之」（《大雅·綿蠻》序）、「禮義陵遲，男女淫奔」，「不能聽男女之訟」（《王風·大車》序）等事項，是則各國大夫，具有上述之事項行為，皆屬可予譏切諷刺者。

以上分析，亦儘量使用《詩序》之原文，擇其關鍵之語，略加調整其次第，以求具有先後之貫串，以呈現《詩序》中所譏刺之事項重點。

綜合「美」「刺」，兩類而論，二一三首《詩序》，在三一一首《詩序》之中，約佔百分之六十八，在三〇五首《詩序》之中約佔百分之七十。

（三）分析《詩序》中無涉「美」「刺」之部分

1.有關史事者

《詩序》中有直指某詩之史事，而不明顯涉及「美」或「刺」者，如《小雅·采芑》序云：「宣王南征也。《大雅·文王》序云：「文王受命作周也。」《大雅·生民》序云：「尊祖也，后稷生姜嫄，文武之功起於后稷，故推以配天焉。」似此之類，約

有二十二首。

2.有關祭祀者

《詩序》中有關於祭祀之事，其事分用「祭」、「祀」、「禘」、「報」、「告」、「祈」、「繹」、「廟見」、「類」、「禡」等語，而亦不明顯涉及「美」或「刺」者，如《周頌・烈文》序云：「成王即政，諸侯助祭也。」《商頌・玄鳥》序云：「祀高宗也。」（《周頌・雝》序云：「禘太祖也。」似此之類，計有三十首。

3.有關宴樂者

《詩序》中有關於宴樂之事，其事分用「燕」、「獻」、「奏」、「作樂」、「勞」等語，而亦不明顯涉及「美」或「刺」者，如《小雅・湛露》序云：「天子燕諸侯也。」《小雅・出車》序云：「勞還率也。」《周頌・武》序云：「奏大武也。」似此之類，計有十首。

4.其他

《詩序》中其他不涉及「美」或「刺」，而難於歸類者，如《周頌・小毖》序云：「嗣王求助也。」《周頌・賚》序云：「大封於廟也。」《王風・采葛》序云：「懼讒也。」似此之類，計有三十首。

約略計之，以上《詩序》中無涉於「美」或「刺」者，計有九十二首，在三〇五首詩序之中，約佔百分之三十。

三、結語

　　《詩》三百篇，每篇詩作，都有詩題，但其詩題，乃是約取詩首數字，用以標題，故其標題，並不以義名篇，並不標示全詩之義旨，因此，《詩》三百篇，篇篇有題，然而也等於篇篇無題，而《詩序》之作，在某種意義上，等於是漢人心目中為每篇《詩經》所訂定之「詩題」，因此，在《詩序》的規範之下，每一首詩，只能按照此一「詩題」所指示的方向去思考，而作出與此「詩題」相符相應的意義解釋。

　　因此，在《詩序》的指示下，像《周南・卷耳》篇「采采卷耳，不盈頃筐，嗟我懷人，寘彼周行」[3]之詩，只能將其解釋為「后妃之志」、「輔佐君子」、「求賢審官」，像《周南・汝墳》篇「遵彼汝墳，伐其條枚，未見君子，惄如調饑」之詩，只能將其解釋為「婦人能閔其君子，猶勉之以正」，像《召南・草蟲》篇「喓喓草蟲，趯趯阜螽，未見君子，憂心忡忡」之詩，只能將其解釋為「大夫妻能以禮自防也」，像《召南・小星》篇「嘒彼小星，三五在東，肅肅宵征，夙夜在公，寔命不同」之詩，只能將其解釋為「夫人無妒忌之行，惠及賤妾」，像《衛風・木瓜》篇「投我以木瓜，報之以瓊琚，匪報也，永以為好也」之詩，只能將其解釋為「衛國有狄人之敗，出處于漕，齊桓公救而封之」，以上是幾首《詩序》中所「美」之詩。

　　同樣，在《詩序》的指示之下，像《鄭風・女曰雞鳴》篇「女曰雞鳴，士曰昧旦，子興視夜，明星有爛，將翱將翔，弋鳧與雁」之詩，只能將其解釋為「不說德而好色」，像《鄭風・子衿》篇「青青子衿，悠悠我心，縱我不往，子寧不嗣音」之詩，只能將其解釋為「亂世則學校不修」，像《鄭風・出其東門》篇「出其東門，有女如雲，雖則如雲，匪我思存」之詩，只能將其解釋為「兵革不息，男女相棄」，像《齊風・東方之日》篇「東方之日兮，彼姝者子，在我室兮，在我室兮，履我即兮」之詩，只能

---

[3]　此據《毛詩注疏》（臺北：藝文印書館，1965 年影印阮刻《十三經注疏》本）。下引《毛詩》並同。

將其解釋爲「君臣失道，男女淫奔」，像《秦風‧蒹葭》篇「蒹葭蒼蒼，白露爲霜，所謂伊人，在水一方」之詩，只能將其解釋爲「刺襄公也，未能用周禮」，以上是幾首《詩序》中所「刺」之詩。

《詩序》的作者，並不追求詩中的本義，而是另外有其教化的理想，當然，人們如果遵循《詩序》的途徑，透過《詩序》，去誦讀《詩經》，而真能感染到教化的理想，接受到教化的功能，因而對社會風俗，產生積極的影響，而達到「思無邪」（《論語‧爲政》）、「正得失」，「經夫婦，成孝敬，厚人倫，美教化，移風俗」（〈詩大序〉）的目標，則又何嘗不是一件好事呢！

即如前面所枚舉的幾首「美」詩，像「輔佐君子，求賢審官」、「婦人能閔其君子，猶勉之以正」、「大夫妻能以禮自防」、「夫人無妒忌之行」、「衛國有狄人之敗」、「齊桓公救而封之」，固然都是值得稱美之行事。再如前面枚舉的幾首「刺」詩，像「不說德而好色」、「亂世則學校不修」、「男女相棄」、「男女淫奔」、「未能用周禮」，固然都是應該譏刺之行事，但是，從負面的否定，轉而看出正面的肯定，則《詩序》藉這幾首詩從而反映出「應該說德而不好色」、「雖逢亂世而學校當修飭，教育應重視」、「男女不當相棄」、「男女不當淫奔」、「治國宜用周禮」的意義，豈不也是相當可貴的提示？

其實，《詩序》之作，也並非完全不顧詩篇辭面中所呈現的意義，像《魏風‧陟岵》序言「孝子行役，思念父母」，《魏風‧伐檀》序，言「在位貪鄙，無功而受祿，君子不得進仕」，《秦風‧黃鳥》序，言「哀三良也，國人刺穆公以人從死」，《豳風‧東山》序，言「周公東征，三年而歸，勞歸士」之類，都很貼近詩篇辭面中的意義，但是，此類《詩序》，爲數不多，《詩序》作者的用意，也不在此。

要之，《詩序》之作，本來只是漢人對於《詩經》的一種看法，其用意本不在於探求各篇詩詩作之本義。

因此，《詩序》之作者，實際上已是針對民歌性質的詩三百篇，從根本上，改變其體質，納入了教化的理想，從而希望藉著詩篇的流傳誦讀，而達致其教化的功能。在此前提之下，《詩序》的教化理想，已經可以稱之爲《詩經》的教化理想了。

因此，以《詩序》解《詩經》，或者說，《詩經》附加了《詩序》之後，其體質既已改變，《詩經》則已經背負了教化的理想，則「詩猶此詩，義非此義」，《詩序》作者所希望的，是人們在誦讀《詩經》之時，自然地接受另一番他們所預設的道理，感染另一重他們所希盼的意義，那才是《詩序》作者的真正目的，因此，如果人們一定要從《詩序》中去探索《詩經》每首詩篇的本義，那自然不免會有所失望。

本文之作，意在覓尋《詩序》的用意，嘗試暫時不作《詩經》本義的探求，逕就《詩序》，直接探究其教化理想之範圍、內容、事項、重點、條件，以展現其所期望獲致的全面的教化功能，究何所在。

本文擇取二一三首《詩序》，從「美」與「刺」兩方面，試加統計分析，其所「美」者，代表《詩序》作者正面肯定所期望之事項，其所「刺」者，代表《詩序》作者負面否定所不期望的事項。其正面肯定者，固然顯示《詩序》作者教化之理想所在，其負面否定者，也可以從反面呈現《詩序》作者之理想所在。

本文所進行之統計與分析，只是一種嘗試，統計不夠精確，分析不夠細密，材料歸類，或有錯誤，都是不能避免的事實，所希望者，只是能夠呈現《詩序》作者心目中的大略現象而已，這種嘗試，是否可取，仍請讀者諸君，多加批評。

龍宇純先生七秩晉五壽慶論文集
2002 年 11 月　　頁 17～44

《毛詩·關雎》篇《序》、《傳》、《箋》、《疏》之詮解及其解經性格

張寶三[*]

一、前言

漢初，今文三家《詩》皆立於學官，《毛詩》則較晚受到重視。《史記》中未見有關《毛詩》之記載，班固《漢書·藝文志》中乃云：

> 漢興，魯申公為《詩》訓故，而齊轅固、燕韓生皆為之傳。或取春秋，采雜說，咸非其本義，與不得已，魯最為近之。三家皆列於學官。又有毛公之學，自謂子夏所傳，而河間獻王好之，未得立。[1]

毛公之學既「自謂子夏所傳」，可見其乃自託淵源，人未必信之也[2]。至西漢之末，《毛詩》之學尚不顯[3]。東漢，古文學漸興，至鄭玄為《毛詩》作《箋》，《毛詩》遂逐漸凌越三家。陸德明《經典釋文·序錄》云：

> 後漢鄭眾、賈逵傳《毛詩》，馬融作《毛詩注》，鄭玄作《毛詩箋》，申明毛義，難三家，於是三家遂廢矣。[4]

就《毛詩》學之發展過程觀之，《鄭箋》實具有關鍵之地位。魏、晉，雖鄭、王之學迭有爭勝[5]，至南北朝則《鄭箋》獨立國學[6]。唐代修撰《毛詩正義》，亦宗《鄭箋》，可見《鄭箋》影響之深遠。

唐代修撰《毛詩正義》，乃以隋劉焯《毛詩義疏》、劉炫《毛詩述議》爲底本增損而成[7]。《正義》除疏解經文之外，亦兼疏《序》、《傳》、《箋》等注文[8]。今本《十三經注疏》中之《毛詩注疏》，乃結合《序》、《傳》、《箋》、《疏》等，並附上《經典釋文・毛詩音義》合刻而成[9]。

本文擬就《毛詩・關雎》篇，考察其《序》、《傳》、《箋》、《疏》之詮解內容，並進而略論其解經之性格。因《序》、《傳》所言簡略，《箋》、《疏》所解又時關乎《序》、《傳》之義，故文中先簡述《序》、《傳》之詮解，次論《箋》、《疏》之釋義，末乃據以論述四者解經之性格。

一、《序》、《傳》之詮解

《毛詩・關雎・序》[10]云：

錄〉，頁 19。

5　《經典釋文・序錄》云：「魏太常王肅，更述毛非鄭。荊州刺史王基，駁王肅，申鄭義。晉豫州刺史孫毓，爲《詩評》，評毛、鄭、王肅三家同異，朋於王。徐州從事陳統，難孫申鄭。」（頁 19-20）據此可見鄭、王爭勝之情形。

6　《經典釋文・序錄》云：「唯《毛詩鄭箋》，獨立國學，今所遵用。」（頁 20）又《隋書・經籍志》亦云：「唯《毛詩鄭箋》，至今獨立。」（臺北：鼎文書局，1980 年影印點校本，頁 918）。

7　參見潘重規先生：〈五經正義探源〉，《華岡學報》第 1 期，（1965 年 6 月）；拙著《五經正義研究》（臺北：臺灣大學中文研究所博士論文，1982 年）。

8　《序》之性質特殊，然仍爲解經著作之一體，故本文將其歸爲「注」，參下文所論。

9　《毛詩》注、疏合刻始於南宋光宗紹熙年間之八行本；將《經典釋文》附入注疏本中，則始於南宋晚年之十行本。參見屈萬里先生：〈十三經註疏板刻述略〉（臺北：臺灣開明書店，1969 年）。

10　歷來對於此〈序〉，或稱「大序」，或又就其中復區分爲大、小序。考《經典釋文》云：「今謂：此〈序〉止是〈關雎〉之〈序〉，總論《詩》之綱領，無大、小之異。」（〈毛詩音義〉上，頁 1）又孔穎達《毛詩正義》亦云：「諸〈序〉皆一篇之義，但《詩》理

〈關雎〉，后妃之德也。風之始也，所以風天下而正夫婦也。〔中略〕是以〈關雎〉樂得淑女以配君子，憂[11]在進賢，不淫其色。哀窈窕、思賢才，而無傷善之心焉，是〈關雎〉之義也。[12]

此〈序〉言「〈關雎〉，后妃之德也。」乃對〈關雎〉篇詩旨之確立[13]。《箋》、《疏》之詮解皆在此基調中進行。至於「后妃之德」為何，〈序〉云：「〈關雎〉樂得淑女以配君子，憂在進賢，不淫其色。哀窈窕，思賢才，而無傷善之心焉。」此一「樂」、一「哀」，論者以為係推衍孔子「〈關雎〉樂而不淫，哀而不傷」之說而來[14]。後世鄭玄與王肅對此〈序〉「哀窈窕，思賢才，而無傷善之心焉。」一段有不同之詮解，參後文所論。

至於《毛傳》對此詩之詮解，〈關雎〉首章[15]首二句「關關雎鳩，在河之洲。」《毛傳》云：

興也。關關，和聲也。雎鳩，王雎也；鳥摯而有別。水中可居者曰洲。后妃說樂君子之德，無不和諧，又不淫其色，慎固幽深，若關雎之有別焉，然後可以

深廣，此為篇端，故以《詩》之大綱併舉於此。」（卷1之1，頁4）二者並以此〈序〉為〈關雎〉之〈序〉，今從之。

[11] 「憂」，阮元刻本原作「愛」，據阮刻本所附盧宣旬「補校」改。

[12] 《毛詩注疏》（臺北：藝文印書館，1965年影印清嘉慶二十年江西南昌府學刊本），卷1之1，頁3-18。本文所引《毛詩注疏》，皆據此本。

[13] 趙制陽〈詩大序評介〉一文中云：「詩文的旨趣何在？是讀者最須知道的一件事。〔中略〕例如〈大序〉曰：『〈關雎〉，后妃之德也，風之始也，所以風天下而正夫婦也。』又曰：『是以〈關雎〉，樂得淑女，以配君子，憂在進賢，不淫其色。……是〈關雎〉之義也。』這即是《詩序》作者對〈關雎〉篇所作的詩旨導向。」見《詩經名著評介》（臺北：五南圖書出版公司，1993年），第2集，頁27。此參用其說。

[14] 如清陳奐《詩毛氏傳疏》云：「《論語》〈八佾〉篇云：『〈關雎〉樂而不淫，哀而不傷。』此孔子論《詩》，釋〈關雎〉之義，而子夏作〈序〉之所本也。」（北京：北京市中國書店，1984年影印漱芳齋刊本，卷1，頁2）

[15] 〈關雎〉篇所附章句云：「〈關雎〉五章，章四句。故言三章，一章章四句，二章章八句。」（卷1之1，頁24）《經典釋文》云：「五章是鄭所分，故言以下是毛公本意。後放此。」（《毛詩音義》上，頁2）據此則毛、鄭分章有異。為敘述方便，本文以下所述分章依鄭玄所分。

風化天下。夫婦有別則父子親，父子親則君臣敬，君臣敬則朝廷正，朝廷正則
王化成。（卷1之1，頁20）

次二句「窈窕淑女，君子好逑」《毛傳》云：

窈窕，幽閒也。淑，善。逑，匹也。言后妃有關雎之德，是幽閒貞專之善女，
宜為君子之好匹。（卷1之1，頁20）

又下兩章「參差荇菜，左右流之；窈窕淑女，寤寐求之。求之不得，寤寐思服；悠哉
悠哉，輾轉反側。」《毛傳》云：

荇，接余也。流，求也。后妃有關雎之德，乃能共荇菜，備庶物，以事宗廟也。
寤，覺。寐，寢也。服，思之也。悠，思也。（卷1之1，頁21-22）

又「參差荇菜，左右采之；窈窕淑女，琴瑟友之。」章《毛傳》云：

宜以琴瑟友樂之。（卷1之1，頁23）

末章「參差荇菜，左右芼之；窈窕淑女，鍾鼓樂之。」《毛傳》云：

芼，擇也。德盛者宜有鍾鼓之樂。（卷1之1，頁24）

案：由上引〈關雎·毛傳〉全文觀之，《傳》云：「后妃有關雎之德」，可知其亦以「后
妃之德」詮解本詩，與《序》言「〈關雎〉，后妃之德也。」相合。傳統舊說以為子夏
作《序》，《序》在《傳》前，如孔穎達《正義》疏卷一「周南關雎詁訓傳第一毛詩國
風鄭氏箋」篇題云：

《毛傳》不訓《序》者，以分置篇首，義理易明，性好簡略，故不為傳。（卷1
之1，頁1）

此《正義》釋《毛傳》不解《序》之由，據此可知《正義》以為《序》之時代在《傳》
之前矣。又如清陳奐《詩毛氏傳疏》云：「毛公之學，出自子夏，故《傳》與《序》
無不合。」[16]現代學者對《序》、《傳》間之關係問題，頗多討論[17]。就現有材料而言，

---

[16] 《詩毛氏傳疏》，卷1，頁2。

[17] 如魏佩蘭著有〈毛詩序傳違異考〉，《大陸雜誌》33卷8期，1966年10月；黃侃著有〈詩
經序傳箋略例〉，《蘭州大學學報》10卷4期，1982年7月；王錫榮著有〈關於毛詩序

尚無法證明《序》必在《傳》之前[18]。

　　《毛傳》之訓解簡約，其詮解之含義將於下節與《鄭箋》合併討論。唯可確知者，《傳》言「后妃有關雎之德，是幽閒貞專之善女，宜爲君子之好匹。」、「后妃有關雎之德，乃能共荇菜，備庶物，以事宗廟也。」其以「后妃之德」解本詩之詩旨，亦顯然矣。

二、《箋》、《疏》之詮解

　　鄭玄解《詩》，對《序》、《傳》所持之態度有異。鄭玄遵《序》，以爲《序》乃子夏所作。考〈小雅・常棣・序〉：「〈常棣〉，燕兄弟也。閔管、蔡之失道，故作〈常棣〉焉。」《鄭箋》云：「周公弔二叔之不咸，而使兄弟之恩疏，召公爲作此詩而歌之以親之。」（卷9之2，頁11）孔穎達《正義》疏《箋》云：

> 此〈序〉言「閔管、蔡之失道」，《左傳》言「弔二叔之不咸」，言雖異，其意同。弔，傷也。二叔即管、蔡也。不咸即失道也。實是一事，故鄭引之。先儒說《左傳》者鄭眾、賈逵，以二叔爲管、蔡，馬融以爲夏、殷之叔世。故《鄭志》，張逸問此《箋》云：「周仲文以《左氏》論之，三辟之興皆在叔世，謂三代之末，即二叔宜爲夏、殷末也。」答曰：「此注《左氏》者亦云管、蔡耳。
>
> 又此〈序〉子夏所爲，親受聖人，足自明矣。」〔下略〕（卷9之2，頁12）

據《鄭志》中所載鄭玄之言，可知其以《序》爲子夏所作也。鄭玄既以《序》爲子夏所爲，子夏乃「親受聖人」，則宜加尊重，不得任意改易，若不得已而須改易，則謂《序》文非原來之舊[19]。此乃表現出經學家崇聖之觀念[20]。然鄭玄對《毛傳》則未若對

作者問題的探討〉，《文史》第10輯（北京：中華書局，1980年10月）。篇多，不具引。

[18] 現今學者尚有據阜陽出土漢代《詩經》殘簡以證《毛序》來源之古者，其說亦不可信，茲不細辨。

[19] 如〈小雅・十月之交・序〉：「〈十月之交〉，大夫刺幽王也。」《鄭箋》云：「當爲『刺厲王』，作《詁訓傳》時移其篇第，因改之耳。」（卷12之2，頁1）即其例也。

《序》之尊重，其《六藝論》中云：

> 注《詩》宗毛為主，毛義若隱略，則更表明，如有不同，即下己意，使可識別也。[21]

蓋鄭玄以為《毛傳》之作既去聖較遠[22]，則未必皆得聖人之意，故解《詩》雖宗《毛傳》，其改《傳》之處亦不鮮也[23]。

鄭玄遵《序》，且每以《序》說與《詩》文結合為釋，如前引〈關雎・序〉：「是以〈關雎〉樂得淑女以配君子，憂在進賢，不淫其色。哀窈窕，思賢才，而無傷善之心焉。」鄭玄《箋》云：

> 哀蓋字之誤也，當為衷，衷謂中心恕之。無傷善之心謂好逑也。（卷1之1，頁16）

鄭玄因解〈關雎〉「窈窕淑女，君子好逑」云：「怨耦曰仇。」故謂《序》「無傷善之心」即指經文之「好逑」也。

以下試結合前《序》、《傳》之說，對《鄭箋》及《正義》之詮解略作析論。

（一）

首章「關關雎鳩，在河之洲，窈窕淑女，君子好逑。」《鄭箋》云：

> 摯之言至也。謂王雎之鳥雌雄情意至，然而有別[24]。怨耦曰仇。言后妃之德和

---

[20] 《史記・孔子世家・贊》云：「自天子王侯，中國言六藝者，折中於夫子，可謂至聖矣。」（臺北：鼎文書局，1980年影印點校本，頁1947）由此可見漢人崇聖之觀念。

[21] 見《經典釋文・毛詩音義》「鄭氏箋」條下引（《毛詩音義》上，頁1）。

[22] 《毛詩正義》釋「毛詩國風」標題云：「《譜》云：『魯人大毛公為《詁訓傳》於其家，河間獻王得而獻之，以小毛公為博士。』」（卷1之1，頁2）據此可知鄭玄以為作《詁訓傳》者為戰國時魯人大毛公，則其去孔子較子夏為遠。

[23] 參看賴炎元：〈毛詩鄭氏箋釋例〉，《國立臺灣師範大學國文研究所集刊》第3號（1959年6月）；祝敏徹、尚春生：〈論「毛傳」、「鄭箋」的異同〉，《蘭州大學學報》1983年1期（1983年1月）；文幸福：《詩經毛傳鄭箋辨異》（臺北：文史哲出版社，1989年）等。

[24] 此句之標點或有以「至然」連讀者，如日本學者吉田惠〈「關關雎鳩」のこと〉一文引《鄭箋》此文作「謂王雎之鳥、雌雄情意至然、而有別」（見《入矢教授、小川教授退

諧，則幽閒處深宮貞專之善女，能為君子和好眾妾之怨者。言皆化后妃之德，

不嫉妒，謂三夫人以下。（卷1之1，頁20）

案：《毛傳》解「雎鳩」云：「鳥摯而有別」，《鄭箋》乃云：「摯之言至也，謂王雎之

鳥雌雄情意至，然而有別。」《正義》以為《箋》乃在申成《傳》意。《正義》疏《傳》

云：

定本云：「鳥摯而有別。」謂鳥中雌雄情意至厚，而猶能有別，故以興后妃說

樂君子，情深猶能不淫其色。《傳》為「摯」字，實取「至」義，故《箋》云：

「摯之言至。王雎之鳥雄雌情意至，然而有別。」所以申成《毛傳》也。（卷1

之1，頁20）

《正義》云：「定本云：『鳥摯而有別。』」其說旨在校勘文字[25]。考陸德明《經典釋文‧

毛詩音義上》云：「摯，本亦作鷙，音至。」（頁2）據此可知《毛傳》「鳥摯而有別」

別本「摯」有作「鷙」者。又昭公十七年《左傳》：「雎鳩氏，司馬也。」杜預《注》

云：「雎鳩，王雎也，鷙而有別，故為司馬，主法制。」[26]《左傳正義》疏《注》云：

〈釋鳥〉云：「雎鳩，王雎。」李巡云：「王雎，一名雎鳩。」郭璞云：「鵰類，

今江東呼之為鶚，好在江渚山邊食魚。《毛詩‧傳》曰：『鳥鷙而有別。』」則

雎鳩是鷙擊之鳥，又能雄雌有別也。（卷48，頁6）

據此知郭璞所見本《毛傳》亦作「鷙」[27]。《毛詩正義》本、定本及《釋文》本則並作

「摯」。依《正義》所釋，此處《傳》、《箋》之義無異。然宋歐陽修《詩本義》云：

休記念中國文學語學論集》（東京：筑摩書房，1974年，頁129）。然考阮元《毛詩注疏
校勘記》校此句箋文，出「雌雄情意至」條（《皇清經解》，臺北：漢京文化公司，影印
重編本，卷840，頁7）則其當以「至」字逗，今姑從之。

[25] 《毛詩正義》時引「定本」以校勘文字之異同。有關「定本」所屬之年代，或以為唐代
（如段玉裁），或以為隋代（如野間文史），或以為成於齊、隋以前（如劉文淇），迄今
尚無定論。參見劉文淇《左傳舊疏考正》（《皇清經解》續編）、野間文史〈五經正義所
引定本考〉（《日本中國學會報》第37集，1985年10月）等。

[26] 見《左傳注疏》（臺北：藝文印書館，影印清嘉慶二十年江西南昌府學刊本），卷48，
頁6。

[27] 據杜預《注》推之，杜預所見本《毛傳》蓋亦作「鷙」。

先儒辨雎鳩鳥者甚眾，皆不離於水鳥，惟毛公得之，曰：「鳥摯而有別。」謂水上之鳥捕魚而食。鳥之猛摯[28]者也。而鄭氏轉釋「摯」為「至」，謂「雌雄情意至」者，非也。鳥獸雌雄皆有情意，孰知雎鳩之情獨至也哉？或曰：「詩人本述后妃淑善之德，反以猛摯之物比之，豈不戾哉？」對曰：「不取其摯，取其別也。雎鳩之在河洲，聽其聲則和，視其居則有別，此詩人之所取也。」[29]歐陽修謂《傳》以「猛鷙」為義，《箋》轉為「至」，《傳》、《箋》義異，此說於後世頗有同之者[30]。又劉勰《文心雕龍‧比興》篇云：「關雎有別，故后妃方德。」「德貴有別，不嫌於鷙鳥。」[31]此對於歐陽修「不取其鷙，取其別也」之說，當有以啟之也[32]。《傳》意簡約，此處《傳》文原應作「鷙」或「摯」字，似難一言以決之。

（二）

首章下二句：「窈窕淑女，君子好逑。」《毛傳》云：「窈窕，幽閒也。淑，善。逑，匹也。言后妃有關雎之德，是幽閒貞專之善女，宜為君子之好匹。」《箋》云：「怨耦曰仇。言后妃之德和諧，則幽閒處深宮貞專之善女，能為君子和好眾妾之怨者。言皆化后妃之德，不嫉妒，謂三夫人以下。」此《傳》、《箋》「逑」字異解，其異顯然。然毛、鄭解「窈窕」為何義，則後世論者紛然。《正義》以為《傳》、《箋》皆以「窈窕」為居處之狀。其釋《傳》云：

「窈窕」者，謂淑女所居之宮形狀窈窕然，故《箋》言：「幽閒深宮」是也。《傳》

---

[28] 此「摯」字，《通志堂經解》本如此。依文義觀之，若言「猛鷙」，則字當作「鷙」，今姑從原本，下同。

[29] 《詩本義》（臺北：漢京文化公司，影印《通志堂經解》本），卷1，頁1。

[30] 如南宋嚴粲《詩緝》、清王夫之《詩經稗疏》、朱鶴齡《詩經通義》等，皆從歐陽修之說。參見吳萬鍾：《詩經關雎篇之研究》（臺南：成功大學歷史語言研究所碩士論文，1991年），頁84-96。

[31] 見范文瀾：《文心雕龍注》（臺北：臺灣開明書局，1978年），卷8，頁1。

[32] 據劉勰《文心雕龍‧比興》篇此文觀之，其所見本《毛傳》之文或即是「鷙」字也。

知然者，以其淑女已為善稱，則窈窕宜為居處，故云「幽閒」，言其幽深而閒
靜也。揚雄云：「善心為窈，善容為窕」者，非也。（卷1之1，頁21）

《正義》以為《傳》、《箋》解「窈窕」無異，且以《箋》證《傳》，謂《箋》言「幽
閒處深宮貞專之善女」，即以「幽閒」形容淑女所居之「深宮」。據《正義》此說，則
《箋》文「幽閒處」之「處」乃為「處所」之義也。後人或評《正義》之說未合《箋》
義，如清馬瑞辰《毛詩傳箋通釋》云：

> 《箋》云：「幽閒處深宮貞專之善女」，亦謂幽閒貞專之善女處於深宮耳，未遂
> 訓窈窕為深宮也。孔《疏》謂窈窕為「淑女所居之宮形狀窈窕然」，殊誤。[33]

案：《正義》所解《箋》義並非無據，馬氏之評恐誤。考〈邶風·靜女〉：「自牧歸荑，
洵美且異。」《傳》云：「牧，田官也。荑，茅之始生也。本之於荑，取其有始有終。」
《鄭箋》云：

> 洵，信也。茅，絜白之物也。自牧田歸荑，其信美而異者，可以供祭祀，猶貞
> 女在窈窕之處，媒氏達之，可以配人君。（卷2之3，頁14）

《箋》此云：「猶貞女在窈窕之處」，所解正可與〈關雎·箋〉「幽閒處貞專之善女」
比觀，可知《正義》所解當得《箋》意也。

《毛傳》解「窈窕」為「幽閒」，又云：「幽閒貞專之善女」，《傳》、《箋》解「幽
閒」是否同義，後人亦頗有論說，如清胡承珙《毛詩後箋》云：

> 毛既以「幽閒」訓「窈窕」，其下復以「貞專」足成其義。《文選·秋胡詩·注》
> 引薛君《韓詩章句》曰：「窈窕，貞專貌。」正與毛同，是皆以「窈窕」指女
> 之德容言之。《鄭箋》始增入「深宮」字，以「窈窕」為居處。而《正義》遂
> 並以深宮之義被之《毛傳》，非也。[34]

---

[33] 《毛詩傳箋通釋》（北京：中華書局點校本，1989年），頁31。另今人黃焯《詩疏平議》
中亦云：「焯謂《箋》增處深宮三字於幽閒之下者，意在指明淑女為三夫人、九嬪。《正
義》誤解鄭意，遂謂窈窕為淑女所居之宮形狀窈窕然，失《傳》義亦非《箋》義矣。」
（上海：上海古籍出版社，1985年，頁13）

[34] 《毛詩後箋》（合肥：黃山書社點校本，1999年），頁12。

案：胡氏此引薛君《韓詩章句》「窈窕，貞專貌。」以爲其解「正與毛同」，此說恐未必然也。蓋《傳》云：「幽閒貞專之善女」，「幽閒」可解爲與「貞專」同義，亦可解爲對「貞專之善女」之修飾語，固未可以《韓》說而證毛解必如是也。《傳》文簡約，王肅自云「述毛」[35]，所解已與鄭異[36]。然《正義》謂《傳》亦以「幽閒」爲淑女所居之狀，其釋當非純出臆測。考首章《傳》云：「興也。（中略）后妃說樂君子之德，無不和諧，又不淫其色，愼固幽深，若關雎之有別焉。」又云：「言后妃有關雎之德，是幽閒貞專之善女，宜爲君子之好匹。」《傳》前云「愼固幽深」，後云「幽閒貞專」，則「幽閒」同於「幽深」也。《傳》以「關關雎鳩，在河之洲」爲「興」，考詩中描述雎鳩和鳴於河洲，解《詩》者或以爲其寓有深意。如《列女傳·仁智·魏曲沃負》中云：「夫雎鳩之鳥猶未嘗見乘居而匹處也。」[37]又薛君《韓詩章句》云：「詩人言雎鳩貞絜，以聲相求，必於河之洲蔽隱無人之處。」[38]雎鳩既具有「不乘居而匹處」之天性，故可興后妃處於「幽深」之處，言「愼固幽深」即強調其「有別」也。《正義》蓋以此義釋《傳》，故謂《傳》、《箋》同義。考《正義》疏經「關關」至「好逑」云：

> 毛以爲關關然聲音和美者，是雎鳩也。此雎鳩之鳥雖雌雄情至，猶能自別，退在河中之洲，不乘匹而相隨也。以興情至性行和諧者，是后妃也。后妃雖說樂君子，猶能不淫其色，退在深宮之中，不褻瀆而相慢也。后妃既有是德，又不妒忌，思得淑女以配君子，故窈窕然處幽閒貞專之善女，宜爲君子之好匹也。
>
> （卷1之1，頁20）

《正義》解毛意，謂《傳》亦別后妃與淑女爲二[39]，欲言淑女之「窈窕然處幽閒貞專」，故先言后妃之「退在深宮之中，不褻瀆而相慢。」以見后妃之化。此爲《正義》詮解

---

[35] 〈召南·采蘋·正義〉云：「王肅以爲此篇所陳皆是大夫妻助夫氏之祭，采蘋藻以爲菹，設之於奧，奧即牖下。又解《毛傳》「禮之宗室」謂教之以禮於宗室，本之季女，取微主也。〔中略〕自云述毛，非《傳》旨也。」（卷1之4，頁7）「王肅自云『述毛』」，語本於此。

[36] 《經典釋文》解「窈窕」云：「毛云：『窈窕，幽閒也。』王肅云：『善心曰窈，善容曰窕。』」（〈毛詩音義〉上，頁2）可知王肅解「窈窕」與鄭玄有異。

[37] 〔漢〕劉向：《古列女傳》（臺北：臺灣商務印書館，《四部叢刊》正編影印明刊本），卷3，頁23。

[38] 見《後漢書·馮衍傳》所載馮衍〈顯志賦〉李賢《注》引。

[39] 參下文所論。

之脈絡也。《正義》所解，未必得《毛傳》本義，惟由此可略見中國經典詮釋傳統中「疏」體之特色，詳下文所論。

（三）

　　《毛傳》解「窈窕淑女」之「淑」為「善」，《鄭箋》亦言「善女」，則就字義之表面層次而言，《傳》、《箋》無異。然《傳》、《箋》所指「淑女」之內容為何，前人亦多爭論。考《毛傳》云：「言后妃有關雎之德，是幽閒貞專之善女，宜為君子之好匹。」《正義》疏《傳》云：

　　〔前略〕又曰「后妃有關雎之德，是幽閒貞專之善女，宜為君子之好匹」者，美后妃有思賢之心，故說賢女宜求之狀。總言宜求為君子好匹，則總謂百二十人矣。（卷1之1，頁21）

又《正義》前述經文「窈窕淑女，君子好逑」句云：

　　毛以為〔中略〕后妃既有是德，又不妒忌，思得淑女以配君子，故窈窕然處幽閒貞專之善女，宜為君子之好匹也。以后妃不妒忌，可共以事夫，故言宜也。

　　（卷1之1，頁20）

據《正義》所釋《傳》意，《傳》乃以「后妃有關雎之德」為前題，因后妃有「說樂君子之德，無不和諧，又不淫其色，慎固幽深，若關雎之有別焉」之德性，又能「不妒忌」，故「窈窕然處幽閒貞專之善女，宜為君子之好匹也。」，此以「幽閒貞專之善女，宜為君子之好匹」為「后妃有關雎之德」之結果，《正義》讀《傳》「是」字為「是以」之義也。又《正義》釋《傳》意，既別「后妃」與「淑女」為二，乃解「淑女」為「后妃」以下之眾妾，故云「總謂百二十人矣」。後人對《正義》所解，頗有異議，如清黃中松《詩疑辨證》云：

　　〔前略〕又云：「『〈關雎〉樂得淑女，以配君子。』所謂「淑女」即指后妃耳。毛萇家傳有自，故其《傳》曰：「后妃有關雎之德，是幽閒貞靜之善女，宜為

27

君子之好匹。」三句文勢直下，「是」字緊接「后妃」句，其即以后妃為淑女明甚。[40]

又胡承珙《毛詩後箋》云：

> 黃氏元吉《詩經遵義》曰：「《毛傳》文氣緊接而下，『是』字即指后妃，孔《疏》必強毛以同鄭，實失毛旨。」（頁11）

二者皆謂《正義》所釋為非。案：因《毛傳》「是幽閒貞專之善女，宜為君子之好匹」一句，「是」字之語意具有「不確定性」(indeterminacy)，故《正義》雖知毛、鄭解「逑」字有異，然其餘部分，《傳》、《箋》之說可通者仍儘量通之，此亦為「疏」體之重要特性。

《鄭箋》讀「逑」為「仇」，云：「怨偶曰仇。」論者多謂《鄭箋》乃以《魯》說改毛，如清陳喬樅《三家詩遺說考·魯詩遺說考》云：

> 《列女傳》一：「《詩》曰：『窈窕淑女，君子好仇。』言賢女能為君子和好眾妾也。」喬樅謹案：此義與《毛傳》異。鄭君《詩箋》云：言善女能為君子和好眾妾之怨者，說即本《魯詩》。據此知鄭君箋《詩》多用《魯》義。[41]

又陳奐《鄭氏箋考徵》云：

> 案：劉向《列女傳·母儀篇》引《詩》而釋之云：「言賢女能為君子和好眾妾」。《箋》讀「逑」為「怨耦曰仇」（原注：『《左傳》桓三年文，字作逑。』）本劉向釋《詩》，劉習《魯詩》，此《魯》說也。[42]

二者皆以為《鄭箋》「怨耦曰仇」之解乃以《魯》說改毛。《鄭箋》以三家《詩》易毛者，在他處亦屢見[43]。考此處《鄭箋》所以改毛者，乃因《序》云：「是以〈關雎〉樂

---

[40] 見《詩疑辨證》（臺北：臺灣商務印書館，1983年影印文淵閣《四庫全書》本），卷1，頁219。

[41] 見《魯詩遺說考》（臺北：漢京文化公司，影印《皇清經解續編》本），卷1，頁8。

[42] 見《詩毛氏傳疏》附《鄭氏箋考徵》，頁1。

[43] 參見大川節尚：《三家詩より見たる鄭玄の詩經學》（東京：東京帝國大學文學部支那哲學科卒業論文，1934年3月）及前揭賴炎元：〈毛詩鄭氏箋釋例〉、文幸福：《詩經毛傳鄭箋辨異》。

得淑女以配君子，憂在進賢，不淫其色。哀窈窕，思賢才，而無傷善之心焉。」若據
《毛傳》之解，似難推出「無傷善之心」之義[44]，鄭玄遵《序》，故不得不易《傳》也。

　　《鄭箋》解首章「窈窕淑女，君子好逑」句云：「怨耦曰仇，言后妃之德和諧，
則幽閒處深宮貞專之善女，能為君子和好眾妾之怨者。言皆化后妃之德，不嫉妒，謂
三夫人以下。」《正義》疏經文「關關」至「好逑」云：

> 鄭唯下二句為異，言幽閒之善女——謂三夫人、九嬪——既化后妃，亦不妒忌，
> 故為君子文王和好眾妾之怨耦者，使皆說樂也。（卷1之1，頁20）

《正義》又疏此《箋》文云：

> 下《箋》「三夫人、九嬪以下」，此直云：「三夫人以下」，然則「九嬪以下」總
> 謂眾妾，「三夫人以下」，唯兼「九嬪」耳。以其淑女和好眾妾，據尊者，故唯
> 指「九嬪」以上也。求菜論皆樂后妃之事，故兼言「九嬪以下」，總百二十人
> 也。（卷1之1，頁21）

據《正義》所釋，則《箋》所謂淑女，乃指「三夫人、九嬪」，因后妃之德和諧，不
妒忌，此等賢女皆化后妃之德，亦不妒忌，故能為君子和好「九嬪」以下眾妾之怨者，
即經所謂「君子好逑」也。

　　或有以為《鄭箋》所解「淑女」乃指「后妃」者，如陳奐《詩毛氏傳疏》云：

> 鄭玄作《箋》，云：「后妃善女能為君子和好眾妾之怨。」〈樛木·箋〉：「后妃
> 能和諧眾妾，不嫉妒其容貌。」鄭亦以「淑女」指后妃，唯以「好仇」為「和
> 好眾妾」，義本三家說耳。《正義》謂后妃思得淑女以配君子，失《傳》、《箋》
> 之恉矣（卷1，頁5）

案：陳氏此說有誤。考下二章《箋》明言「求賢女而不得，覺寐則思己職事當誰與共
之乎？」「言賢女之助后妃共荇菜，其情意乃與琴瑟之志同。」則《鄭箋》顯然解「后

---

[44] 《正義》疏《序》，以為《序》之時代在《傳》之前，故依王肅說以推測《毛傳》解《序》
此文之義，言《傳》意謂「『無傷善之心』言其能使善道全也。」（卷1之1，頁20）然
《正義》此釋，仍不免牽強。

妃」與「淑女」爲二也。

（四）

〈關雎〉次章首二句「參差荇菜，左右流之。」《鄭箋》云：

> 左右，助也。言后妃將共荇菜之葅，必有助而求之者，言三夫人、九嬪以下皆
> 樂后妃之事。（卷1之1，頁21）

又次二句：「窈窕淑女，寤寐求之。」《鄭箋》云：

> 言后妃覺寐則常求此賢女，欲與之共己職也。（卷1之1，頁22）

又三章「求之不得，寤寐思服；悠哉悠哉，輾轉反側。」《鄭箋》云：

> 服，事也。求賢女而不得，覺寐則思己職事當誰與共之乎？思之哉！思之哉！
> 言己誠思之。臥而不周曰輾。（卷1之1，頁22）

案：本詩第二章《毛傳》僅云：「后妃有關雎之德，乃能共荇菜，備庶物，以事宗廟也。」未解「左右」之義，亦未明言「淑女」爲何人，故論者或謂《傳》以此章之「淑女」爲后妃[45]，或則以爲《傳》意亦以「淑女」爲后妃所求之賢女[46]。《鄭箋》解「左右」爲「助」，云：「言后妃將共荇菜之葅，必有助而求之者，言三夫人、九嬪以下皆樂后妃之事。」據《鄭箋》此釋，則其乃讀「參差荇菜，左右流之」句爲「參差荇菜，三夫人、九嬪以下之眾妾助后妃而求之。」反之，《箋》解「窈窕淑女，寤寐求之」云：「言后妃覺寐則常求此賢女」，其讀此句之意則爲「窈窕淑女，后妃寤寐以求之。」前二句與後二句之主詞乃有所轉換也。《正義》慣於通貫《傳》、《箋》之義，故疏此章之經文云：

> 毛以爲后妃性既和諧，堪居后職，當共荇菜以事宗廟。后妃言此參差然不齊之

---

[45] 如胡承珙《毛詩後箋》云：「毛雖不釋『左右』字，然《傳》意本以『淑女』即后妃，則『左右』必不如《鄭箋》『佐助』之義也。」（頁15-16）

[46] 如《正義》即是，參下所論。

　　荇菜，須嬪妾左右佐助而求之，由此之故，思求淑女。窈窕然幽閒貞專之善女，

　　后妃寤寐之時常求之也。（卷1之1頁，22）

其解「左右流之」之《傳》意，乃以《箋》意被之《傳》也。

（五）

　　第四章「參差荇菜，左右采之；窈窕淑女，琴瑟友之。」《鄭箋》云：

　　言后妃既得荇菜，必有助而采之者。同志為友，言賢女之助后妃共荇菜，其情

　　意乃與琴瑟之志同。共荇菜之時，樂必作。（卷1之1，頁23）

又第五章「參差荇菜，左右芼之；窈窕淑女，鍾鼓樂之。」《鄭箋》云：

　　后妃既得荇菜，必有助而擇之者。琴瑟在堂，鍾鼓在庭，言共荇菜之時，上下

　　之樂皆作，盛其禮也。（卷1之1，頁24）

案：此二章，《傳》言亦簡，第四章《傳》僅云：「宜以琴瑟友樂之。」第五章《傳》

云：「芼，擇也。德盛者宜有鍾鼓之樂。」所釋之意涵亦不甚明晰。《箋》解此二章云：

「共荇菜之時，樂必作。」「言共荇菜之時，上下之樂皆作，盛其禮也。」粗觀之，

似與《傳》解無別。然《正義》於此則特標識《傳》、《箋》之異。其疏《傳》「宜以

琴瑟友樂之」云：

　　此稱后妃之意，后妃言己思此淑女若來，己宜以琴瑟友而樂之。（中略）毛氏

　　於《序》不破「哀」字，則此詩所言思求淑女而未得也。若得，則設琴瑟鍾鼓

　　以樂此淑女。故孫毓述毛云：「思淑女之未得，以禮樂友樂之。」[47]是思之而未

---

[47] 考諸《正義》體例，《正義》此處引孫毓語應僅「思淑女之未得，以禮樂友樂之。」一
段，「是思之而未致」以下為《正義》案斷之語。胡承珙《毛詩後箋》引孫毓說，連引
下文至「又琴瑟樂神，何言友樂也？」止（見頁15），恐誤也。又馬國翰《玉函山房輯
佚書》輯孫毓《毛詩異同評》採《正義》此文而輯至「以此知毛意思淑女未得，假若之
辭也」止，其輯亦非。見《玉函山房輯佚書》（臺北：文海出版社，影印濟南皇華館書
局補刻本，1974年），《毛詩異同評》，卷上，頁1。

致，樂為淑女設也。知非祭時設樂者，若在祭時，則樂為祭設，何言德盛？設
女德不盛，豈祭無樂乎？又琴瑟樂神，何言友樂也？豈得以祭時之樂友樂淑女
乎？以此知毛意思淑女未得，假設之辭也。（卷1之1頁，23）

又疏《箋》「同志為友」云：

> 人之朋友執志協同，今淑女之來，雍穆如琴瑟之聲和，二者志同，似於人友，
> 故曰：「同志為友」。琴瑟與鍾鼓同為祭時，但此章言采之，故以琴瑟為友以韻
> 之。卒章云芼，故以鍾鼓為樂以韻之，俱祭時所用而分為二等耳。（卷1之1，
> 頁23）

又《正義》前疏經文第四章「參差」至「友之」云：

> 鄭以為后妃化感群下，既求得之，又樂助采之，言參差之荇菜求之既得，諸嬪
> 御之等皆樂左右助而采之。〔下略〕（卷1之1，頁23）

據《正義》所釋，可知此處其別毛、鄭之異，大致有二。一者以《毛傳》所言為思求
淑女而未得，《鄭箋》則以「既得」解之也。一者以為《傳》所言「琴瑟」、「鍾鼓」
之樂乃為淑女而設，非祭時設樂，《箋》則以祭時之樂解之也。考《正義》引晉孫毓
《毛詩異同評》述毛之語云：「思淑女之未得，以禮樂友樂之。」蓋自魏王肅述毛非
鄭，此後王基、孫毓、陳統等朋王、申鄭，爭論不休[48]。諸儒對毛、鄭之異同問題，
必多辨正，《正義》雖慣於通貫《傳》、《箋》之義，然於前儒別毛、鄭歧異之處，亦
嘗加以吸收、採用，可知《正義》亦非一概強同毛、鄭也。又此處《正義》云：「毛
氏於《序》不破『哀』字，則此詩所言思求淑女而未得也。」此論當與王肅之說有關。
考〈關雎·序〉云：「是以〈關雎〉樂得淑女，以配君子，憂在進賢，不淫其色。哀
窈窕，思賢才，而無傷善之心焉。」《鄭箋》云：「哀蓋字之誤也，當為衷，衷謂中心
恕之。」（卷1之1，頁18）《正義》疏《箋》云：

> 以后妃之求賢女，直思念之耳，無哀傷之事在其間也。經云「鍾鼓樂之」、「琴

---

[48] 參前註5，《經典釋文·序錄》之文。

瑟友之」，哀、樂不同，不得有悲哀也。故云：「蓋字之誤。」（中略）必知毛異於鄭者，以此詩出於毛氏，字與三家異者，動以百數，此〈序〉是毛置篇端，若毛知其誤，自當改之，何須仍作哀字也。毛無破字之理，故知從哀之義。毛既以哀為義，則以下義勢皆異於鄭。「思賢才」謂思賢才之善女也。「無傷善之心」言其能使善道全也。庸人好賢，則志有懈倦，中道而廢，則善心傷。后妃能寤寐而思之，反側而憂之，不得不已，未嘗懈倦，是其善道必全，無傷缺之心。然則毛意「無傷善之心」當謂三章是也。王肅云：「哀窈窕之不得，思賢才之良質，無傷善之心焉。若苟慕其色，則善心傷也。」（卷1之1，頁19-20）

《正義》此闡釋「毛無破字之理」，並據此以推「毛既以哀為義，則以下義勢皆異於鄭。」比觀前述《正義》疏《傳》云：「毛氏於《序》不破哀字，則此詩所言思求淑女而未得也。」二處皆以毛不破《序》「哀」字為據以推論毛、鄭之異。又《正義》疏《序》，引王肅說，王氏正以「哀窈窕，思賢才」釋之，或《正義》此所釋《傳》意，亦是本王肅之說以推衍之也。

三、《毛詩‧關雎》篇
《序》、《傳》、《箋》、《疏》之解經性格

（一）《毛詩序》之解經性格

《毛詩序》之撰者及時代問題，唐代以來，聚訟紛紜，迄今不休。尊《序》者，或以為其中有出於孔子之手者[49]，詆《序》者或斥為「村野妄人所作」[50]，或謂「《詩

---

[49] 如〔宋〕王得臣云：「予以為《序》非出於子夏，且聖人刪次〈風〉、〈雅〉、〈頌〉，其所題曰美、曰刺、曰閔、曰惡、曰規、曰誨、曰誘、曰懼之類，蓋出於孔子，非門弟子所能與也。然若『關雎，后妃之德也。』、『葛覃，后妃之本也。』此一句孔子所題，其下乃毛公發明之言耳。」《麈史》（臺北：藝文印書館，影印《知不足齋叢書》本），頁16-17。

序》之壞《詩》而《詩》亡。」[51]其間評價之優劣有若天壤之別。今就中國經典詮釋之歷史觀之,《毛詩》之有《序》亦如《易》之有《序卦傳》,《書》之有《序》,此為解經著作形式之一[52]。考《毛詩序》云:「〈南陔〉,孝子相戒以養也。〈白華〉,孝子之絜白也。〈華黍〉,時和歲豐,宜黍稷也。」《鄭箋》云:

> 此三篇者,鄉飲酒禮、燕禮用焉。曰:「笙入,立于縣中,奏〈南陔〉、〈白華〉、〈華黍〉」是也。孔子論《詩》,〈雅〉、〈頌〉各得其所,時俱在耳。篇第當在於此,遭戰國及秦之世而亡之,其義則與眾篇之義合編,故存。至毛公為《詁訓傳》,乃分眾篇之義,各置於其篇端云。(卷9之4,頁10)

案:鄭玄謂《序》之作在《毛傳》之前,其說未必可信。然其推測《毛詩》眾篇之〈序〉本自合編,其後始分置各篇之首,故有詩亡而〈序〉仍存者,鄭氏此說,似近情理。論者以為三家《詩》亦同《毛詩》,並皆有《序》[53],蓋《詩》之傳授過程中,詩旨之確定與掌握乃重要項目,更為《詩》篇詮解之指針。《詩序》自身即反應此學派解《詩》之綱領,其初或僅文短意簡,後在傳承過程中,乃踵事增華,各篇因性質、內容之異,遂有詳略之別[54]。

---

[50] 《朱子語類》云:「《詩序》實不足信。向見鄭漁仲有《詩辨妄》,力詆《詩序》,其間言語太甚,以為皆是村野妄人所作。」〔宋〕黎靖德編:《朱子語類》(北京:中華書局點校本,1994年),卷18,〈詩一·綱領中〉,頁2067。

[51] 〔宋〕章如愚云:「《詩序》之壞《詩》,無異三《傳》之壞《春秋》,然三《傳》之壞《春秋》而《春秋》存,《詩序》之壞《詩》而《詩》亡。」《山堂考索》別集,《群書考索》(北京:中華書局影印本,1992年),卷7,頁2。

[52] 〔唐〕劉知幾:《史通·序例》中云:「孔安國有云:『序者,所以敘作者之意也。』竊以《書》列典謨,《詩》含比興,若不先敘其意,難以曲得其情。故每篇有序,敷暢厥義。」〔清〕浦起龍:《史通通釋》(臺北:里仁書局影印點校本,1980年),頁87。《詩》、《書》之《序》既在敷暢篇義,可知其亦為解經著作形式之一。詳參程師元敏:《書序通考》(臺北:臺灣學生書局,1999年),〈五、書序之體例〉、〈十二、書序之價值〉。

[53] 參見王先謙:《詩三家義集疏·序例》(北京:中華書局點校本,1987年),頁12-13。

[54] 《毛詩序》有短僅數字者,如〈小雅·祈父·序〉:「〈祈父〉,刺宣王也。」(卷1之1,頁10)亦有首句之下繼以申述之語者,如〈邶風·綠衣·序〉:「〈綠衣〉,衛莊姜傷己也。妾上僭,夫人失位而作是詩也。」(卷2之1,頁8)另有《序》中論及各章之章旨者,如〈豳風·東山·序〉云:「〈東山〉,周公東征也。周公東征,三年而歸,勞歸士,

　　〈毛詩・關雎・序〉，較諸他篇〈序〉，內容特繁，前人析論此〈序〉，所據以區分之方式及名目亦頗紛歧[55]。其中自「風，風也，教也」至「〈周南〉、〈召南〉，正始之道，王化之基」一大段，總論「作詩之由」、「詩之功德」、「用詩之事」[56]、六義之含義，二〈南〉之名義等問題，此乃泛論與《詩經》及二〈南〉相關之事理，因篇幅關係，本文對此暫不加以詳論。

　　〈關雎・序〉中與〈關雎〉篇義較密切者乃起首「〈關雎〉，后妃之德也，風之始也。」及文末「是以〈關雎〉樂得淑女以配君子，憂在進賢，不淫其色。哀窈窕，思賢才，而無傷善之心焉。」一段。此〈序〉確立〈關雎〉之詩旨為歌詠「后妃之德」，此乃以政治教化之觀點作為詮釋之基礎。此詩旨之確定對《箋》、《疏》之詮解內容與方式，具有決定性之影響，然《箋》、《疏》在詮解過程中，仍各自有所引伸發揮，詳後討論。

　　前人討論《毛詩序》，多著重於其作者、時代、段落區分等問題，對於《詩序》作為經解之一體，其解經之性質與其他經解間之異同等問題則較少詳細討論，似為日後值得深入探討之課題。

（二）《毛傳》之解經性格

　　班固《漢書・藝文志》載「《毛詩》二十九卷」，又載：「《毛詩故訓傳》三十卷」

大夫美之，故作是詩也。一章言其完也。二章言其思也。三章言其室家之望女也。四章樂男女之得及時也。君子之於人，序其情而閔其勞，所以說也。說以使民，民忘其死，其唯〈東山〉乎？」（卷8之2，頁6）又有一篇之〈序〉涉及數篇之內容者，如〈小雅・六月・序〉：「〈六月〉，宣王北伐也。〈鹿鳴〉廢，則和樂缺矣。〈四牡〉廢，則君臣缺矣。〈皇皇者華〉廢，則忠信缺矣。〈常棣〉廢，則兄弟缺矣。〈伐木〉廢，則朋友缺矣。〈天保〉廢，則福祿缺矣。〈采薇〉廢，則征伐缺矣。（中略）〈小雅〉盡廢，則四夷交侵，中國微矣。」（卷10之2，頁1）《序》若成於一人之手，其詳、略不應差異如此。

[55] 詳參張西堂《詩經六論・關於毛詩序的一些問題》（香港：文昌書店）、蔣善國《三百篇演論》（臺北：臺灣商務印書館，1980年）等。

[56] 「作詩之由」、「詩之功德」、「用詩之事」等，借用《正義》之語。

（頁 1708）顏師古《注》云：

> 故者，通其指義也。它皆類此。今流俗《毛詩》改「故訓傳」為詁字，失真耳。
> （頁 1708）

案：由此可知《漢志》所載《毛傳》之全名為《毛詩故訓傳》，後代流傳，亦有作《毛詩詁訓傳》者。對於《毛詩故訓傳》之名義，《毛詩正義》嘗有論述，《正義》所據本作「詁訓傳」，疏云：

> 「詁訓傳」者，注解之別名。毛以《爾雅》之作多為釋《詩》，而篇有〈釋詁〉、〈釋訓〉，故依《爾雅》訓而為《詩》立傳，傳者傳通其義也。〔中略〕今定本作「故」，以《詩》云：「古訓是式」，《毛傳》云：「古，故也。」則「故訓」者，故昔典訓，依故昔典訓而為傳；義或當然。（卷 1 之 1，頁 1）

《正義》先據「詁訓傳」之本作解，謂《毛傳》乃依《爾雅》而為《詩》立傳，取〈釋詁〉、〈釋訓〉二篇之名為代表，故名為「詁訓傳」。其下《正義》謂「今定本」作「故訓傳」，則此當取「依故昔典訓而為傳」之義，《正義》又云：「義或當然」，則似贊同第二說也[57]。考作「詁」之本，其名晚起，據此以推論《毛傳》「依《爾雅》訓而為詩立傳」，其附會甚為明顯。清人馬瑞辰《毛詩傳箋通釋》卷一〈雜考各說・毛詩詁訓傳名義考〉中對於《正義》所持二說皆以為未當，馬氏云：

> 《漢・藝文志》載《詩》凡六家，有以「故」名者，《魯故》、《韓故》、《齊后氏故》、《孫氏故》是也。有以「傳」名者，《齊后氏傳》、《孫氏傳》、《韓內傳》、《外傳》是也。惟《毛詩》兼名「詁訓傳」，《正義》謂其「依《爾雅》訓詁為《詩》立傳」；又引一說，謂其「依故昔典訓而為傳」；其說非也。（中略）蓋散言則故訓、傳俱可通稱，對言則故訓與傳異。連言故訓與分言故、訓者又異。

---

[57] 《正義》因據二劉舊疏增刪而成，其間行文之層次有時不免奇異，如《正義》此處所引二說，前一說篇幅特長，後一說篇幅較短，然《正義》於後說下斷云：「義或當然」，略顯突兀。劉文淇《左傳舊疏考正》嘗就《左傳正義》中考察唐人刪定舊疏之情形，可參看。

故訓即古訓，〈烝民〉詩：「古訓是式」，《毛傳》：「古，故也。」《鄭箋》：「古訓，先王之遺典也。」又作詁訓，《說文》：「詁訓，故言也。」至於傳，則《釋名》訓為傳示之傳，《正義》以為「傳通其義」。蓋詁訓第就經文所言者而詮釋之，傳則並經文所未言者引而伸之，此詁訓與傳之別也。（中略）蓋詁訓本為故言，由今通古皆曰詁訓，亦曰訓詁。而單詞則為詁，重語則為訓，詁第就其字之義旨而證明之，訓則兼其言之比興而訓導之，此詁與訓之辨也。毛公傳《詩》多古文，其釋《詩》實兼詁、訓、傳三體，故名其書為《詁訓傳》。嘗即〈關雎〉一詩言之，如「窈窕，幽閒也。」、「淑，善。逑，匹也。」之類，詁之體也。「關關，和聲也。」之類，訓之體也。若「夫婦有別則父子親，父子親則君臣敬，君臣敬則朝廷正，朝廷正則王化成。」則傳之體也。而餘可類推矣。訓故不可以該傳，而傳可以統訓故，故標其總目為《詁訓傳》，而分篇則但言《傳》而已。（頁 3-5）

馬氏此說，今人齊佩瑢《訓詁學概論》引述之，評云：「馬氏的說法，除了以『故訓』為『訓故』的錯誤外，其他尚無可斥之處。」[58]則齊氏對馬瑞辰所論《毛詩詁訓傳》兼詁、訓、傳三體之說，當表贊同[59]。今細究馬氏之說，恐不可信。馬氏既以為《毛詩詁訓傳》兼詁、訓、傳三體，而三者之區別則為：「蓋詁訓第就經文所言者而詮釋之，傳則並經文所未言者引而伸之，此詁訓與傳之別也。」「蓋詁訓本為故言，由今通古皆曰詁訓，亦曰訓詁。而單詞則為詁，重語則為訓，詁第就其字之義旨而證明之，訓則兼其言之比興而訓導之，此詁與訓之辨也。」若漢代解經之體，其「詁」、「訓」、「傳」三者之區別未若馬氏所述之分明，則馬氏所論，恐將流於附會也。考《漢書‧藝文志》〈六藝略〉中所載與「訓」有關之著作除馬氏所稱《毛詩詁訓傳》外，其餘

---

[58] 齊佩瑢：《訓詁學概論》（北京：中華書局，1984 年），頁 10。

[59] 另馮浩菲在《毛詩訓詁研究》中引馬說，評云：「馬瑞辰的說法後出，相對而言，比舊說準確得多。」（武昌：華中師範大學出版社，1988 年，頁 55）但馮氏認為馬瑞辰之說尚有三點不足之處，而加以補充。

則僅《易》類有「《淮南道訓》二篇」，班氏自注：「淮南王安聘明《易》者九人，號
九師說[60]」（頁 1703）又「小學」類有「《訓纂》一篇」（班氏自注：「揚雄作。」）、「揚
雄《蒼頡訓纂》一篇」、「杜林《蒼頡訓纂》一篇」（頁 1702）推其性質，當非如馬氏
所言「重語則為訓」、「訓則兼其言之比興而訓導之」之體也[61]。又《漢書‧藝文志》
《詩》類云：

> 漢興，魯申公為《詩》訓故，而齊轅固、燕韓生皆為之傳。或取《春秋》，采
> 雜說，咸非其本義。與不得已，魯最為近之。（頁 1708）

顏師古《注》云：「與不得已者，言皆不得也。三家皆[62]不得其真，而魯最近之。」（頁
1709）班固所評「或取春秋，采雜說」之現象，當包含魯申公所為之「訓故」，則「訓
故」所言當未必僅是「第就經文所言而詮釋之」也[63]。馬氏所言《毛詩詁訓傳》兼詁、
訓、傳三體之說既不可信，則其舉〈關雎〉為例，謂「窈窕，幽閒也。」為詁體；「關
關，和聲也。」為訓體；「夫婦有別則父子親」一段為傳體，恐亦強作分別也。

　　《毛傳》全書中不免有體例不純之處[64]，此或因傳承過程中有所增添之故。今就
〈關雎‧毛傳〉以觀之，其首二句標「興也」，而又所解較詳，以下則較簡略。《毛傳》

---

[60] 「說」原作「法」，依點校本校勘記改。

[61] 上述對馬瑞辰說之討論，參看岑溢成：《訓詁學與清儒訓詁方法》（香港：新亞研究所博
士論文，1984 年），頁 104-141；車行健：《毛鄭詩經解經學研究》（中壢：中央大學中
文研究所碩士論文，1992 年），頁 31-33。

[62] 「皆」原作「者」，據點校本校勘記改。

[63] 有關漢代「故」、「訓」、「傳」、「說」等之名稱及內容，前人多有討論，如黃以周《儆季
雜著‧史說類‧讀漢書藝文志》（江蘇：南菁書院刊本，1894 年）、傳維森《缺齋遺稿‧
詁訓傳箋注解名義疏》（排印本，1922 年）、章太炎《國故論衡‧明解故》（臺北：廣文
書局影印本，1967 年）、劉師培《國學發微》，收入《劉申叔先生遺書》（臺北：華世出
版社，1975 年）等皆嘗論及，而諸說頗見差異，茲不細論。

[64] 例如《毛傳》一般所釋簡約，然亦偶見篇幅特長者，如〈小雅‧巷伯〉：「哆兮侈兮，成
是南箕。」《傳》云：「昔者顏叔子獨處于室，鄰之釐婦又獨處于室。夜暴風雨至而室
壞。……」（卷 12 之 3，頁 20）其引述故事，篇幅特長。又〈王風‧黍離〉：「悠悠蒼天，
此何人哉？」《傳》云：「蒼天，以體言之。尊而君之，則稱皇天。元氣廣大，則稱昊天。
仁覆閔下，則稱旻天。自上降鑒，則稱上天。據遠視之蒼蒼然，則稱蒼天。」（卷 4 之
1，頁 4）此釋「蒼天」而連及於「皇天」、「昊天」、「旻天」、「上天」等，亦頗異於別
處之簡約也。

解詩，特標「興」體，其「興」義所指爲何，頗引起後世之討論[65]，且影響中國文學創作理論甚鉅[66]，此亦爲《毛傳》解經之一大特色也。又《毛傳》亦以「后妃之德」爲〈關雎〉之主旨，強調「夫婦有別則父子親，父子親則君臣敬，君臣敬則朝廷正，朝廷正則王化成。」則其以教化之觀點解《詩》，與《序》類似。唯《傳》言簡略，尚待《鄭箋》之闡發、補充，《毛詩》說解之系統始得以詳備，參下文所論。

（三）《鄭箋》之解經性格

鄭玄解《詩》稱《箋》之由，前人嘗有論說。《四庫全書總目提要》辨之云：

> 鄭氏發明毛義，自命曰「箋」，《博物志》曰：「毛公嘗爲北海郡守，康成是此郡人，故以爲敬。」推張華所言，蓋以爲公府用記、郡將用箋之意。然康成生於漢末，乃修敬於四百年前之太守，殊無所取。案：《說文》曰：「箋，表識書也。」鄭氏《六藝論》曰：「註《詩》宗毛爲主，毛義若隱略，則更表明，如有不同，即下己意，使可識別。」（原注：「此論今佚，此據《正義》所引。」[67]）然則康成特因《毛傳》而表識其傍，如今人之簽記，積而成帙，故謂之「箋」，無庸別曲說也。[68]

案：《提要》此說，合理可從。《鄭箋》注《詩》，宗毛爲主，清人焦循竟至推爲「後

---

65 參看羅立乾：〈經學家「比、興」論述評〉，收入江磯編：《詩經學論叢》（臺北：崧高書社，1985 年）；裴師普賢：〈詩經興義的歷史發展〉，收入《詩經研讀指導》（臺北：東大圖書公司，1991 年）等文。

66 如劉勰《文心雕龍》有〈比興〉篇，專論比、興問題，其篇首云：「《詩》文弘奧，包韞六義，毛公述《傳》，獨標興體，豈不以風通而賦同，比顯而興隱哉！」（范文瀾：《文心雕龍注》，卷 8，頁 1）由此可見《毛傳》之影響。

67 此實爲《經典釋文‧毛詩音義》中所引，因南宋以後釋文附入注疏本中，《四庫提要》當據注疏本所附《釋文》之文而引，故云「據《正義》所引」，所言略有未當。

68 見《四庫全書總目提要‧毛詩正義》（臺北：臺灣商務印書館，1983 年影印文淵閣《四庫全書》本），卷 15，頁 5-6。

世疏義之濫觴」[69]。然鄭玄解《詩》，前有《詩譜》以明《詩》之綱領及各時代世次[70]，後有《箋》文以詮解經文、敷暢經義，據此建立其釋《詩》之系統，鄭玄解《詩》，一如其據二鄭《周禮》之解「讚而辨之」[71]。以此建立其詮釋《周禮》之系統。鄭玄解《詩》，雖就《毛傳》為《箋》，然其上採《毛詩序》，又參以今文三家《詩》說，故異《傳》處亦復不少。《毛詩》之詮解系統至《鄭箋》而更趨嚴密，足以與三家《詩》抗衡，故後人每推崇《鄭箋》在《毛詩》流傳上之關鍵地位。

今就〈關雎〉而觀之，《傳》解「窈窕淑女，君子好逑。」云：「逑，匹也。」《鄭箋》云：「怨耦曰仇。」此乃因《序》云：「是以〈關雎〉樂得淑女，以配君子，憂在進賢，不淫其色。哀窈窕，思賢才，而無傷善之心焉。」鄭玄遵《序》，故不得不採《魯詩》說以易《傳》也[72]。然《鄭玄》解「窈窕淑女，琴瑟友之。」云：「言賢女之助后妃共荇菜，其情意乃與琴瑟之志同。」此乃以既得淑女為解，故不得不改《序》「哀窈窕」為「衷窈窕」，然《箋》云：「哀蓋字之誤也，當為衷，衷謂中心恕之。」

---

[69] 焦循《孟子正義》云：「《毛傳》全在矣，訓釋簡嚴，言不盡意，鄭氏箋之，則後世疏義之濫觴矣。」（臺北：臺灣中華書局，1979 年，卷 1，頁 14）。

[70] 關於鄭玄《詩譜》之性質，《正義》疏《詩譜·序》云：「鄭於三《禮》、《論語》為之作序，此《譜》亦是序類，避子夏《序》名，以其列諸侯世及詩之次，故名《譜》也。」（頁 7）

[71] 賈公彥《周禮疏》〈序周禮廢興〉引鄭玄《周禮·序》云：「二鄭者，同宗之大儒，明理于典籍，犕識皇祖大經《周官》之義；存古字，發疑正讀，亦信多善。徒寡且約，用不顯傳于世，今讚而辨之，庶成此家世所訓也。」《周禮注疏》（臺北：藝文印書館，影印清嘉慶二十年江西南昌府學刊本），〈序周禮廢興〉，頁 12。

[72] 清代乾嘉學者或云：「訓詁聲音明而小學明，小學明而經學明。」見王念孫為段玉裁《說文解字注》所作之〈序〉（臺北：黎明文化事業公司，1996 年影印經韻樓藏本），〈序〉，頁 1）然就《鄭箋》解經之情形觀之，其對詩旨之把握反易影響對經文之訓詁，如此處〈關雎〉云：「君子好逑。」《毛傳》解「逑」為「匹」，《鄭箋》為求合於《毛序》之義，故釋云：「怨耦曰仇。」另考《禮記·緇衣》：「子曰：唯君子能好其正，小人毒其正，故君子之朋友有鄉，其惡有方。是故邇者不惑，而遠者不疑也。《詩》云：『君子好仇。』」《鄭注》云：「正當為匹，字之誤也。匹謂知識朋友。」又云：「仇，匹也。」（臺北：藝文印書館，影印清嘉慶二十年江西南昌府學刊本，卷 55，頁 15）鄭玄解《禮記》中所引「君子好仇」句，為符合其上下文義，故釋「仇」為「匹」，與解《毛詩·關雎》篇異。由此可見經學家解經，其所持經義每影響對字義之訓詁，而字義之訓解亦即用以輔成經義。經義之掌握與訓詁間具有極微妙之關係。此現象將於另文中詳論之。

此以「字誤」視之，見其尊《序》之態度。

　　《毛傳》解「參差荇菜，左右流之」云：「后妃有關雎之德，乃能共荇菜，備庶物，以事宗廟也。」解「窈窕淑女，琴瑟友之」云：「宜以琴瑟友樂之。」又解「窈窕淑女，鍾鼓樂之」云：「德盛者宜有鍾鼓之樂。」《毛傳》所解「琴瑟友之」、「鍾鼓樂之」之義甚簡，《鄭箋》乃闡釋祭時用樂之情境云：

　　　　琴瑟在堂，鍾鼓在庭，言共荇菜之時，上下之樂皆作，盛其禮也。（卷1之1，
　　　　頁24）

此結合禮制爲說，使《詩》中所述之情境更爲具體，[73]亦爲《鄭箋》解《詩》之重要特色[74]。

　　《鄭箋》之《箋》，雖取「表識」爲義，然鄭玄解《詩》，具有嚴整之系統，非僅是對《毛傳》之補充，《鄭箋》可謂完成《毛詩》說中之重要詮解體系，由此足與三家《詩》抗衡。

（四）《正義》之解經性格

　　《毛詩正義》據劉焯《毛詩義疏》、劉炫《毛詩述義》等二書增損而成，二劉原書爲義疏之體，雖據《毛傳》、《鄭箋》而爲疏，然並無「疏不破注」之體例。唐修《正義》，爲統一經訓以作爲科舉考試之依據，乃刪去其中違注或駁注之部分，故《毛詩正義》中對《傳》、《箋》逐少駁議[75]。雖然如此，《正義》仍延襲極多義疏中之解經性

---

[73] 《正義》疏《箋》云：「知『琴瑟在堂，鍾鼓在庭』者，〈皐陶謨〉云：『琴瑟以詠，祖考來格。』乃云：『下管鼗鼓。』明琴瑟在上，鼗鼓在下。大射禮頌鍾在西階之西，笙鍾在東階之東，是『鍾鼓在庭』也。」（卷1之1，頁24）此《正義》闡釋《鄭箋》所解在禮制上之根據。

[74] 有關《鄭箋》以禮說《詩》之情形，詳參彭美玲：《鄭玄毛詩箋以禮說詩研究》（臺北：臺灣大學中文研究所碩士論文，1992年）。

[75] 參看拙著：《五經正義研究》及〈儒家經典詮釋傳統中注與疏之關係〉，《孔學與二十一世紀國際學術研討會論文集》（臺北：政治大學文學院編印，2001年10月）。

格。

　　《正義》依注釋經，經注並疏。今就〈關雎〉以觀之，凡毛、鄭之說有可通者，則儘量求其通。如首章「窈窕淑女，君子好逑。」《毛傳》云：「言后妃有關雎之德，是幽閒貞專之善女，宜爲君子之好逑。」毛、鄭「逑」字雖有異解，《正義》仍本《鄭箋》「后妃求賢女」之說以釋《傳》義。由此可見《正義》作爲「疏」體之特性。

　　然《正義》對毛、鄭之異或亦詳加辨析，此多前有所承。例如〈關雎〉中引孫毓《毛詩異同評》之說以論「毛意思淑女未得，假設之辭。」由此顯示毛、鄭之異。《正義》辨毛、鄭之異，時引魏晉、南北朝諸家解《詩》、論《詩》之語，今其書多已亡佚，僅得於《正義》、《釋文》中略見其說，於今而言，此亦爲《正義》之一大功用。

　　《正義》述經義，若《傳》、《箋》無異解，則逕以注義解之，不別毛、鄭。若毛、鄭有異說，《正義》釋經則云「毛以爲」、「鄭以爲」。經由《正義》之疏釋，則《毛詩》、《傳》、《箋》解經之系統乃更爲詳明，然其中亦不免有《正義》推衍之見也[76]。

四、結語

　　以上對《毛詩・關雎》篇《序》、《傳》、《箋》、《疏》之詮解略作論考，比其異同，尋其關連，並進而據以略論《序》、《傳》、《箋》、《疏》之解經性格。《毛詩》爲漢代傳《詩》之一家，今所謂「《毛詩》義」者，主由《序》、《傳》、《箋》之詮解所構成，三者間之詮解雖間有差異，至《鄭箋》乃建立《毛詩》嚴整之詮解系統，而三家《詩》逐漸微。魏、晉之時，鄭、王迭有爭勝，至南北朝時《鄭箋》卒能獨立國學。《毛詩》學之興盛，《鄭箋》實具有關鍵之地位。南北朝時，多有依《傳》、《箋》以爲義疏者[77]，義疏之體，依注爲疏，經、注並釋，可謂對經文之再詮釋。《正義》據二劉義疏刪定，

---

[76] 有關《正義》解經之性格，另參拙作：〈唐代儒者解經之一側面 ── 《五經正義》解經方式析論〉，《中國哲學》第 24 輯，《經學今詮三編》，2002 年 4 月），此處不再詳論。

[77] 孔穎達《毛詩正義・序》云：「其近代爲義疏者，有全緩、何胤、舒瑗、劉軌思、劉醜、劉焯、劉炫等。」（頁 2）

亦多承襲義疏之性格，其於毛、鄭之義時加疏通，構成更詳密之詮解系統。《正義》之後，毛、鄭《詩》義乃形成穩固之狀態，直至宋人疑經之風興起，以《詩序》為重心之詮解系統乃受到反動，此後之《詩經》詮釋乃進入另一里程。

《序》、《傳》、《箋》皆以「后妃之德」解〈關雎〉之主旨，然「后妃之德」為何，《傳》、《箋》所釋似有歧異，《正義》則時以《箋》義被之《毛傳》，此展現其「疏」體之性格。然《正義》亦嘗據孫毓之說以論毛、鄭解「琴瑟友之」、「鍾鼓樂之」之異，此可見《正義》亦非一味徒作調人也。今日欲探討傳統《毛詩》義，宜就《序》、《傳》、《箋》、《疏》等分別觀之，復會通其異同流變，庶幾可得其梗概矣。

龍宇純先生七秩晉五壽慶論文集
2002 年 11 月　　頁 45～56

袁仁《毛詩或問》研究

林慶彰[*]

一、前言

　　自明代中葉起，受到宋人壓抑的漢學有漸次復興的傾向，像王鏊（1450-1524）、楊慎（1488-1559）都稱讚漢學「去古未遠」，能得聖人本真。陳鳳梧（1475-1541）、李元陽（1497-1580）則校刊《十三經注疏》。如從《詩經》來說，不少學者認爲《詩序》「去古未遠」，甚至有聖人的遺說在內，不應加以廢棄。既重視《詩序》，反對《詩序》的《詩集傳》，就要受到批評。這些肯定《詩序》的學者被稱爲「尊序抑朱派」[1]。代表人物是呂柟（1479-1542）、袁仁（1479-1545）、郝敬（1558-1639）等人。袁仁《詩經》方面的代表作是《毛詩或問》。楊晉龍先生的《明代詩經學研究》用一頁的篇幅討論他，以爲袁氏是重《序》輕朱[2]。劉毓慶的《從經學到文學——明代詩經學史論》，以兩頁半的篇幅討論袁仁，以爲袁氏的《毛詩或問》，要旨有三：（1）貶抑朱子《詩》學；（2）不廢《序》說；（3）不純主《序》說[3]。二家雖都已注意到袁仁在明中葉以後《詩經》研究所扮演的角色，但限於全書體例，尚未能作較深入的分析。

　　本文首先探討袁仁籍貫分歧的原因，再舉例說明他如何闡釋詩旨，最後，討論他對《詩集傳》的態度。期盼讀者對袁仁《毛詩或問》能有較深一層的認識。

---

[*]　中央研究院中國文哲研究所研究員。
[1]　劉毓慶先生的《從經學到文學——明代詩經學史論》（北京：商務印書館，2001 年 6 月）
　　上編，第二章第二節有〈尊序抑朱派的《詩經》研究〉。
[2]　見楊晉龍先生《明代詩經學研究》（臺北：臺灣大學中國文學研究所博士論文，1997 年
　　6 月），頁 261-262。
[3]　《從經學到文學》，頁 77-79。

二、袁仁其人及《毛詩或問》的體例

要討論袁仁及其《毛詩或問》，首先要解決的是他的籍貫問題，《四庫全書總目》以爲是蘇州人。康熙《御選明詩》以爲是吳縣人。清《浙江通志》以爲嘉善人。劉毓慶先生以爲吳縣明屬蘇州府，《毛詩或問》袁仁名前署有「吳人」二字，當以吳說爲是[4]。劉先生的說法相當正確，可是並沒有說明爲何《浙江通志》以爲是嘉善人。

如根據袁仁〈怡杏府君行狀〉和袁仁之子袁黃的〈刻袁氏叢書引〉，就可以知道爲何有吳縣、嘉善兩種說法。所謂「怡杏府君」，即袁仁的父親袁祥。該〈行狀〉說：

> 余上世自陳州徙江南，散居吳、越間，八代祖富一公由語兒溪徙居嘉善之淨池，
>
> 歷三百餘年，至吾祖菊泉先生，始入贅吳江之蘆墟里，承徐氏故業。[5]

袁黃的〈刻袁氏叢書引〉說：

> 余家世居嘉興之陶庄（今析歸嘉善），先高祖緣黃子澄之厄，全家籍沒，流離
>
> 奔竄，生曾祖菊泉先生于吳江，遂贅入蘆墟徐氏，占籍為蘇人。[6]

根據袁仁、袁黃父子的說法，他們的祖先原居陳州，後來遷到江南。袁仁的八代祖袁富一才從語兒溪遷居嘉善陶庄的淨池。再經過三百多年，袁仁之祖父袁顯（菊泉）才入贅吳江蘆墟里之徐氏，繼承家業，也成了蘇州人。這就是袁仁會有兩種籍貫的原因。袁仁之祖父既已入籍蘇州，袁仁當然是蘇州人，何以《嘉善府志》、《浙江通志》都還著錄他的事蹟和著作。也許是這些方志都是清人所編，對袁仁家世了解不足所致。

爲了讓讀者可以瞭解袁仁的家世，茲根據袁仁所作〈記先祖菊泉遺事〉、〈怡杏府君行狀〉[7]，和袁黃〈刻袁氏叢書引〉等資料，列出袁家的世系表。

---

[4] 《從經學到文學》，頁 77。

[5] 見《袁氏叢書》（明萬曆刊本），卷 10，頁 69-70。

[6] 見《袁氏叢書》，卷首。

[7] 〈記先祖菊泉遺事〉，見《袁氏叢書》，卷 10，頁 49。〈怡杏府君行狀〉，見《袁氏叢書》，卷 10，頁 69。

袁顥，字孟常，號菊泉，入贅徐氏，繼承徐氏家業。袁祥，字文瑞，別號怡杏，著有
《新舊唐書折衷》二十四卷、《天官記事》六卷、《慧星占驗》一卷、《春秋或問》八
卷、《樂律通考》八卷、《建文遺事》、《革除編年》[8]、《忠臣錄》。

　　至於袁仁，《明史》並沒有他的傳。在地方志中，《嘉興府志》有他簡單的傳記，
茲抄錄如下：

> 袁仁，字良貴，父祥，祖顥，皆有經濟學，仁於天文、地理、歷律、書數、兵
> 法、水利之屬，靡不諳習。謂醫雖小技，可以藏身濟人，遂寓意於醫。崑山魏
> 校疾，召人使者三至，弗往，謝曰：「君以心疾召，當芟咀仁義，炮治禮樂，
> 以暢君之精神，不然，十至無益也。」校疾愈，訪仁，與語三日，大驚，遂定
> 交。顥有《春秋傳》三十卷，祥有《春秋或問》八卷，以發其旨，仁後作《鍼
> 胡編》以闡之。[9]

由於袁仁一生業醫，並沒有顯赫的功名，所以這篇傳記也僅能從他學問博通，和有關
醫術方面來描述。至於袁仁詩文風格和思想傾向，可參考他留下的詩文集《參坡袁先
生一螺集》。

　　他的著作，經《四庫全書》收錄的有《尚書砭蔡編》一卷、《春秋胡傳考誤》一
卷兩種，列入存目的有《毛詩或問》二卷。另有《參坡袁先生一螺集》二卷。這些著

8　《四庫全書總目提要》（臺北：臺灣商務印書館，1985 年 5 月增訂 3 版），史部九，雜
　　史類存目二〈革除編年〉提要云：「不著撰人名氏，《浙江通志》作嘉善袁仁撰，而朱彝
　　尊又稱陳洪謨有《革除編年》一書，《明史‧藝文志》俱無之，未知孰是也。」據袁仁
　　〈怡杏府君行狀〉，本書為其父袁祥所撰。
9　見吳仰賢等纂：《嘉興府志》（臺北：成文出版社，1970 年，《中國方志叢書》本），卷
　　55，〈嘉善隱逸〉，頁 80。

作篇幅都很短。但從《尚書砭蔡編》可以知道在糾蔡沈《書集傳》的錯誤。《春秋胡傳考誤》是在糾胡安國《春秋傳》之誤。《毛詩或問》是在提倡《毛詩序》，糾朱子《詩集傳》之誤。從這三部書的內容，可以知道袁仁對宋學傳統有相當程度的不滿，如以當時的學術風氣來說，可算是一種進步的思想。

袁仁的《毛詩或問》分上、下卷，選《詩經》詩篇約一百三十首，不錄經文，每首以「或問」領頭，再作回答。大抵根據《詩序》之說，而不全主詩序。大部分的條目在申釋《詩序》的說法。從這點來說，大抵可以知道袁仁釋詩的立場。大家都知道，朱子的《詩集傳》所釋詩旨和《詩序》有相當的出入。從南宋末年以來，釋詩大抵根據《詩集傳》。明中葉以後，開始質疑《詩集傳》釋詩的正確性。著作中明顯以《毛詩》為名的甚多，較值得注意的有呂柟《毛詩說序》、袁仁《毛詩或問》、郝敬《毛詩原解》等。從它們的書名可知是尊《序》派。從這裏也可看出代表漢學的《毛詩序》已逐漸在復興。

袁仁說詩既以《詩序》為主，就免不了要批評朱子的《詩集傳》。從這點可看出他揚漢抑宋的學術性格。袁仁的《毛詩或問》既屬於漢學派的著作，學術立場應與《四庫全書總目》的學術性格相近，何以《四庫全書總目》僅將該書列入存目？這要先從袁仁《毛詩或問》的〈序〉來看。該書的〈序〉說：

> 余讀《詩》不廢〈序〉說，亦不純主〈序〉說，會之以神，逆之以志，反之性情之微，窺之美刺之表，其求之未得也，若魚銜鉤，若龍養珠，一語在膺，萬妄俱息，及瞿然惺、恍然得也。言思莫及，理解俱融，不知我之為古人，古人之為我也。

這種解詩的態度，實不合四庫館臣的味口，除了將《毛詩或問》打入存目外，在提要中大加批評說：

> 自謂其說言思莫及，理解俱融，不知我之為古人，古人之為我，其言甚誕。今觀其書，一知半解，時亦有之，然所執者乃嚴羽《詩話》不涉理路，不落言詮，

純取妙悟之說，以是說漢魏之詩，尚且不可，況於持以解經乎？[10]

朱子以「理」說詩，都受到相當的批評，更何況以嚴羽《滄浪詩話》「不涉理路，不落言詮」的解詩法，更將受到四庫館臣之批判。然綜觀袁氏的《毛詩或問》申釋詩旨，受嚴羽「妙悟」說影響的並不多。四庫館臣大概僅看袁氏的〈序〉就生厭惡之情，其書也被列入「存目」中。

三、申釋《詩序》之義

自從朱子廢去《詩序》，自行解釋詩旨之後，大部分的學者解釋《詩經》詩篇，大多遵從朱子之說，如宋輔廣《詩童子問》，元劉瑾《詩傳通釋》、梁益《詩傳旁通》、朱公遷《詩經疏義》、劉玉汝《詩纘緒》、梁寅《詩演義》，明朱善《詩解頤》、胡廣《詩經大全》等都是。也因此形成所謂的《詩經》詮釋的宋學傳統。

此一傳統最主要的特色是遵循朱子《詩集傳》的解釋體系。這一體系最值得注意的是廢去《詩序》，提出淫詩說。到了明中葉此一體系逐漸有學者出來挑戰。其中，最值得注意的是呂柟、何良俊、袁仁、郝敬、朱謀㙔等人。他們共通的特色，是重新肯定《詩序》的合理性。而袁仁的《毛詩或問》除肯定《詩序》的合理性外，並批評朱子的淫詩說。

袁仁在《毛詩或問》的〈序〉中說：「余讀詩不廢序說，亦不純主序說。」他所以不廢《詩序》之說，是因為：

> 《序》之來舊矣，說者謂〈大序〉出于孔子，而〈小序〉則子夏為之。朱元晦
> 疑其多出于漢儒之筆，而盡廢焉。所謂漢儒者衛宏、毛萇輩也。豈淺淺者哉。
> 愚謂雖未必無漢儒之雜，而去古未遠，要皆有所本也。[11]

袁仁首先強調《詩序》有很悠久的歷史，相傳為孔子、子夏所作。朱子雖懷疑其出自

---

[10] 《四庫全書總目提要》，卷17，經部，詩類存目一，頁139。
[11] 見《毛詩或問》，卷上，頁1。

漢儒，所謂漢儒也是衛宏、毛萇等人，非膚淺之徒。即使雜有漢儒之說，也因為他們「去古未遠」，能得先聖之本真，所以值得重視。漢學所以受到學者的推崇，就是因為「去古未遠」。漢儒「去古未遠」，從明中葉被提出以後，一直到清中葉漢學大盛，成為提倡漢學的學者最簡潔有力的信念。

袁仁的《毛詩或問》並沒有逐條批判朱子《詩集傳》所定詩旨的不當。他將《詩序》的說法提出重新檢討，如果合理的則加以肯定、申釋，在申釋的過程中，偶而會批評朱子之說。我們都知道，在宋學傳統大為發皇的時代，《詩序》是被廢棄的。現在，《詩序》可以大大方方的回到《詩經》的詮釋體系來，和朱子《詩集傳》一起被檢討，甚至以《詩序》為主，《詩集傳》為副，這不是《詩序》的一大勝利，是什麼？

袁仁如何申釋《詩序》，茲舉例加以說明。

1·〈周南·關雎〉的〈序〉說：「《關雎》，后妃之德也。……是以〈關雎〉樂得淑女，以配君子，憂在進賢。不淫其色，哀窈窕，思賢才，而無傷善之心。」對於〈關雎〉之序，袁氏申釋說：

> 〈關雎〉之詩序，以為后妃之德，而其所謂淑女者，毛、鄭諸公皆指三夫人九嬪以下而言，謂后妃思得淑女以配君子，未得而憂，憂賢女之在下也。已得而樂。樂賢女之同升也。此其所以不傷不淫，而為風之首歟！[12]

除依毛、鄭之說，指出淑女的身分外，特別闡明后妃何以憂，又何以樂。憂者「憂賢女之在下」，樂者「已得而樂」。從這些申釋，恰好印證了〈關雎〉序首句的「后妃之德」。

2·〈召南·采蘋〉序云：「大夫妻能循法度也。能循法度，則可以承先祖，共祭祀矣。」鄭玄〈箋〉云：「此言能循法度者，今既嫁為大夫妻，能循其為女之時，所學所觀之事，以為法度。」袁仁則說：

> 〈采蘋〉何以能循法度？曰：所蔫之物、所采之處，所用之器，所奠之地，皆

---

[12] 《毛詩或問》，卷上，頁1。

有常經，所謂法度也。然其要只在有齊季女。蓋所薦不過常物，所用不過常器，
所奠不過常儀，而惟其人之能敬，所以可貴也。[13]

袁仁特別闡釋大夫妻爲何能循法度？所謂法度是指什麼？他不從鄭玄《箋》所指的女
紅入手，以爲大夫妻所薦之物、所采之處、所用之器、所奠之地皆有常經，這就是「法
度」。非但如此，大夫妻「所薦不過常物，所用不過常器，所奠不過常儀」，雖都是平
常之物事，但因爲有虔敬之心，所以特別可貴。

3．〈小雅・無羊〉序云：「宣王考牧也。」所述詩旨太過簡要。鄭玄《箋》云：「厲
王之時，牧人之職廢，宣王始興而復之，至此而成，謂復先王牛羊之數。」袁仁不從
鄭玄的角度來解釋，而從詩的本文，逐章解析其義，以證成《詩序》「宣王考牧」的
說法。袁仁說：

一章言牛羊之盛，羊之敗群在觸，但言其角之和而羊備矣。牛病則耳乾，但言
耳之濕，而牛備矣。[14]

袁氏申釋首章所以言「其角濈濈」、「其耳濕濕」的原因。至於第二章，袁氏又說：

二章言所以盛也，降阿、飲池、寢安訛，動物之適其性也。簑笠以禦暑雨，儲
糧以備飲食。人之勤于事也。三十維物，降者、飲者、寢者、訛者，物各三十，
而爾牲具矣。[15]

袁氏將第二章各句，逐句申釋，既可見動物適其性，也可看出人勤於事。惟以「降者、
飲者、寢者、訛者，物各三十」，不免有所拘執。降者、飲者等都是三十頭，很難有
此巧合。袁氏又闡釋第三章說：

三章言芻牧之相習，薪蒸以供爨，雌雄以備食，見牧人不特勤于事，又有餘力，
以及乎他也。有堅強之力，無虧崩之患，見牛羊不特順其性，又無疾病，以致

---

[13] 《毛詩或問》，卷上，頁5。
[14] 同前註，卷上，頁8。
[15] 同前註。

其損也。麋肱畢升，見物知人意，而無事于追逐也。[16]

《毛傳》解釋「不騫不崩」，「騫，虧也。崩，群疾也。」，袁仁說：「有堅強之力，無虧崩之意，……又無疾病，以致其損也。」顯然受《毛傳》之影響。由此也可見袁氏的漢學傾向。袁氏又闡釋第四章說：

> 四章言牧事之詳，宣王承饑饉離散之後，所願者年豐而民庶也。故就牧事上設夢以為富庶之徵，以國之禎祥而驗于牧人之夢，徵貴於賤也。眾魚旐旟，知大于小也。[17]

此章闡釋牧人所以有夢的用意，及夢中的魚、旐、旟等物的象徵意義。全詩四章恰好可印證《詩序》「宣王考牧」的詩旨。袁氏闡釋《詩序》之詩旨有一部分即用這種方式。

　　就袁氏根據《詩序》來闡釋詩旨來說，他把被逐出《詩經》詮釋體系的《詩序》，重新恢復過來。作為詮釋思考的標準之一。在明中葉以後，這種作法逐漸增多。袁仁就是相當明顯的例證。

四、批評朱子《詩集傳》

　　朱子說詩，本來是遵《序》的，但因讀了鄭樵（1103-1162）的《詩辨妄》，盡改以前之說，作了新的《詩集傳》。新本的《詩集傳》廢去《詩序》不用，另作《詩序辨說》附於該書之後。此外，提出淫詩說，將〈衛風〉、〈鄭風〉、〈陳風〉等國風的男女情詩，皆認為是「淫詩」。這些說法，隨著朱子《詩集傳》成為官定教本，也完全左右學者的解詩觀點。所以從宋末以來至明中葉的《詩經》著作，大都不依《詩序》解《詩》。而淫詩說更影響到三傳弟子王柏（1197-1274），要刪去淫詩三十一首。

　　袁仁對朱子刪去《詩序》甚不以為然，在〈毛詩或問序〉中說：「朱元晦盡去孔

---

[16] 《毛詩或問》，卷下。
[17] 同前註。

門序說，而以意自爲之解，盲人摸象，豈不揣其一端，然而去象遠矣。」其實，朱子是以爲《詩序》非孔門之作，所以才加以刪去。袁仁並不管這些，因爲他認爲《詩序》是孔門所傳，是釋詩最重要的媒介，朱子將《詩序》刪去，自爲之解，就好像盲人摸象，僅能得其一端。袁仁爲了糾正朱子的錯誤，把部分的《詩序》恢復過來，然後加以申釋。這點，也是批評《詩集傳》的方法之一，前文論之已詳，此不必重複。此外，袁仁還批評朱子的淫詩說和字詞解釋的錯誤。茲分述如下：

如將朱子《詩集傳》、《詩序辨說》所提到的淫詩加以統計，其篇目計有：

1. 〈邶風〉：〈靜女〉。

2. 〈鄘風〉：〈桑中〉。

3. 〈衛風〉：〈氓〉、〈有狐〉、〈木瓜〉。

4. 〈王風〉：〈采葛〉、〈大車〉、〈丘中有麻〉。

5. 〈鄭風〉：〈將仲子〉、〈叔于田〉、〈遵大路〉、〈有女同車〉、〈山有扶蘇〉、〈蘀兮〉、〈狡童〉、〈褰裳〉、〈丰〉、〈東門之墠〉、〈風雨〉、〈子衿〉、〈揚之水〉、〈野有蔓草〉、〈溱洧〉。

6. 〈齊風〉：〈東方之日〉。

7. 〈陳風〉：〈東門之枌〉、〈東門之池〉、〈東門之楊〉、〈防有鵲巢〉、〈月出〉、〈澤陂〉。

朱子只說這些詩是淫詩，三傳弟子王柏則順著朱子的說法，議刪淫詩三十一篇。

袁仁的《毛詩或問》說，〈羔裘〉序以爲刺朝，〈遵大路〉序以爲思君子，〈有女同車〉、〈山有扶蘇〉、〈蘀兮〉、〈狡童〉序皆以爲刺鄭忽，〈褰裳〉序以爲思見正，〈丰〉、〈東門之墠〉、〈溱洧〉序皆以爲刺亂，〈風雨〉序以爲思君子，〈子衿〉序以爲刺學校廢，〈揚之水〉序以爲閔無臣，〈野有蔓草〉序以爲遇時。這些詩，朱子《詩集傳》皆以爲淫奔之詩，「則所謂止乎禮義者，何在乎？而夫子又何爲錄之乎？」關於上述的質問，袁仁回答道：

毛公之序詩與朱子之釋詩，皆未得詩人之面命也。而毛則舊矣，其言雖不盡出于孔門，而出于孔門者未必無也。朱必欲捐成說而任獨見焉，亦幾乎無忌憚矣。況如《序》說，猶足以存禮義于衰亂，昭賢達之憂勤，乃改曰淫奔，則誣詩人縱佚之情，而悖夫子無邪之訓，其失不細也。[18]

袁仁以爲《毛詩序》雖不全出于孔門，其中必有出自孔門者，朱子卻拋棄前人成說，只相信自己的看法，可說肆無忌憚。而且《詩序》的說法，還存有教化作用，朱子之說法則有悖夫子無邪之訓。像朱子的說法，可說得不償失。

爲了要證明朱子所指出的並非淫詩，袁仁引昭公十六年韓起聘于鄭的事，袁氏說：

晉韓起聘于鄭，鄭六卿餞于郊，宣子曰：「二三子請皆賦，起亦知鄭志。」子齹賦〈野有蔓草〉、子產賦〈羔裘〉、子太叔賦〈褰裳〉、子游賦〈風雨〉、子旗賦〈有女同車〉、子柳賦〈蘀兮〉，宣子喜，曰：「鄭其庶乎！」案六卿所賦皆〈鄭風〉也，若為淫詩，豈其歌于大國之使之前？而宣子亦豈樂聽淫詩而謬贊之乎？[19]

袁仁所舉《左傳》昭公十六年韓宣子聘于鄭時六卿所賦之詩，都屬於朱子所說的淫詩，而倘若真的是淫詩，豈可在大國使節面前歌頌；另一方面，身爲大國使節的韓宣子聽了淫詩之後卻大爲讚賞，顯然有失身分；由此可以證明所謂的淫詩並不存在。明代中葉以後，反對朱子淫詩說者不少，袁仁只是其中之一而已。

袁仁反對朱子的淫詩說，即間接表示對朱子所訂詩旨的不滿。此外，袁仁也有直接批判朱子所訂詩旨的意見，如〈邶風·柏舟〉，《詩序》以爲是仁人因不遇而作，朱子則以爲是婦人不得其夫之詩，何者爲是？袁仁以爲：

味其語意，皆非婦人之詩。……《孔叢子》載孔子讀〈柏舟〉見匹夫執志之不可易，其非婦人之詩明矣。[20]

---

[18] 《毛詩或問》，卷上，頁 20。
[19] 同前註，卷上，頁 20。
[20] 同前註，卷上，頁 10。

袁仁從詩的內容加以觀察，以爲非婦人之詩，此爲內證；又引《孔叢子》中孔子的話語，證明非婦人之詩，此爲外證。內外證兼具，足見朱子之說不可信。

又〈大雅・抑〉，《詩序》以爲「衛武公刺厲王，亦以自刺也。」朱子以爲同列相戒之詞，何者爲是？袁仁說：

> 若為同列相戒之詞，則不當列之於雅矣。其詩曰「四國順之」，曰「用遏蠻方」、「萬民靡不承」、「天方艱難，曰喪厥國」、「罔敷求先王」，皆天子之詞，蓋本刺王之詩，其後因以自警耳。[21]

袁仁以爲，〈抑〉詩若如朱子所說是衛國同列相戒之詞，則應入〈衛風〉，不應入〈大雅〉。袁氏又舉〈抑〉詩的詩句，以爲皆關乎天子，凸顯朱子說法不可信。

除了批評朱子所訂詩旨的不合理性之外，袁仁對於《詩集傳》中解詩的字詞也時有批駁。如〈小雅・常棣〉「況也永歎」、「烝也無戎」，「況」字和「烝」字，朱子皆以爲發語詞，袁仁說：「況，情也；烝，眾也。朱以爲發語詞者，皆謬也。」[22]又〈小雅・車攻〉「東有甫草」，朱子以「甫草」爲「甫田」，袁仁以爲：「古甫與圃通，鄭有甫草十藪，作鄭有圃草。」又引《國語》：「國有郊牧，疆有寓望，藪有圃草，國有林池。」證明「甫」與「圃」相通，「甫草」並非「圃田」[23]。

宋儒對於經典的訓詁本來就不太在行，所以不少的字詞解釋，都抄襲自漢唐注疏，朱子也不例外。袁仁對於朱子《詩集傳》有關《詩經》字詞解說的批評雖然不多，卻正好掌握了朱子治經的弱點與闕失，意圖消解《詩集傳》的權威，這是一個正確的方向。

---

[21] 《毛詩或問》，卷下，頁 20-21。
[22] 同前註，卷下，頁 4。
[23] 同前註，卷下，頁 7。

五、結論

從前文的分析討論，大抵可得下列數點結論：

其一，袁仁的籍貫有嘉善、蘇州兩說，根據袁仁的〈怡杏府君行狀〉和袁黃的〈刻袁氏叢書引〉，袁仁先世爲浙江嘉善人，祖父袁顥入贅吳江之徐氏，成了蘇州人。清人所編《浙江通志》、《嘉興府志》所以將袁仁列入，可能對袁仁的家世了解不足所致。

其二，自從朱熹以後，《詩序》已被擯除在《詩經》的詮釋體系之外。明中葉以來，《詩序》的地位逐漸恢復，袁仁的《毛詩或問》是恢復《詩序》地位的主要著作之一。他從《詩經》三百五篇中選取近一百三十篇，每篇列《詩序》之說，或詮釋《詩序》中的字義，或申釋各章之章旨，以證成《詩序》之義。袁仁的想法是，既將《詩序》作爲詮釋的基準，《詩序》已居於主導地位，雖不是大力批判朱子《詩集傳》，朱子的說法自然而然地會被邊緣化。

其三，袁仁雖未大力批判《詩集傳》，但對朱子的淫詩說仍相當不滿，他舉韓宣子聘於鄭爲例，認爲鄭國大夫所賦的詩都是後來朱子所謂的淫詩之流。如果是淫詩，怎好在大國使節面前歌誦，而韓宣子聽了淫詩，怎好大加讚賞。由此證明並無淫詩存在。此外，袁仁也對朱子所定詩旨及詩中字句有所訂正。

袁仁的《毛詩或問》是兩卷的小書，但如從明中葉漢學復興的角度來說，袁仁也盡了推動的作用。從這一點考慮的話，《四庫全書》將《毛詩或問》列入「存目」，顯然並不妥當。

龍宇純先生七秩晉五壽慶論文集
2002 年 11 月　　　頁 57～78

讀屈萬里先生
《詩經詮釋·國風》疑義

呂珍玉[*]

一、前言

　　屈萬里先生《詩經詮釋》一書，被公認爲目前各大學《詩經》課程最受歡迎用書之一。原因是該書錄有經文、分章、並加新式標點，方便閱讀。加上作者於每篇詩首條註釋，都對詩旨有番簡單介紹，使讀者於歷來眾說紛紜的意見中，得到較爲清晰客觀的指引。最主要原因還是作者具有深厚的經學、史學、小學專業能力，在作字句詮釋時，不僅言簡意賅，而且相較於其他注釋書籍，可以說是錯誤極少，實爲研讀《詩經》最佳指導用書。

　　個人擔任《詩經》課程，即採用屈先生詮釋本，深感目前《詩經》註釋或譯註書籍問題很多，誤導學子學習，更加崇敬屈先生之學識。只可惜《詮釋》一書雖經過多次修訂，仍有極少數問題值得商榷。個人不自量力，提出若干問題，冀望愚者千慮，或有一得；但也有可能說錯原先很好的說法，祈能得到方家諟正。

二、是刈是濩—〈周南·葛覃〉

　　屈註：《經傳釋詞》：「是，猶於是也。」刈，割也。濩，音穫；煮也。

　　珍玉謹案：「是」字於此不作轉接語氣詞「於是」（乃），舍人《爾雅注》：「是刈，

---

[*] 東海大學中國文學系副教授。

刈取之，是濩，煮治之。」「是」作爲代詞，代指前述之「葛」。先師周子範先生《中國古代語法・稱代篇》指出：

> 葛覃孔疏：「故后妃於是刈取之，於是濩煮之。」又鹿鳴孔疏：「是乃君子於是法則之，於是傚傚之。」非也。[1]

並舉《詩經》相同結構句子如：君子是則是傚（小雅・鹿鳴），「是」指「德音」；是剝是菹（小雅・信南山），「是」指「瓜」；是顧是復（大雅・桑柔），「是」指「忍心者」等例，提出古代漢語有賓語＋是（或之）＋述語之句法，有人認爲「是」（或之）是語中助詞，有人認爲是代詞。先師認爲似先爲代詞，漸變爲賓語提前之記號。

三、采采卷耳—〈周南・卷耳〉

屈註：采采，採而又採也。卷耳（即蒼耳），一年生草，莖葉皆有微毛，葉作長卵形，對生無柄；嫩葉可食。

珍玉謹案：「采采」，戴震《杲溪詩經補注》：「眾多貌。」馬瑞辰《毛詩傳箋通釋》：「〈蒹葭〉詩蒹葭采采，《傳》：采采，猶萋萋也。……謂盛也。〈蜉蝣〉《傳》:采采，眾多也。多與盛同義，此詩及〈芣苢〉詩俱言采采，蓋極狀卷耳、芣苢之盛。〈芣苢〉下句始云薄言采之，不得以上言采采爲采取。此詩下言不盈頃筐，則采取之義已見，亦不得以采采爲采取也……。」丁聲樹〈詩卷耳芣苢采采說〉精闢的指出：

> 周南卷耳芣苢兩篇之「采采」（「采采卷耳」、「采采芣苢」），昔人解詩者約有二說：一以「采采」爲外動詞，訓爲「采而不已」；一以「采采」爲形容詞，訓爲「眾盛之貌」。以全詩之例求之，單言「采」者，其義雖爲「采取」，重言「采采」必不得訓爲「采取」……。遍考全詩，外動詞絕未有用疊字者，此可證「采采」之必非外動詞矣。……[2]

1　參考《中國古代語法》，頁 123，注 1。

2　文載《國立北京大學四十周年紀念論文集》乙編上、《國學季刊》6 卷 3 期，1940 年。

屈先生在〈周南‧卷耳〉釋「采采」為「採而又採」，但在〈秦風‧蒹葭〉蒹葭「采采」又釋為「茂盛貌」下附註【參周南卷耳、芣苢、及曹風蜉蝣。】顯然此處是一時疏忽，未及更正。

四、言刈其蔞──〈周南‧漢廣〉

屈註：蔞，音屢，馬瑞辰：「當是蘆字之假借。」

珍玉謹案：龍師宇純〈讀詩管窺〉一文[3]指出蔞蘆二字僅聲母相同，古韻蔞屬侯部，蘆屬魚部。《廣韻》蔞在虞韻，蘆在魚韻，其音仍異。並舉蘇軾詩「蔞蒿滿地蘆芽短，正是河豚欲上時。」證明蔞蘆為異物。且以〈漢廣〉詩蔞韻駒字，古韻並屬侯部，若易蔞為蘆，則蘆駒音隔，以證明馬瑞辰假借說不可用。至於蔞為何物？龍師引以下材料說明：王夫之引《管子》說以為蘆類。毛《傳》云：「蔞，草中之翹翹然。」陸德明《經典釋文》引馬融云：「蔞，蒿也。」《正義》云：「傳以上楚是木，此蔞是草名，故言草中之翹翹然。」釋草云：「購，蔏蔞。」舍人曰：「購，一名蔏蔞。」郭云：「蔏蔞，蔞蒿也。生下田，初生可啖。用羹魚也。」陸機疏云：「其葉似艾，白色，長數寸，高丈餘，好生水邊及澤中。正月根芽生，旁莖正白，生食之，香而脆美。其葉又可蒸為茹。」

五、于以采蘩──〈召南‧采蘩〉

屈註：于以，與陳風東門之枌之「越以」同，語詞也。胡承珙說。

珍玉謹案：龍師宇純〈詩經于以說〉一文[4]疏通楊樹達〈古書疑義舉例續補誤解問答之辭例〉于以為于何之說，凡言于以之句，皆問詞，其下句則皆答詞也。「于以」

---

[3] 文載中央研究院《歷史語言研究所集刊》第 55 本第 2 分，1984 年。

[4] 文載《東海中文學報》12 期，1989 年 12 月。

不作語詞，亦異於〈東門之枌〉「越以」。（越以下詳第二十三條討論。）

六、其後也處—〈召南・江有汜〉

屈註：處，謂共處也【處，毛傳訓「止」。】

珍玉謹案：首章說對方不我與，將來要後悔，三章說對方不過訪我，惟有長歌當哭。就疊章詩義而言，次章仍應作對方不我與之結果。前人訓「處」有「止」（毛傳）、「安」（朱傳）、「同居」（王先謙。居止同義）、「歸」（袁梅、詩經譯註）等不同，但這些釋義皆為對方後悔後之行為，不切詩義。朱守亮先生《詩經評釋》借為「楚」（病苦），雖合詩義，但似乎無用假借之必要。此問題筆者於就讀研究所修習龍宇純老師「訓詁專題研究」時提出，當時龍老師建議用王引之《經義述聞》第三十一通說「處」作「審度，辨察」，將次章說成「不與我共同生活，將來一定會辨察」，如此和首章、三章意思連貫，又不須改字訓釋，或可彌補前人之失。筆者認為龍師之見確實是較好的說法，後來整理成〈詩經疊章相對詞句訓詁問題探討〉一文[5]。

七、壹發五豝—〈召南・騶虞〉

屈註：壹發，一射也。豝，音巴，牝豕也。君射獵時，由虞人驅五豕，以待君之射；故曰壹發五豝。

珍玉謹案：前人訓釋較為重要者約有五說：一、毛傳以為豕牝曰豝，虞人翼五豝，以待君之發。鄭箋以為君射一發而翼五豝者，戰禽獸之命，必戰之者仁心之至。二、朱傳以發為發矢。一發五豝，猶言中必疊雙也。三、馬瑞辰《毛詩傳箋通釋》採朱武曹之說，以壹一古通用，皆為語助發端之語，並以為毛傳云虞人翼五豝以待公之發，但釋發五豝三字，不另釋經文壹字，即以壹為語詞。四、方玉潤《詩經原始》引《周

5　拙作載《東海中文學報》12 期，1989 年 12 月。

禮・大司馬》中多教大閱曰：「鼓戒，三闋車，三發徒，三刺，乃鼓退。」以爲壹發之發，乃車一發而取獸五，非矢一發而中獸五，亦非獸雖五犯，矢唯一發。五、壹發爲四矢或十二矢[6]。這些論點或著重虞人翼獸以供君射，君有仁心（毛鄭、馬瑞辰），或著重虞人射藝高超（朱傳），或以朱傳過於誇張，而將壹發說成四矢或十二矢，甚至不說成發箭，乃發車（方玉潤）。馬瑞辰以「壹」爲語詞，如壹醉日富，毛傳作醉而日富矣。馬氏想將不好解釋之字詞說成語詞，且用不同結構之句子比對，令人難以認同，此句壹（三家詩作一）、五很明顯爲對稱之數量詞。騶虞當從《周禮》賈疏引韓魯詩，爲天子掌鳥獸官，非毛傳所謂之義獸，否則與首二句「彼茁者葭，壹發五犯」意思無法聯貫。就詩句來看，此詩之主語應爲騶虞，詩旨是贊美他能驅逐以供君射。「發」，《說文》作「躲發也」，但「壹發」若釋爲一射，放在詩句中，很難不作騶虞一箭射中五犯。但騶虞的職責是在天子狩獵時，將野獸驅趕到容易獵取之處，以供國君享受狩獵之樂趣。屈先生的註釋亦曰：「君射獵時，由虞人驅五豕，以待君之射。」如此他釋「壹發」爲「一射」，似乎前後矛盾。縱不考慮主語爲誰，一射五犯，亦過於神乎其技。方玉潤「車一發」之說，或因此而發，然也只是避開矢一發，中五犯之不可置信而已，取獸者仍不能說是騶虞。方氏又說詩末句不美國君，而美虞人，亦如郝氏所云不敢斥君，而呼騶虞，騶虞之仁，即國君之仁。似乎要爲其車一發取獸五的主語由騶虞轉爲國君，不僅未切文本，而且如同毛鄭，流於教條。詩義既爲美騶虞之善於驅獸以供圍獵，「發」應是驅獸的動作，彼茁者葭（蓬），是犯（豵）所發的場地，而不是「發」的主詞是「君」。「發」或可作「發縱」（《漢書》三九蕭何傳「發縱指示」）、「縱放」講，從茂盛的蘆草（蓬草）中，一縱放就是三五成群的豬隻，這個騶虞既善於養獸，又善於驅獸，真是了不得啊！

---

[6] 此說出自馬瑞辰《毛詩傳箋通釋》：「後人不善讀毛傳，因謂五犯僅止一發，又或以壹發為四矢，或以壹發為十二矢……」。《漢書・卷95下・匈奴傳》：「弓一張，矢四發」注，服虔曰：「發，十二矢也。」韋昭曰：「射禮三而止，每射四矢，故以十二為一發也。」

八、願言則嚏—〈邶風・終風〉

屈註：願，思也，嚏，音帝，噴嚏也。今人謂他人念己，己則噴嚏，與古俗略似。

珍玉謹案：屈先生係從鄭箋，但鄭箋有兩項疑點：一、毛公傳詩時本作「疐」，因而訓為「跲」。鄭箋云當讀為嚏，唐石經以下經傳皆從口，用鄭廢毛。然鄭箋改字訓解，並非唯一之辦法。二、如鄭箋：「……我其憂悼而不能寐，汝思我心如是，我則嚏也，今俗人嚏，云人道我，此古之遺語也。……」詩義係感傷不得於對方，焉有期望對方思我之理；而且主語由上句己願言不寐，轉成對方思我則嚏，亦不合理；與下章寤言不寐，願言則懷，亦不成比。因此鄭箋不得不又將下章說成：「汝思我心如是，我則安也。」錢鍾書《管錐編》評鄭箋：「……於觀物態，考風俗雖有所取材，但就解詩而論固屬妄鑿。」[7]確為的見。朱傳：「嚏，鼽嚏也。人氣感傷閉鬱，又為風霧所襲，則有是疾。」「鼽嚏」係據《禮記・月令》，《說文》：「鼽，病塞鼻窒。」朱熹之說法雖擺脫人道我，我則嚏，但我思對方以至傷風感冒，仍難免於臆測。歷來訓解此條最為詳盡者為陳奐、馬瑞辰，茲引兩家說法如下：

> 嚏，跲，經傳皆從誤本。釋文疐，本又作嚔，又作疐，鄭作嚏，劫，本又作跲，孫毓同，崔云毛訓疐為跲，今俗人云欠欠欮欮是也，不作劫字。正義引王肅本毛傳作疐，劫與跲音同，故又改作跲。唯陸所見崔本作欮，引集注作劫，是又誤踵王肅矣。崔靈恩注所據毛詩，經作疐，傳作疐，欮也，當是古本。如是通俗文張口運氣謂之欠，欮，玉篇欮欠張口也。廣韻九御欮，欠欮。集韻欮，張口貌，或作呿。說文欠，張口氣悟也，象氣从儿上出之形，吹出氣也，从欠从口。傳訓疐為从，疐即古文嚏，毛詩作疐，三家詩作嚏，嚏有口氣鼻氣兩解，說文口部嚏，悟解氣也，从口，疐聲。詩曰願言則嚏，悟解氣，與欮訓合，許以嚏字从口，故主謂口氣，宗毛，故說解同毛，而引詩作嚏者，此許氏據三家

---

[7] 參《毛詩正義》六〇則，「耳聾多笑」條：陳啟源《毛詩稽古編》斥此《箋》為「康成妄說」，正如其斥終風願言則嚏鄭箋（俗人嚏，云：人道我）為穿鑿之見。

詩字以申毛詩之義，謂嚏即嚔之古文假借，此說文例也。玉篇嚔，噴鼻也。詩曰願言則嚔，鄭箋嚔，讀為不敢嚏咳之嚔，今俗人嚏，云人道我，此古之遺語也。鄭於毛傳說文異，而與玉篇噴鼻之說同，此亦本三家詩義也。但此詩四章皆是衛莊姜傷己之詞，願言則欦，謂我思之不已，則志倦而欦欦也。若依噴鼻解嚏字，則謂州吁思莊姜，莊姜為之噴鼻，於序言傷己不合。至王肅云願以母道往加之，則嚔劫而不行，不知上章傳云，不以母道往加，釋莫往句，不釋我思句，今肅以解此願字，而於句義有不安。又據狼跋傳改欦為劫，以嚔劫不行解嚔字，則於篇義更難通，正義依王申毛誤矣。（陳奐：《詩毛氏傳疏》）

傳嚏，跲也。箋云嚏當為不敢嚏咳之嚏，釋文疌本作嚔，又作嚔劫也。鄭作嚏，崔云毛訓疌為欦，今俗人云欠欠欦欦是也，不作劫字。瑞辰按釋文本作疌者，從崔集注本也，釋文云本又作嚔者，嚔即嚏字之俗，廣韻以嚔為嚏俗字是也。釋文云又作嚔劫也者，乃王肅本。孔疏引王肅云嚔劫不行，願以母道往加之，我則嚔跲而不行是也。說文嚔礙不行也，從疌，引而止之也。嚔通作躓，爾雅嚔，跲也，郭注引詩載嚔其尾。說文躓，跲也；跲，躓也，互相訓。而躓字下引詩載躓其尾，是躓即嚔也。以下章願言則懷證之，爾雅懷，止也，則此章當從王肅本作嚔為是，嚔訓為跲，中庸言前定則不跲，跲，蓋躓礙難行之貌，與懷訓止義同，與劫字音義亦同（說文人欲去，以力脅止曰劫），故傳跲本又作劫，崔氏謂當作欠欦之欦，非毛旨也。鄭本毛詩，蓋亦作嚔，故箋云當為不敢嚏咳之嚔，若經本作嚏，則鄭君不煩改字。今本作嚏乃後人據箋以改經也。說文引詩直作嚔，或三家詩有作嚏者，為許鄭所本。段玉裁以說文引詩為後人妄增，亦臆說也。又按倉頡篇，嚏，噴鼻也。通俗文張口運氣謂之欠欦，二者不同。說文，嚏，悟解氣也。繫傳云腦鼻中氣壅塞，噴嚏則通，故云解氣，是悟解氣即噴鼻。廣韻亦曰，嚏，鼻氣也。段玉裁謂說文悟解氣，即張口氣悟之欠，亦誤。……願言則懷，傳懷，傷也；箋云懷，安也。瑞辰按爾雅，懷，止也。

願言則懷，訓為止，正與願言則寁訓跲，同義。（馬瑞辰：《毛詩傳箋通釋》）抛開附會州吁、莊姜事不談，兩家訓解大異其趣。陳奐據崔靈恩注所據毛詩，經作寁，傳作寁，欥也。寁即古文嚏，毛詩作寁，三家詩作嚏。嚏有口氣、鼻氣兩解。「欥」即志倦而欠欥，為口氣打呵欠，異於鄭箋鼻氣打噴嚏。而馬瑞辰則據《釋文》疌作寁劫也。（阮元校刊記以疌即寁之變體，狼跋《釋文》寁，本又作疌，與《說文》止部疌字洄不相涉。）孔疏引王肅云寁劫不行。《爾雅》寁，跲也。郭注載寁其尾，躓即寁，躓跲互訓等材料，以申毛「寁，跲也。」個人認為陳奐所據梁人崔靈恩集注係改毛傳跲為欥，他說欥係口氣，異於鄭箋鼻氣，與《說文》「嚏，悟解氣」訓解相同，馬瑞辰已指出「嚏」「欠」二者不同。《說文》「悟解氣」，《繫傳》、《廣韻》皆釋為鼻氣，而非口氣；段玉裁謂《說文》「悟解氣」即張口氣悟之欠，亦誤。雖然馬瑞辰批評段玉裁誤解許慎「悟解氣」，將「嚏」「欠」混淆，但他注「嚏」字，隨後又修正說：「……說文噴下，一曰鼓鼻，而釋嚏為欠，直以其字從口，不從鼻故耳。殊不思內則，既云不敢嚏，又云不敢欠，其為二事憭然。素問說五氣所病腎，為欠為嚏，亦分二事。倘云嚏即是欠，則內則、素問皆不可通矣，故嚏解當改云歆鼻也為安。口與鼻同時氣出，此字之所以從口也。至若詩願言則寁，毛傳云寁，跲也。而其寁本又作疌，可證。崔靈恩集注乃改劫為欥，訓以今俗，人體倦則伸，志倦則欥，音丘據反，是蓋以附合許之嚏解，而不知許自解嚏，非解毛之寁也。……」如此馬瑞辰之說應當可信，鄭箋改字並無必要，「言」亦不訓為「我」，而當作語詞，如曾運乾：「上言讀如而，下言讀如焉。」[8]「願言則懷」句，毛傳：「懷，傷也。」箋：「懷，安也。」馬瑞辰據《爾雅》訓懷為止。鄭箋不可據，前已論及。毛傳、馬瑞辰皆從「懷」字本義「念思」引申而來，馬氏作「止」，主要為和上章「躓礙難行」相比，都說成：「覺而不寐，思焉不能行」。如果用毛傳說成：「覺而不寐，思焉感傷。」於詩義亦無不可。

8　參《毛詩說》（長沙：岳麓書社，1990年5月），頁38。

九、踴躍用兵—〈邶風・擊鼓〉

屈註：踴躍，猶跳躍也。兵，兵器也。

珍玉謹案：傳統註家並未訓釋。「踴躍」爲連綿字，義如屈先生所說「跳躍」，若能補充朱傳所謂：「坐作擊刺之狀」，尤能生動描繪士兵練習兵器之動作。

十、瑣兮尾兮，流離之子—〈邶風・旄丘〉

屈註：朱傳：「瑣，細；尾，末也。」朱傳：「流離，漂散也。」

珍玉謹案：朱傳雖較毛傳：「瑣尾，少好之貌。流離，鳥也，少好長醜，始而愉樂，終以微弱。」簡單直截，而且連同下二句「叔兮伯兮，褎如充耳」，較之毛傳四句都指責衛國君臣，尤能將黎、衛君臣處境強烈加以對比。但是「流離」，魯詩（爾雅郭璞注引）作「留離」、《說文》疑作「鶹離」，可見毛詩「流」應是「留，鶹」的假借字，朱傳誤當作本字，因而訓爲「漂散」。「瑣尾」未見於其他先秦典籍，毛傳訓「少好之貌」，陳奐《詩毛氏傳疏》說兩字是雙聲，合二字連文成義，都視爲聯綿詞。《詩經》中不乏聯綿詞以「兮」字隔開例，如「挑兮達兮」（鄭風・子衿）、「婉兮變兮」（齊風・甫田、曹風・候人），但瑣尾聲母分屬心母和明母，相差很遠；韻部分屬歌部和微部，也不相近。要爲瑣尾是聯綿詞找證據，只有承認它們有個複輔音聲母sm-；韻部歌部和微部分屬段玉裁十七部和十五部，同屬第六類合韻。如果瑣尾是聯綿詞，不論朱傳或《正義》：「瑣者，少貌，尾者，好貌。」皆違背聯綿詞語義合二字成義，不能分析之特點。後人訓解從毛傳者，或從流離鳥長大食母，老則無毛，其音亦變，即《爾雅》：「鳥少美長醜爲鶹鷅」而來。

十一、叔兮伯兮，褎如充耳—〈邶風・旄丘〉

屈註：褎，音佑。馬瑞辰據戚學標《漢學諧聲說》，以爲褎當作从衣采聲（珍玉案：手民誤作粲聲）：采，即孚、抱一字。今按：【釋文：褎，亦作裒。】據此，褎當讀爲裒，聚也，有充滿義。如，猶然也（經傳釋詞說）。褎如，形容充耳。充耳，塞耳也。意謂衛人塞耳不聞黎侯君臣之流離困苦。

珍玉謹案：屈先生原採戚學標《漢學諧聲說》，但原文未引完，不易看懂，茲將未引完下文引述如下：

> 故《說文》又曰裒，襃也。襃，褎也。褎之爲盛服，猶葆爲草盛貌，褎从采，猶葆从保，保亦从采省也。《說文》又曰袾，褎也。袪，衣袾也。一曰袪，褎也，褎者，襃也，是褎義同袪，亦有懷藏之義，藏與塞義近。充耳當從箋，訓爲塞耳，褎如即塞耳之貌。

戚學標的說法有些問題，首先褎（袖）作𧝓，褎作𧚍，爲不同字，褎字，从衣采聲，而非采聲，采，即今之穗字，和孚、抱無關。又「袪」《說文》：「……一曰袪褎，褎者，襃也。」段注：「此義未見其證」，戚氏以爲褎義同袪，亦有懷藏（塞）意，實不可信。屈先生後來又捨棄褎如爲塞耳之貌的說法，引用《釋文》「褎」亦作「裒」，將「褎」讀爲「裒」。但《釋文》「褎如，本亦作裒，由救反，又在秀反。」不爲「裒」字作音，明是不取作「裒」之本。「褎」既不讀「裒」，屈先生訓爲「充滿義」即不可取。「褎如充耳」句，應是「狀詞＋名詞」結構，如果「褎」作狀詞，就不能音佑，「褎如」與本義衣袖無關。鄭箋所謂「顏色褎然」，朱傳所謂：「多笑貌」，純爲無據之臆測。在沒有更好的說法下，恐怕要尊重毛傳訓爲「盛服貌」。而「充耳」即「瑱」，《詩經》中常見，鄭箋、朱傳皆訓「塞耳」，亦不可取。此句「褎如」狀「充耳」，充耳爲盛服時所戴，非盛服則不戴。

十二、貽我彤管──〈邶風・靜女〉

屈註：彤，赤漆也。彤管，漆爲赤色之管，管以盛鍼線等細物。舊以爲赤管之筆，恐非是。（內則：右佩鍼管）

珍玉謹案：朱熹《詩集傳》保守的說：「彤管，未詳何物，相贈以結殷勤之意耳。……」歐陽修《詩本義》亦說：「彤管不知爲何物。古者鍼筆皆有管，樂器亦有管，不知此彤管是何物。蓋男女相悅，用此相遺以通情好爾。」屈先生據《禮記・內則》「右佩鍼管」，以爲管用以盛鍼線等細物，雖優於毛傳女史彤管道德勸說，而且不僅有據，於詩義亦無不合。但是否即爲此物，不得驗證。依屈先生的說法，第二章靜女贈我紅色鍼線管，第三章又贈我荑，將彤管和荑視爲兩種不同之物。然細繹詩義，第三章實有解釋第二章之意。劉大白〈關於瞎子斷匾的一例──靜女的異議〉說：「……第二章底彤管，就是第三章底荑；第二章『貽我彤管』的貽，就是第三章『美人之貽』的貽；第二章底『說懌女美』的女，就是第三章『匪女之爲美』的女；第二章『說懌女美』的美，就是第三章『洵美且異』的美，也就是『匪女之爲美』的美；而『洵美且異』，就是指『彤管有煒』的『有煒』而言。這樣，二三兩章相承，脈絡貫通，便更覺得『文從字順』了。……」並以郭璞詩「陵岡掇丹荑」、梅堯臣詩「丹茅苦竹深幽幽」證明「荑」就是「彤管」。董作賓〈邶風靜女篇「荑」的討論〉更證以目驗，又說：「荑就是茅芽，也就是茅芽中的穰兒。毛傳：『荑，茅之始生也。』御覽引風俗通義『詩曰「手如柔荑」荑者茅始熟中穰也，既白且滑。』這很可以證明茅芽中的穰就是『荑』。荑外面裏的嫩紅色的葉托，自然就是『彤管』了。」[9]彤管雖有可能是許多不同之物，但在此詩，把它說成荑，要比鍼線管合乎詩義。

---

[9] 劉、董文見《古史辨》。

十三、考槃—〈衛風‧考槃〉

屈註：朱傳引陳傅良云：「考，扣也。槃，器名；扣之以節歌。」

珍玉謹案：朱傳：「考，成也，槃，盤桓之意，言成其隱處之室也。陳氏曰：『考，扣也，槃，器名，蓋扣之以節歌，如鼓盆拊缶之爲樂也。』二說未知孰是。」朱傳提出二說，屈先生則採陳傅良之說，並略去一些文字。胡承珙《毛詩後箋》對朱傳考槃二說評論如下：

> 毛《傳》：「考，成，槃，樂。」二訓皆本《爾雅》。孔《疏》不言者，以人所共知耳。《集傳》考槃二說，前說謂成其隱處之室，即黃氏一正所云：「槃者，架木爲屋，有槃結之義。」皆本鄭樵「木偃蓋爲槃」之說，然結室而在澗、在阿、在陸，分爲三處，恐無此理。後說引陳傅良云：「考，擊也；槃，樂器也，扣之以節歌，如鼓盆拊缶之爲樂。」此乃貧無聊賴者之所爲，賢者當不如此。

胡氏之說確爲的見。陳奐《詩毛氏傳疏》云：「考，成。……《爾雅》槃，樂也。〈周頌〉序，般，樂也[10]。《漢書》敘傳注引詩作盤，《爾雅》釋文，考槃，本文作盤，疑古本作般，後人加木加皿耳。成樂者，謂成德樂道也。」胡承珙、陳奐兩家皆從毛傳。「考」訓「成」不乏先秦證例，例如《禮記‧禮運》「考制度」，孔穎達疏云：「考，謂成也。」〈小雅‧斯干〉詩序：「宣王考室」，鄭箋：「考，成也。」毛傳訓「考槃」爲「成樂」不僅有據，尤符詩義，無不採用理由。

十四、靡室勞矣、靡有朝矣—〈衛風‧氓〉

屈註：靡室，意謂無入室休息之時，極言其勞也。靡有朝矣，猶今言沒早晨，沒晚上，極言其事忙也。

---

[10] 〈周頌‧般〉詩序：「般巡守而祀四嶽河海也。」鄭箋：「般，樂也。」孔疏：「經無般字……定本般樂二字爲鄭注，未知孰是」。

珍玉謹案：屈先生在訓解時增加太多原文以外文字，前人於此兩條訓解眾說紛紜。龍師宇純〈詩義三則〉一文[11]，曾對諸家訓解加以檢討，並引《荀子・榮辱》:「仁者好告示人。告之示之，靡之儇之，鈆之重之，則夫塞者俄且通也，陋者俄且僩也，愚者俄且知也。」及王引之《讀書雜志》:「……靡之儇之，即賈子所云『服習積貫』也，〈儒效篇〉曰:『居楚而楚，居越而越，居夏而夏，非天性也，積靡使然也。』……故人謹注錯，慎習俗，大積靡則為君子矣。〈性惡篇〉曰:『身日進於仁義而不自知，靡使然也。』《方言》曰:『還，積也。』還與儇聲近而義同，是靡之儇之，皆積貫之意也。」等證據，提出「靡」作「習慣」講。依龍師之說，把經文的「靡」字換成「習」字，「三歲為婦，習室勞矣；夙興夜寐，習有朝矣。」的確是不需任何說明，人人可懂，也不需增添一字。龍師之見，或許是較無瑕疵的說法。

十五、右招我由房、右招我由敖—〈王風・君子陽陽〉

屈註：由，從也。敖，舞位也。【按：由，用也；以也。釋文云：敖，游也。謂游樂也。言招我以游樂也。】

珍玉謹案：屈先生原訓「由」為從，未訓「房」，大概以為常義，無須訓解，而訓「敖」為舞位。 此說應本鄭《箋》:「由，從也。君子祿仕在樂官，左手持笙，右手招我，欲使我從之於房中，俱在樂官也。」「……君子左手持羽，右手招我，欲使我從之於燕舞之位，亦俱在樂官也。」俞樾《詩經平議》對鄭《箋》懷疑云:「鄭解招我由房，曰欲使我從之於房中，房以地言，故敖亦以地言，然敖為舞位，他無所見，恐未足據也。」屈先生後來又修正此說，訓「由」為「用也，以也。」並引《釋文》:「敖，游也。」而將「由敖」說成游樂，在疊章意義具有相同或相類的情況下，「由房」勢必也應同於「由敖」有游樂的意思。屈先生修正後的說法，是承襲馬瑞辰《通

[11] 文載《王叔岷先生八十壽慶論文集》。

釋》:「……由敖,《釋文》敖,五刀反,游也。蓋讀敖爲敖游之敖,與小雅嘉賓式燕以敖,傳訓敖爲游,正同,足利古本作由遨與《釋文》合。由遊古同聲通用,由敖猶遊遨也,由房與由敖亦當同義,皆謂相招爲遊戲耳。……」高本漢《詩經注釋》對馬氏的說法提出批評:「……從音韻的觀點說這是十分可能的,而且齊風載驅也確有一個複詞遊敖。但在中文裏,同音字是非常之多,作訓詁的人一定要十分小心。假若他可以任意用一個同音的字代替詩經中某句的某個字,那麼他就可以隨心所欲的來講那一句。……」[12]高氏之批評,確實指出清代學者濫用假借訓詁現象[13]。至於「由房」、「由敖」該如何講?俞樾《詩經平議》云:「按上章右招我由房,毛傳以房爲房中之樂,此章敖字,傳雖無文,宜亦一律,敖當讀爲驁,儀禮大射儀曰,公入驁,鄭注曰驁夏亦樂章也,以鐘鼓奏之,其詩今亡,右招我由敖,言右招我用驁夏之樂也。……」應是可接受的。馬瑞辰《通釋》曾指出:「房中之樂,古未有單稱房者,以由房爲用房,則不辭。」林義光《詩經通解》亦針對此提出解說:「奏驁夏可單謂之驁,則奏房中亦可單言房矣!」

十六、彼其之子─〈王風・揚之水〉

屈註:其,音記,語助詞。之子,戍人謂其妻也。

珍玉謹案:傳統注家訓「彼其之子」有三種不同說法:鄭箋說是獨處鄉里之人,歐陽蘇程說是其他諸侯,朱傳說是戍人指其室家而言。屈先生係採朱傳。前人訓釋問題出在未對照「彼其之子」在《詩經》中相同文例,以及將「其」說成語詞,「之子」說成「是子」,因而造成不同的臆測結果出現。今人亦有對此加以研究者,如林慶彰先生指出「其」當爲姬姓[14],余培林先生指出「其」當作「己」,爲春秋時代的氏稱[15],

---

[12] 見董同龢先生譯本《詩經注釋》,頁 200。
[13] 詳參拙作:《高本漢詩經注釋研究》(臺中:東海大學博士論文,1997 年 1 月)。
[14] 參〈釋詩彼其之子〉,《書目季刊》19 卷 4 期,1986 年 3 月。
[15] 參〈詩經成語試釋〉,《慶祝莆田黃天成先生七秩誕辰論文集》(臺北:文史哲出版社,

季旭昇先生以古文字，證明銅器銘文其、㠱、己原是同一個國家，也就是春秋三傳的紀國[16]，在他們之後，龍師宇純對照《詩經》文例，指出「之」字居間為介，其上下都是名詞，一無例外，並證以大東「舟人之子，熊羆是裘，私人之子，百僚是試。」舟、周二字同音，私為西之擬聲，而提出「其」當讀為「姬」，此問題總算撥雲見霧[17]。

十七、暵其濕矣—〈王風・中谷有蓷〉

屈註：暵，音漢，乾燥貌。濕，當讀為暍，欲乾也：經義述聞說。

珍玉謹案：王氏《述聞》之說，一直為解詩者所引用。龍師宇純〈讀詩管窺〉一文，「暵其濕矣」條，指出「溼」字音失入切，「暍」邱立切，聲母不可相通。並以文例指出「暵其濕矣」，暵為濕之狀詞，證明王氏由於誤解「暵」字之義，而說：「狀乾之辭，不可云暵其濕也。」之錯誤。並引胡承珙《毛詩後箋》及桂馥《說文義證》之見，說明毛傳：「暵，菸貌。陸草生於谷中，傷於水。」不可易。

十八、將其來施施—〈王風・丘中有麻〉

屈註：將，為語詞。施施，徐行貌。或單作施。

珍玉謹案：屈先生將「將」視為語詞，不合《詩經》多處作「願」「請」之實際，「施施」亦宜單作「施」。拙作〈詩經疊章相對詞句訓詁問題探討〉一文，曾以此條為例討論，茲引該文結論，並略作修正及補充如下：

> 「將其來施施」句，待解決問題有二：一・「將其來」或「其將來」？二、單
> 言「施」或重言「施施」。《正義》云：「嗜其將來之時施施然」，似所見經文作

1991 年 6 月）。

[16] 參〈從㠱國銅器談詩經「彼其之子」的新解〉，《國文學報》第 21 期，1992 年 6 月。

[17] 參〈詩「彼其之子」及「於焉嘉客」釋義〉，《中國文哲研究集刊》第 3 期，1993 年 3 月。

「將其來」，無據。應如胡承珙所說經文作，「將其來」，不作「其將來」，「將」如「將子無怒」之「將」，作「願」或「請」講。《傳》《箋》之「施施」，陳奐、胡承珙、馬瑞辰、俞樾等據《傳》《箋》，多以重言說單字，如「有翩」之為「翩翩」，「噂沓」之為「噂噂沓沓」，「其顏」之為「顏顏」，「咥其」之為「咥咥」，以為經文原單言「施」。事實上他們所舉之例不是「有」字為詞頭，後加形容詞，就是「其」後加形容詞，或形容詞後加「其」，再不然就是單言與重言意義相同的構詞形式。語句結構不同，不能強為比附。然而誠如諸家所說，今據次章「將其來食」的句法，以為首章當為「將其來施」，「施」單用，作動詞。毛、鄭作形容詞「施施」，訓為「難進」、「舒行伺閒，獨來見己之貌」皆不可取。「施」作動詞講，有王先謙《三家詩義集疏》引《晉語》注所謂的「施德」，以及俞樾《群經平議》引《荀子‧臣道篇》「爪牙之士施，則仇讎不作」，「爪牙之士施」，猶曰「爪牙之士用」，楊倞注「施」為「展其才」，其中又以俞樾之說不須增字，最為直截。

十九、與子偕臧─〈鄭風‧野有蔓草〉

屈註：舊說：臧，善也。朱傳：「與子偕臧，言各得其所欲也。」今人某氏以為臧、藏古通用，臧即藏也，似較舊說為勝。

珍玉謹案：屈先生原採毛《傳》：「臧，善也。」如此偕臧言同好，與上文適我願兮相應，可以將詩義說得很好。後又引朱《傳》：「與子偕臧，言各得其所欲。」似乎加入太多想像。隨後又引聞一多《風詩類鈔》，以「臧」和「藏」古通用。若將此句說成「與子偕藏」，詩境淺俗，反不如舊說。何況用常義可以說通，更無必要以假借釋義。

二十、履我即兮—〈齊風・東方之日〉

屈註：履，躡也；履我，躡我之跡也：朱傳說。即，就也。

珍玉謹案：屈先生係採朱傳。龍師宇純〈詩義三則〉一文，曾對各家訓解「履我即兮」、「履我發兮」詳加探討，指出朱傳之誤。以為此詩毛、鄭原解，除日月喻君臣之說，可以不去理會；「彼姝者子」指的男子，「履」當訓「禮」，「履我即兮」、「履我發兮」讀「履」下逗。

廿一、且以永日—〈唐風・山有樞〉

屈註：永終二字古為聯綿字，永猶終也。永日，終日也。

珍玉謹案：屈先生於〈周頌・振鷺〉「庶幾夙夜，以永終譽」釋云：「古以夙夜之語示敬謹之意。永終連言，終亦永也：于省吾說。譽，安樂也（參〈小雅・蓼蕭〉）。二句連讀，庶幾二字貫下文，言能早夜敬慎，則庶幾永安長樂也。」於〈小雅・白駒〉「以永今朝」釋云：「古永、終兩字常連用，永猶終也。」舉「永終」連言，一致的將「永」字單用也訓為「終」。古漢語固不乏「永終」連言例子，如「天祿永終」（《論語・堯曰》），但更常見「永」、「終」個別使用情形，如「江之永矣」（〈周南・漢廣〉）、「永錫爾類」（〈小雅・既醉〉）、「終日射侯」（〈齊風・猗嗟〉）、「終朝采綠」（〈小雅・采綠〉）、「終踰絕險」（〈小雅・正月〉），這些例子，「永」、「終」並不能相互訓解。以屈先生所舉白駒「以永今朝」言，鄭《箋》云：「永，久也。願此去者乘其白駒而來，使食我場中之苗，我則伴之繫之，以久今朝，愛之欲留之。」「終」（盡）和「永」（久），意思不盡相同，「永」有長久，無限延長之意，而「終」只有窮、盡之意。同樣的「且以永日」句，屈先生訓「永」為「終」，和毛《傳》：「永，引也。」亦有「終此日」和「引長此日」之異。《正義》：「……言永日者，人無事則長日難度，若飲食作樂，則忘憂愁，可以永長此日。白駒以永今朝，意與此同也。」陳奐《詩毛氏傳疏》：「傳

73

於卷耳、漢廣、常棣、文王永訓長，唯此訓引者，引日，猶引年，引亦長也。」兩家訓解皆用常義，較訓「終」尤能傳達詩意。何況永終若爲聯綿詞，何能分開使用？拆開訓解？

廿二、夏屋渠渠─〈秦風·權輿〉

屈註：夏屋，大具也。具，饌具也。大具，猶言盛饌。渠渠，猶勤勤，即殷勤也。

珍玉謹案：歷來對「夏屋」的訓解有「大具」（鄭玄、孔穎達、楊愼、胡承珙、戴震、陳啓源、馬瑞辰等人主之）及「大屋」（王肅、朱熹、陳奐、方玉潤等人主之）。屈先生採鄭《箋》：「大具」，相當正確，胡承珙、馬瑞辰論述甚詳，茲不贅言。但又採《箋》訓「渠渠」爲勤勤，殷勤，似乎不妥。由於詩二章所言皆爲食，「夏屋渠渠」對「每食四簋」，「今也每食無餘」對「今也每食不飽」。「渠渠」和「四簋」意應相類，四簋言食物之盛，「渠渠」亦應作如是觀，釋爲供大具之態度殷勤，並不相類。馬瑞辰云：「廣雅渠渠，盛也。夏屋渠渠，正狀其禮食大具之盛，箋訓爲勤勤失之……。」批評鄭《箋》之失，非無理由。

廿三、洵有情兮，而無望兮─〈陳風·宛丘〉

屈註：洵，信也，誠然也。無望，即周易之无妄（戰國策亦有無望之福，無望之禍等語），謂出乎意料之外也。

珍玉謹案：「洵有情兮，而無望兮」句，由於詩句語言過於精簡，很難判定原意。屈先生用《易經》「无妄」，訓爲出乎意料之外。由於屈先生未釋「有情」，傳統注家大致以上句有「子之蕩兮，宛丘之上兮」，而從鄭箋訓爲「荒淫之情」，諷刺之色彩較濃。朱傳：「情思」、日人竹添光鴻：「情致」，或許比較客觀近實。假設用朱傳的「情思」，可以說成：誠然有情思，而且出乎意料之外。「而」在句中當連接詞，連接兩分

句，上下句意思有遞進的關係。就屈先生說詩義爲刺游蕩，這兩句是明誇暗刺；不僅合於詩義，而且有先秦證例。但缺點是《易經》「无」的用法並不尋常。同樣的馬瑞辰《毛詩傳箋通釋》將「望」說成是「望祀」[18]雖合詩義，但是否如此？令人不得不置疑。而鄭《箋》云：「此君信有荒淫之情，其威儀無可觀望而則傚。」朱傳云：「言雖信有情思而可樂矣，然無威儀可瞻望也。」兩家釋「有情」、「無望」都增加文字，並不恰當。「望」當動詞有「仰望」意，當名詞有「聲譽」意（參屈先生釋〈大雅‧卷阿〉「令聞令望」），如用鄭箋、朱傳稍加修正，可以說成：信有情思，而無聲譽。如此則「而」連接兩分句，上下句意思有轉折的關係。

廿四、越以鬷邁—〈陳風‧東門之枌〉

屈註：越以，猶于以，爰以，語詞也。參召南采蘩。

珍玉謹案：龍師宇純〈詩經于以說〉，文末針對胡承珙以「于以」和「越以」相同，提出反駁：「如果『越以』、『于以』相同，詩人沒有易『于』爲『越』的道理」，于以與越以互不相涉，何待多言？」並以「越」爲語詞，「以」猶「與」也，與「與」一語之轉。

廿五、十月滌場—〈豳風‧七月〉

屈註：滌，清掃也。十月場事已畢，故清掃之。

珍玉謹案：屈先生係從毛傳：「滌，埽也。場，功畢入也。」除毛傳外，歷來重要註家皆未訓釋，應是同意毛說，將「滌場」視爲動賓詞組，並未留意應和上句「九月肅霜」對稱。直到王國維，才正確的把「滌場」當作聯綿詞。其在《觀堂集林》卷

---

[18] 古代祭祀山川之專稱。遙望而祭，故稱。

一云：「詩豳風九月肅霜，十月滌場。《傳》肅，縮也，霜降而收縮萬物。滌，埽也；場，功畢入也。案此二句，乃與一之日觱發，二之日栗烈同例，而不與七月流火，九月授衣同例。肅霜滌場皆互爲雙聲，乃古之聯綿字，不容分別釋之。肅霜猶言肅爽，滌場，猶言滌蕩也。……詩之滌場，則肅清之義。九月肅霜，謂九月之氣清高顯白而已，至十月則萬物搖落無餘矣！與觱發栗烈由風寒而進於氣寒者，遣詞正同。……」

參考書目

丁聲樹：〈詩卷耳芣苢采采說〉，《北大國學季刊》6 卷 3 期，1940 年。

毛亨傳、鄭玄箋：《毛詩鄭箋》，臺北：新興書局，1973 年 9 月。

孔穎達：《毛詩正義》，臺北：藝文印書館，1985 年 12 月版。

王引之：《經傳釋詞》，皇清經解本。

王引之《經義述聞》，皇清經解本。

王先謙：《詩三家義集疏》，臺北：世界書局。

王國維：《觀堂集林》，臺北：河洛圖書出版社，1975 年 3 月。

方玉潤：《詩經原始》，臺北：藝文印書館。

朱熹《詩集傳》，臺北：藝文印書館，1974 年 4 月。

余培林：〈詩經成語試釋〉，《慶祝莆田黃天成先生七秩誕辰論文集》，臺北：文史
　　　哲出版社，1991 年 6 月。

呂珍玉：〈詩經疊章相對詞句訓詁問題探討〉，《東海中文學報》12 期，1998 年
　　　12 月。

林義光：《詩經通解》，臺北：中華書局，1971 年影印本。

林慶彰：〈釋詩彼其之子〉，《書目季刊》19 卷 4 期，1986 年 3 月。

屈萬里：《詩經詮釋》，臺北：聯經出版事業公司，1984 年 9 月。

周師子範：《中國古代語法》，中央研究院歷史語言研究所專刊之 39，臺北：台
　　　聯國風出版社，1972 年 3 月重刊

季旭昇：〈從國銅器談詩經「彼其之子」的新解〉，國立臺灣師範大學《國文學報》
　　　第 21 期，1992 年 6 月。

胡承珙：《毛詩後箋》，續皇清經解本。

馬瑞辰：《毛詩傳箋通釋》，續皇清經解本。

俞　樾：《詩經平議》，《春在堂全書》，臺北：中國文獻出版社，1971 年。

姚際恆：《詩經通論》，臺北：中華書局，1958 年排印本。

高本漢：《詩經注釋》，臺北：中華書局編審委員會，1960 年 7 月。

許慎撰、段玉裁注：《說文解字注》，臺北：天工書局，1987 年 9 月。

陳　奐：《詩毛氏傳疏》，臺北：臺灣學生書局，1986 年 10 月。

陳啓源：《毛詩稽古編》，皇清經解本。

聞一多：《風詩類鈔》，《聞一多全集》，臺北：九思出版社，1978 年 2 月。

歐陽修：《毛詩本義》，通志堂經解本。

戴　震：《杲溪詩經補注》，皇清經解本。

龍師宇純：〈讀詩管窺〉，中央研究院歷史語言研究所集刊第 55 本第 2 分，1984
　　　　年。

龍師宇純：〈詩「彼其之子」及「於焉嘉客」釋義〉，《中國文哲研究集刊》，第 3
　　　　期，1993 年 3 月。

龍師宇純：〈詩義三則〉，《王叔岷先生八十壽慶論文集》，臺北：大安出版社，1993
　　　　年 6 月。

龍師宇純：〈詩經于以說〉，《東海大學中文學報》12 期，1998 年 12 月。

顧頡剛等：《古史辨》，香港：太平書局，1963 年 1 月。

《爾雅》，十三經注疏本，臺北：藝文印書館，1985 年 12 月。

龍宇純先生七秩晉五壽慶論文集
2002 年 11 月　　頁 79～100

利用出土戰國楚竹書資料
檢討《尚書》異文及相關問題

林素清[*]

引言

　　1993 年湖北省荊門市郭店一號楚墓，出土了竹簡八百餘枚，包括了十餘種典籍，荊門市博物館編撰了《郭店楚墓竹簡》（文物出版社，1998 年 5 月）一書，引起了學術界高度關注。1994 年起，又陸續出現不少竹簡，先後被上海博物館購藏，整理和研究，於 2001 年底，已發表其中三篇，出版了《上海博物館藏戰國楚竹書（一）》（上海古籍出版社，2001 年 11 月）。本文擬以這兩部珍貴戰國楚竹書材料所引《尚書》文字，對照所見各種《尚書》版本和殘存敦煌抄本、唐石經、東漢熹平石經、魏正始三體石經等相關資料，作《尚書》異文研究，希望有助於《尚書》之研究。

一、〈康誥〉

　　《郭店簡》引《尚書・康誥》共兩處：分別見〈緇衣〉和〈成之聞之〉，前者也見於《上博簡》15。

　　（1）《郭店簡・緇衣》簡 8、29

　　　〈康弄（誥）〉員（云）：「敬明乃罰。」（《上博簡・緇衣》15 同，惟《郭店簡》「言」部，《上博簡》作「𠯑」）

---

[*]　中央研究院歷史語言研究所研究員。

䛭字從言從卅，金文常見。如〈何尊〉[1]、〈史䛭簋〉[2]銘文皆有䛭字，䛭即誥字，陸德明《經典釋文》：「誥，本作䛭」[3]是從告從卅。簡文則從言從卅，又見〈緇衣〉簡5〈尹䛭〉，及〈成之聞之〉簡38引〈康䛭〉。䛭從言從卅當是會意字，本意有以上告下，訓戒之意。而誥則是從言告聲之形聲字，是晚出字。後來誥字行而廢。魏三體石經〈多方〉[4]殘字誥字作䛭。今本《禮記·緇衣》第13章引〈康誥〉此句，文皆同於今本《尚書》。各本所引亦無異文，惟毛本「明」字作「民」，蓋通假，與簡本作對勘，仍以明字較佳。

（2）《郭店簡·成之聞之》簡38、39

〈康䛭（誥）〉曰：「不遝（率）大暊，文王复（作）罰，型丝亡懲（赦）。」今本《尚書，康誥》此句作：「文王作罰，刑茲無赦。不率大戛」。孔氏傳對「不率大戛」的解釋是：「戛，常也，凡民不循大常之教，猶刑之無赦……。」[5]

對照簡本引文和今本《尚書》，除了多處異文外，句序也有極大差異，值得仔細留意。對於這些差異，《郭店簡》原釋文和注釋都未說明，裘錫圭按語也只注明「待考」[6]。爲了細究原委，首先將今所見各種《尚書》版本逐一條列於下，再分別討論。

唐石經　　　　文王作罰，刑茲無赦，不率大戛

內野本　　　　文王作罰，刑茲亡赦，弗術大戛

足利本　　　　文王作罰，刑茲亡赦，不術大戛

---

[1]　〈何尊〉，1963年陝西省寶雞縣出土，參考唐蘭：〈䀡尊銘文解釋〉，《文物》1976年1期，頁60；馬承源〈何尊銘文初釋〉，同期，頁64等。

[2]　〈史䛭簋〉，1966年陝西省岐山縣賀家村出土。參考唐蘭：〈史䛭簋銘考釋〉，《考古》1972年5期。唐蘭對䛭字作了詳細考釋。

[3]　《經典釋文》（臺北：鼎文書局，1972年影印通志堂本），卷4，《尚書音義》〈大誥〉第9，頁46。

[4]　〈多方〉殘石：「王若曰：䛭爾……」。《尚書文字合編》（上海：上海古籍出版社，1996年1月），頁2389。

[5]　《尚書正義》（臺北：藝文印書館影印嘉慶二十年重刊宋本，附阮元校勘記之《十三經注疏》本），頁204。

[6]　《郭店楚墓竹簡》釋文注釋，頁170。

天正本　　　文王作罰，刑茲亡赦，不衕大戛

八行本　　　文王作罰，刑茲亡赦，不率大戛

書古文訓　　玟王迮罰，型絲亡赦，𠬝術大戛

綜合以上八種本子，可見簡本句序獨異於其他七種本子，爲了討論這個問題，我們先將《尚書・康誥》此句上下文引於下：

> 王曰：「封，元惡大憝，矧惟不孝不友。子弗祗服厥父事，大傷厥考心；于父不能字厥子，乃疾厥子；于弟弗念天顯，乃弗克恭厥兄；兄亦不念鞠子哀，大不友于弟。惟弔茲，不于我政人得罪，天惟與我民彝大泯亂。曰：乃其速由文王作罰，刑茲無赦。不率大戛，矧惟外庶子訓人，惟厥正人、越小臣、諸節；乃別播敷，造民大譽；弗念弗庸，瘝厥君。時乃引惡，惟朕憝。已，汝乃其速由茲義率殺。」[7]

將「乃其速由文王作罰」連讀，見於許多本子，例如孔安國傳云：「言當速用文王所作違教之罰，刑此亂五常者無得赦。」[8]孔穎達《疏》、蔡沈《書經集傳》、曾運乾《尚書正讀》、楊筠如《尚書覈詁》、周秉鈞《尚書易解》、皮錫瑞《尚書今古文疏證》等都沿用此說。孫星衍《尚書今古文注疏》則將「乃其速由」屬上讀作：

> 天惟與我民彝大泯亂，曰：乃其速由。文王作罰，刑茲無赦。不率大戛……

孫星衍的理由是：

> 「天惟與我民彝大泯亂，曰：乃其速由」者，言此父子兄弟不睦之人，滅亂天常，乃其自召罪說，不可旁及親屬。〈酒誥〉曰：「惟民自速辜」，〈多方〉云：「乃惟爾自速辜」語意正同。或以「乃其速由」下屬「文王作罰」為句，案之《後漢書・王符傳》，不然也。

《後漢書・王符傳》云：「夫養稂莠者傷禾稼，惠姦軌者賊良民。《書》曰：『文

---

[7] 屈萬里：《尚書集釋》（臺北：聯經出版公司，1983年），頁152、153。
[8] 《尚書正義》，頁204。

王作罰，刑茲無赦。』《風俗通，皇霸篇》、《潛夫論・述赦篇》引同《後漢書》，

則知「乃其速由」不相屬也。[9]

因此，在比較簡本《康誥》引文與今本《尚書・康誥》此句句序之優劣得失時，廖名春認為當以簡文較合理。因為：「文王作罰，刑茲無赦」指的是「不率大戛」，有「不率大戛」之事，方有「文王作罰，刑茲無赦」之為，所以「不率大戛」當居前[10]。

廖名春這看法是可取的，因為：「不遵循大法，就得用文王所製定的刑罰給予懲罰，不能赦免」，或「不能循大常，則文王所定刑罰就無法定規」，全段文意是能通讀的。此外，何琳儀認為簡文「暊」字為「夏」字之省，「大暊（夏）」即「大雅」，指《詩經》「大雅」：

「還」、「緩」、「鉾」、「率」展轉相通，皆一音之轉，參高亨《古字通假會典》170、562。「夏」原篆作🔆，與戰國文字習見形體🔆相較，略有省簡而已。這類省「止」之「夏」，亦見包山簡224，隨縣簡165等，均為姓氏。「大夏」應讀「大雅」。《墨子・天志》下「非獨子墨子以天之志為法也。於先王之書、《大夏》之道之然。」孫詒讓《閒詁》「俞云，《大夏》即《大雅》也。雅、夏古字通……下文所引帝謂文王六句，正《大雅・皇矣》篇文。」本簡意謂「不循《大雅》所載先王之法，文王則製定刑法，懲罰他們而不赦。」今本「夏」譌作「戛」，疏引《爾雅・釋詁》訓「常」，已非《書》之原意。[11]

若依照何琳儀的解釋，〈康誥〉這段文字的順序，也是以《郭店簡・成之聞之》所引較佳。

至於文字異文部分，如作字作𢼑；刑字作型，茲字作丝（書古文訓亦作丝），都

9　《尚書今古文注疏》（臺北：文津出版社，1987年），卷15，頁368。

10　廖名春：〈郭店楚簡《成之聞之》、《唐虞之道》篇與《尚書》〉，《中國史研究》1999年3期，頁35-36。

11　何琳儀：〈郭店竹簡選釋〉，《簡帛研究二〇〇一》（廣西師範大學出版社，2001年9月），頁165。其實，廖名春〈郭店楚簡《成之聞之》、《唐虞之道》與《尚書》〉文已疑「暊」為「夏」字，夏、雅通，並指出「雅」有「正」意，與「戛」訓「常」故能通用。

是古今字的差異，尤其是叏（作，書古文訓作迮，亦屬戰國古文體）與型（書古文訓亦作型，可見隸古定時確有根據），都是楚文字常見的地域性用字。至於亡與無；晛、戛或夏；都是字形相近之省或通假。率字或作術，也是戰國古文寫法，而簡本作 還（還），也是音近之通假。此外，內野本及書古文訓本文字作 ，則是根據郭忠恕《汗簡》而作的隸定。在戰國古文也屢見文字作 ，如新出上海博物館所藏〈孔子詩論〉簡也有文字作 之例，經由這些出土文獻和傳世文獻互勘之異文例，都間接證實了戰國抄本，或孔子壁中書等，的確多少保留了戰國古文字體。而由簡本「不率大夏，文王作罰，刑茲亡赦」之文字和句式，對於《尚書‧康誥》這段文字之重新校讀，提供了重要證據。

二、〈君奭〉

《郭店簡》引《尚書‧君奭》共三處，其中見於〈緇衣〉一處、〈成之聞之〉二處，分別敘述於下：

（3）《郭店簡‧緇衣》簡36、37

〈君奭〉員（云）：「昔在上帝，戠（割）紳觀文王恿（德），其集大命于氒（厥）身。」

今本《禮記‧緇衣》23 章引作：

〈君奭〉曰：「在昔上帝，周田觀文王之德，其集大命于厥躬」

今本《尚書‧君奭》則作：

君奭！在昔上帝，割申勸寧王之德，其集大命于厥躬……

簡文「割紳觀文王德」，《禮記‧緇衣》作「周田觀文王之德」，今本《尚書》作「割申勸寧王之德」。今所見各種版本皆有「之」字而簡本無「之」字，另外，敦煌本伯2748 亦無「之」字。「文王」《尚書》各本都作「寧王」（包括：唐石經、內野本、足利本、天正本、八行本及書古文訓皆作寧王），清末王懿榮曾指出「寧」為「文」字

之誤，吳大澂《字說》因見金文「文」字作 ⊕、⊕ 等形，因與寧字形近，認爲《書》所見「寧王」、「寧考」、「前寧人」分別當爲「文王」、「文考」、「前文人」之誤。今天，由於《郭簡‧緇衣》引《尙書‧君奭》作「文王」，可以直接證明「寧王」確爲「文王」之誤。至於「文」字訛爲「寧」的時代，屈萬里《尙書集釋》有這樣看法：

> 魏三體石經《尚書‧君奭》殘石：「我迪惟寧王德□。」寧字作 ⊕。篆文、隸書皆作寧。又同篇：「□□□□寧于上帝命。」寧字亦作 ⊕。而同篇他處及《春秋》殘石，文字古文皆作 ⊕。是孔壁古文《尚書》，已訛文為寧矣。[12]

裘錫圭則根據古文字材料所見從心之文字都出現在西周時期，於是他作了這樣推定：

> 我們所看到的古文字資料中，「文」字寫成從「心」，卻沒有晚於西周時代的例子，所以漢儒所見的古文經書裡決不可能有這樣的「文」字。從「心」的「文」大概是先訛作「窓」，再變作「寧」。我們認為《尚書》中部份「文」字訛作「寧」的時代，不可能晚於春秋。[13]

廖名春因而指出：

> 《尚書‧君奭》篇的「寧王」當源於西周的故書，而寫成於戰國中期的楚簡「文」已不從心了。這種異文，對於斷定《尚書‧君奭》篇的寫成年代是有意義的。[14]

當然，西周時代，文字是否皆僅寫作從「心」之文？或是同時有從心與不從心之文，仍是必須作更詳細的論述，僅就一些從心的文字，就直接作出：「《尙書‧君奭》篇的『寧王』當源於西周故書」及「寫成於戰國中期楚簡『文』已不從心了」的推論，似過於簡略。但指出利用這種異文現象來推斷書籍寫成年代的方法，則是可取的。

「劀紳觀文王德」，《禮記‧緇衣》作「周田觀文王德」，鄭玄注云：

---

[12] 《尚書集釋》，頁 136。

[13] 裘錫圭〈談談清末學者利用金文校勘《尚書》的一個重要發現〉，《文史叢稿》（上海：遠東出版社，1996 年），頁 164。

[14] 廖名春〈郭店楚簡引《書》、論《書》考〉，《郭店楚簡國際學術研討會論文集》（武漢：湖北人民出版社，2000 年 5 月），頁 115。

古文「周田觀文王之德」為「割申勸寧王之德」，今博士讀為「厥亂勸寧王之德」，三者皆異，古文似近之。[15]

根據鄭玄說知「割申勸」為古文，而簡本《緇衣》引〈君奭〉作「割申觀」，對勘之下可知「勸」當是「觀」字形近之訛，至於博士讀「割申」為「厥亂」也是因古文申、亂兩字形近致訛。「割」、「害」音近相通假，古書常見，而「害」字作「周」則是因形近而訛。于省吾《尙書新證》已有說明：

蓋周即害之訛，亦作割。〈格伯簋〉周作𤰝，〈師害簋〉害作𡧜，形近易渾。〈堯典〉：「洪水方割」，鄭詩譜疏引作害。[16]

關於這句話的意思，屈萬里《尙書集釋》總結各家說，解釋得十分清楚：

周乃害字之誤，……割、害古通。〈緇衣〉鄭注云：「割之言蓋也」。田當為申之誤。申，《爾雅釋詁》：「重也。」勸，當依〈緇衣〉作觀。寧，當依〈緇衣〉作文。此言上帝蓋重複觀察文王之德也。[17]

今日，由於《郭店簡·緇衣》篇的出土，更可堅強地證實「割申觀」是正確的本子，「周」、「田」、「勸」、「亂」等異文都是字形之訛。戰國古文之難以釋讀，可見一斑了。

至於簡文「厥身」，無論《禮記·緇衣》或《尙書·君奭》都作「厥躬」。躬、身義同，可相通假，其例在古書常見。例如：《尙書·呂刑》：「罔有擇言在身」，《禮記·表記》所引「甫刑」身字作躬；《尙書·文侯之命》：「其伊恤朕躬」，內野本躬字作身。即以〈君奭〉篇「厥身」兩字各本所見為例，情形是：（一）簡本、內野本、八行本作「厥身」或「氒身」；（二）今本《尙書·君奭》、今本《禮記·緇衣》引〈君奭〉、唐石經本、足利本、天正本、書古文訓本作「厥躬」或「氒躬」。可見兩字之通用是很普遍的。《說文》呂部有「躬」字，「躬，身也。從身、從呂」，又云：「躳，俗從弓、

---

[15] 《禮記正義》（臺北：藝文印書館，1989 年影印嘉慶二十年重刊宋本《十三經注疏》本），頁 935。

[16] 于省吾：《尙書新證》（菘高書社，1985 年 4 月），頁 227。此外，金履祥《書經注》亦曾指出：「周字似害，必害字也」。

[17] 《尙書集釋》，頁 208。

身」[18]，可見躬、身同義，而躬是俗體字。至於身、躬、躬三字在古文獻或出土文字材料所見情形，另撰專文討論，不贅述於此。《上博簡‧緇衣》引這段〈君奭〉文字，缺「昔在上帝割申觀文王德其」十一字，僅保存「集大命于厥身」六字，「厥身」《上博簡‧緇衣》作「」，命字作「」（簡十九），而《郭店簡》作「」。

（4）《郭店簡‧成之聞之》簡22

　　　〈君奭〉曰：「唯不單再（稱）德」

今本《尚書‧君奭》文爲：

　　　惟茲四人昭武王。惟冒，丕單稱德。

今所見各種版本皆作「惟冒丕單稱德」除了九條本、內野本、八行本、書古文訓「稱德」作「再悳」，與簡本同，皆屬戰國古文。其餘足利本、唐石經本則與今本《尚書》同，作「稱德」，爲隸定後的本子。不、丕亦古今字。古書或金文所見「不」讀爲「丕」之例極多，丕字在此作語詞，或以「丕單」爲詞，皆爲「大也」，如「丕顯」或作「不顯」同。

　　簡文字，字形奇詭，《郭簡》原釋文僅據形摹寫而無說，注釋只以《尚書‧君奭》文供參考。由於〈君奭〉的對勘，疑爲「冒」字之通假字或同義字，目前至少有六種說法：（一）釋爲「鳥」字省，因爲「鳥」字古音端母幽部，與明母幽部之「冒」字音近可通假[19]。（二）則釋爲「仦」，認爲仦、乾可通，乾乾有勉力不息之義[20]，與孫星衍訓冒通勖，有勉義同[21]，《說文》目部瞀字引《周書》曰：「武王惟瞀」[22]，冒作瞀，內野本作冒，故可通假。（三）釋爲「彪」字之省去「虎」旁。認爲今

---

[18] 《說文解字注》（臺北：藝文印書館，1970年影印經韻樓本），7下，頁347。

[19] 周鳳五：〈讀郭店楚簡〈成之聞之〉札記〉，稿本，頁3。

[20] 廖名春 ：〈郭店楚簡《成之聞之》、《唐虞之道》篇與《尚書》〉，《中國史研究》1999年3期，頁33-34。

[21] 《尚書今古文注疏》，卷22，頁453-454。「冒聞于上帝」、「昭武王惟冒」注：「冒與懋音相近，義得爲勉。」又，〈君奭〉「迪見冒聞於上帝……」《釋文》云：「馬本作勖」，是冒，勖字通用又一例。

[22] 《說文解字注》，4上，頁133。

本《尚書‧君奭》以「冒」爲「彪」之假借。（四）釋△爲「髟」字，髟、冒音近，可以通假[23]。（五）釋△爲「攸」字之省形。攸，喻母幽部；冒，明母幽部，聲爲唇、舌通轉，韵部相同，可相通假[24]。（六）△像旗旌，應爲「旒」字，讀爲冒。（旒，來母幽部，音近）[25]。以上六說各有可取，究竟△字該讀如何，猶待進一步考證。

（5）《郭店簡‧成之聞之》簡29

〈君奭〉曰：「襄我二人，毋又（有）合才音」害（曷）？道不說之詞也。

《郭簡》釋文注引裘錫圭說：「今本〈君奭〉作『襄我二人，汝有合哉言』，『言』字一般屬下讀。才似當讀爲『在』。『毋有合在音（或是「言」之誤）』，其意與今本『汝有合哉』大不相同」[26]。按，「毋又合才」讀「汝有合哉」是不成問題的。音與言形近混用，也是常見的，本句讀爲「毋有合才言」能與下句「道不悅之司（詞）」繫連起來。

考察各種《尚書》版本：九條本、內野本、八行本、古文訓本作「女又合才言」，其中內野本、八行本、古文訓本二人之二作「弍」，是古文系統的本子，而足利本、唐石經本則與今本《尚書》較近，作「汝有合哉言」。由於《郭店簡‧成之聞之》引〈君奭〉篇的出現，證實了古文系統版本的淵源有自。而孔傳等的斷讀作：「予惟曰：襄我二人，汝有合哉，言曰在時二人，天休滋至，惟時二人弗戡。」與簡本引〈君奭〉不同，今可據《郭店簡‧成之聞之》作更正。

三、〈呂刑〉

《郭店簡》引《尚書‧呂刑》共三處，皆見於〈緇衣〉篇。「呂刑」，《禮記‧表

---

[23] 釋△ 為「彪」字和「髟」字，見何琳儀：〈郭店竹簡選釋〉，《簡帛研究二〇〇一》，頁164。

[24] 張靜：《郭店楚簡文字研究》（合肥：安徽大學博士學位論文），頁176。

[25] 李零：〈郭店楚簡校讀記〉，《道家文化研究》第17輯。

[26] 《郭店楚墓竹簡》，頁170，註29。

記〉、〈緇衣〉、《孝經》、《尚書大傳》、《史記》等俱作「甫刑」；而《墨子》、《書序》作「呂刑」，根據馬瑞辰《毛詩傳箋通釋》說法，作「呂刑」者爲古文本；作「甫刑」則爲今文家本[27]。今所見《郭店簡》所引「呂刑」作「呂型」或「郘型」，刑字從「土」作坓或型，皆爲楚文字特色；呂，國名，春秋戰國金文多作郘、或𨺷[28]。《郭店簡》呂或作 𨺷（簡 14）。

（6）《郭店簡·緇衣》簡 26、27

〈呂坓〉員（云）：「非甬（用）𦎫，折（制）以坓，隹乍五虐之坓，曰法。」刑作坓，用作甬[29]皆楚文字特有寫法，虐作 𧆨，同於《說文》古文。證明了這是個古文系統的版本。《禮記·緇衣》第 3 章所引「甫刑」，多了「苗民匪用命」句之「苗民」二字，各本《尚書·呂刑》也俱見「苗民」二字，《上博簡·緇衣》引〈呂型〉則作「𥄕民」，𥄕[30]、苗音近可通用。《禮記·緇衣》引〈呂刑〉文爲：

〈甫刑〉曰：「苗民匪用命，制以刑，惟作五虐之刑，曰法」……

《尚書·呂刑》的這段文字是：

苗民弗用靈，制以刑；惟作五虐之刑曰法，……

上海博物館藏〈緇衣〉也有這段〈呂刑〉文字，見簡 14、15：

〈呂型〉員（云）：「𥄕民非甬需，折以型，隹复五虐之型，曰金（法）」。

楚簡「非甬𦎫」、「非甬需」，《禮記·緇衣》作「匪用命」；《尚書·呂刑》作「弗用靈」，而《墨子·尚同》引作「否用練」。「用」作「甬」爲楚文字特色。非、匪、弗、否皆有否定之意，可或通假。足利本、八行本、天正本等亦作弗。至於𦎫字，則有「至，

---

[27] 引自《尚書集釋》，頁 250。

[28] 如郘鐘、郘太叔斧等。呂地據《史記·齊世家集解》云「呂在南陽宛縣西」，即今河南南陽縣。

[29] 除了楚簡常見坓、甬之例，另於楚系金文也屢見讀「甬」爲用的例子，如：〈曾姬無卹壺〉：「甬戶宗彝尊壺，後嗣甬之」、〈江小仲鼎〉：「江小中母生自戶甬鬲」等。

[30] 《說文解字》見部有「𥄕」字：「擇也，從見毛聲，讀若苗」（8 下，頁 414），𥄕應與簡文𥄕爲一字，可讀爲苗。

善也」[31]，「䤹讀爲旨，旨者意也」[32]及「政令、命令」[33]或讀爲「臻」，有完美，善也之意[34]。案，䤹當讀爲至[35]。《詩·小雅·節南山》鄭《箋》：「至，猶善也」。《管子·法法》：「夫至用民者」，《注》：「至，善也」。「非用䤹（至）、「非用靈」、「非用命」皆「非用善」之意，「令」、「命」、「霝」、「靈」皆來母耕韵，可通假。「苗」、「毗」皆明母宵部，可通假。「折」、「制」皆精母祭部，亦可相通假等說法，仍待詳考。「五虐之刑」各本皆同，惟竹簡本刑作丵；《墨子·尚同》引作「五殺之行」。「法」字，書古文訓本作「㴋」。竹簡本及《墨子》作「折以刑」，其餘各本皆與今本《尚書》同，作「制以刑」。總之，綜合各本用字情況，對於其源自古文本或今文本，頗有啓發。至於《上博簡》「法」字作「佥」，與《說文》古文法字「佥」（又見《汗簡》卷2，及《古文四聲韻》卷5引《石經》古文，形近，應皆爲戰國古文。

（7）《郭店簡·緇衣》簡29

〈呂丵〉員（云）：「翻（播）丵（刑）之迪」

《郭店簡》釋文云：「翻，從『番』聲，讀作『播』。」[36]《尚書，呂刑》作「播刑之迪」，簡本作「丵」爲楚文字。其餘同。此外，所見《尚書》各本，如足利本、天正本、八行本、唐石經本、書古文訓亦皆作「播刑之迪」，其中八行本、古文訓本播字作㪒，取自《說文》古文。惟有今本《禮記·緇衣》則作「播刑之不迪」，多「不」

---

[31] 廖名春：〈郭店楚簡引《書》論《書》考〉，《郭店楚簡國際學術研討會論文集》，頁119。

[32] 劉信芳：〈郭店簡〈緇衣〉解詁〉，《郭店楚簡國際學術研討會論文集》，頁174。

[33] 周桂鈿：〈郭店楚簡〈緇衣〉校讀札記〉，《郭店楚簡研究》，《中國哲學》第20輯，頁214-215。

[34] 李零：〈郭店楚簡校讀記〉，《道家文化研究》（北京：三聯書局，1999年），第17輯，頁486。

[35] 顏世鉉：〈郭店楚簡淺釋〉，《張以仁先生七秩壽慶論文集》（臺北：臺灣學生書局，1999年1月），上冊，頁383-384；另外可參考饒宗頤：〈由刑德二柄談「䤹」字——經典異文探討一例〉，發表於「第一屆中國語言文字國際學術研討會」，2002年3月，香港：香港大學。

[36] 《郭店楚墓竹簡》135頁，注73。注中引《尚書·康誥》作「布刑之迪」，〈康誥〉應是〈呂刑〉之誤。

字，鄭玄注已指「不，衍文耳。」由《郭店簡‧緇衣》及《上博簡‧緇衣》之引文，可證明了鄭說可信[37]。《上博簡‧緇衣》簡15：

〈呂型〉員（云）：「囯型之𪓉（由）」，亦無「不」字。囯寫法同於八行本和古文訓本《尚書》，囯為本字，加義符「田」，《郭店簡》從「月」，則為疊加聲符。「迪」字作「由」，省形。原整理者認為「由假借為迪」。[38]

（8）《郭店簡‧緇衣》簡13、14

〈邵坙（刑））員（云）：「一人又（有）慶，𡐊民贎（賴）之」

《上博簡‧緇衣》簡8：

〈呂型〉員（云）：「一人又慶，𡐊民夏（訧）之」

呂字作邵，刑作坙，是春秋戰國古字。𡐊字從土，也見於金文，「𡐊」即「萬」字，此簡前段文字「子曰：禹立三年……詩云：成王之孚，……」，禹字從土，作𡐊，成字亦從土作坲，在簡12至13，二枚簡中，有刑、萬、禹、成等皆添加了「土」旁，《上博簡》亦同，這也是楚文字特色之一[39]。今本《禮記‧緇衣》作：「一人有慶，兆民賴之」，《尚書‧呂刑》亦作「一人有慶，兆民賴之」（古文訓本和八行本「一」字作「弌」，屬古文系統）。兆民、萬民意雖同，然「兆」字較「萬」字晚出，簡本「萬民」的用法似乎較古。考察《尚書》各本，如唐石經、八行本、天正本、足利本及古文訓本皆作「兆民」[40]，而《大戴禮‧保傳篇》、《淮南子‧主術篇》、《後漢書‧安帝紀》等引書則皆作「一人有慶，萬民賴之」，則是應有兩種傳本。

《說文》有贎字：「贎，貨也，從貝萬聲」。又《說文》虫部有蠆字：「蠆，從虫，萬聲，讀若賴」，可見贎亦讀如賴字，贎、賴音近可通假。且古書所見賴與厲、賴與

---

[37] 鄭玄「不」字衍說，並未被所有後世經學家接受。例如劉逢祿《尚書今古文集解》、皮錫瑞《今文尚書考證》、朱廷獻《尚書異文集證》等皆以為當有「不」字。今日由於有《郭店簡‧緇衣》及《上博簡‧緇衣》引〈呂刑〉文之佐證，鄭玄仍是可取的。

[38] 《上海博物館藏戰國楚竹書（一）》（上海：上海古籍出版社，2001年11月），頁191。

[39] 例如九店楚簡〈日書〉簡39，禹字亦從土。

[40] 「兆民」一詞見於《左傳‧閔公元年》：「天子曰兆民，諸侯曰萬民」。《禮記‧內則》鄭注：「萬億曰兆。」因此，竹簡本「萬民」應是引自較古的《尚書‧呂刑》本。

購，癩與厲相通假的例子不少。簡本購字，其他各本皆作「賴」，也許「購」字也是楚地特有用字習慣。《說文》「賴，贏也」。段玉裁注：

> 《方言》云：「賴，讎也。南楚之外曰賴。賴，取也。」

根據段引《方言》，林文華推定：「可見楚地不用賴字」而用購字[41]，所以《郭簡》這段〈呂刑〉引文可印證《方言》說。至於《上博簡·緇衣》引〈呂刑〉「賴」字作「訣」，疑爲音近通假，或亦楚地方言，待考。

四、〈君牙〉

（9）《郭店簡·緇衣》簡9、10

> 〈君臣（牙）〉員（云）：「日屑雨，少民隹日悁（怨），晉冬旨（耆）滄，少民亦隹日怨。」

《上博簡·緇衣》簡6：

> 〈君臣（牙）〉員（云）：「日晃（暑）雨，少民隹日怨，晉冬者寒，少民亦隹日怨。」

《禮記·緇衣》：

> 〈君雅〉曰：「夏日暑雨，小民惟日怨；資冬祁寒，小民亦惟日怨」

按，孔壁古文尚書無此篇，百篇書序有「君牙」。兩種簡本「牙」字皆從臣（齒）作「臣」、「⿱」，《禮記·緇衣》作「雅」。鄭玄注：「雅，《書序》作牙，假借也。」《說文》：「牙，牡齒也，象上下相錯之形。⿱，古文牙」。《說文》古文⿱，正與竹簡本同，由此可證明了段玉裁注古文牙云：「從齒而象其形也，臣，古文齒」[42]說之可信。至於《書序》作牙，亦知確實保存了古本資料。除楚簡外，〈曾侯乙墓簡〉165亦見⿱

---

[41] 參考林文華：〈《郭店楚簡·緇衣》引用《尚書》經文考〉，第四屆先秦學術研討會論文。

[42] 《說文解字注》，2下，81頁。段玉裁注：⿱云：「臣，古文齒」，段說可信。

字，又見《古璽匯編》2503、0412 也有 🖼 字。

僞古文尚書〈君牙〉作：「夏暑雨，小民惟曰怨咨；冬祁寒，小民亦惟曰怨」。以下四種本子互有異文如下：

郭店簡	🖼	日	屌	少民日悥（怨）	晉冬旨滄	日悥（怨）
上海簡	🖼	日	尻	少民日   🖼 （怨）	晉冬耆寒	日 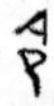 🖼 （怨）
禮記本	雅	夏日	暑	小民曰怨	資冬祈寒	曰怨
尚書本	牙	夏	暑	小民曰怨咨	冬祁寒	曰怨咨

🖼，《郭店簡》隸定作「俗」，讀作溶。[43]李家浩隸定作「屌」，讀作「暑」，舉《包山楚簡》窀（�台），及《信陽楚簡》楮（枮）爲例，認爲 🖼 可釋爲屌，即尻字，尻、暑，古音同爲魚部字，可相通假[44]。至於《上博簡》作 🖼，則是「日」與「几」位置上、下互易而已。「日屌雨」即「日暑雨」。《禮記·緇衣》引此段文字多「夏」字，僞古文本則少「日」字。由於下文有「晉冬（或資冬）祁寒」，因此《禮記·緇衣》作「夏日暑雨」，句式相對，文意較足，楚簡本脫抄「夏」字是有可能的。而僞古文尚書〈君牙〉二句皆無「日」字，「夏暑雨」與「冬祁寒」也是整齊對句，廖名春懷疑是僞古文故意刪去「日」字[45]。

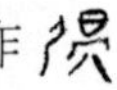

又，「祁寒」或「耆寒」，音近可通，而除《郭店簡》作「滄」外，各本皆作「寒」，「滄」爲楚地方言。[46]此外，悥即怨字，《包山簡》已有明證。至於上博簡作 🖼 和 🖼，

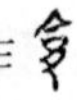

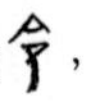

---

[43] 《郭店楚墓竹簡》頁 133 注引：「俗，簡文左旁與《汗簡》『容』字作 者形同。俗，讀作『溶』。《說文》：『溶，水盛貌』。溶雨，雨盛。」

[44] 李家浩：〈讀郭店楚墓竹簡瑣議〉，《郭店楚簡研究》，《中國哲學》第 20 輯，頁 347-348。

[45] 廖名春：〈從郭店楚簡和馬王堆帛書論「晚書」的真僞〉，《北方論叢》2001 年第 1 期，頁 121。

[46] 楚地多用「倉氣」、「滄然」，表「寒」意。如楚帛書「熱氣倉氣」、天星觀簡「滄然」、郭店〈老子〉乙：「趮勝滄」等。參考周鳳五〈子彈庫帛書「熱氣倉氣」說〉，《中國文字》新 23 期，1997 年 12 月。

《戰國楚竹書》分別隸定爲「命」和「令」字（見頁 180），而無說解，其實是錯誤的。

⿰⿳ 與 ⿱，皆當讀爲「怨」字。《古文四聲韻》願部「怨」字下分別收有：⿰、⿱（古老子）、⿰（古孝經）⿱、（古尚書、說文）及 ⿰、⿱（籀韻）[47]等形，其中 ⿰、

⿱等形與 ⿱、⿰ 近似，當是古文字形之訛變。

特別值得注意的是《禮記》本和《尚書》本的兩處「小民惟曰怨」和「小民惟曰怨咨」的「惟曰」，在郭店本或上博本都明顯作「日」字，（日與曰，簡文分別極爲清楚）。由於兩種戰國簡本〈緇衣〉的出現，讓我們必須重新檢視《尚書‧君牙》引作「曰」字[48]。應該是「日」字之誤。「隹日怨」指「每日、日復一日的怨恨」。這也是利用簡本異文作校勘的例子。

五、〈君陳〉

《郭店簡‧緇衣》引〈君陳〉二處，分別見簡 19 及 39、40。新出上博簡〈緇衣〉也有這兩段引文。見簡 10、11 及簡 20。說明於下：

（10）《郭店簡‧緇衣》簡 19

〈君迪（陳）〉員（云）：「未見聖，如亓（其）弗克見；我既見，我弗迪聖。」

《上博簡‧緇衣》簡 10、11

〈君紲（陳）〉員（云）：「未見聖，如丌＝（其）弗克見，我既見，我弗胄（迪）

聖。」

郭店簡本「迪」字，從辵從申，可讀爲陳，上博簡作紲，從系從申從止，亦讀爲陳。《說文》：「陳，宛丘，舜後嬀滿之所封。從阜從木，申聲。敶，古文陳」。敶、迪、紲，皆古文陳。亓，其字古文，上博簡作「丌＝」，整理者認爲「丌」字下爲重文符，

爲「其其」兩字[49]。按，對照各本，都不能讀爲「其其」，疑重文符衍，或「＝」爲校補脫文之符號，非重文符號。〈君陳〉篇不見孔壁古文，而百篇書序有此篇，上博簡「迪」字作𡐈，整理者隸定爲「貴」[50]，誤也。按，「貴」字楚文字寫作𦥑，皆從貝，而此字從「由」（可參考《上博簡・緇衣》第15簡「播型之迪」，迪字寫法）、從「目」，當是「迪」字異體，並非貴字。《禮記》一書共引〈君陳〉三處，一出自〈坊記〉，另二處皆出於〈緇衣〉，〈緇衣〉引〈君陳〉二文，郭簡本和上博本皆見。《禮記・緇衣》作：

〈君陳〉曰：「未見聖，若己弗克見；既見聖，亦不克由聖」

僞古文《尚書》作：

凡人未見聖，若不克見；既見聖，亦不克由聖。

相比較之下，顯然《禮記》本與僞古文本較爲接近，從中也能清楚看出僞古文尙書〈君陳〉可能襲自《禮記・緇衣》的痕跡。

此段文字值得討論的還有弗與不字的用法。兩種簡本：「如其弗克見」、「我弗迪聖」，前後皆用「弗」字，其後內野本、足利本、天正本、八行本、古文訓本亦同。而《禮記・緇衣》作「弗克見」及「不克由聖」，同時並用弗字和不字。至於僞古文尙書本則兩處都改用「不」字，作「不克見」與「不克由聖」。唐石經本從之。由兩用「弗」字，到「弗」、「不」並用，到兩用「不」字，這種文本否定詞彙的使用方式，也透露出其時代背景。兩本簡本「亓」字，主詞在第三句之「我」，《禮記・緇衣》作「己」。僞古文《尙書・君陳》無「我」或「己」，而於句子前加「凡人」兩字，看來是後來改動過的句式。

又，第三、四句，各本都作「既見聖」「亦不（或弗）克由聖」，獨兩種簡本作「我既見」和「我弗迪聖」，我作爲領格，以及「迪」字的用法，都合於西周時代語法，可見竹簡本較合於古本，是無庸置疑的。今本《禮記・緇衣》及以下各本，顯然都是

---

[49]　《上海博物藏戰國楚竹書（一）》，頁186。

[50]　《古文四聲韻》，總頁59。

經過若干次修改而成的。

（11）《郭店簡・緇衣》簡39、40

〈君連（陳）〉員（云）：「出內（入）自尔（爾）帀（師）于（虞），庶言同。」

《上博簡・緇衣》簡20：

〈君連（陳）〉員（云）：「出內自尔帀雩，庶言同。」

《禮記・緇衣》作：

〈君陳〉曰：「出入自爾師虞，庶言同。」

偽古文《尚書・君陳》：

〈君陳〉曰：「出入自爾師虞，庶言同則繹。」

兩種簡本「陳」皆從辵從申，作連。⽂字，《郭店簡》隸定作內，讀「入」。其實楚系文字「入」字常作⽂，添加「宀」旁，逕釋作「入」即可（上博簡作⽂）。或引《說文・入部》：「內，入也」認爲兩字義同通用[51]，實非必要。「尔」字，《禮記・緇衣》、偽古文《尚書》皆作「爾」，尔、爾亦古今字，《說文》段玉裁注云：「尔之言如此也，後世多以爾字爲之」。簡文「帀于」、「帀雩」，《禮記》和偽古文《尚書》作「師虞」，帀爲師字古文，金文等古文字材料常見，是戰國楚系古文，內野本作「師伀」。書古文訓本作「⽊伀」，師作⽊與《魏三體石經》古文近（僖公二十八年），「伀」字疑「旅」字古文[52]之形訛。于、雩、虞、魯、旅，音近可通假。由簡本⽂、尔、帀等字形來看，兩種簡本都應是楚地抄本。

---

[51] 林文華：〈《郭店楚簡・緇衣》引用《尚書》經文考〉，第四屆先秦學術研討會論文，頁21。

[52] 《說文解字注》：「旅，軍之五百人，從㫃從从，从，俱也，⽊，古文旅，古文以爲魯衛之魯。」（7上，頁315）又八行本〈君奭〉作伀，疑亦古文旅之形訛。

六、〈尹誥〉（咸有一德）

（12）《郭店簡・緇衣》及《上博簡・緇衣》皆見引〈尹𦎧（誥）〉文：

《郭店簡・緇衣》簡5：

〈尹𦎧（誥）〉員（云）：「隹尹（伊）𢖺（尹）及湯，咸又（有）一悳（德）。」

《上博簡・緇衣》簡3：

〈尹𦎧（誥）〉員（云）：「隹尹（伊）𢖺（尹）及康（湯），咸又（有）一悳（德）。」

這段文字見簡本《緇衣》第3章，而今本《禮記・緇衣》為第10章，簡本先引《詩》再引《書・尹誥》，今本則先引《書》再引《詩》，次序相反，且作「尹吉」。《書序》以為〈咸有壹德〉文，今本《尚書》納入〈咸有一德〉篇。

《禮記・緇衣》：

〈尹吉〉曰：「惟尹躬及湯，咸有壹德。」

「吉」字為「誥」字之誤，此〔東漢〕鄭玄已提及，鄭注云：「吉當為告，告，古文誥字之誤也。尹告，伊尹之誥也。」[53] 上博簡與郭店簡皆先引《詩》後引《書》，與今本先《書》後《詩》者異。𢖺字，從厶（㠯）從身，今本《禮記》作躬。《郭店簡》釋文讀「尹𢖺」為「伊尹」，裘錫圭認為「𢖺」為「允」字繁文，直接讀為「尹允」[54]。𢖺讀為允，又見簡本17章「𢖺也君子」（《郭店簡・緇衣》簡36及《上博簡・緇衣》簡18），今本〈緇衣〉23章作「允也君子」。經由這些異文比對，可知《禮記・緇衣》「躬」字應是「𢖺」字之形訛。上博簡「康」，在他本皆作「湯」，兩字古皆陽部字，亦音近可通。「湯」，卜辭作「唐」，或疑上博簡「康」字為「唐」之誤字[55]。其實金文

---

53 《禮記正義》，頁930。又漢簡、敦煌寫等本常見告、吉兩字混淆，互為異文，又如造字作𨒋、祛字同袪等，皆是吉、告不分的例子。

54 《郭店楚墓竹簡》，頁132。

55 虞萬里：〈上博簡、郭店簡〈緇衣〉與傳本合校拾遺〉，《上博館藏戰國楚竹書研究》，頁431。

亦見作唐之例，如：宋公欒簠銘「有殷天乙唐孫宋公欒……」[56]。天乙唐即太乙湯。

七、〈祭公〉

（13）《郭店簡・緇衣》及《上博簡・緇衣》之第 11 章皆引〈祭公之顧命〉文：

《郭店簡・緇衣》簡 22、23：

> 〈替（祭）公之暴（顧）命〉員（云）：毋以少（小）悔（謀）敗大惹（作），
> 毋以卑（嬖）御鶬妝（莊）句（后），毋以卑（嬖）士息（塞）大夫、卿事（士）。

《上博簡・緇衣》簡 12 作：

> 〈祭（祭）公之暴（顧）命〉員（云）：「毋以少（小）愍（謀）敗大惹（作），
> 毋以辟（嬖）御壽妝（莊）后，毋以辟（嬖）士壽大夫、向（卿）使（士）。」

今傳世本《禮記・緇衣》第 14 章引作「葉公之顧命」：

> 〈葉公之顧命〉曰：「毋以小謀敗大作，毋以嬖御人疾莊后，毋以嬖御士疾莊
> 士大夫、卿士。」

「葉公之顧命」，孫希旦《禮記集解》已指出今本之「葉公」應作《逸周書・祭公》之「祭公」[57]。李學勤認爲此字從甘、彗聲，應是彗之異構，「慧」、「祭」音近通假[58]。李零則懷疑此字從手持雙矢，爲「射」之異構，故能讀爲「葉」。楚「葉公」之「葉」古讀與「射」字相近[59]。《逸周書・祭公》篇，其中這段文字與《禮記・緇衣》篇所引〈葉公之顧命〉大致相同，除了第一、二句順序對調，以及幾個字用不同通假字而已。〈祭公〉篇應即〈葉（祭）公之顧命〉。《逸周書・祭公》：

[56] 河南固始縣侯古堆一號墓出，《殷周金文集成》，頁 4589、4590。

[57] 〔清〕孫希旦《禮記集解》（北京：中華書局，1989 年 2 月），頁 1327。

[58] 李學勤：〈釋郭店簡祭公之顧命〉，《文物》1998 年第 7 期，頁 44-45。

[59] 李零：〈上博楚簡校讀記之二〉，《上博楚簡三篇校讀記》（臺北：萬卷樓圖書公司，2002 年），頁 54。

汝無以嬖御固莊后，汝無以小謀敗大作，汝無以嬖御士疾莊大夫、卿士……[60]
對勘以上四種本子，可以發現兩種簡本較爲接近，如「顧」字皆作「ꔡ」、「謀」字
簡本皆作「思」（合於《說文》古文[61]），「作」字兩簡本皆作「ꔥ」（從者從心）；「嬖」
字，《郭店簡》作「卑」，《上博簡》作「辟」；「疾」字《郭店簡》作「ꔭ」，《上博簡》
作「書」，皆音近通假。「卿士」，《郭店簡》作「卿事」，《上博簡》作「向使」，亦爲
音近通假字。至於字句多寡方面，也是兩種簡本較一致，如：《禮記·緇衣》和《逸
周書·祭公》「御士」，簡本皆作「士」；而「莊士」簡本皆無；看來仍以簡本較佳，「御」
和「莊士」皆衍文。由於兩種簡本的對照，對「祭公顧命」這段文字的勘誤，極有幫
助。至於兩種簡本之相異處，除了「ꔡ」與「ꔣ」，所從聲符「甶」的位置上下有別外，《郭
店簡》「命」字作「令」，這種寫法也見於《郭店簡·緇衣》簡 37「集大命」之「命」
字，這是戰國楚文字特殊寫法[62]。

由於兩種簡本〈緇衣〉之徵引古籍，一律是先引《詩經》再引《尙書》，十分整
齊而無例外。今本《禮記·緇衣》凡引《易》或其他篇章爲簡本所無者，皆是後人增
加的[63]。學者又疑此處引〈祭公〉篇，當出自先秦《尙書》，這樣才符合〈緇衣〉引文
之規律[64]，這些推測是很有道理的，故將此篇列於最後。

另外，出土竹簡又有幾處引文也可能出自《尙書》佚篇，如：《郭店簡·成之聞
之》簡 25 引〈詔命〉[65]、簡 33 引「大堣曰」[66]、《郭店簡·唐虞之道》簡 27、28 引〈吳

---

[60] 《逸周書集訓校釋》（臺北：藝文印書館，1959 年），卷 8「祭公第六十」，頁 185。

[61] 《說文解字注》謀字古文作 ꔱ，從母從口，ꔲ，從母從心。（3 上，頁 92）

[62] 參考林素清：〈釋各——兼論楚簡的用字特徵〉第四節「命」與「命=」討論因詞性差
異而作區別之舉例。《中央研究院歷史語言研究所集刊》，付印中。

[63] 彭浩：〈郭店楚簡《緇衣》的分章及相關問題〉，《簡帛研究》（南寧：廣西教育出版社，
1998 年 12 月），第 3 輯，頁 44-49。

[64] 廖名春：〈郭店楚簡《緇衣》引《書》考〉，《西北大學學報》（哲社版），2000 年 2 月，
頁 57-58。

[65] 〈成之聞之〉簡 25、26：「〈詔命〉曰：允帀凄德……」，「詔」字，原釋文依形摹寫而
無釋文。李學勤釋作「閟」，以爲即古文《尙書》之「冏命」，周鳳五〈讀郭店竹簡〈成
之聞之〉札記〉肯定李說，見《古文字與古文獻》（楚文化研究會印行，1999 年 10 月），

郙〉[67]等，因不涉及異文問題，故不作敘述。

總之，《郭店楚墓竹簡》和《上海博物館藏戰國楚竹書》提供了上述幾種《尚書》文字，其中的異文現象，提供我們對於《尚書》文字釋讀、斷句方式和文義通讀等不少新的認識，簡略歸納所見異文有如下幾種情形：

（一）校正錯訛字。如：躬—身；吉—告；戛—夏；周田勸—割（害）申勸；寧—文；曰—日等。

（二）了解同音通假字。如：苗民—眊（覒）民；訞—賴；害—曷；旅、魯、于、雩—虞；겴—至；呂—甫等。

（三）確認古今字，並確信《說文》古文爲戰國文字，其中不少爲楚文字。如：又—有；邵（陪）—呂；弗—不；—虐；金—法；悉—播；弌—一、壹；㸦—牙；—怨；迧、紳—陳；內—入；帀、—師；㫃—旅；茌、型—刑；恳—謀等。

（四）校正經文句讀。如：「襄我二人，毋有合才言」；「不率大夏，文王作罰，刑茲亡赦」等。

（五）訂正脫文、衍文。如：迪—不迪；文王之德—文王德；日—夏日；冬—晉冬等。

（六）比較簡本《尚書》和《汗簡》引古《尚書》及薛季宣《書古文訓》等，得知後兩書間的密切關係（即《書古文訓》多採《汗簡》古文作隸定，如彣、帀、旅等字）。

顧頡剛在其〈《尚書》的版本源流與校勘〉文，曾引《後漢書．周磐傳》記載周

試刊號，頁 52。廖名春〈郭店楚簡《成之聞之》、《唐虞之道》篇與《尚書》〉文，不肯定即〈冏命〉篇，但同意當為先秦《尚書》之佚篇。

66 〈成之聞之〉簡 33：「大堣曰：余才宅天心」，或疑即〈大禹謨〉文。如廖名春〈郭店楚簡《成之聞之》、《唐虞之道》篇與《尚書》〉，頁 37。

67 〈唐虞之道〉簡 27、28「〈吳郙〉曰：大明不出，萬物虐訇」。《郭店楚墓竹簡》整理者指出當為古書篇名。廖名春以為當是《尚書．虞書》佚文，見〈郭店楚簡《成之聞之》、《唐虞之道》篇與《尚書》〉，頁 37。

磐希望以《尚書・堯典》殉葬的遺囑，認爲發掘一部或數部古本《尚書》的可能性是
存在的。並說：

> 古籍的校勘工作及其方法，必然會得隨著新資料的發現而逐步充實和提高。[68]

今天，雖然仍未見古本《尚書》的出土，但經由出土簡本古書所見徵引《尚書》篇章
來作《尚書》研究的輔助資料，也是彌足珍貴的。

---

[68] 〈《尚書》的版本源流與校勘〉，《中國典籍與文化論叢》第 5 輯（北京：中華書局，2000
年 2 月），頁 40。

龍宇純先生七秩晉五壽慶論文集
2002 年 11 月　　頁 101～120

先秦古禮書研究之反思——以晁說之〈中庸傳〉之寫作動機與影響為例

葉國良[*]

一、前言

　　先秦古禮書之研究，蓋有三難：以內容論，有記實者，有出於儒生主張者，有兼俱以上二項者，未易一覽而明，此則著述宗旨不易掌握之難也。以源流論，孔子卒後，弟子不無異言，甚且有儒分為八之說，而先秦古禮書多不著撰人，此則其所代表之學術譜系不易確知之難也。若欲參考漢代以降學者之傳注，則其著作有「實事求是」以疏證者，有「舊瓶裝新酒」別抒懷抱者，尚須梳理分辨，方知去取，此則前哲之成說非皆可賴之難也。有此三難，則先秦古禮書之定位與詮釋迄今猶多異議，固意中事也。

　　然凡著述必有宗旨，議論必有淵源，故研究先秦古禮書雖有上述三難，仍當有線索足資探討，視吾人如何以合理有效之方法研究之耳。余嘗謂其中得失，宋儒晁說之〈中庸傳〉可為藉以探討之一佳例，今試論之如下，以驗證拙見。

　　民國六十七年夏，余已任龍師助教三年，時撰寫碩士論文《宋人疑經改經考》[1]將近尾聲，對晁說之〈中庸傳〉曾稍涉及，因故未得深論，而轉瞬竟閱二十四載，未再措手。茲逢龍師七秩晉五華誕，謹以此文為壽，亦思前塵而誌往事之意也。

---

[*]　國立臺灣大學中國文學系教授。
[1]　葉國良：《宋人疑經改經考》（臺北：國立臺灣大學中國文學研究所碩士論文，1978 年），後收入《國立臺灣大學文史叢刊》（臺北：國立臺灣大學文學院，1980 年），第 55 種。

二、晁說之及其〈中庸傳〉

晁說之，字以道，一字伯以。司馬光嘗自稱迂叟，說之慕其為人，因自號景迂生。後以學佛，又自號天台教僧、老法華。又家有晁宗愨所書飛白「國安」二大字，亦號國安堂主。生於宋仁宗嘉祐四年（·1059），登神宗元豐五年（1082）進士第，累官至中奉大夫、徽猷閣待制，卒於高宗建炎三年（1129），享年七十一歲[2]。

說之為晁迥五世孫，學問淵博，著書三十二種，其中有關經學者十九種，後遭靖康之變失之略盡，今可得見者，僅《嵩山文集》及《晁氏客語》二書，而可據以研究晁氏學術者，唯《嵩山文集》[3]。《嵩山文集》二十卷，除詩作外，所存論學及書奏諸卷，略可考知其經說：大抵於《易》尊揚雄、邵雍，於《詩》斥〈詩序〉，於《書》曉曆法、改〈洪範〉，於三《傳》各有褒貶，三《禮》雖無專著而有〈中庸傳〉尚存集中，崇尚曾子、子思之說，此外則以推尊《論語》、排詆《孟子》著稱[4]。

《宋元學案》入說之於〈涑水學案〉，蓋以其一生言論，始終追步司馬光，反對新學新政之故。今觀《嵩山文集》，其反對新學新政，或明言，或微言，觸目皆是，在宋人集中，實屬鮮見。依筆者所考，其〈中庸傳〉實亦為反對新學新政而作。此事本無須深究，然該〈傳〉保留若干漢唐及宋初學者句讀之異於朱熹《中庸章句》者[5]，

---

[2] 關於晁說之字號、官祿及生平梗概，參〔宋〕晁說之：《嵩山文集》（上海：上海商務印書館，1934 年影印《四部叢刊續編》本），卷 20 後附其孫晁子健所撰識語。

[3] 關於晁說之著作目錄及其存佚情形，詳參《嵩山文集》，卷 20 後附其孫晁子健所撰識語。《嵩山文集》為研究晁氏學術之主要依據。至於《晁氏客語》（臺北：臺灣商務印書館，1983 年影印《文淵閣四庫全書》本），乃晁氏雜記所聞友朋之語，故云「客語」，每條之下，或標記客名，或否，要非皆晁氏自記己見。故其間有與晁氏一生言論相左者，如晁氏譏詆孟子，而《客語》中有推崇孟子語，即其一例，又如〈中庸〉「其次致曲」一節，晁氏〈中庸傳〉疑其說不合義理，而《客語》中有就其義理發揮者，又為一例。故論晁氏學術者，不宜逕引《客語》為說。

[4] 關於晁說之學術，詳參《嵩山文集》，卷 1，〈元符三年應詔封事〉，以及卷 10 以下諸卷。

[5] 如「君子之道，費而隱」，朱熹《中庸章句》屬下讀，與下「夫婦之愚」一段合解，定為第十二章，遂有體用之論。而鄭玄、孔穎達及宋初諸儒則屬上讀，與「素隱行怪」一段合解，故釋為道僻而隱，與朱熹不同。此賴〈中庸傳〉而確知。

又爲〈中庸〉最早之改本，且於後世不無影響，則亦〈中庸〉學史之一重要文獻，自宜加以考校。乃世鮮論之，何也？

〈中庸傳〉作於徽宗政和五年（1115），載《嵩山文集》卷十二前半，凡六千五百餘字，其中〈中庸〉原文三千五百餘字，按語僅約三千字，篇幅短小。該〈傳〉依〈中庸〉原文次第，分爲八十二節，首開將〈中庸〉全文分節之風氣[6]。其作傳體例，先抄錄各節字句，其上冠以朱色〇符號表示下引前人見解，黑色〇符號表示下據胡瑗見解，以黑色●符號表示下有個人意見，各節字句之下則引述先儒、鄭玄、王肅、皇侃、熊安生、陸淳、胡瑗、張載、劉敞、司馬光、程顥、程頤、姚子張、近世學者（撰按：隱指新學）等前人具體意見[7]，間或略綴數語論之。故其用語雖甚簡約，而意義則頗豐富，引據前人語或自出己見處，亦極分明。細閱其文，要旨厥有三端，下文分別陳述之。

（一）以中庸即「用中爲常道」，中庸非二事；　以極高明即道中庸，亦非二事

細閱〈中庸傳〉，晁說之論「中庸」之義，最主要者有貳：

其壹，「中庸」一詞究爲何義？晁說之主鄭玄《禮記注》「用中爲常道」之說。〈中庸傳〉於「仲尼曰君子中庸（至）小人而無忌憚也」一節下云：

> 中之所以爲常道也。君子而時中，則無時而不中也。小人而無忌憚，須臾變改，
> 莫之能中也。以是知先儒「用中爲常道」是也。近世說「中」、說「庸」，非所

6　〔清〕朱彝尊：《經義考》（臺北：臺灣中華書局，1970 年影印《四部備要》本），卷 151，曾記錄〈中庸傳〉所分節次之起訖，但未加分析。或以爲孔穎達《禮記正義》中「此一節」云云，即分節之始，則爲不詳孔疏體例之誤解。

7　據《經義考》卷 151，胡瑗有《中庸義》一卷，司馬光有《中庸廣義》一卷，姚子張有《中庸集》，皆注「未見」。陸淳、張載說則不知何本。撰按：上舉諸家說今賴晁說之〈中庸傳〉略可考知。

知也。王肅本作「小人之反中庸也」，胡先生、溫公、明道先生皆云然也。
又文後跋語曰：

> 近世學者以中庸為二事，其說是書，皆穿鑿而貳之。於是本諸先生長者之論作
> 傳。

可見持中庸是一非二、不得拆為「中」與「庸」之說，為〈傳〉之主要宗旨。

其貳，晁說之論「極高明而道中庸」是一事，力排「極高明」與「道中庸」為二
事之說。〈中庸傳〉於「故君子尊德性而道問學（至）敦厚以崇禮」一節下云：

> 率性修道，于是乎極也。思尊德性，則必道問學，問學斯德性也。思致廣大，
> 而必盡精微，精微斯廣大也。思極高明，而必道中庸，中庸斯高明也。思溫故，
> 而必知新，知新斯溫故也。思敦厚，而必崇禮，崇禮斯敦厚也。德性猶悠久也，
> 廣大猶博厚也。胡先生、二程先生及橫渠先生說皆同。近世瞽學，謂既極高明
> 而反道中庸，末乎中庸也；分為二事，莫知誠之一致也。

又《嵩山文集》卷13〈儒言〉「高明中庸」條亦云：

> 吾儒之道，所以異乎諸子者，為其極高明而道中庸為一物也，譬如日正中而萬
> 物融和，未嘗槁物作沴也。或者既以一事極高明，又正以一事道中庸，不亦戾
> 乎！是剛柔緩急，相濟之常理，何必是之去哉！廣大精微之類亦然。

言之者再，足見晁說之之重此義。

唯晁氏之說，並非新意。關於不取「不偏之謂中，不易之謂庸」之說，而解「中
庸」為「用中為常道」，乃本之鄭玄。關於極高明與道中庸非二事，宋人之前於晁氏
辨之者亦頗多，如程子曰：「極高明而道中庸，非二事。中庸，天理也。天理固高明，
不極乎高明，不足以道中庸，中庸乃高明之極也。」張載曰：「尊德性而道問學，致
廣大而盡精微，極高明而道中庸，皆逐句為一義。……極高明須道中庸。」橫渠所謂
「逐句為一義」即不可析極高明與道中庸為二之意。游酢曰：「高明者，中庸之妙理，
而中庸者，高明之實體也。其實非兩體也。」楊時曰：「極高明而不道中庸，則賢知
之過也。道中庸而不極乎高明，則愚不肖之不及也。世儒以高明、中庸析為二致，非

知中庸也。以謂聖人以高明處己，中庸待人，則聖人處己常過之，待人常不及，道終不明不行，與不肖者無以異也。」[8] 其說皆同。

前人既已標舉上舉二義，而晁說之仍作〈中庸傳〉力持其說者，除晁氏以爲〈中庸〉有錯簡誤字待改外，實爲新學新政而發故也。此意將於下節明之。

（二）以〈中庸〉有錯簡誤句，當改

先是，歐陽修曾懷疑〈中庸〉之言有違孔子之道處，以此策問進士[9]。晁說之則以爲〈中庸〉有錯簡、有誤入之簡、有誤字、有漏字，故其文雖稱〈中庸傳〉，究其實亦爲〈中庸〉改本，且爲迄今所知之最早改本。

按：〈中庸〉，鄭玄注謂「禮所生也」下「在下位不獲乎上，民不可得而治也」二句爲後文脫誤重出者；王肅本「小人之中庸也」作「小人之反中庸也」；然此尚不得稱爲改本。而晁說之於〈中庸傳〉篇後論《禮記·中庸》云：「小戴取以記之，猶大戴取諸〈夏小正〉、〈曾子〉之類也。顧惟收拾煨燼之末，簡編不倫，文字混淆，回舛錯哉。」故於〈中庸傳〉按語中除接受上舉鄭玄、王肅說之外，又指出其間錯謬之處。茲分述如下：

〈中庸傳〉於「子曰：舜其大孝也（至）必得其壽」下云：「無聞焉爾也，疑簡編繆于此也」。

於「詩曰：嘉樂君子（至）故大德者必受命」下云：「當次必得其壽之下，簡編之繆也，無聞焉爾也。」

於「子曰：無憂者（至）子述之」下云：「無聞焉爾也，疑簡編繆于此也。」

---

[8]　以上程子、張載、游酢、楊時各家說，詳見〔宋〕衛湜：《禮記集說》（臺北：大通書局，1969 年影印《通志堂經解》本），卷 134 引。據《經義考》卷 151，游酢有《中庸解》五卷，楊時有《中庸解》一卷，皆注「未見」。

[9]　〔宋〕歐陽修：《歐陽修全集》（臺北：河洛圖書出版社，1975 年），卷 2，《居士集二》〈問進士策〉三首之三。

於「武王纘大王、王季之緒（至）子孫保之」下云：「無聞焉爾也，疑簡編繆于此也。」

於「郊社之禮（至）治國其如示諸掌乎」下云：「無聞焉爾也，疑簡編脫繆于此也，嘗有見于〈仲尼燕居〉也，文字又有誤者，社無與于上帝也，陸淳嘗辨此，詳也。」

於「在下位不獲乎上，民不可得而治矣」下云：「鄭氏云：脫誤重在此也。胡先生亦云然也。」

於「其次致曲（至）唯天下至誠爲能化」下云：「無聞焉爾也，胡先生亦所不講也。是自誠而明者，謂之次焉，何也？鄭氏乃謂自明誠者，何也？」

於「至誠之道（至）故至誠如神」下云：「無聞焉爾也，胡先生、溫公、姚子張皆疑之。明道先生曰：誠者，神也。蓋從明道先生之說，則何必如之云也。」

於「徵則悠遠，悠遠則博厚，博厚則高明」則謂「當云：徵則博厚，博厚則高明，高明則悠遠。考下文而不誣也。夫言天地之體，則高明、博厚而足矣。人之體乎天地之高明、博厚，則必悠久以爲之中也。蓋非悠久之中，則其高明將隳，博厚將蹶也。博厚、高明，譬諸形體也；悠久，譬諸精神也。曾子曰：『君子尊其所聞則高明矣，行其所聞則廣大矣，高明、廣大，不在于他，在加之至而已矣。』曾子所謂至者，子思所謂悠久是也。曰悠遠，曰悠久，其實同也。夫不見不動無爲者，中也，既章既變既成，亦中也。此不二之道也。」按：所引曾子語，見《大戴禮·曾子疾病》，唯「至」字作「志」。

總以上所述而推晁說之之意，可略知其主張如下：「郊社之禮（至）治國其如示諸掌乎」一節，由〈仲尼燕居〉誤入，當刪除。「其次致曲（至）唯天下至誠爲能化」下謂「無聞焉爾也，胡先生亦所不講也」，蓋以既言「誠則形，形則著，著則明」，乃是「自誠而明者」，與前文「自誠明，謂之性」相類，而乃謂「其次」，於理不合。「至誠之道（至）故至誠如神」下謂「無聞焉爾也，胡先生、溫公、姚子張皆疑之」，蓋

106

以文中有「至誠之道，可以前知」、「至誠如神」云云，事涉玄虛[10]，故亦可疑。是隱謂此兩節，義理不合聖道，當在刪除之列。至謂「子曰：舜其大孝也（至）必得其壽」一節當次「詩曰：嘉樂君子（至）故大德者必受命」者，蓋以「故天之生物（至）傾者覆之」一節文意與前後文不相屬。又謂當改「徵則悠遠，悠遠則博厚，博厚則高明」爲「徵則博厚，博厚則高明，高明則悠遠」者，則據〈中庸〉下文「博厚配地，高明配天，悠久無疆」、「博也，厚也，高也，明也，悠也，久也」之次序及《大戴禮·曾子疾病》言之。其餘謂「無聞焉爾也，疑簡編繆于此也」諸節，蓋以爲乃〈中庸〉本文內之錯簡，唯未言當置於何處耳。綜觀之，其疑改之幅度不可謂小。

（三）以〈曾子〉諸篇印證〈中庸〉，隱指二者思想有承續性

　　晁說之解〈中庸〉，有一特色，爲他家罕見者，即引《大戴禮》〈曾子〉諸篇[11]印證〈中庸〉。如「子曰人皆曰予知（至）而不能期月守也」一節下云：「昔夫子言仁知詳矣，曾子、子思慮後世或泛然失其旨，乃以仁爲誠，知爲明，其實一也。」於「子路問強（至）至死不變強哉矯」一節下云：「曾子論孝曰：仁者，人此者也；義者，宜此者也；強者，強此者也。」於「在上位不陵下，在下位不援上，正己而不求于人，則無怨，上不怨天，下不尤人，故君子居易以俟命，小人行險以徼幸」一節下云：「曾子曰：『己雖不能，亦不以援人。』蓋援之爲援者，如此也。曾子又曰：『孝子之事親也，居易以俟命，不與險行以徼幸。』」撰按：前引曾子言，見《大戴禮·曾子立事》，後引者見《大戴禮·曾子本孝》。晁說之又於「故至誠無息（至）則其生物不測」一

---

[10] 〔清〕杭世駿：《續禮記集說》（臺北：明文書局，1992年影印浙江官書局本），卷89，引姚際恆曰：「前知二字，聖人之所不道。觀子張問十世，而夫子答以因禮之損益可知，可見矣。自此云前知，開後世無數術數之邪學，抑且啟後世人主好尚符瑞之心，必不可訓也。況其所謂前知者，不過見乎著龜之事，夫既卜筮而見乎著龜矣，雖愚百姓亦可憑之以知休咎，乃以之詫至誠之如神，豈不陋而可笑乎！」其說蓋即胡瑗、司馬光、姚子張、晁說之等人之意。

[11] 按〈曾子〉諸篇見《大戴禮》中，而亦有以《曾子》爲名單行者。

節下論「徵則悠遠，悠遠則博厚，博厚則高明」當作「徵則博厚，博厚則高明，高明則悠遠」，並謂：「曾子曰：『君子尊其所聞則高明矣，行其所聞則廣大矣，高明、廣大，不在于他，在加之至而已矣。』夫曾子所謂至者，子思所謂悠久是也。」撰按：所引曾子語，見《大戴禮‧曾子疾病》，唯「至」字作「志」。凡此，足見晁說之極力證明「曾子、子思」關係之企圖。

解〈中庸〉者，多引《孟子》而不引〈曾子〉諸篇爲說，晁說之何以反是？依筆者之見，晁氏蓋欲以「曾子、子思」取代「子思、孟子」在儒學中之地位。按：晁說之以詆孟子著稱，世所熟知，茲僅略引數語證之。如《嵩山文集》卷 12〈儒言〉「孔孟」條曰：

> 孔孟之稱，誰倡之者？漢儒猶未之有也。既不知尊孔子，是亦孟子之志歟？其學卒雜於異端，而以爲孔子之儷者，亦不一人也，豈特孟子而可哉？如知《春秋》一王之制者，必不使其教有二上也。世有荀孟之稱，荀卿詆孟子「僻違而無類，幽隱而無統，閉約而不解」，未免爲諸子之徒，尚何配聖哉！

又卷 14「志學」條云：

> 前乎孔子，而言絕學棄仁，以貳乎孔子者，老子之徒也。後乎孔子，而因曾子之辭氣，不盡信書，分仁義於君親，以亢乎孔子者，孟子之徒也。遠乎孔子而多歧廣騖，不住乎仁義，其言似仁義而非，以出乎孔子者，釋氏之徒也。

其意蓋以爲子思得曾子之傳，更接近孔子思想。其著〈中庸傳〉，所以引〈曾子〉諸篇言印證〈中庸〉語者，蓋欲以「曾子、子思」取代「子思、孟子」之儒學譜系，此在唐宋人「道統說」中，別樹一幟。《嵩山文集》卷 18 載有政和乙未（五年）所撰〈曾子後記〉曰：

> 予病世之人莫不尊事孟子，而知子思〈中庸〉者蓋寡，知子思〈中庸〉者雖寡，而知讀《曾子》者殆未見其人也。宜其文字回舛謬誤，輒以家藏《曾子》與溫公所藏《大戴禮》參校，頗是正。

晁說之之校《曾子》，與其撰〈中庸傳〉同在政和五年，足見以上之推論不誤。

統本節所述三項觀之，晁說之〈中庸傳〉於義理闡發方面並無新說，蓋為反對新政新學而發，前人似未注意，宜揭舉之；對文本次第方面有疑有改，今姑不論其是非，對後世實有影響，亦宜詳加闡發；至於論〈曾子〉諸篇與〈中庸〉之關係，今人多忽視之，則似可續加探討。以下再分節詳論之。

三、論〈中庸傳〉為反對新學新政而發

王安石有《禮記發明》一卷、《禮記要義》二卷，其徒馬晞孟（撰按：一作希孟）有《禮記解》七十卷、方愨（撰按：字性之）有《禮記解》二十卷，其書今皆不存[12]，而《禮記集說》間採其說。唯是全祖望〈王昭禹周禮詳解跋〉謂：「荊公三經，當時以之取士，而祖述其說以成書者，耿南仲、龔深甫（撰按：名原）之《易》，方性之、陸農師（撰按：名佃）之《禮》，於今皆無完書，其散見諸書中，皆其醇者也。」[13]據此，新學諸說雖曾盛行一時，而今之所存皆其醇者，其不醇而為當時所反對之說今多遺佚，職此之故，今日已不易考見新學種種言論，其關於〈中庸〉者亦然。無已，唯有從蛛絲馬跡中勾勒之，以證實本文所論。

查晁說之所以反對分中庸為二者，乃針對王安石而發。其〈答朱仲髦先輩書〉曰：

說之啟：無狀，晚乃學〈中庸〉，然早知鄭康成之說「中庸」曰：「用中為常道也。」既而質諸安定先生（撰按：胡瑗）、司馬溫公之〈傳〉，則益知（原注：一作尊）鄭說矣。彼新學出而拘拳以為法，穿踰以為義，務新尚簡，而不為篤實，如析「中庸」為二端，不知其所謂「中」者，用之則曰「和」、曰「孝」、曰「禮」、曰「智」、曰「仁」、曰「勇」、曰「強」、曰「純」、曰「一」、曰「明」、曰「誠」，其實皆「中」之謂也，以故彼之學者惟知過不及謂之「中」，而於胱

---

[12] 以上四書，見《經義考》卷141，皆注「未見」。

[13] 〔清〕全祖望：《鮚埼亭集》（上海：上海商務印書館，1934 年影印《四部叢刊續編》本），《外編》，卷 27。

肫淵淵浩浩喜怒哀樂未發之「中」，則莫之知也。吾明道、橫渠、伊川三先生
者，為能得中之所以為中者也。嗟乎！學之難也。伊川已（原注：一作晚）自
畔乎二先生之說矣，他人何望哉！……[14]

據此，則〈中庸傳〉為闢新學而作甚明。至其言「伊川已（晚）自畔之」者，謂程頤
主張「不偏之謂中，不易之謂庸」乃析「中」「庸」為二也。

晁公武為晁說之侄子，其《郡齋讀書志》論其叔所作〈中庸篇〉（撰按：即〈中
庸傳〉）亦言：

叔父詹事公撰。近世學者以中庸為二事，雖程正叔（撰按：程頤）亦然，故說
是書者，皆穿鑿而二之，於是本諸胡先生、司馬溫公、程明道（撰按：程顥）、
張橫渠、王肅、鄭玄作是傳焉。[15]

又論楊時〈中庸解〉曰：

（楊）時載程正叔（撰按：程頤）之言曰：「不偏之謂中，不易之謂庸。」蓋
亦猶王氏之說也。[16]

前者之「近世學者」即指新學，後者更明指王安石矣。蓋當時王安石確有分中庸為二
之說，其後程頤仍之（撰按：後朱熹又載入《中庸章句》），故晁公武云「蓋亦猶王氏
之說也」。

至於反對分極高明與道中庸為二，亦指王安石。王安石有〈洪範傳〉[17]，載《王
安石文集》中，曾論及高明、中庸之事。〈洪範傳〉以〈中庸〉之文解「無偏無陂，
遵王之義（至）無反無側，王道正直」一段曰：

正直，中德也；始曰義，中曰道曰路，卒曰正直，尊德性而道問學，致廣大而
盡精微，極高明而道中庸之謂也。

---

[14] 〔宋〕晁說之：《嵩山文集》，卷15。
[15] 〔宋〕晁公武：《郡齋讀書志》（臺北：廣文書局，1967年影印《書目續編》本），卷2。
[16] 同前註。
[17] 〔宋〕王安石：《王安石全集·文集》（臺北：河洛圖書出版社，1974年），卷40。

是王安石以爲始則遵義，極高明，中間經一段過程，最後達到中庸；然則王安石果分極高明與道中庸爲二也。考王安石之見解，間亦見於《禮記集說》所引宋人說，如延平周氏曰：「尊德性然後致廣大，道問學然後盡精微，致廣大然後極高，盡精微然後極明，高明既極矣，而天下爲難繼，故俯而道乎中庸。」撰按：周氏所謂「高明既極矣，而天下爲難繼，故俯而道乎中庸」，即分極高明與道中庸爲二。又如晉陵喻氏曰：「極高明而復道中庸，異乎賢者之過乎高、知者之過乎明者矣。」撰按：喻氏所謂「極高明而復道中庸」，即「極高明而反道中庸」，乃晁說之斥爲「近世瞽學」之說（撰按：已見第二節引），是亦分極高明與道中庸爲二[18]。周、喻二氏蓋皆本王安石爲說也。

　　晁說之何以於此二事斥斥辯之？依筆者之見，蓋爲新學新政之故。考王安石既以中是目標，過程可不必持中，故其施行新政，與其論學一貫，每析目標與手段爲二，此最爲所謂舊黨所反對者。魏了翁《周禮折衷》曰：

> 荊公（撰按：指王安石）常以道揆自居，而元不曉道與法不可離。如舜爲法於天下，可傳於後世，以其有道也。法不本於道，何足以爲法？道而不施於法，亦不見其於道。荊公以法不豫道揆，故其新法皆商君之法，而非帝王之道。所見一偏，爲害不小。因說永嘉二陳（撰按：指陳亮、陳傳良）作〈唐制度紀綱論〉云：「得古人爲天下法，不若得之於其法之外。」彼謂仁義道德爲法外之事，皆因荊公判道法爲二，後學從而爲此說。曾於南省試院爲諸公發明之，眾莫不伏。於《周禮》一部三百六十官，甸稍縣都鄉遂溝洫比閭族黨，教忠教孝，道正寓於法中。後世以刑法爲法，故流爲申、商。[19]

18　以上周氏、喻氏說，見《禮記集說》卷134引。延平周氏，指周諝，諝有《禮記解》，解其中十七篇，《經義考》卷141云「未見」。晉陵喻氏，指喻樗，樗有《四書性理窟》，《經義考》卷252云「佚」。

19　〔宋〕魏了翁：《周禮折衷》（臺北；中央研究院傅斯年圖書館藏，宣統二年官印刷局重修刊本），卷1。唯《宋元學案・荊公新學略》引，「亦不見其於道」作「亦不見其爲道」，「荊公以法不豫道揆」作「荊公以法不豫道」，較勝，「於」蓋涉上文而訛，「揆」蓋涉上文而衍。

王安石析道、法爲二，即將目標與手段分之爲二。如此，則爲達目標，可以不擇手段。《元城語錄》記載：

> 老先生（撰按：指司馬光）嘗謂金陵（撰按：指王安石）曰：「介甫（撰按：王安石）行新法，乃引用一副當小人，或在清要，或在監司，何也？」介甫曰：「方法行之初，舊時人不肯向前，因用一切有才力者；候法行已成，即逐之，卻用老成者守之。所謂智者行之，仁者守之。」老先生曰：「介甫誤矣！君子難進易退，小人反是。若小人得路，豈可去也！若欲去，必成讎敵，他日將悔之。」介甫默然。後果有賣金陵者（撰按：指呂惠卿），雖悔之亦無及也。[20]

由此可見，王安石將目標與手段分之爲二之思惟方式與行事風格，不能爲舊黨接受。晁說之爲文不便明言，然皆一一隱指，熟悉晁說之學術及言論者，一讀自知其所謂「瞽學」、「穿鑿」，即指新學，新學在當時爲新政後盾，攻新學即所以攻新政也。[21]

四、論〈中庸傳〉對後世〈中庸〉改本之影響

晁說之〈中庸傳〉雖無改本之名而有其實，古人或如此[22]，吾人不必拘泥形式。稍後於晁氏，紹興年間，有陳善者，亦據《論語》疑自「春秋修其祖廟陳其宗器，……郊社之禮（至）治國其如示諸掌乎」爲漢儒誤讀《論語》因而立說誤入者[23]，其疑略

---

[20] 〔宋〕馬永卿：《元城語錄》（臺北：臺灣商務印書館，1986 年影印《文淵閣四庫全書》本），卷上。

[21] 〔宋〕衛湜：《禮記集說》，卷 134 引鄭樵曰：「離人而談天，離中庸而談高明，老釋之說也。」王安石學術被評爲雜有老釋之說，鄭樵「離中庸而談高明」之語，即隱指王安石，所採方式與晁說之相同。

[22] 如宋人林之奇對〈大學〉字句之次第有所主張，存於其所著《拙齋文集·道山紀聞》中，僅以隨筆方式表達，並未以完整改本之方式出現，唯仍不害爲意見表達清楚之改本。詳參拙作〈介紹宋儒林之奇的大學改本〉，《幼獅學誌》第 18 卷第 4 期（臺北：幼獅出版公司，1985 年 10 月）。

[23] 〔宋〕陳善：《捫蝨新話》（臺北：新文豐出版股份有限公司，1984 年影印《叢書集選》本），《下集》，卷 3，「漢儒誤讀論語」條。撰按：徐復觀：《中國人性論史·先秦篇》（臺北：臺灣商務印書館，1968 年），第五章，〈一、中庸文獻的構成及其時代〉，謂陳善《捫

同晁氏。

又：晁說之於〈中庸傳〉篇後論《禮記·中庸》云：「小戴取以記之，猶大戴取諸〈夏小正〉、〈曾子〉之類也。……《漢·藝文志》禮家有《中庸說》二篇，今莫知其為何書也。」是晁說之不以今本〈中庸〉與《中庸說》為一書，然其說對後世據《中庸說》有兩篇之記載而析〈中庸〉為二篇之改本者實有影響。

首析〈中庸〉為上下兩篇並大加改易者，為南宋王柏（1197-1274）。唯其所撰《古中庸》，今佚，學者多不詳其說，程元敏先生《王柏之生平與學術》第參編第三章〈中庸說〉始考見其始末[24]。核其實，王柏據朱子《中庸章句》之分章而又加以離合改易，分為兩篇，篇各十三章。自朱子《中庸章句》第二十一章「自誠明（至）明則誠矣」起析為下篇，而將第二十四章移至第二十六章後，又將第十六、十七、十八、十九四章移至第二十四章後，再將第二十章前、後段移至第十九章後，成為下篇。至於上篇，則移第十五章次第十三章前，第二十七、二十八、二十九、三十三章則移至第二十章中段後而成。此其大要。王柏改易過程與理由之詳細說明，可參看上揭程元敏先生書，此不贅述。

今所欲論者，晁說之〈中庸傳〉見晁公武《郡齋讀書志》著錄，衛湜《禮記集說》卷一百三十四亦引用多處，是其書流傳非不廣，取晁說與王說對照，其對〈中庸〉簡編次第之見解雖有不同，但亦有相合之處，凡晁說之以為「疑簡編謬于此」、「簡編之繆」、「疑簡編脫繆于此」者，乃涉及鬼神祭祀之事，而王柏亦皆移置下篇，足見王柏果受晁說之影響（撰按：猶有他證，詳第五節）。

細考晁、王兩種改本，其最大不同處，在晁說之強調「中庸」即是「誠明」、「誠明」即是「中庸」，故不依《中庸說》有二篇而分〈中庸〉為二篇；王柏信今本〈中

蠡新話》疑朱熹所定第十七章、第十八章為漢儒之雜記。今細加檢核，未見其文，不知徐氏何本。

[24] 此書原係程元敏先生在臺灣大學中國文學研究所之博士論文，後增訂另於 1975 年自費出版，臺北，學海出版社經銷。

庸〉即《中庸說》二篇，故在移易章節後，認為上編以「中庸」為綱領，下編以「誠明」為綱領。

王柏《古中庸》流傳不廣，明代王褘似知之而未見，曾論之曰：「《中庸》古有二篇，見《漢·藝文志》，而在《禮記》中者，一篇而已。朱子為《章句》，因其一篇者，分為三十三章，而古所謂二篇者，後世不可見矣。今宜因朱子所定，以第一章至第二十章為上篇，以第二十一章至三十三章為下篇。上篇以中庸為綱領，其下諸章推言智仁勇，皆以明中庸之義也。下篇以誠明為綱領，其後諸章詳言天道人道，皆以著誠明之道也。如是，既不失古今之體，又不悖朱子之旨。魯齋王氏蓋主此說也。」[25]撰按：王柏改本並非單純分二十章以上為上篇、以下為下篇，王褘之說實誤。然自王柏之有此說，其後則宋末汪晫分〈中庸〉為三篇，曰「天命」、曰「鳶魚」、曰「誠明」，日本伊藤仁齋則謂前十五章為〈中庸〉本書，十六章以後與子思無關[26]。而近人之分〈中庸〉為二篇者，乃多宣稱王柏分二十章以上為上篇、以下為下篇，其主張乃受王柏影響，如馮友蘭[27]、武內義雄[28]、徐復觀[29]、梁濤[30]皆是；蓋未讀程先生書、不詳王柏說、亦不知晫說之先有改本之故也。

---

[25] 〔清〕朱彝尊：《經義考》，卷 151 引。

[26] 汪晫、伊藤仁齋說，參見〔日〕武內義雄：〈中庸考〉（一名〈子思子考〉）引述，收入江俠庵編譯：《先秦經籍考》（臺北：河洛圖書出版社，1975 年）

[27] 馮友蘭：《中國哲學史》（第一版，臺北坊間影印本），第一篇第十四章第八節，主張：第二章至第二十章前半段「道前定則不窮」止為上篇，似為子思〈中庸〉原作；第一章及第二十章後半段「在下位不獲乎上」以下為下篇，似為《中庸說》二篇之類。

[28] 〔日〕武內義雄：〈中庸考〉（一名〈子思子考〉），主張：第二章至第十九章為上篇，為《子思子》原始部分；首章及第二十章以下為下篇，成於子思後學之筆；但第十六章當移置第二十四章之下。武內氏文，收入江俠庵編譯：《先秦經籍考》（臺北：河洛圖書出版社，1975 年）

[29] 徐復觀：《中國人性論史·先秦篇》第五章主張：第一章至第二十章之「道前定則不窮」止，為〈中庸〉本文之上篇；自第二十章「在下位不獲乎上」以下為〈中庸〉本文之下篇；但第十六、十七、十八、十九、二十八章為後世禮家雜入者，應刪。

[30] 梁濤：〈郭店楚簡與中庸公案〉，《臺大歷史學報》，第 25 期（2000 年 6 月），主張：第二章至第二十章「所以行之者一也」為上半；第一章及第二十章「凡事豫則立」以下為下半；但其中第二十八章或為錯簡。

五、論晁說之揭示曾子與子思傳承之關係應予重視

晁說之欲以「曾子、子思」取代「子思、孟子」之地位，就動機論，蓋亦與反對王安石有關。考王安石初出，「見者以爲孟子」[31]，新黨主政，太子先《論語》而讀《孟子》，當時司馬光即有疑孟之論。晁說之紹繼司馬光之學，詆孟尤甚，後曾於哲宗朝奏請太子先讀《論語》不先讀《孟子》[32]，南宋初且曾因詆孟而遭高宗申斥[33]，凡此皆可見晁氏欲以「曾子、子思」取代「子思、孟子」地位之動機。若捨動機而就文獻反映「曾子、子思」與「子思、孟子」何者關係較爲密切論，晁說之以爲〈曾子〉諸篇之與〈中庸〉，無論使用之文詞或反映之思想，其傳承關係，皆較〈中庸〉之與《孟子》密切，故應予重視。

晁說之申子思、詆孟子之論，王柏蓋曾受影響，其論子思曰：

> 韓子知孟子醇乎醇，而不知子思子尤醇乎醇也。濂溪周子心傳子思子之道於千
>
> 五百年之後，而得於子思子者反深。……精慤邃密，皆孟子之所未發。[34]

推崇之備至，甚且以爲《論語》出子思纂集，〈大學〉、〈中庸〉并爲子思作[35]。而論孟子曰：

> 孟子親受業於子思子之門，性善、養氣之論，真發前聖人之未發，可謂傳得其

---

[31] 〔清〕黃宗羲撰、全祖望續修、王梓材校補：《宋元學案》（臺北：河洛圖書出版社，1975年），卷24，全祖望按語。

[32] 〔宋〕晁說之：《嵩山文集》，卷 15，〈答勾龍壽南前輩書〉云：「說之前日叨爲太子詹事，請太子讀《論語》而未（撰按：「未」字疑爲「不」字之誤）讀《孟子》，所以尊孔子，而尊太子之問學，尚一德也。賴陛下明聖，朝奏而暮畫可。然卿士大夫駭謗，太學諸生紛紛，誣毀百出，無異報私讎者。今日放逐之中，尚復何言。」

[33] 〔宋〕羅大經：《鶴林玉露》（臺北：臺灣商務印書館，1986 年影印《文淵閣四庫全書》本），卷 7，云：「李泰伯（撰按：名覯）著《常語》非孟子，……晁說之亦著論非孟子。建炎中，宰相進擬除官，高宗曰『孟子發揮王道，說之何人，乃敢非之。』勒令致仕。」

[34] 〔宋〕王柏：《魯齋集》（臺北：藝文印書館，1968 年影印《百部叢書集成》本），卷 2，〈誠明論〉。

[35] 程元敏：《王柏之生平與學術》，第參編第三章第二節，頁 512。

宗。但其才高氣雄，……終未能盡滌戰國之餘習，警悟超絕之意多，而和平醲
郁之味窶。……今觀七篇之書，述子思子傳授之言，自「在下位不獲乎上」至
「人之道也」而止，乃〈中庸〉之殘章斷簡也。「動」字之外，更無他語發明
此誠，以是知孟子之得子思子者尚淺淺。[36]

則不無微言矣。推王柏之意，蓋以爲朱熹以〈大學〉出曾子爲無據（撰按：詳下文），
欲令子思直承孔子之道統且駕孟子而上之也。

唯是自朱熹纂《四書章句集注》，以〈大學〉屬之曾子，以〈中庸〉屬之子思，
而構成「孔子、曾子、子思、孟子」之道統，其說一枝獨秀，影響逾八百年，世人鮮
有敢加議論者，晁、王二人申子思、詆孟子之說幾遭遺忘，晁說之力揚曾子之言論尤
受忽視，而研究〈曾子〉諸篇者遂亦不絕如縷。

實則朱熹之說，自文獻學之角度加以考察，有一大缺陷，即《大學章句》中「右
經一章，蓋孔子之言，而曾子述之。其傳十章，則曾子之意而門人記之也」之言，羌
無所本，而曾子、子思是否有師承關係，亦缺乏有力證明[37]。故證實曾子、子思在思
想上之關係，實爲維護其道統說之所必須。證實之道，厥爲在〈大學〉、〈中庸〉之外，
闡明屬於曾子、子思（或其學派）所作之篇章在思想上確有傳承關係。晁說之就〈曾
子〉諸篇與〈中庸〉所用之文詞及反映之思想方面，論證曾子、子思之關係，其目的
雖在揚曾貶孟，而就實質論，則可爲朱熹道統說之一助。清代邵晉涵蓋亦有見於此，
嘗於〈與朱笥河學士書〉中表示，欲從《禮記》中摘出〈中庸〉、〈表記〉、〈坊記〉、〈緇
衣〉四篇，合《大戴禮記》中之〈曾子〉十篇，而爲之注，以配《論語》、《孟子》，「實

---

[36] 〔宋〕王柏：《魯齋集》，卷2，〈誠明論〉。

[37] 〔宋〕衛湜：《禮記集說》，卷123，引呂大臨曰：「〈中庸〉之書，聖門學者盡心以知性，
躬行以盡性，始卒不越乎此書。孔子傳之曾子，曾子傳之子思，子思述所授之言以著于
篇。」而朱熹《中庸章句》蓋以其言證據不足，僅以爲：「〈中庸〉何爲而作也？子思子
憂道學之失其傳而作也。」又言：「唯顏氏、曾氏之傳得其（撰按：指孔子）宗，及曾
氏之再傳，而復得夫子之孫子思，則去聖遠而異端起矣。」則論曾子、子思之關係極模
糊。

謂四子」[38]。蓋以朱熹《四書章句集注》關於曾子、子思之學份量過於單薄故也。

自郭店楚簡儒家著作出，學者多以爲該等篇章屬於子思學派，遂取與《禮記》〈中庸〉、〈緇衣〉、〈表記〉、〈坊記〉諸篇相印證。余前撰〈郭店儒家著作的學術譜系問題〉[39]，則主張該批資料可視爲曾子、子思一系之學，以其可與《禮記》〈中庸〉諸篇及《大戴禮》〈曾子〉諸篇互證也。若然，則學界對於《曾子》，似宜稍加措意，而推其本源，晃說之〈中庸傳〉蓋其濫觴矣。

六、結論

如上文所論，就寫作動機言，晃說之〈中庸傳〉乃爲反對新學新政而發，對〈中庸〉要義謹守漢唐宋初諸儒舊說，並無新見。然就掌握〈中庸〉學史俾得深入研究之觀點論，則有應予重視者在：可藉以考知宋代新學之說及其影響，一也；可藉以觀察後世〈中庸〉改本之流變，二也；提供先秦古禮書關係研究之明確方法，三也。以上對吾人思考如何研究先秦古禮書，實不無助益。

其關於第一項者，晃說之〈中庸傳〉注文才三千字，又似無新意，若匆匆翻閱，極易忽略撰者之懷抱，而新學之中庸說遂亦難以考知矣。以此知古人著書要言不煩，而每有所指，若不先考其動機，則不能掌握其著述宗旨，讀之無益矣。

其關於第二項者，意義重大。〈中庸〉之有改本，自晃說之始，世人不知，誤以爲自王柏始。王柏分〈中庸〉爲二篇，後人既不詳其說，乃亦分爲二篇，自馮友蘭、武內義雄、徐復觀乃至今人梁濤，紛紛擾擾，愈行愈遠。梁濤既承馮氏、武內氏分今本〈中庸〉爲二篇之說，主張：上篇爲〈中庸〉、下篇爲〈誠明〉，此兩篇乃子思不同時期之作品，其思想亦異，〈中庸〉論外在之道，爲方法，〈誠明〉則論內在之心性，

---

[38] 〔清〕邵晉涵：《南江文鈔》（上海：上海古籍出版社，1995 年影印《續修四庫全書》本），卷 8。

[39] 葉國良：〈郭店儒家著作的學術譜系問題〉，《臺大中文學報》第 13 期（2000 年 12 月）。

此兩者並非一個整體，將兩篇組合爲一極不合適。梁氏又受徐氏書論及《荀子·不苟篇》之影響，更進而宣稱：將〈中庸〉與〈誠明〉合編者，蓋爲荀子。考晁氏〈中庸傳〉之疑改，多有所依據，其無依據而有疑者，但云「無聞焉爾」而已，不敢逕行更動。馮氏等不信古人治學之嚴謹者之說，而信王柏之臆解，不知王柏治學見解極偏，對諸經多所疑改，而又不足信[40]。又凡改〈中庸〉爲二篇者，其文獻之依據在《漢書·藝文志》載《中庸說》有二篇，今郭店、馬王堆出土之竹帛有〈五行〉及〈五行說〉，「經」與「說」之體例甚明，試問〈中庸〉何處爲「經」？何處爲「說」？分爲二篇後，又何處爲「經」？何處爲「說」？若指明某處某處爲「說」，則所謂「經」者尚餘幾何？尚足以成篇爲〈中庸〉（經）乎？凡此馮氏等人何以爲答！再者，研究古代學術，可貴者在有依據，若可憑空斷定篇名、編者，則是非無準，賢愚不分，尚有學術可言乎！試問《中庸說》二篇，一名〈中庸〉，一名〈誠明〉，此說有何依據？謂荀子合編〈中庸〉與〈誠明〉爲一，又有何本？又前人或謂極高明必道中庸，或謂極高明而反道中庸，梁濤乃謂〈中庸〉、〈誠明〉無關不當合爲一篇，豈前人皆誤乎？蓋其種種揣摩，不外主觀臆測而已。皮錫瑞嘗謂：研究古禮不可以後人之所謂情理度之，否則多誤[41]。其說最爲通達，可爲好疑改古書者之炯戒。

其關於第三項者，尤爲緊要。蓋先秦古籍中不詳撰者或年代之問題，莫如古禮書之甚，然研究古禮書，不講其學術譜系，則散漫無統貫，矛盾不合處難以詮釋。以二戴《禮記》言，今存者尚八九十篇，各篇所代表之學術譜系爲何？各篇之關係又如何？其相合者何在？不合者又何在？若未能盡力釐清，則該二書之研究，終屬混沌。晁說之所示方法，自非唯一；然前賢所憑以研究者，何者合理有效？優缺點何在？自爲吾

---

[40] 〔宋〕王柏：《詩疑》（臺北：大通書局，1969年影印《通志堂經解》本），卷1，謂今《詩經》有漢儒將孔子刪詩之餘纂入者三十一篇，當刪。而據馬承源：《上海博物館藏戰國楚竹書（一）·孔子詩論》（上海：上海古籍出版社，2001年），其中論及之〈將仲子〉、〈褰裳〉，在王柏三十一篇之名單中，以是知王柏之論，出於臆測。

[41] 〔清〕皮錫瑞：《經學通論》（臺北：臺灣商務印書館，人人文庫本，1969年），第3冊，〈三禮〉「論古禮多不近人情後儒以俗情疑古所見多謬」條。

人研究先秦古禮書必須正視之一大課題。

（本文初稿曾於 2002 年 6 月臺大《東亞近世儒學中的經典詮釋傳統》研究計畫第

十一次研討會宣讀，特此聲明）

龍宇純先生七秩晉五壽慶論文集
2002 年 11 月　　頁 121～150

封與封人

劉文強[*]

一、前言

　　本人曾爲文略論及封與封人的關係，云：「男爲力田。又作任。任者，保也。保，
捊也。捊，袤也。袤田。聚土治田或用力於田之義。甲文中有袤田，由諸尹率眔爲之。
唯『袤田是開荒，有時不盡能及時作畎疆，聚埒畝』。男豈繼其未竟之事者？於春秋
時，爲此事者，其《左傳》中所謂封人歟？」[1]唯覺該文所論未竟，不能自愜。封與封
人二者之間的關係到底如何，其演變如何？又，封及其相關字詞，如（封）畛、（封）
略、（封）疆、（封）田等等，其中有何異同？本人以爲仍有待檢討，故試爲文再論。
適逢龍師宇純七十五大壽，謹以本文爲獻。至於其中疏漏錯誤之處必多，尙祈龍師宇
純及系上師長賜正。

二、早期文獻

　　在被認爲早的文獻中，封字甚爲少見。即使出現，或爲人名，或是注者將之解釋
爲大的意思。無封字者如《易經》，其中只有與之相關的字——如建字。〈比卦〉象辭：
「先王以建萬國親諸侯。」〈豫卦〉卦辭：「利建侯行師。」另外，疆字一見。〈臨卦〉
象辭：「澤上有地，臨。君子以教思無窮，容保民無疆。」至如《尙書‧康誥》所載，

「衛康叔名封」，僅此一見。疆字如〈大誥篇〉：「嗣無疆大歷服。」在《詩經》中出現疆字的次數反而較多，如〈小雅・信南山〉：「我疆我理，南東其畝。……中田有廬，疆場有瓜。」〈大雅・綿〉：「迺疆迺理，迺宣迺畝。」〈大雅・皇矣〉：「依其在京，侵自阮疆。」〈大雅・崧高〉：「王命召伯，徹申伯土疆。」〈大雅・江漢〉：「于疆于理，至于南海。」〈周頌・思文〉：「貽我來牟，帝命率育，無此疆爾界，陳常于時夏。」〈商頌・長發〉：「禹敷土下方，外大國是疆。」有封字者僅二，如〈周頌・烈文〉：「無封靡于爾邦，王其崇之。念茲戎功，繼序其皇之。」毛《傳》：「封，大也。靡，累。」鄭《箋》：「無大累於女國，謂諸侯治國無罪惡也。」是毛、鄭皆以封為大。另外見於〈商頌・殷武〉：「命于下國，封建厥福。」毛《傳》：「封，大也。」鄭《箋》：「大立其福。」此處毛、鄭仍釋封為大。由於上引古籍中，封字甚為少見，見者或皆作形容之大字。因此，我們很難自上述有限的材料中，探討封字及其相關意義。

在出土銅器中，倒是有些可以參考之處，例如〈散氏盤〉的銘文中，便有許多個封字。其中若干處標明自某地至某地，如「自憲涉以南，一封；至于大沽，一封；以陟，二封」。盤中銘文云至某地一封、二封者尚多，封字在散氏盤中，可謂重點。按《說文》封字云：

> 爵諸侯之土也。

段《注》云：

> 引申為凡畛域之稱。《大司徒・注》曰：「封，起土界也」。《封人・注》曰：「聚土曰封。」[2]

許慎釋封字為「爵諸侯之土」，此說顯示出東漢經學家關心的重點，但就字形而言，絕不會是封字本義的重點。段玉裁以為「引申為凡畛域之稱」，顯然察覺到其中的問題，故不得不偏離許慎原意，轉向封字的本義為說。其引鄭玄「起土界」、「聚土」等，應是封字作動詞的意義。但是除此之外，封字是否還有其它可說者？就散氏盤銘文來

2　〔清〕段玉裁：《說文解字注》（高雄：復文書局，1998 年 9 月），頁 687-688。

看，其中封字明顯地指的是疆界，即段玉裁所引「起土界」，「聚土」之意。　當然，做量詞，如一封、二封之類，出現的次數也不算少[3]。

在散氏盤的銘文中，既有不帶數字的封，也有帶數字的封。不帶數字的封，有以樹木為名者，還有以天然的河流，或人為的道路為界限，如邊柳、楮木、憲、大沽、原道、周道、㮚木道、同道等等。地形高低起伏，故銘文記載履勘土田時或升或降[4]。帶數字的封則有「至于大沽，一封」、「以陟，二封」。在邢邑田「道以東，一封」、「還以西一封」、「陟剛三封」、「陟州剛登岸降棫，二封」。以上這些數目加起來，正好十封。這裡不禁使人懷疑，銘文中封于某地之封，與帶數字的封，是否指的是同一回事？事實上，從銘文上看來，封於某道之封，似乎大於帶數字的一封、二封、三封之封。二者之間，倒底有什麼樣的比例關係，實在難以定論。感覺上，銘文中云封于某地時，似乎至少有一封，或許更大些，有二封、三封的面積，也不一定[5]。另外，不論是封于周道、原道之封，或是一封、二封之封，這些土地，是否有特定的管理者？這些管理

---

[3] 關於散氏盤的釋字釋義，學者多有說法。或以為征伐賠償，如于省吾：《雙劍誃吉金文選》（江蘇：廣陵古籍刻印社，1994 年重印本），上 3，頁 23。或以為竊盜事，故須償以田地，周鳳五先生說。郭沫若以為：「夨人營業于散邑，故用田以報散氏，與鬲從須田邑對換事相彷彿。事乃和平交易，非戰爭賠償也。」郭氏以為周代銅器中，頗有田契之類的銘文，如曶鼎、鬲攸從鼎、散氏盤等。見郭沫若：《中國古代社會研究》（北京：人民出版社，1982 年 9 月），第四篇，〈周代彝銘中的社會史觀〉。白川靜駁之，說略同于省吾。說見白川靜：《金文通釋》（神戶：白鶴美術館），卷 3 上，頁 191-228。楊樹達未釋原因，蓋慎之也。見《積微居金文說》（臺北：大通書局，1974 年 3 月），卷 1，〈散氏盤跋〉、〈再跋〉、〈三跋〉，頁 33-35。

[4] 這不禁讓我們想到〈小雅‧正月〉：「瞻彼阪田，有菀其特。」鄭《箋》：「阪田，崎嶇墝埆之處。」（《毛詩注疏》〔臺北：藝文印書館，1973 年 5 月景印清嘉慶二十年《重刊十三經注疏附校刊記》〕，頁 399）從銘文和詩句的對比，可見在人眾田少的關中，連崎嶇墝埆之地也不放棄耕種。〈周頌‧載芟〉：「徂隰徂畛。」孔《疏》：「此其本其開地之初，故載為始。原隰者，地形高下之別名。隰指地形而言，則是未嘗墾發，故知謂新發田也。」（頁 747）所指的應該也是同一回事。

[5] 此外，還有一件值得注意的，就是以上所計，總共十封。夨人有司眉（履）田凡十有五夫正眉（履）。夨舍散田，散人小子眉（履）田，有六人，加上司土、司馬、司工、京君宰德父，共十人。為何夨方面有十五人，而散方面則只有十人。而且十封和十夫之間，在數字上也非常巧合，其中是否有一比一的關係？仍待研究。

者的職稱又是什麼？仄與散兩方面各派人手眉田，有些人已有職務，如豆人虞考、原人虞甲、淮司工虎；有些人似乎職務不明，如仄人有司、散人小子。（盤銘依于省吾氏，其有不識者，略以意定之，請鑒察。）那麼這些沒有職務的眉田者是否即管理者？可以被稱爲封人嗎？按：《周禮・封人》云：

> 掌詔王之社壇，爲畿封而樹之。凡封國，設其社稷之壝，封其四疆。造都邑之封域者亦如之。令社稷之職。凡祭祀飾其牛牲，設其楅衡，置其絼，共其水槁。歌舞牲及毛炮之豚。凡喪紀賓客軍旅大盟則飾其牛牲。[6]

在〈散氏盤〉的銘文中雖然有封字，無法判斷那些有司是否即爲遂行《周禮・封人》所說職務的封人。於此文獻不足，故難以遽論西周是否已有封人一職，或封人所掌職務是否一如《周禮》所載。

三、內外傳

在《左傳》中，多有關於封字及與封字相關的字、詞的記載，茲臚列於下，以便檢討：

隱公元年：公子呂，字子封。

隱公元年：潁考叔爲潁谷封人。

桓公二年：故封桓叔于曲沃。

桓公十七年：夏，及齊師戰于奚，疆事也。於是齊人侵魯疆，疆吏來告，公曰疆場之事，慎守其一，而備其不虞。姑盡所備焉，事至而戰，又何謁焉。

僖公十五年：且吾聞唐叔之封也，箕子曰：其後必大。

僖公二十四年：昔周公弔二叔之不咸，故封建親戚，以蕃屏周。

---

[6] 《周禮注疏》（臺北：藝文印書館，1973 年 5 月景印清嘉慶二十年《重刊十三經注疏附校刊記》），頁 187-188。〈大司徒〉所主的項目：「制其畿疆而溝封之。設其社稷之壝，而樹之田主」（頁 149）、「凡造都鄙，制其地域而封溝之」（頁 156），或許可以做為參考。

僖公二十八：齊桓公爲會而封異姓。杜注：封邢衛。

僖公三十年：既東封鄭，又欲肆其西封。（杜注：封，疆也。肆，申也。）

文公三年：封殽尸而還。

文公八年：八年春，晉侯使解揚歸匡、戚之田于衛，且復致公婿池之封，自申至虎牢之竟。（杜注：匡本衛邑，中屬鄭。孔達伐不能克。今晉令鄭還衛，及取戚田皆見元年）。（杜注：公婿池，晉君女婿，又取衛地以封之，今并還衛。申，鄭地。）（孔疏：杜以上言歸匡、戚之田于衛，又言且復致，則晉亦致于衛，故言又取衛以封之，今并還衛。）

文公十四年：宋高哀爲蕭封人，以爲卿。（杜注：蕭，宋附庸。仕附庸，還升爲卿。）

成公二年：使齊之封內盡東其畝。（杜注：使壟畝東西行。）……先王疆理天下，物土之宜而布其利。（杜注：疆，界也。理，正也。故詩曰：我疆我理，南東其畝。杜注：小雅。或南或東，從其土宜。）（孔疏：此詩小雅信南山之篇。）……今吾子疆理諸侯，而曰：盡東其畝而已，唯吾子戎車是利，無顧土宜，無乃非先王之命乎？……今吾子求合諸侯，以逞無疆之欲。（杜注：疆，竟也。）（孔疏：以快其無疆畔之欲。）

成公三年：而帥偏師以脩封疆。

成公九年：申公巫臣曰：夫狄焉思啓封疆以利社稷者，何國蔑有？唯然，故多大國矣。唯或思或縱也。（杜注：世有思開封疆者，有縱其暴掠者，莒人當唯此爲命。）

成公十一年：劉子單子曰：昔周克商，使諸侯撫封。杜注：各撫有其封內之地。蘇忿生以溫爲司寇，與檀伯達封于河。（杜注：蘇忿生，周武王司寇蘇公也，與檀伯達俱封於河內。）

成公十三年：帥我蝥賊，以來搖蕩我邊疆。

125

成公十四年：許人平以叔申之封。（杜注：四年鄭公孫申疆許田，許人敗之，不得定其封疆。今許以是所封田求和於鄭。）

襄公八年：莒人伐我東鄙以疆鄫田。（杜注：莒既滅鄫，魯侵其西界，故伐魯東鄙，以正其封疆。）

襄公十年：晉荀偃士匄請伐偪陽，而封向戌焉。

襄公十四年：昔伯舅大公右我先王，股肱周室，師保萬民。世胙大師，以表東海。杜注：表，顯也。謂顯封東海，以報大師之功。

襄公二十一年：季孫曰：我有四封，而詰其盜，何故不可？

襄公二十七年：使烏餘具車徒以受封。⋯⋯使諸侯僞效烏餘之封者。

襄公二十九年：以杞封魯猶可。

襄公三十年：將善是封殖。

襄公三十年：子產使都鄙有章（杜注：國都及邊鄙車服尊卑各有分部。），上下有服（杜注：公卿大夫，服不相踰。），田有封洫，廬井有伍。⋯⋯從政一年，輿人誦之，曰：取我衣冠而褚之，取我田疇而伍之。孰殺子產，吾其與之。（杜注：封疆，也。洫，溝也。廬，舍也。九夫爲井，使五家相保。並畔爲疇。）

春秋經昭公元年：多，叔弓帥師疆鄆田。（杜注：春取鄆，今正其封疆。）

昭公元年：春，季武子伐莒取鄆。⋯⋯趙孟曰：封疆之削，何國蔑有？⋯⋯莒之疆事，楚勿與知。⋯⋯多，叔弓帥師疆鄆田。（杜注：此春取鄆，今正其疆界。）

昭公二年：宿敢不封殖此樹。

昭公七年：天子經略，（杜注：經營天下，略有四海，故曰經略。）諸侯正封，（杜注：封疆有定分。）古之制也。封略之內，何非君土？（孔疏：莊二十一年注云：略，界也。則此略亦爲界也。經營天下，以四海爲界。界內皆爲己有，故言經略也。天子界內，天子自經營之，故言經略也。諸侯封內，受之天子，非已自營，故言正封。謂不侵人。不與人，正之使有定分。）吾先君文王作僕區之法，曰：盜所隱器，與盜同罪，所以封汝也。（杜注：行善法，故能啓疆，北至汝水。）（孔

疏：僕區欸法所以封汝，言去盜賊，所以大啓封疆也。）

昭公九年：王使詹桓伯辭於晉曰：我自夏以后稷，魏駘芮岐畢，吾西土也。及武王克商，蒲姑商奄，吾東土也。巴濮楚鄧，吾南土也。肅慎燕亳，吾北土也。吾何邇封之有。（孔疏：言我之封疆何近之有也。）……后稷封殖天下。

昭公十三年：今不封蔡，蔡不封矣。……楚之滅蔡也，靈王遷許胡沈道房申於荊焉。平王即位，既封陳蔡，而皆復之，禮也。

昭公十五年：籍談曰：諸侯之封也，皆受明器於王室，以鎮撫其社稷，故能薦器於王。

昭公十九年：楚子之在蔡也，郹陽封人之女奔之。

昭公二十一年：干犨禦呂封人豹。（杜注：呂封人華豹，華氏黨。）（孔疏：呂邑，封人官，名豹。）

昭公三十年：吳子使徐人執掩餘，使鍾吾人執燭庸，二公子奔楚。楚子大封，而定其徙。杜注：大封與土田，定其所徙之居。……使監馬尹大心逆吳子子，使居養。（杜注：二公子奔楚，楚使逆之於竟也。養即所封之邑。）莠尹然左司馬沈尹戌城之。取於城父與胡田以與之，將以害吳也。子西諫曰：吳光新得國而親其民，其視民如子，辛苦同之，將以用之也。若好吳邊疆，使柔服焉，猶懼其至。吾又疆其讎以重怒之，無乃不可乎？

定公四年：封於少皋之墟。……封畛土略，自武父以南，及圃田之北竟。（杜注：略，界也。）……封於殷墟。……封於夏墟。

哀公十一年：季孫謂其宰冉求曰：齊師在清，必魯故也。若之何？求曰：一子守，二子從公禦諸竟。季孫曰：不能。求曰：居封疆之閒。（杜注：封疆，竟內近郊地。）……季孫告二子，二子不可。求曰：若不可，則君無出，一子帥師背城而戰，不屬者，非魯人也。

哀公十七年：彭仲爽，申俘也，文王以爲令尹，實縣申、息，朝陳、蔡，封畛於

汝。（杜注：開封畛比至汝水。）

哀公十八年：封子國于析。

在《國語》，封字及其相關詞出現次數雖不若《左傳》之多，亦有下列若干條：

周語下：封崇九山。（韋注：封，大；崇，高也。）

魯語下：汪芒氏之君也，守封嵎之山者也。

齊語：既反侵地，正封疆，地南至于陶陰，西至于濟，北至于河，東至于紀鄙。

齊語：狄人攻邢，桓公築夷儀以封之。……狄人攻衛，衛人出廬于曹，桓公城楚丘以封之。

晉語一：今君起百姓以自封也。

晉語：夫曲沃，君之宗也；蒲與二屈，君之疆也，不可以無主。

晉語一：且夫勝狄，諸侯驚懼，吾邊鄙不儆，倉廩盈，四鄰服，封疆信。

晉語三：既敗而誅，又失有罪，不可以封國。（韋注：不可以守封國。）

晉語四：使主晉民，成封國。

晉語四：辰以成善，后稷是相，唐叔以封。

晉語四：啓土安疆，於此乎在矣。

晉語八：引黨以封己，利己而忘君，別也。（韋注：封，厚也。）

楚語上：（桓、文）是以其入也，四封不備一同。

吳語：今天王既封植越國。

越語上：越四封之內，親吾君也。

越語下：四封之內，……四封之外。（兩見）

四、封疆

根據以上材料所引，可以看出，封字有作名詞為人名字者，如鄭公子呂字子封；有作為官職者，如各國之封人；有作動詞者，如封桓叔于曲沃、封建親戚、封異姓、

既東封鄭、既封陳蔡、封於殷墟、封於夏墟、楚子大封、封畛於汝、封子國于析。當然，還有爲數眾多，作名詞，而指疆界者，如又欲肆其西封、公婿池之封、齊之封內、使諸侯撫封、帥偏師以脩封疆、狄焉思啓封疆、許人平以叔申之封、我有四封、封疆之削、諸侯正封、吾何邇封之有、諸侯之封也、居封疆之間、封崇九山、正封疆、桓公築夷儀以封之、封疆信、成封國等等。此外，在上引資料中，有若干條，封、疆二字字義的差別似乎不大，都泛指疆界。甚至括包杜預的注解，也將封疆視爲一體，並無明顯的分別。如《左傳‧僖公三十年》：

> 既東封鄭，又欲肆其西封。

杜預云：

> 封，疆也。肆，申也。[7]

《左傳‧成公三年》：

> 而帥偏師以脩封疆。[8]

《左傳‧成公九年》：

> 申公巫臣曰：「夫狄焉思啟封疆以利社稷者，何國蔑有？唯然，故多大國矣。
> 唯或思或縱也」。

杜預云：

> 世有思開封疆者，有縱其暴掠者，莒人當唯此為命。[9]

《左傳‧襄公十年》：

> 初，子駟為田洫，司氏、堵氏、侯氏、子師氏皆喪田焉。

杜預云：

> 洫，田畔溝也。子駟為田洫以正封疆，而侵四族之田。

---

[7] 《春秋左傳注疏》（臺北：藝文印書館，1973 年 5 月景印清嘉慶二十年《重刊十三經注疏附校刊記》），頁 285。
[8] 同前註，頁 437。
[9] 同前註，頁 446。

孔《疏》：

> 為田造洫，故稱田洫。此四族皆是富家，占田過制。子駟為此田洫，正其封疆。
>
> 於分有剩，則減給他人，故正封疆而侵四族田也。[10]

《左傳・昭公元年》：

> 趙孟曰：「封疆之削，何國蔑有？」[11]

但是封、疆二字的意義，畢竟有所差異。最值得我們注意的，就是「居封疆之間」條。在這條中，完整地說明了封疆有其不同的層次，原文為《左傳・哀公十一年》：

> 季孫謂其宰冉求曰：「齊師在清，必魯故也。若之何？」求曰：「一子守，二子
> 從公禦諸竟。」季孫曰：「不能。」求曰：「居封疆之間。」季孫告二子，二子
> 不可。求曰：「若不可，則君無出，一子帥師背城而戰。不屬者，非魯人也！」
> [12]

杜預云：

> 封疆，竟內近郊地。[13]

齊人伐魯，冉求為魯人謀備禦之道，提出了幾個做法，第一是三家之一守國，其他二者從魯君禦諸境，也就是在邊界上進行防守。季孫回答：做不到。冉有退而求其次，要求魯師「居封疆之間」，抵禦齊人入侵。杜預對封疆的注解是：「竟內近郊地」。也就是在國境與封之間作戰。季孫將冉有的意見告訴孟、叔二家，二家仍然不願意。最後冉求提出「一子帥師」，其實就是要求季孫親自帥師，「背城而戰」。並且對國人放出刺激性的言語，以激勵士氣，說：若不跟從季孫作戰者，就沒有愛國心，不必將之看作魯國人了。我們從冉求的話中看到，第一道界線是竟，邊竟之意。邊境有必有界以為與他國分隔標識。出此境則易主，此所以有疆場一詞。再對照接下來的「封疆之間」。那麼境應該就是疆，而近郊之地與城之間還有一道界線，那就是封。最後是「背

---

[10] 《春秋左傳注疏》，頁 541。
[11] 同前註，頁 700。
[12] 同前註，頁 1015-1016。
[13] 同前註，頁 1015。

城而戰[14]，照冉求「居封疆之間」的原則，此處應可以稱之為「居封城之間」。從冉求的話看來，封與疆的的區隔是很明顯的了。疆是邊境界線，封則是在城與疆之間的界線[15]。冉求云：「居封疆之間」，杜預謂「竟內近郊地」，那麼封豈所謂的國野的區隔界線[16]？由是而言，封為較接近都城的界限，疆為邊境的界限。疆在邊境，還可再舉

---

14 封城之間為封內，或封田，說見下。《國語‧周語中》：「國有郊牧，疆有寓望。」《國語》（臺北：宏業書局，1980年9月《四部備要》排印清士禮居翻刻明道本），頁70。郊牧被視為國，應該也算是封內。大概是與野相對的地區，其實沒有什麼防禦的作用，所以最後的倚靠就是城了，《左傳‧昭公二十三年》：「楚囊瓦為令尹，城郢。沈尹戌曰：『子常必亡郢。苟不能衛，城無益也。……民無內憂，而又無外懼，國焉用城？』」（《春秋左傳注疏》，頁879）《左傳‧隱公五年》：「宋人取邾田，邾人告於鄭，曰：『請君釋憾於宋，敝邑為道。』鄭人以王師會之，伐宋，入其郛，以報東門之役。宋人使來告命，公聞其入郛也，將救之。問於使者，曰：『師何及？』對曰：『未及國。』公怒，乃止，辭使者，曰：『「君命寡人同恤社稷之難。」今問諸使者，曰：「師未及國。」非寡人之所敢知也。』」杜預云：「郛，郭也。」又云：「忿公知而故問，責窮辭。」（頁62）邾、鄭聯軍打入了宋的郛，即是攻破外城，照上引〈周語中〉的說法，應該是已經「入國」甚深了。沈尹戌說「國焉用城」，國必有城，以為保障。但是宋使回答魯隱公卻說「未及國」。故杜預以為宋使忿隱公明知故問，根本不想出兵救宋，因而睹氣地如此回答。結果隱公立即有了不救宋的理由，那就是既然「師未及國」，沒有那麼緊急，魯國也就不必淌渾水了。

15 〈大雅‧崧高〉：「王命召伯，徹申伯土田。」毛《傳》：「徹，治也。」鄭《箋》：「治者，正其井牧，定其賦稅。」（《毛詩注疏》，頁671）〈大雅‧崧高〉又云：「王命召伯，徹申伯土疆」。鄭《箋》：「王使召公治申伯土界之所至。」（頁672）鄭玄對釋「徹申伯土田」為「正其井牧，定其賦稅」。釋「徹申伯土疆」為「治申伯土界之所至」。看起來土田指的是封，而土疆指的則是疆了。二者性質不同，所以召伯去徹的時候，也有不同的作法。土田是正井牧，定賦稅，顯然針對的是封內之田。至於土界所至，就顯得比較泛泛地去定疆界了。

16 博士生黃聖松云：「《左傳‧定公四年》：『封於少皞之墟。……封於殷墟。……封於夏墟。』」這三個墟剛好就是魯、衛、晉的國都，卻都言封，因此封有的時候的意義與國相同。對照《周禮‧封人》之責『掌詔王之社壝，為畿封而樹。凡封國，設其社稷之壝，封其四疆。造都邑之封域者亦如之。』封人既封國都，於其他城邑亦封其四疆。此封人所封者，既有封內，可稱封國。雖在邊邑，亦封人前往封之。」黃生說是。按：《國語》裡有好幾處提到封國一詞，如〈晉語三〉：「既敗而誅，又失有罪，不可以封國。」（頁333）韋《注》：「不可以守封國。」（頁334）〈晉語四〉：「重耳若獲集德而歸載，使主晉民，成封國。」（頁360）〈楚語下〉：「其用不從，其生不殖，不可以封。」（頁567）韋《注》：「不可以封國。」（頁568）在這些例子中，封與國是一體的，可以封國連用；就如封與疆可以封疆連用一般。但是疆與國卻不會連用為國疆或疆國，〈周語中〉：「國有郊牧，疆有寓望。」（頁70）國與疆的分別是很明顯的，但是二者與封的分別卻常常消失。豈封居疆與國之間，以界限則言封疆，以國家則言封國？

一例，《左傳・昭公三十年》云：

> 吳子使徐人執掩餘，使鍾吾人執燭庸，二公子奔楚。楚子大封，而定其徙。使
> 監馬尹大心逆吳公子，使居養。莠尹然、左司馬沈尹戌城之。取於城父與胡田
> 以與之，將以害吳也。子西諫曰：「吳光新得國而親其民，其視民如子，辛苦
> 同之，將以用之也。若好吳邊疆，使柔服焉，猶懼其至。吾又疆其讎以重怒之，
> 無乃不可乎？」[17]

楚昭王爲了防禦吳國的攻擊，將二位投奔楚國的吳公子封於邊境，以爲監視、騷擾吳
國之具。子西以爲不可，認爲即使努力修好吳、楚邊疆，盡量不要發生衝突，都已經
很難避免吳人侵犯。更何況「吾又疆其讎以重怒之」，那只會增加吳國的憤怒，益加
緊張邊界的氣氛。在這些地方，《左傳》上都不見封字，只見疆字，可見二字確有區
別。疆是邊界，封則在竟內近郊地。二者的區分，在當時仍然很明確。

疆字在《左傳》中出現的次數不可謂少，其作名詞者，如「蒲與二屈，君之疆也」，
指的是邊疆。由於封與都城較近，在照顧上，當然比較方便。疆在邊竟，照顧起來，
便較吃力。尤其是新得土地，必然都屬邊竟，因而常常必須使用武力遂行。因而疆字
常作動詞用，除了上引「疆其讎」以外，它如《左傳・文公元年》：

> 晉侯疆戚田，故公孫敖會之。

杜預云：

> 晉取衛田，正其疆界。[18]

晉之始起南陽，恐怕也是如此。《左傳・僖公二十五年》：

> （襄王）與之陽樊、溫、原、欑茅之田，晉於是始起南陽。陽樊不服，圍之。
>
> 倉葛呼之，曰：「德以柔中國，刑以威四夷。宜吾不敢服也。此誰非王之親姻？

---

[17] 《春秋左傳注疏》，頁 928。《左傳・哀公十六年》：「（楚令尹子西云）：『吾聞勝也，信
而勇，不爲不利。舍諸邊竟，使衛藩焉。』……召之，使處吳竟，爲白公。」（頁 1042）
看來「舍諸邊竟，使衛藩焉」是楚國慣用的政策。

[18] 《春秋左傳注疏》，頁 299。

其俘之也！」乃出其民。[19]

晉文公以陽樊不服，圍之。照倉葛的話來看，再不聽話，就要「俘之」，也就是打入
奴隸階層去了。這次《左傳》雖未明言疆南陽之田，實際上晉文公此舉，正如其子襄
公「疆戚田」一般，都是以武力爲後盾。有時晉國倒不是爲自己，而是爲從屬於自己
的諸侯大夫出氣，因而也有疆田之舉，如《左傳‧襄公二十六年》：

> 六月，公會晉趙武、宋向戌、鄭良霄、曹人于澶淵以討衛，疆戚田。取衛西鄙
> 懿氏六十以與孫氏。[20]

雖是盟主大國，在確定疆界時，仍然必須倚靠武力[21]。

其實不論伯主或其它諸侯，春秋時代所有的國家在疆某田時，都要以武力爲後
盾，才能遂行疆田的任務。因爲伯主晉國尚且如此，他國又焉能免俗？就以魯國而言，
便不乏疆田之例，如《左傳‧昭公元年》：

> 叔弓帥師疆鄆田，因莒亂也。

杜預云：

> 此春取鄆，今正其疆界。[22]

又如《左傳‧成公二年》：

> 使齊人歸我汶陽之田。[23]

《左傳‧成公三年》：

> 夏，公如晉，拜汶陽之田。……秋，叔孫僑如圍棘，取汶陽之田。棘不服，故

---

[19] 同前註，頁 263。

[20] 同前註，頁 632。

[21] 即使周宣王在位時，定諸侯疆界也不乏靠武力執行的記錄。〈大雅‧崧高〉：「王命召伯，
徹申伯土疆。」鄭《箋》：「王使召公治申伯土界之所至。」（頁 672）〈大雅‧江漢〉：「于
疆于理，至于南海。」鄭《箋》：「于，往也。召公於有叛戾之國，則往正其境界，脩其
分理。周行四方，至於南海。」（頁 686）周人針對南方的經略，前往「正其境界，脩
其分理」者，怕不只召公一人，應該是西周王朝向來如此。銅器中多有記載，如鄂侯馭
方鼎、安州六器等等。

[22] 同前註，頁 705。

[23] 《春秋左傳注疏》，頁 426。

圍之。[24]

不服則圍之，叔孫僑如之舉，如晉文公無異，都可算是疆田。因爲這種情況，在其它處的傳文中，便明指疆田了，如《左傳‧襄公十九年》：

> 春，諸侯還自沂上，盟于督揚，曰大毋侵小。執邾悼公，以其伐我故。遂次于
> 泗上，疆我田。取邾田，自漷水歸之于我。[25]

這次魯國取得邾人土田，倚仗的是諸侯的軍威以「疆我田」，邾人不敢抗拒。當然，不止魯國會疆他人之田，他國也會疆魯國之田，《左傳‧襄公八年》：

> 莒人伐我東鄙，以疆鄫田。

杜預云：

> 莒既滅鄫，魯侵其西界，故伐魯東鄙，以正其封疆。[26]

除了魯、莒之外，其他國家也有同樣的做爲，如《左傳‧成公四年》：

> 鄭公孫申帥師疆許田，許人敗諸展陂。鄭伯伐許，取鉏任、泠敦之田。[27]

當然，在某些特殊的情況下，雖然獲得其他國家的土地，卻不必大費周章，勞師動眾，因而不必書疆某田者，也有其例，如《左傳‧僖公三十一年》：

> 春，取濟西田，分曹地也。

杜預云：

> 二十八年晉文討曹分其地，竟界未定。至是乃以賜諸侯。[28]

曹田本非魯有，晉文公爲戰略需求，私取曹田，以賂諸侯，終獲勝於城濮。魯國則由於重館人之諫，分田較諸侯爲多。杜預云「二十八年晉文討曹分其地，竟界未定」，然則此後竟界方定。這與晉襄公「疆戚田」同例，何以不言「疆曹田」？豈晉爲伯主，

24　同前註，頁 436-437。
25　杜預云：「正邾、魯之界也。」又云：「漷田在漷水北，今更以漷爲界，故曰『取邾田。』」
　　同前註，頁 584。
26　同前註，頁 520。
27　同前註，頁 439。
28　《春秋左傳注疏》，頁 286。

魯人不敢明目張瞻疆田之故？或是仰伯主權威，不須大費周章，故不云「疆曹田」？

又如《春秋經‧哀公二》年：

> 李孫斯、叔孫州仇、仲孫何忌帥師伐邾，取漷東田及沂西田。

《左傳‧哀公二年》云：

> 春，伐邾，將伐絞。邾人愛其土，故略以漷、沂之田而受盟。

故杜預釋之云：

> 邾人以賂，取之易也。[29]

以上魯國兩次取田，皆可謂得之甚易。曹田係晉國所分，曹弱，不敢抗命。取漷、沂之田，因爲係交換而來，故取之易，不需用武力，所以兩次取田都不書「疆曹田」、「疆漷田」。可見疆田必以武力，各國皆然。推測其原因，蓋其田所在，皆在疆界。若不以武力重新確定產權歸屬，難免造成該國不服，因而不得移交的場面。就以晉國接管南陽之地爲例，若非晉文公兵力強大，使陽樊人心生畏懼，何時才能順利完成移交？

何況在此之前，周天子本身就曾有過不良的記錄，《左傳‧隱公十一年》：

> 王取鄔、劉、蒍、邘之田于鄭，而與鄭人蘇忿生之田：溫、原、絺、樊、隰郕、
>
> 欑茅、向、盟、州、陘、隤、懷。君子是以知桓王之失鄭也。恕而行之，德之
>
> 則也，禮之經也。己弗能有，而以與人。人之不至，不亦宜乎？[30]

不知什麼原因，鄭人毫不反抗，便拱手讓出土地。總之，桓王能自鄭取得鄔、劉、蒍、邘之田，而不必「疆」，看來取得甚爲容易，豈以其爲天子之故？當然，桓王是以蘇忿生之田與之交換，但問題在於：蘇忿生之田並非桓王所能掌控。就這麼空口一句話，換得了鄭國四邑之田。假若此項交易真的對等，照各國獲土田的慣例，鄭莊公要取得蘇氏十二邑，還是得用武力去「疆」。未知是鄭莊公實力不足，或是有其它考慮，此事不了了之。不過到了晉文公時，襄王故技重施，又以上述南陽之田，即陽樊等地賜

29　《春秋左傳注疏》，頁 993。

30　同前註，頁 81-82。

給晉文公，蓋以爲晉文公會照鄭莊前例，草草了事。不料晉文公玩真的，竟以武力解決了陽樊的抗拒。因此說晉文公「疆」了南陽之田，並不爲過。這種以武力疆田的情況，與散氏盤中和平轉移的方式，顯然大有不同。豈時移世變，周天子威權日去，不足以鎮懾諸侯？或另有他故？這種土地轉移方式的差異，尚有待更多的解釋。

總結以上的論證，可知封與疆顯然有內外之別，封字較接近都城，通常各國都有足夠的保護，所以不見封某田的記錄。至於是周天子，邊境難以實指，只能略言之，故以封略稱之[31]。在封地較大的諸侯國如齊、魯、衛等，封與疆之間，其實可以視爲

---

[31] 疆爲邊界，但是邊界有時甚不明確。因此在指稱天子的疆界時，往往用略，因爲普天之下的王土，至于四海，不是那麼明確之故，只能概略言之，故曰王略。故《左傳‧昭公九年》：「王使詹桓伯辭於晉曰：『我自夏以后稷，魏、駘、芮、岐、畢，吾西土也。及武王克商，蒲姑、商奄，吾東土也。巴、濮、楚、鄧，吾南土也。肅慎、燕亳，吾北土也。吾何邇封之有。』」（頁778）東南西北都是周的領地，所以自稱「吾何邇封之有」。但是到底何處是疆界，周景王也說不出所以然，因此王朝領土稱王略。諸侯如虢雖稱虢略，亦是泛指虢之領土，非謂其僭于天子。可見「略」是不十分確定的，或是概念性的邊界。《說文》：「略，經略土地也。」段《注》：「昭七年《左傳》芊尹無宇曰：『天子經略，諸侯正封，古之制也。』杜《注》：『經營天下，略有四海，故曰「經略」。正封，封疆有定分也。』〈禹貢〉曰『嵎夷既略。』凡經界曰略。《左傳》曰『吾將略地。』又曰『略基趾。』引申之，凡規取其地亦曰略地。凡舉其要而用功少皆曰略。略者對詳而言。」（頁697）段玉裁所引，在《左傳‧隱公五年》：「公曰『吾將略地焉。』遂往，陳魚而觀之。僖伯稱疾不從。書曰：『公矢魚于棠。』非禮也，且言遠地也。」杜預云：「略總攝巡行之名。《傳》曰『東略之不知，西則否矣。』」杜預又云：「棠，魯地竟，故曰『遠地』。」孔《疏》：「〈僖九年傳〉曰『東略之不知，西則否矣。』又〈十六年傳〉曰『謀鄑，且東略也。』略者，巡行之名也。公曰『吾將略地焉。』言欲案行邊竟，是孫辭也。若國竟之內，不應譏公遠遊。且言遠地，明是他竟也。《釋例‧土地名》棠在魯部內，云：『本宋地。』蓋宋、魯之界上也。」（頁60）按：《左傳‧昭公二十四年》：「楚子爲舟師以略吳疆。」杜預云：「略，行也。行吳界，將侵之。」（頁885）由此可見略的意義，正在明它的不明確，乃大致言之的疆界。諸侯之間的疆界則有明確者，大國之間以疆爲之，小國如散氏盤中數國，則以封爲之，甚且可能以田間界限爲之，《說文》：「畛，田間百也。」（頁696-697）畛也可當做疆界的標識，過此疆界，則易主人，故《詩經‧周頌‧載芟》：「徂隰徂畛。」毛《傳》：「畛，場也。」鄭《箋》：「舊田有徑路者。」（《毛詩注疏》，頁746）孔《疏》：「〈地官‧遂人〉云：『十夫有溝，溝上有畛。』則畛謂地畔之徑路也。至此而易之主，故畛爲疆場。〈信南山〉云『疆場翼翼』，是也。」（同上）有時邊界相鄰，不一定都是山川等天然障礙，有時也可能田畝接壤，故《左傳‧桓公十七年》云：「夏，及齊師戰于奚，疆事也。於是齊人侵魯疆，疆吏告。公曰：『疆場之事，慎守其一，而備其不虞，姑盡所備焉。事至而戰，又何謁焉？』」孔《疏》：「疆場，謂界畔也。至此易主，故名曰『場』。典封疆者，不得已往侵人，無使人來侵

緩衝區，可以有效地阻絕較輕的壓力。縱有疆場之事，各國可以不必太過注意。但是如散氏盤中的散、夨、邢等國，由於面積甚小，比鄰接壤，雞犬之聲相聞，恐怕最多以封與各國為界就將至極限，做為緩衝的疆大概就不會太大[32]。甚至「小國寡民，雞犬之聲相聞」，封疆一體，此時連疆可能都沒有了。過了田畔界限，則易主人，故有封畛、疆場之稱。疆界向外伸展時，往往需以武力執行，故多見疆某田的記載[33]。

最後，還有一個與封字有關的詞為封田，僅此一見，較為特殊，《左傳・哀公十一年》：

> 夏，陳轅頗出奔鄭。初，轅頗為司徒，賦封田以嫁公女。有餘，以為己大器。
> 國人逐之，故出。道渴，其族轅咺進稻醴、粱糗、腵脯焉。喜曰：「何其給也？」
> 對曰：「器成而具。」曰：「何不吾諫？」對曰：「懼先行。」

杜預云：

已。謹慎守其一家之所有，以備不意度之事。」（《春秋左傳注疏》，頁 129）〈散氏盤〉中所記散、夨、邢等，蓋皆小國。領土犬牙交錯，其實無疆可言，其封、疆蓋同於一矣，故銘文中封字屢見。西周初年封衛，有「封畛土略」一詞，蓋當時殷人尚未完全賓服，而衛為大國，所以康叔的領地只概略地劃分。而其中必有可耕的土田，故需「封畛」。西周末之楚，亦有「封畛」的記錄，《左傳・哀公十七年》：「彭仲爽，申俘也，文王以為令尹，實縣申、息，朝陳、蔡，封畛於汝。」杜預云：「開封畛比至汝水。」（頁 1045。）衛以康叔之尊寵，甚至被稱為「封畛土略」，氣勢不下新造之周。因為新侵得土田，有了實質的利益，必須樹立標識，確定主權，所以需要以「封」為之。但是因為他們的勢力強大，其他國家不敢覬覦，所以就不必「疆」了。晉文公取南陽未言「疆陽樊田」，蓋同此論。其子襄公「疆戚田」，則或意在樹威。雖是伯主，仍進行武力威嚇，故用疆字。總而言之，東方諸侯率皆大於畿內諸侯及所謂甸侯者，以其多直接面對敵人，國勢必須較強，領土當然就較大，其防線縱深因而較長，故有封有疆。畿內諸侯、甸侯等雖小，是否相同？蓋亦有之，未敢斷言。另外，其他與封字相關的詞，如封殖、封樹，則與疆界無直接關聯，姑略而不論。

[32] 〈小雅・信南山〉：「中田有廬，疆場有瓜，是剝是菹。」鄭《箋》：「中田，田中也。農人作廬焉，以便其田事。於畔上種瓜，瓜成又入其稅天子，剝削淹漬以為菹。」（《毛詩注疏》，頁 461）這裡的疆場，鄭玄以田畔釋之，不同於邊界之疆場。

[33] 在《詩經・大雅・崧高》中或云徹土疆，見註 15。何樹環教授云：「疆固然有以武力執行事例，唯封亦然。周初封國是也。」此說誠是。唯疆田事例中，顯示所謂之田率皆有限。即使徹申伯土疆，範圍恐怕也僅限於申國的某一部分。至於封國，小如曹、晉，大如魯、衛，其面積範圍恐非疆田所能比。

> 封內之田悉賦稅之。[34]

封田只此一例，未敢斷言詳情。不過《左傳‧成公二年》記載晉師大敗齊人于鞌之後，提出了嚴苛的要求，其文云：

> 使齊之封內盡東其畝。

杜預云：

> 使壟畝東西行。[35]

晉人要求齊「使壟畝東西行」，爲的是方便晉兵車行軍作戰。何以特別要求「封內盡東其畝」？按照本文的分析，封內處國都與封之間。如果此處的田畝是南北走向，對自西向東的晉國兵車行進，將形成一道障礙，會造成晉軍極大的不便。如果是東西向，晉軍進攻就暢行無阻了。此計或非新創，據《呂氏春秋‧簡選篇》說，此有前例，因爲晉文公曾「東衛之畝」[36]。果然，則文公後人郤克等蓋食髓知味，也要齊國比照衛國「封內盡東其畝」，既然要「盡東其畝」，指的當然是田地。那麼此處所說的封內，與陳轅頗所賦的封田，應當是同一回事了。陳國轅頗爲司徒[37]，爲了嫁公女，而「封內之田悉賦稅之」。辦了嫁粧仍有剩餘，卻遭轅頗乾沒，以爲其大器。此舉惹得陳國人非常不高興，於是將他驅逐出境。這裡所謂的封田，對照前述封疆的意義，當即杜預所謂封內之田，乃都城至封之間的田。封內之田屬於國人，故國人需承擔賦稅責任。前引〈大雅‧崧高〉：

> 王命召伯，徹申伯土田。

毛《傳》：

> 徹，治也。

---

[34] 《春秋左傳注疏》，頁 1017。

[35] 同前註，頁 425。

[36] 許維遹：《呂氏春秋集釋》（臺北：世界書局，1975 年 3 月），頁 338。

[37] 〈散氏盤〉中散人眉田者十人，以司徒為首。于省吾云：散方區畫田界者有十人，司徒、司馬、司空、宰，四人均係散之要職。（《雙劍誃吉金文選》，頁 24）司徒典土地，故散方眉田交接時，以司徒為首。

鄭《箋》：

> 治者，正其井牧，定其賦稅。

〈大雅・嵩高〉又云：

> 王命召伯，徹申伯土疆。

鄭《箋》：

> 王使召公治申伯土界之所至。

對照鄭玄對「土田」與「土疆」不同的解釋，可以發現《詩經》中的「申伯土田」，應該就是《左傳》中此處的封田。因為這是屬於國人的部分，所以鄭玄會提「正井牧，定賦稅」等國人的義務。轅頗為陳司徒，掌握了陳國所有的土田資料，所以徵賦由其主持。照周人慣例，賦役本由國人負擔。若此次徵賦乃照慣例徵賦，理應沒有什麼問題才是。但是為何國人如此生氣？蓋賦是用於車馬的軍費，比起弓矢等小件武器來說，這是最重大的軍事支出，不得挪用。結果轅頗於已徵之外，又額外加賦，是其一；嫁公女違背了賦的用途，是其二；非但如此，又手腳不淨，是其三。

關於封內封田，其中細節尚不能完全明瞭。例如封內有田，或可稱封田。至於封內是否皆是田地？有沒有牧地？或是其它用途之地？那就得另為文討論，在此不敢斷言了。

五、封人

但是本文原來要解決的問題，當然還是封人。既然和裒一樣，封字也有聚土為土功之義，故其工作性質非常接近。上引《周禮・封人》云：

> 掌詔王之社壝，為畿封而樹之。凡封國，設其社稷之壝，封其四疆。造都邑之封域者亦如之。令社稷之職。凡祭祀飾其牛牲，設其楅衡，置其絼，共其水稾。歌舞牲及毛炮之豚。凡喪紀賓客軍旅大盟則飾其牛牲。

所掌項目的重點當然還是封樹疆界，與土功關係密切。唯春秋時代各國封人所從事的

工作，又未必盡遵《周禮》所述，如飾牲之類。蓋煩簡不一，各視情況而定，如楚國，《左傳‧宣公十一年》：

> 令尹蔿艾獵城沂，使封人慮事，以授司徒。量功命日，分財用，平板榦，稱畚築，程土物，議遠邇，略基趾，具餱糧，度有司，事三旬而成，不愆于素。[38]

杜預對此段甚為重視，所以註解的部分也很多，茲列於下：

> 封人，其時主築城者。慮事，無慮計功。
>
> 司徒掌役。
>
> 命作日數。
>
> 財用，築作具。
>
> 榦，楨也。
>
> 量輕重畚盛土器。
>
> 為作程限。
>
> 均勞役。
>
> 趾，城足。略，行也。
>
> 餱，乾食也。
>
> 謀監主。
>
> 十日為旬。
>
> 不過素所慮之期也。《傳》言叔敖之能使民。

---

[38] 《春秋左傳注疏》，頁 383。按，春秋時代築城，蓋有其標準定制。除了楚國以外，《左傳‧昭三十二年》載營成周事云：「士彌牟營成周，計丈數，揣高卑，度厚薄，仞溝洫，物土方，議遠邇，量事期，計徒庸，慮財用，書餱糧，以令役於諸侯，屬役賦丈。書以授帥，而效劉子。韓簡子臨之，以為成命。」（頁 933）其明年，《左傳‧定公元年》云：「庚寅栽，……城三旬而畢，乃歸諸侯之戍。」（頁 941）闇於事理者，則不知城之高厚者，如《左傳‧定公五年》：「楚昭王使由于城麇，復命，子西問高厚焉，弗知。」（頁 959）當然，這只是少數。蓋當時為土功，皆精劃精密，如《左傳‧哀公元年》：「楚子圍蔡，報柏舉也。里而栽，廣丈高倍，夫屯晝夜九日，如子西之素。」杜預云：「子西本計，為壘當用九日而成。」（頁 990）

孔《疏》云：

> 《周禮‧封人》：凡封國，封其四疆。造都邑之封域者亦如之。〈大司馬〉：大
> 役與慮事，受其要以待考而賞誅。鄭玄云：「慮事者，封人也。於有役，司馬
> 與之屬賦丈尺，與其用人數也」。是封人主造城邑，計度人數。此云：「使封人」，
> 故云：「其時主築城者」。慮事者，謀慮城築之事，無則慮之，訖則計功也。史
> 書多有無慮之語，皆謂揆度前事也。

> 〈釋詁〉云：楨榦，榦也。舍人曰：楨，正也。築牆所立兩木也。榦所以當牆
> 兩邊鄣土者也。彼楨為榦，故謂榦為楨，謂牆之兩頭立木也。板在兩旁臥鄣土
> 者，即彼文榦也。平板榦者，等其高下，使齊城也。

> 畚者，盛土之器。築者，築土之杵。司馬法輦車所載二築是也。稱畚築者，量
> 其輕重，均負土與築者之力也。程土物，謂鍬钁畚擧之屬，為作程限備豫也。

杜預認為，這次楚國令尹孫叔敖主持的城沂工作中，封人「其時主築城者」。但是《傳》
文明言「使封人慮事，以授司徒」。故本人以為，此時楚國封人的職務僅是慮事，也
就是擔任參謀策畫的部分，而不是聚土典封疆，直接到現場施工者。這次楚國實際築
城者，是司徒之職。此時楚國的封人僅計功慮事，在其他的國家，是否有不同的職守
呢？

在《左傳》中還有其他國家出現封人的記載，例如鄭國，其工作內容則與楚國封
人為策劃築城者，有所不同，《左傳‧隱公元年》：

> 潁考叔為潁谷封人。

杜預云：

> 封人，典封疆者。

孔《疏》：

> 《周禮‧封人》「掌為畿封而樹之」。鄭玄云：「畿上有封，若今時界也」。天子
> 封人職典封疆，知諸侯封人亦然也。《傳》言「祭仲足為祭封人」，「宋高哀為

蕭封人」。《論語》有儀封人。此言「潁谷封人」，皆以地名封人。蓋封人職典封疆，居在邊邑。潁谷、儀、祭，皆是國之邊邑也。[39]

孔《疏》所舉之宋封人，見《左傳·文公十四年》：

宋高哀為蕭封人以為卿。

杜預云：

蕭，宋附庸。仕附庸，還升為卿。

孔《疏》：

蕭本宋邑，莊十二年宋萬弒閔公，蕭叔大心者，宋蕭邑之大夫也，平宋亂，立桓公。宋人賞其勞，以蕭邑封叔為附庸。莊二十三年，蕭叔朝公，是為附庸，故稱朝；附庸宋國，故云：「宋附庸也」。〈宣十二年〉楚子滅蕭，此時蕭國仍在。高哀仕於蕭國，遂被拔擢，升為宋卿。[40]

和鄭一樣，蕭是個附庸小國，原有土田必然不多，何況又處邊境？然封人之職為何？《國語·周語中》：

《周制》有之，曰：「列樹以表道，立鄙食以守路。國有郊牧，疆有寓望。藪有圃草，囿有林池，所以禦災也。」[41]

在以上各項工作中，「列樹以表道」這一點，與散氏盤銘文中「封於東道」、「封於原道」、「封於周道」等等的記載，若合符節。顯示出列樹表道與封人之職，有密切的關係。因此，封人欲闢未開發之邊境，必築道以通之，此其職責之一；開荒成田，此其職責之二；土田既衰，必樹標識以明歸屬，此其職責之三，凡此，皆與土功有關[42]。故《周禮·封人》云：「掌為畿封而樹之」，當有所本。當然，高哀以蕭封人而為宋卿，

---

[39] 《春秋左傳注疏》，頁 37。
[40] 同前註，頁 336。
[41] 《國語》，頁 70。
[42] 也許在西周時期，封人的職掌主要只在列樹以表道，所以散氏盤中會有那麼多封于某道的記錄。進入東周後，因為田少人多，土田需求大增，他們的任務才變得吃重，需要為國君衰田。土田既衰，仍須列樹表道，以明歸屬。是封人之責，頗似今之工兵，甚至是生產建設兵團。

倒未必是蕭的封人對宋有多重要，只是因爲高哀有寵而已。這點與鄭莊公以祭封人仲足爲卿，一方面祭仲有寵於莊公，另外也是因爲封人對鄭有其重要性，二者或許不盡相同[43]。除蕭封人以外，宋還有呂封人，見《左傳・昭公二十一年》[44]。其他國家如蔡國，也有封人，見《左傳・昭公十九年》之鄖陽封人。衛國也有封人，孔《疏》所引《論語》儀封人，見〈八佾篇〉。以上這些有封人的諸侯，雖說「宋、衛實難」，但是比起晉、楚、齊、秦來，畢竟「不得爲次國」。他們都有封人，而鄭國尤爲重視，顯見封人以能爲土田，在這些國家有其重要性。

孔《疏》以「潁谷、儀、祭，皆是國之邊邑也」，甚是。但是上面已說明封在疆與城之間，故有封內、封田之稱。何以封人所封者皆在邊邑？既是封內，何以與封人無關？這豈不與以上所說者衝突？關於這點，我們可以從上引《周禮・封人》著手，其文云「掌爲畿封而樹之」。鄭玄云：「畿上有封，若今時界也」。鄭玄以畿上之封爲漢時田界，大致說來，是照顧到了田界的意義，但是對於畿字的部分，顯然就帶過去，略而不提了。按〈邶風・谷風〉：

　　不遠伊邇，薄送我畿。

毛《傳》：

　　畿，門內也。[45]

這個門內的解釋，似乎仍不足以說明什麼。但是想到王畿，想到畿內諸侯。豈不正有門內直屬周天子之義？這些所謂的畿內諸侯，與其它諸侯有何不同呢？我們知道，

---

[43] 鄭莊公時封人兩見，似乎都頗受寵。《左傳・隱公元年》：「五月甲辰，授兵於大宮，潁考叔與公孫閼爭車。潁考叔挾輈以走，子都拔棘以逐之。及大逵，弗及，子都怒。秋七月，公會齊侯鄭伯伐許。庚辰，傳于許，潁考叔取鄭伯之旗蝥弧以先登，子都自下射之，顛。」（頁 80）潁考叔被子都射死，鄭莊公卻不敢公開治罪，只是「使卒出豭，行出犬雞，以詛射潁考叔者。」（頁 81）於是「君子謂鄭莊公失政刑矣。政以治民，刑以正邪。既無德政，又無威刑，是以及邪。邪而詛之，將何益矣？」（頁 81）子都的來頭應該不小，鄭莊公得罪不起，所以不敢公開治罪。既然如此，潁考叔卻敢與子都爭車，是否因爲他受寵而驕呢？

[44] 《春秋左傳注疏》，頁 870。

[45] 《毛詩注疏》，頁 90。

齊、燕、魯、衛之類的畿外諸侯，主要表現在封地廣，國力強。原因是他們負防禦與監視之重責，所以必須有足夠的實力承擔任務。至於畿內諸侯，多為甸侯之類，如晉、鄭、曹等等，封地小，責任輕，主要提供王室經濟需求，它們比男的身分較親，地位稍高。但是所負的責任並無差別。不過值得注意的是，他們雖然都屬於畿內諸侯，但封地卻不一定都在關中的王畿之內。最遠者如曹，已在山東。陽樊、溫、原、欑茅等在所謂南陽之地，即太行山南、黃河以北，今河南、山西之間。另外較晚封的鄭，先在關中，後來遷至洛陽附近。他們都在廣義的關東，但是他們都是畿內諸侯。由此類推，封人所封者，雖然都在邊邑，但因為都直屬國君，所以仍可視為封內。一如畿內諸侯，不一定都在關中，但都直屬周天子。周天子在處理這些畿內諸侯的土地時，可以有較大的彈性。桓王取鄭四邑而予鄭蘇忿生之田，即是一例。對其他勢力較大的諸侯，如齊、魯、衛等，就不可能這麼輕鬆自在了。封人闢地的情況，蓋一如殷商時裒田情形。土地既闢，有了經濟價值，必須封樹，以明歸屬。或如鄭之先有寄地，而後遂滅其國，為己邊邑，故亦須往封之。若僅為樹疆界，則春秋時代連關塞尚且不受重視，封疆豈能險於關塞？此顧棟高氏已有說明[46]，學者可以參看。前往封樹，必為已造田地，才有價值。蓋春秋時代地廣人稀，土地的多寡不成問題，可利用的土地多寡才是重點。孔《疏》已經指出《左傳》中鄭封人再見，宋一見，《論語》有儀封人。鄭特重封人，豈以其新近東遷，墾田甚少，寄邑虢、鄶，猶嫌不足，故仍需時時新裒田地，以供生產之用。土地既裒，經濟價值提高，故必須封識，並派人管理。以其新闢，產權所屬，必為國君。國君所派遣管理者，必與其關係親近。鄭國封人數見，豈其地位相對重要之故？穎考叔為穎谷封人，面諫莊公，甚受信用。至於祭仲為祭封人，有寵，莊公竟使為卿。雖曰祭仲多智，然其身為封人一職，應該也是一項重要因素。宋高哀甚且還是宋附庸蕭的封人，卻也有寵，以為卿，與祭仲如出一轍。謂之巧合也可，謂之封人甚受重視，或許更為實際。

---

[46] 見〈春秋列國地形險要表敘〉，〔清〕顧棟高：《春秋大事表》（臺北：廣學社印書館，1975 年），卷 23，頁 1367-1369；及〈春秋列國不守關塞論〉，頁 1392-1395。

　　鄭、宋二國特重封人，封人甚至可以爲卿，顯見其地位重要。其他諸侯也有封人，特待遇不如二國耳。在楚國，卻似乎不然。原因何在呢？本人以爲，這與這些諸侯皆是小國有關。尤其是鄭國，新遷東方，立國之初，尚需寄邑虢、鄶。其土田不足顯然，急需開疆闢土，以增加耕地面積。基於這樣的需求，封人既然是擔任此艱鉅工作者，故其職就顯得相對的重要。至於楚國，自武王時代便大肆擴張。到了莊王時，領土面積早已非昔日彈丸之地可比。既然楚國的耕地靠侵略併吞，便已足夠，當然不用再如以往般，辛苦地靠封人重新聚土造田。但是封人職責之一正在聚土，策劃經營土功，如造耕田或造城邑之類，向來是他們的老本行。此時楚國雖然不必再裒田，唯裒田與築城的工作性質，基本上是相同的。因此他們雖然不需上第一線參與施工，但是參謀策畫營造城郭，對於如何量功命日、分財用、平板榦、稱畚築、程土物、議遠邇、略基趾、具餱糧、度有司等等事項，仍然是他們的專長。

六、餘論

　　鄭之東遷，其立國情勢，與張政烺所說裒田寄地，頗爲吻合，故鄭國多有封人。其他國家蓋亦有之，文獻不足，難以定論耳。在〈略論顧棟高〉文中，本人嘗以爲不見西周裒田記錄，蓋未審之故。其實就《詩經》中資料來看，西周應該也有裒田情事才是[47]。至於規模大小，則較難定論耳。載其事例者，如〈小雅・常棣〉：

　　　原隰裒矣，兄弟求矣。

毛《傳》：

　　　裒，聚也。求矣，言求兄弟也。

鄭《箋》：

---

[47] 非但西周，舉凡春秋時代，或許除了曾有大規模併吞小國之強大諸侯，如晉、楚、齊、秦者，可以不必裒田，專靠侵略，就有足夠的田。此外，理論上應該無國不裒。甚至連上述強國，也可能裒田。唯文獻無徵耳。

原也，隰也，以相與聚居之故，故能定高下之名，猶兄弟相求，故能立榮顯之名。[48]

〈小雅・信南山〉：

> 信彼南山，維禹甸之。畇畇原隰，曾孫田之。我疆我理，南東其畝。

鄭《箋》：

> 信乎彼南山之野，禹治而丘甸之。今原隰墾闢，則又成王之所佃。
>
> 疆，畫經界也。理，分地理也。[49]

〈周頌・載芟〉：

> 徂隰徂畛。

毛《傳》：

> 畛，場也。

鄭《箋》：

> 畛，謂舊田有徑路者。[50]

孔《疏》：

> 〈遂人〉云「十夫有溝，溝上有畛」。則畛謂地畔之徑路也。至此而易之主，故以畛為場。〈信南山〉云「疆場翼翼，是也。」
>
> 此其本其開地之初，故載為始。原隰者，地形高下之別名。隰指地形而言，則是未嘗墾發，故知謂新發田也。畛是地畔道路之名，故知謂舊田有徑路者。[51]

孔《疏》所謂「此其本其開地之初，故載為始。原隰者，地形高下之別名。隰指地形而言，則是未嘗墾發，故知謂新發田也」。由是可知，西周實有裒田事例。降至春秋時代，諸侯土田不足時，大致仍由兩方面獲得，一是侵略，一是自行裒田。有能力侵

---

[48] 《毛詩注疏》，頁 321。
[49] 同前註，頁 460。
[50] 同前註，頁 746。
[51] 同前註，頁 747。

略者，多爲大國，如晉、楚、齊、秦之類。其他國家如魯、鄭，雖偶而爲之，實難比擬。上述大國既能侵略，理論上可無需費力新造土田，蓋自侵略他國所得，便已足夠。至於小國，或可侵略更小的國家、附庸之類，唯所獲不如大國耳。其額外所需土田，當自裒耳，故唯費力開荒，新造土田使用。小國如鄭，其初封時，土田不足尤甚，此所以鄭封人特多，且特受重視之原因？唯至春秋中晚期時，鄭封人之職似亦廢弛，《左傳·襄公十年》：

> 初，子駟與尉止爭，將禦諸侯之師而黜其車。尉止獲，又與之爭，子駟抑尉止，曰：「爾車非禮也」。遂弗使獻。初，子駟爲田洫，司氏、堵氏、侯氏、子師氏皆喪田焉。故五族聚群不逞之人，因公子之徒以作亂。

杜預云：

> 洫，田畔溝也。子駟爲田洫以正封疆，而侵四族田。[52]

這些鄭國貴族爲了兩件事，與執政者翻臉，其一是面子問題，蓋子駟不免仗勢欺人，既黜尉止，又與之爭獲。但更重要的一點，就是子駟爲田洫以正封疆，結果造成四族皆喪田。這事大有蹊蹺，何以正封疆就會使那些貴族喪田[53]？如果那些田本來就屬那些貴族所有，子駟再蠻橫，諒也不致沒入四族土田。顯然四族所喪之田不在原有的籍冊中，而是由他們自行開墾出來的。先前的執政者睜一眼，閉一眼，因而大家相安無

---

[52] 《春秋左傳注疏》，頁 541。

[53] 在魯國也應該有這類私下開墾的情事，蓋即《左傳·宣公十五年》所載之「初稅畝」。不過魯國執政者的作法較鄭國和緩，有關初稅畝的爭議甚多，此處無法列舉，當另爲文討論。不過本人以爲，魯國採稅畝方式，即承認貴族私下墾殖出的土田，其產權屬於貴族，但是國家以抽稅方式作爲因應。這種作法比起鄭國子駟直接沒收，顯得溫和得多。上云陳轅頗賦封田，此爲向國人額外徵賦，因而蔥惱陳國國人。魯國稅畝，則爲徵收原來不曾納稅的土田。二者情況不同，但是多徵稅收的結果則是一致的。至於鄭國的執政者，強行沒入貴族私墾的土田。這種情況，在南北朝時代，可謂屢見不鮮。對國家而言，當然是有好處的。但是對貴族大戶而言，當然損害了他們的利益，要引發大戶們的抗議了。子產算是能力強，而且運氣好的，只是被罵見而已。子駟則一如歷來忠於國家者的下場，慘僭大戶們殺害。毋怪乎自古至今，忠於國家者甚少。試問：一心爲國，結果淪落到這種下場，還要被罵成酷吏，憑什麼要人盡忠報國呢？

事。其後子駟執政，不知是出於公益還是私仇，突然清查地籍帳冊。四族私墾出的良田，卻變成侵占國土，因而必須被沒收了。於此我們看到貴族賣力為己墾田，卻不再見到封人為國君開荒。這是否意味著封人一職隨著國君君權不振，同時也失去了他們的作用和光彩？至於鄭國是否只有上述貴族私下墾田呢？看來不是，此時鄭國為此事者，皆乎成了全民運動，人人有分，反倒是為國君墾田的封人不見蹤影，《左傳‧襄公三十年》：

> 子產使都鄙有章，上下有服，田有封洫，廬井有伍。……從政一年，輿人誦之，曰：取我衣冠而褚之，取我田疇而伍之。孰殺子產，吾其與之。

杜預云：

> 封，疆也。洫，溝也。廬，舍也。九夫為井，使五家相保，並畔為疇。[54]

二十年之間，私墾的人似乎不止幾家貴族而已，更多是輿人，也就是鄭國眾人。因此子產繼承子駟「田有封洫」的政策，再度侵犯更多既得利益者時，竟然惹得大家要說「孰殺子產，吾其與之」了。「輿人」一詞，顯示出除了以往僅限於少數貴族有私墾行為之外，現在還要加上為數眾多的國人。如是，鄭國私墾土田，成為全民一致的行為。更有甚者，隨著人口增加，鄭國境內土田不足時，其人民還會往外發展[55]。《左傳‧哀公十二年》：

> 宋、鄭之間有隙地，曰：「彌作、頃丘、玉暢、嵒、戈、錫。」子產與宋人為成，曰：「勿有是。」及宋平、元之族自蕭奔鄭，鄭人為之城嵒、戈、錫。九月，宋向巢伐鄭，取錫，殺元公之孫，遂圍嵒。十二月，鄭罕達救嵒。丙申，圍宋師。[56]

到了明年，鄭人或許是為了減少麻煩，又將這「六邑為虛」。這六邑原是荒地，開墾

---

[54] 《春秋左傳注疏》，頁684。
[55] 不止鄭國如此，在春秋時代，這應該是普遍的現象，說見下。
[56] 同前註，頁1027。

成邑的功勞，看來不屬鄭、宋兩國的封人[57]，否則這兩國就有充分的理由，將之納入領土之內。這六邑顯然是逃亡的流民開墾出來的聚落，在法理上，不屬於任何一國，所以子產與宋人達成協議，都不將之列爲國土的一部分，因而二國向來相安無事。但是開墾六邑者可能是以鄭國流民爲主，所以後來鄭人便爲其中三邑加築城牆，正式將之納入領土之中。曠土開墾成田疇，便產生誘人的經濟利益。鄭人再爲了政治因素而築城，給宋人吃了悶虧，又造成威脅，使得宋人不甘示弱，因而引發兩國爭執。這反應出時代的變化，從中我們看到，在春秋早期，封人直屬國君，封人於邊疆修道裒田，並且掌管此新墾土田，其職位甚爲重要。到了春秋中葉，國君的權力衰微，裒田的工作似乎由貴族階層承擔，但是這些貴族所闢的土田，有可能遭到國家執政者以正封洫的名義強行徵收，因而白忙一場。不過這是否也反映出，封人一職因國君無力掌控政權，也隨著失去其重要性；或是如楚國因侵略所得，已不需要封人裒田？到了春秋晚期，封人的職責已經完全失落，開墾荒地不止貴族，連一般人都可以僑田他國，簡直就是商王寄田的翻版。最後，裒田甚至成爲不堪過重賦役人民逃亡時的新出路。而這些流民所開墾出的土田，有可能完全不屬於任何一個國家。意即，此種土田，其主權誰屬，頗堪探究。從春秋到戰國，土地問題的變化，似乎也反應在封人一職的變化上，這個現象值得學者注意。

---

[57] 其他國家蓋亦同鄭國，《左傳·哀公八年》云：「初，武城人或有因於吳竟田焉，拘鄫人之漚菅者曰：『何故使吾水滋？』」。杜預以魯武城人「僑田吳界」，又云：「鄫人亦僑田吳。」（頁 1012）魯人、鄫人都僑田吳境，與殷湯裒葛、鄭桓寄邑完全一致。可見此一習俗，流傳久遠，至春秋未絕。唯魯、鄫人所僑之田，其所有權似亦不屬魯、鄫二國，反與鄭、宋六邑相同。可見到了春秋晚年，私人裒田大盛，公家裒田，如鄭封人者，已經式微。

龍宇純先生七秩晉五壽慶論文集
2002 年 11 月　　頁 151～164

讀定州漢墓竹簡《論語》通假字札記

張光裕[*]

一、引言

　　定州漢墓竹簡《論語》於 1973 年在河北定州西漢中山懷王劉脩墓中出土。1993年劉來成先生完成了竹簡《論語》釋文和校勘記的工作，由李學勤先生作最後審定。1997 年河北省文物研究所定州漢墓竹簡整理小組將定州漢墓竹簡《論語》乙書交由文物出版社正式發行[1]。可惜的是，該書僅錄釋文及注釋，原簡照片及摹本則付諸闕如。就該書所見竹簡本釋文與今本《論語》對校，所見異文比目皆是，對研究《論語》版本及內容有莫大的價值，但有關「通假」的例子，僅在注釋中簡單標示爲「同音假借」、「音同可通假」、「某借爲某」、「古二字通」或「二字可通」等，未作較深入說明。最近重讀竹簡《論語》，略有所見，其中自然亦涉及一些古音問題，可是個人對古音的認識不深，故打算主要從通假字的界定、古文字形構及古籍用例等方面，提出一些粗淺的看法。由於缺乏原簡對照，有關文字釋讀，一以該書釋文爲準[2]。

二、通假字的界說

　　有關「通假」問題的討論，學者間迄今仍未有一致的看法，相關文章和專著也多

---

[1]　河北省文物研究所定州漢墓竹簡整理小組：《定州漢墓竹簡〈論語〉》（北京：文物出版
　　社社，1997 年），〈前言〉。
[2]　見《定州漢墓竹簡〈論語〉》釋文。

不勝數，在此並不打算加以一一引錄及評述，但是卻希望在探討「通假字」例前，把「通假字」的界定問題作一簡單述說。

「通假」是研讀經傳時常見的現象，它與文字學所談「六書」中「本無其字，依聲託事」的「假借」，在本質上是有區別的。清人王念孫對「通假」有其獨到的見解。王引之於《經義述聞‧序》中云：

> （家）大人曰：詁訓之指存乎聲音，字之聲同聲近者，經傳往往假借，學者以聲求義，破其假借之字而讀以本字，則渙然冰釋。[3]

又，王引之亦嘗加以申說云：

> 許氏《說文》論六書假借曰：「本無其字，依聲託事，令長是也。」蓋無本字而後假借他字，此謂造作文字之始也。至於經典文字，聲近而通，則有不限於無字之假借。往往於本字見存，而古本則不用本字而用同聲之字。學者改本字讀之，則怡然理順；依借字解之，則以文害辭。[4]

「字之聲同聲近者，經傳往往假借」，所指即「通假」的現象，其出現的原因也就是「往往於本字見存，而古本則不用本字而用同聲之字」的緣故。簡單來說，經傳中的「通假」是「本有其字」的，而「六書」中所稱的「假借」則是「本無其字」的。近人劉又辛與周大璞嘗將「通假」及「假借」兩者等同起來，認為「用不著多立『通假』這個術語」[5]。而近年也有學者主張使用「通用」一詞，既可涵蓋一些無法確立「本字」與「借字」的問題，甚至連「通假字」也算作是「通用字」[6]。但是「通用」的範圍實在太廣，而且更容易與「異體字」、「同源字」及「古今字」等混為一談。因此，「通假」這個術語是否正確，固然值得我們考慮，但在沒有找到更合適和妥當的用語

---

[3] 〔清〕王引之：《經義述聞》（南京：江蘇古籍出版社，1985 年），頁 2。

[4] 《經義述聞‧三十二‧通說下‧經文假借》，頁 756 上。

[5] 劉又辛：《通假概說》（成都：巴蜀書社，1988 年），頁 141-142；周大璞：〈假借質疑〉，《武漢大學學報》（社科版），1982 年第 2 期，頁 38。

[6] 有關「通用字」一詞的使用問題，請參考吳辛丑：《簡帛典籍異文研究》（廣州：中山大學博士論文，2000 年 11 月），頁 28-30。

前，「通假」一詞的保留還是有其價值的，尤其是爲了不與「六書」中的「假借」相混淆，更顯得「通假」一詞的重要。

最近幾年指導學生撰寫論文，往往都涉及「通假」的問題，與同學往還討論時，已逐步把「通假」的觀念試作更清晰的釐訂。在內容上雖然仍離不開前賢討論的範疇，但由於簡單易曉，因此值得向大家作初步的推介[7]。

第一，「通假」是指捨「正字」（或「本字」，以下暫且劃一以「正字」稱述）不用而借用其他音同或音近的字。「正字」是指在文句中起著詞匯意義或語法意義的詞，而被借用的字就是「通假字」。由於只借其聲而不借其意，因此被借用的「通假字」本身，在文句中根本沒有任何詞匯意義或語法意義，必須讀以「正字」才能令句子文從字順。這是「通假字」跟「正字」之間在文句中所起作用的最大差別。而「音同」是指兩字的聲母和韻母都一樣，「音近」是指兩字的聲母或韻母雖有些微差別，但讀音仍然相當接近。嚴格來說，兩字如果只是雙聲或只是疊韻，便不符合「通假」的原則。因此，「凡言通假，必須著眼於聲與韻雙方面的同近。」[8]

第二，「通假字」與「正字」之間並無意義上的關係，這是有別於同源字和異體字的。

第三，「通假字」是一種共時的語言現象，所以「通假字」和「正字」，在書面語中必須共同存在。

以上三項標準只是基本的原則，而當我們說某字跟某字通假時，必須是因爲在原句中某字意義扞格難通，要讀以音同或音近的另一個字才能怡然理順，如果原句中某字的意義已經符合句意，那就不可視爲「通假字」了。再者，如何去辨識「通假字」與「正字」，特別是如何確認「正字」與「通假字」是否共時存在？又其中是否存在

---

[7] 以下有關「通假字」的標準和看法，主要採錄自張錦少：〈郭店楚簡、漢帛書《五行》篇通假字比較研究〉，香港中文大學中國語言及文學系《專題研究》論文，2000 年，頁3。並作增補和修訂。

[8] 龍宇純：〈有關古書假借的幾點淺見〉，《訓詁論叢》第 3 輯（臺北：文史哲出版社，1997年），頁 13。

錯字或誤字？這些問題可能仍會引起不少困擾的。因此，最好能夠結合古籍和古文字材料的用例作輔助說明。王國維先生考釋古文字時便注意到「考之史事與制度文物，以知其時代之情狀；本之《詩》、《書》以求其文之誼例；考之古音以通其誼之假借，參之彝器以驗其字之變化。」又說：「文字之變化脈絡不盡可尋，故古器文字有不可盡識者，勢也。古代文字假借至多，自周至漢音亦多變，假借之字不能一一求其本字，故古器文誼有不可強通者，亦勢也。」[9]有關這方面的論點，周何先生亦曾加以申說：「凡云假借者必有驗證可求，求之於文獻資料，以證明這兩個字在過去曾經通用成爲習慣，已爲當時一般人所接受的假借字。如無驗證可求，古籍淹沒，也許那些證據正好就在那些亡逸的書裏面，如今已無法找尋，爲求態度嚴謹起見，只好一概視爲音近之誤，而不認作假借字。因爲同音字太多，真正成爲假借的畢竟有限，不希望把錯別字誤認爲假借，擾亂了典籍的正解，於是只好割愛了。」[10]

先秦時期，由於當時的文字結構仍未經正式規範，除了文字本身往往出現同字異構的差異外，用字時借音的通假現象亦相當普遍，相關例子在商周青銅器銘文和簡帛文獻裏都可以很容易找到。逮及秦漢，文字的約定俗成和規範雖已逐步改進，可是不少方言區使用文字時仍然未能完全擺脫借音的方式，但相對今天所見先秦楚簡資料來說，數目上顯然已減少得多，從郭店楚簡《五行》篇通假字的使用較諸馬王堆帛書《五行》篇經部爲多的統計，可以說明這個現象[11]。

「通假」的出現主要是因甲、乙兩字因音同或音近的關係，故彼此得以借用，而我們也必須認識到古人在書寫紀錄時往往都是憑音記字、以字記音的事實，每當因某種關係未能即時將「正字」書寫記錄，但只要利用聽音記字的手段，便可將主要的訊息經由不同的文字加以表達。因此，不少「通假字」實際上是起著注音的作用，古書

---

[9] 王國維：〈毛公鼎銘考釋序〉，《王觀堂先生全集》（六）（臺北：文華出版公司印行，1968年），頁 1990。

[10] 周何：〈訓詁學中的假借說〉，《訓詁論叢》第 3 輯，頁 64。

[11] 張錦少：〈郭店楚簡、漢帛書《五行》篇通假字比較研究〉。

中所見到的通假現象，無疑是了解昔日語音的最佳紀錄之一，對古代音韻的研究有重大的意義和價值。

要而言之，當我們辨認通假字時，上述三項界定的標準是必須審慎考慮的，同時更必須特別注意甲、乙兩字之間僅有音的關係，而並無任何意義上的聯繫。如此一來，與「同源字」、「異體字」和「古今字」之間的分別也就清楚得多了。

三、定州漢墓竹簡《論語》所見通假字

根據上述界定通假字的三項原則，在定州漢墓竹簡《論語》一書中，經粗略整理和統計，可算得上是「通假」的例子僅有二十餘組[12]，其中可分：

（一）聲母、韻部俱同，例如：

1.迷／彌（〈子罕〉9.10）　　明母　脂部

簡本：〔淵喟然嘆曰〕：「卬之**迷**高，□□**迷**堅，瞻之在前，忽〔然善牖人，博〕我以文，約我以禮，……聖。雖欲從之，未由也〔已〕。」224（頁43）

今本：顏淵喟然歎曰：「仰之**彌**高，鑽之**彌**堅。瞻之在前，忽焉在後。夫子循循然善誘人，博我以文，約我以禮，欲罷不能。既竭吾才，如有所立卓爾。雖欲從之，末由也已。」

2.牖／誘（〈子罕〉9.10）　　余母　幽部

簡本：〔淵喟然嘆曰〕：「卬之迷高，□□迷堅，瞻之在前，忽〔然善**牖**人，博〕我以文，約我以禮，……聖。雖欲從之，未由也〔已〕。」224（頁43）

今本：顏淵喟然歎曰：「仰之彌高，鑽之彌堅。瞻之在前，忽焉在後。夫子循循然善**誘**人，博我以文，約我以禮，欲罷不能。既竭吾才，如有所立卓爾。雖欲從之，末由也已。」

---

12 有待竹簡影本及摹本正式公佈後再作全面整理和統計。

3.耐／能（〈憲問〉14.28、〈衛靈公〉15.32） 泥母 之部

簡本：子道三，我無**耐**焉：仁者不憂，知者不惑，勇者……394（頁66）

今本：子曰：「君子道者三，我無**能**焉：仁者不憂，知者不惑，勇者不懼。」

簡本：〔子曰：「知及之，仁弗能守；雖得之，必失〕之。知及之，仁〔能〕守之。不狀以位之，民不敬。知及之，仁**耐**守之，狀以位之，動之不以禮，〔未善也〕。449（頁73）

今本：子曰：「知及之，仁不能守之；雖得之，必失之。知及之，仁能守之，不莊以涖之，則民不敬。知及之，仁**能**守之，莊以涖之，動之不以禮，未善也。」

4.是／氏（〈憲問〉14.40） 禪母 支部

簡本：衛，有何貴□□孔**是**之門 405（頁67）

今本：子擊磬於衛。有荷蕢而過孔**氏**之門者，曰：「有心哉，擊磬乎！

5.音／陰（〈憲問〉14.41） 影母 侵部

簡本：……曰：「《書》云：『□□□**音**，三年不言。』何謂也？」407（頁67）

今本：子張曰：「《書》云：『高宗諒**陰**，三年不言。』何謂也？」

6.后／後（〈先進〉11.27、〈陽貨〉17.21） 匣母 侯部

簡本：子路曰：「有〔人焉，有社稷焉，何必讀書，然**后**爲〕學？」296（頁52）

今本：子路曰：「有民人焉！有社稷焉，何必讀書，然**後**爲學？」

簡本：……也！子三年，然**后**免於父母之懷。」543（頁85）

今本：子曰：「予之不仁也！子生三年，然**後**免於父母之懷。」

7.絞／徼（〈陽貨〉17.24） 見母 宵部

簡本：「惡**絞**以爲知者，惡不孫以爲勇者，惡〔訐〕。」552（頁86）

今本：「惡**徼**以爲知者，惡不孫以爲勇者，惡訐以爲直者。」

8.功／公（〈堯曰〉20.1） 見母 東部

簡本：寬得眾，敏則有功，**功**則說。602（頁97）

今本：寬則得眾，信則民任焉，敏則有功，<u>公</u>則說。

9.尙／上（〈陽貨〉17.23） 禪母 陽部

簡本：子曰：「君子義之爲<u>尙</u>，君勇而無義爲〔亂，小人有〕……〔義爲盜〕。」
551（頁 85）

今本：子曰：「君子義以爲<u>上</u>，君子有勇而無義爲亂，小人有勇而無義爲盜。」

10.獨／匵（〈子罕〉9.12） 定母／屋部

簡本：子貢曰：「有美玉於斯，昷<u>獨</u>而藏諸，求善賈而賈……227（頁 43）

今本：子貢曰：「有美玉於斯，韞<u>匵</u>而藏諸？求善賈而沽諸？」

11.予／與（〈公冶長〉5.23） 余母 魚部

簡本：子曰：「孰謂尿生高直？或乞醯焉，乞諸其鄰而<u>予</u>之。」102（頁 24）

今本：子曰：「孰謂微生高直？或乞醯焉，乞諸其鄰而<u>與</u>之。」

12.武／舞（〈衛靈公〉5.10） 明母 魚部

簡本：……曰：「行夏之□，乘殷之路，服周之絻，〔樂則□〕《<u>武</u>》。」426（頁
71）

今本：子曰：「行夏之時，乘殷之輅，服周之冕，樂則《韶》、《<u>舞</u>》。」

13.粱／諒（〈衛靈公〉15.36、〈季氏〉16.4） 來母 陽部

簡本：子曰：「君〔子貞而不<u>粱</u>〕。」455（頁 74）

今本：子曰：「君子貞而不<u>諒</u>。」

簡本：……曰：「益者三友，損者三友。友直，〔友<u>粱</u>，友多〕……便辟，友善
柔，友辨年，損……」475（頁 77）

今本：孔子曰：「益者三友，損者三友。友直，友<u>諒</u>，友多聞，益矣。友便辟，
友善柔，友便佞，損矣。」

（二）聲母相近、韻部相同，例如：

14.祝／篤（〈先進〉11.20） 章／端母 覺部

簡本：子曰：「論〔祝是〕與，君子者乎？仉狀者乎？」285（頁51）

今本：子曰：「論篤是與，君子者乎？色莊者乎？」

15.幾／豈（〈述而〉7.33、〈憲問〉14.13、〈陽貨〉17.7）　　　見／溪母　微部

簡本：子曰：「若聖與仁，則吾**幾**敢？印爲之不厭，誨人不卷，則……已矣。」

　　　183（頁35）

今本：子曰：「若聖與仁，則吾**豈**敢？抑爲之不厭，誨人不倦，則可謂云爾已矣。」

簡本：「……**幾**其然……」375（頁65）

今本：子曰：「其然，**豈**其然乎？」

簡本：子曰：「然，有是言〔也。不曰〕堅乎，靡而不……〔而〕不緇。吾〔**幾**〕……」

　　　515（頁83）

今本：子曰：「然，有是言也。不曰堅乎，磨而不磷；不曰白乎，而不緇。吾**豈**匏瓜也哉？焉能繫而不食？」

（三）聲母相同、韻部相近，例如：

16.鄰／吝（〈泰伯〉8.11）　來母　真／文部

簡本：...曰：「如周公之材之美已，〔使驕且**鄰**，其餘無可觀〕。201（頁39）

今本：子曰：「如有周公之才之美，使驕且**吝**，其餘不足觀也已。」

17.／吝（〈堯曰〉20.2）　來母（？）真／文部

簡本：子曰：「不教而殺胃之〔虐〕；……內之**鄰**胃之有司。」611（頁98）

今本：子曰：「不教而殺謂之虐；不戒視成謂之暴；慢令致期謂之賊；猶之與人也，出納之**吝**謂之有司。」

18.亦／易（〈述而〉7.16）　余母鐸／錫部

簡本：……「以學，**亦**可以毋大過矣。」157（頁33）

今本：子曰：「加我數年，五十以學**易**，可以無大過矣。」

此外，如果我們採用《經典釋文》稱引《魯論》或鄭本的文字，還可以找到多幾條通假的例子，例如：

19.賦／傅（〈公冶長〉5.7）

簡本：子曰：「由也………之國，可使治其賦也，不智其仁也。」84（頁22）

今本：子曰：「由也，千乘之國，可使治其賦也，不知其仁也。」

賦，《釋文》云：「梁武云：《魯論》作傅。」[13]「賦」、「傅」，俱屬幫母魚部，故可通假。《尉繚子・原官十》：「均井地，節賦斂。」[14]銀雀山竹簡《尉繚子・五》則作「均地分，節傅斂」[15]；又，江蘇連雲港尹灣漢墓出土的竹簡〈神烏賦〉原簡亦書作「神烏傅」[16]，都是「賦」、「傅」通假的好例子。

20.燕／宴（〈述而〉7.4）

簡本：〔子〕之燕居也，申申如也，沃沃如〔也〕。142（頁32）

今本：子之燕居，申申如也，夭夭如也。

《釋文》云：「燕，鄭本作『宴』。」[17]《後漢書・仇覽傳》注，引作「子之宴居」[18]。「燕」、「宴」同爲影母元部，二者通假。「燕」、「宴」通假的例子，在文獻的載述中頗爲常見，例如《詩經・邶風・谷風》：「宴爾新婚，如兄如弟。」[19]《釋文》云：「宴本又作燕。」[20]又，《左傳・昭公十五年》：「王一歲而有三年之喪二焉，於是乎以喪賓宴。」[21]《漢書・五行志》引「宴」作「燕」[22]。

---

[13]　〔唐〕陸德明：《經典釋文》（上海：上海古籍出版社，1985年），頁1358。

[14]　《尉繚子》，見《宋本武經七書》（上海：商務印書館，1945年），卷3，頁1。

[15]　銀雀山漢墓竹簡整理小組編：《銀雀山漢墓竹簡》（壹）（北京：文物出版社，1985年），頁85。

[16]　連雲港市博物館等：《尹灣漢墓簡牘》（北京：中華書局，1997年）。

[17]　《經典釋文》，頁1362。

[18]　〔南朝宋〕范曄撰、〔唐〕李賢注：《後漢書》（北京：中華書局，1965年），頁2481。

[19]　《毛詩正義》，見《十三經注疏》（〔清〕阮元校刻，北京：中華書局，1980年），頁304。

[20]　《經典釋文》，頁226。

[21]　《春秋左傳正義》，《十三經注疏》，頁2078。

[22]　〔漢〕班固撰、〔唐〕顏師古注：《漢書》（北京：中華書局，1962年），頁1384。

三、「祝」／「篤」；「孰」／「篤」用例小議

前引第 14 例，〈先進〉：「論篤是與」，簡本作「論祝是與」。「祝」爲章母，「篤」爲端母，章、端旁紐，且同屬覺部，故可通假，但在古籍用例中則僅此一見。《論語·泰伯》：「君子篤於親」[23]，《汗簡》引《古論語》「篤」作「竺」[24]。「竺」與「祝」聲同，故亦得與「篤」通假。但是由竹簡本與今本《論語》的對照中，〈泰伯〉篇裏也出現相關的異文：

21.孰／篤（〈泰伯〉8.13）

簡本：子曰：「孰信好學，守死善……危國弗入，亂國弗居。天□□□□□□□□……」204（頁 40）

今本：子曰：「篤信好學，守死善道。危邦不入，亂邦不居。天下有道則見，無道則隱。邦有道，貧且賤焉，恥也，邦無道，富且貴焉，恥也。」

「孰」、「篤」在古音裏都是「覺」部，但「孰」是「禪」母，「篤」爲「端」母，兩者在聲紐上相距較遠，「禪」紐屬舌面音，「端」紐屬舌頭音，兩者之間的關係，除了都是舌音，甚至可用準旁紐加以解釋，但始終難厭人意。

按楚簡中「孰」與「篤」皆書作 **笒**（篤），如郭店楚簡：

名與身笒（孰）親。（《老子》；1.1.35）[25]

身與貨笒（孰）多。（《老子》；1.1.36）[26]

笒（篤）於仁者也。（《性自命出》；11.55）[27]

《上海博物館藏戰國楚竹書》（一）《性情論》24 簡：「篤於仁」[28]的「篤」字書作「笒」，

---

[23] 《論語注疏》，見《十三經注疏》，頁 2486。

[24] 《汗簡》，見〔宋〕郭忠恕編；〔宋〕夏竦編；李零、劉新光整理：《汗簡·古文四聲韻》（北京：中華書局，1983 年），頁 37。

[25] 張光裕主編：《郭店楚簡研究》（臺北：藝文印書館，1999 年），第 1 卷，〈文字編〉，頁 659。

[26] 同前註，頁 659。

[27] 同前註，頁 704。

於「篙」下加添「心」旁。《說文》云：

> 篤，馬行頓遲也，从馬竹聲。[29]

> 孰，食飪也。从丮算。《易》曰：孰飪。[30]

「篙」與「孰」兩字形構都是以「亯」爲主體。「孰」字在金文裏書作「」，〈伯侄簋〉：「伯侄作 （孰）簋」[31]。楚簡中所見「孰」字書作「篙」，仍保存古意。

「篤」、「孰」二字，在意義上既無關連，「篙」、「孰」，「篙」、「篤」與「簋」、「篤」的通假實例，除了可用聲同和聲近去解釋外，從字形結構上分析，「篙」與「孰」的關係則遠較「簋」與「篤」爲密切。而由於「簋」與「篤」音近，故在楚簡中「簋」才可通假爲「篤」。

在楚帛書中，「築」字書作（），楚帛書丙2：

> 曰女，可以出師簽（築）邑。[32]

楚帛書丙8：

> 曰臧：不可以簽（築）室。[33]

《說文》的古文「築」字，小徐本作「」[34]，大徐本作「」[35]，段玉裁則改作「」，認爲是「从土篙聲」，今從楚系文字所見，段氏的看法是正確的。

現在回來再看「孰」與「篤」是否能看作是通假的關係？我們可以從文獻中所見「毒」、「熟」及「竺」、「熟」的用例來作討論。

《老子》第五十一章：

---

[28] 馬承源主編：《上海博物館藏戰國楚竹書》（1）（上海：上海古籍出版社，2001 年），頁 255。

[29] 〔漢〕許慎撰、〔清〕段玉裁注：《說文解字注》（上海：上海古籍出版社，1988 年），頁 465 下-466 上。

[30] 《說文解字注》，頁 113 下。

[31] 羅振玉編：《三代吉金文存》（香港：龍門書店，1968 年），頁 10

[32] 李零：《長沙子彈庫戰國楚帛書研究》（北京：中華書局，1985 年），頁 75。

[33] 《長沙子彈庫戰國楚帛書研究》，頁 78。

[34] 〔南唐〕徐鍇撰：《說文解字繫傳》（北京：中華書局，1998 年），頁 112 上。

[35] 〔漢〕許慎撰、〔宋〕徐鉉校定：《說文解字》（香港：中華書局，1972 年），頁 120 上。

故道生之，德畜之，長之育之，成之熟之，養之覆之。[36]

「成之熟之」，嚴可均曰：「王弼作『亭之毒之』。」[37]馬王堆帛書《老子》乙本亦作「亭之毒之」，甲本「毒」字殘泐[38]。「毒」為「端」紐，「熟」為「禪」紐，兩者在聲母上差別稍大，不過「毒」與「篤」則聲稍近，《說文》古文的「毒」字，小徐本作「𡄹」[39]，大徐本作「𡄹」[40]，段玉裁則改作「𡄹」云：

> 从刀者，刀所以害人也。从𥰠為聲，𥰠，厚也，讀曰篤。𥰠字鍇本及《汗簡》、
> 《古文四聲韻》上从竹不誤，而下譌从副从副，鉉本則竹又誤為艸矣。[41]

可見从「𥰠」的古文「築」或「毒」字，他們與「篤」都是舌頭音，古音為端紐，古韻同屬覺部。難怪在馬王堆帛書裏，既有「毒」字，但卻又出現以「竺」為「毒」的例子，例如《戰國縱橫家書‧蘇秦獻書趙王章》（224）：

> 怨竺（毒）積怨，非深於齊，下吏皆以秦為夏（憂）趙而曾（憎）齊。[42]

但是同一「竺」字除可讀為「毒」外，也同時可讀為「篤」或「熟」，例如〈蘇秦獻書趙王章〉（236）：

> 臣願王與下吏羊（詳）計某言而<u>竺（篤）</u>慮之也。[43]

原文釋文讀「竺」為「篤」，自然是「通假」的關係，如果參看《戰國策‧趙策一》：

> 臣願大王深與左右群臣率計而重謀，先事成慮而<u>熟</u>圖之也。[44]

---

[36] 朱謙之：《老子校釋》（北京：中華書局，1984 年），頁 204

[37] 嚴可均：《老子唐本考異》（鐵橋漫稿），收於嚴靈峰編：《無求備齋老子集成》（臺北：藝文印書館，1970 年），頁 9。

[38] 國家文物局古文獻研究室編：《馬王堆漢墓帛書》（壹）（北京：文物出版社，1980 年），187 下。

[39] 《說文解字繫傳》，頁 11 上。

[40] 《說文解字》，頁 15 上。

[41] 《說文解字注》，頁 22 上。

[42] 馬王堆漢墓帛書整理小組編：《馬王堆漢墓帛書》（參）（北京：文物出版社，1978 年），頁 103。

[43] 《馬王堆漢墓帛書》（參），頁 104。

[44] 〔漢〕劉向集錄：《戰國策》（上海：上海古籍出版社，1985 年），頁 606。

亦不排除「竺慮」宜讀爲「熟慮」。無論如何,「毒」、「熟」或「竺」、「熟」的用例只能說明前述「孰」、「篤」的例子,並不是孤立的。但是如果採用「通假」的關係去解說,則仍然解決不了「禪」、「端」二紐並不相近而卻可以通假的緣故。因此,根據前述識別「通假」的原則,目前只能承認「祝」、「篤」確是通假的關係,而「孰」、「篤」;「毒」、「熟」及「竺」、「熟」三組用例,在古音雖同屬「覺」部,但由於聲紐互不相近,並不完全符合通假用例。如果從寬處理,視爲通假,便需要更多音韻學的理據來支持了。

四、餘說

由於校讀定州竹簡《論語》,因而注意及該書使用通假字的問題,在前文中已一再強調凡言「通假」,「正字」與「通假字」之間既需共時存在,而且沒有意義上的關係,同時一定要符合聲母與韻母近同的要求。或許有人會認爲這個標準過於嚴格,因而能夠稱得上是通假字例的數目可能會相對遞減,但爲了希望學者間不要動輒輕言「通假」,有了這個標準的界定或者可以將問題看得更清楚,否則如果要求過於寬鬆,對「通假」或「假借」的區別不夠清晰,反而容易對某些問題造成不必要的混淆。再者,討論「通假」問題時,有關古音常識的運用特別重要,而且對古音的了解和看法也往往會影響某些字例的判別,例如:

22.廉/貶(〈陽貨〉17.5)

簡本:「今之狂也湯,古之矜也廉。」530(頁84)

今本:「今之狂也蕩,古之矜也廉。」

《釋文》云:「魯讀廉爲貶。」[45]「廉」爲來母,「貶」爲幫母,古音同屬談部,但是「來」、「幫」二紐並不相近,似乎無由通假。近年不少學者從事複輔音的研究,如果

---

[45] 《經典釋文》,頁1386。

從複輔音的角度考量，或許能得出滿意的解答。

　　此外，具備古文字學的常識，則有助印證某些通假字例產生的背景，例如前引第 17 例曾列出〈堯曰〉篇中有「郄」、「咎」通假的字例。「郄」字書未見，但從「郄」、「咎」的對應關係來看，其讀音應該與「咎」字相近，而且由第 16 例所見，「鄰」、「咎」通假的例子，「郄」極有可能是「鄰」字的異構。竹簡《論語》的注文說：「郄為鄰之省，古鄰、咎通。」[46]但卻沒有加以解釋。今案金文中有「󰀀明」一辭，「『󰀀』或書作『󰀁』」，學者間大別有二說，一釋咎，以為炎為別體，亦有學者釋咎，而通作燅者……該字或逕釋燅，假借為瞵，並以《說文》『瞵，目精也』為說；亦有讀為隣，並以《管子·水地篇》『隣以里者，知也』，以明智為說。『燅明』之確解雖未獲一致之結論。然就隸定而言，則以讀『燅』為近是……釋咎者蓋以該字從二火，然細察諸字構形，疑非從二火相連之炎字。蓋金文炎字乃二火分書，戰國楚繒書及包山楚簡所見『炎』字亦不連體，該字所從實為大形……小篆『燅』字所從之『炎』乃形近而訛。後人不察，釋此字者皆以《說文》為依歸，及經秦漢以後之隸變，燅字所從炎旁更一訛再訛而成『米』形矣。」[47]今所見「尖」的左旁，無非是甲骨、金文「󰀁」形的訛變所致，並非是「鄰之省」的結果。當然，有關「郄」字的形構，仍有待檢視原簡予以印証。

　　至於前述第 3 例，「耐」、「能」二字通假，固無可疑，但是在簡本裏前云「仁弗能守」，後稱「仁耐守之」，同一章中同一用字卻分別寫作「能」及「耐」，則頗耐人尋味，原簡是否如此，抑釋文誤植所致？姑且存疑待考。

---

[46] 見《定州漢墓竹簡〈論語〉》，頁 99，注 22。

[47] 巴納、張光裕：《善夫梁其簋及其他關係諸器研究》（臺北：南天書局，1996 年），頁 491-492。

龍宇純先生七秩晉五壽慶論文集
2002 年 11 月　　頁 165～188

論語「子畏於匡」義解

何澤恆[*]

一、前言

《論語》「子畏於匡」的記載凡兩見，一見於〈子罕〉：

> 子畏於匡。曰：「文王既沒，文不在茲乎？天之將喪斯文也，後死者不得與於
> 斯文也；天之未喪斯文也，匡人其如予何？」

再見於〈先進〉：

> 子畏於匡，顏淵後。子曰：「吾以女為死矣。」曰：「子在，回何敢死？」

此兩章所載，應為同一時事。然何謂「畏」，歷代解者尚多歧見。雖謂此兩章所呈現
聖人知命之學，與乎孔、顏師弟之間相知之情誼，並不因此一字義的爭議不定而有所
減損，然而孔子是千古至聖，昔人亦視《論語》為聖經，此兩章既為了解孔門師弟人
格的重要篇章，此等問題亦宜可追究。若干年前，筆者在課堂中講論及此，覺朱註殊
不足恃，但對後人歧解，亦感未安。後得近人陳奇猷「畏」通「圍」之新說，一時以
為撥雲見日，可成定論。爾後反復思之，則仍覺有所扞格。近年重讀漢儒舊解，再三
尋繹，脫然悟得漢儒舊說。只以一孔之見，對儒門義理，無關宏旨，再以種種雜務羈
繫，故未暇錄為文字。重以疏懶，未曾遍檢古今著述，稽查前賢有無相同先見。直至
去年，忽見大陸學者《論語》新著，以及新出辭典，其訓解「畏」字漸多採錄陳氏新
說，而亦僅有簡單敘述，未詳其論據[1]。因思捉暇將鄙見寫出，以求正於方家。

---

[*]　國立臺灣大學中國文學系教授。

[1]　如鄧球柏：《四書通說・論語通說》（長沙：湖南人民出版社，2000 年 8 月）、賈順先等：
　　《論語新編注譯》（成都：四川大學出版社，2001 年 6 月），主要即採「圍困」說；而

二、《論語》「子畏於匡」的歧解

「子畏於匡」一事，兩載於《論語》如前述，至其事之詳則《論語》未有進一步記載。其後言之較詳者為《莊子·秋水篇》：

> 孔子遊於匡，宋人圍之數匝，而絃歌不惙。子路入見，曰：「何夫子之娛也？」孔子曰：「來！吾語女。我諱窮久矣，而不免，命也；求通久矣，而不得，時也。當堯舜而天下無窮人，非知得也；當桀紂而天下無通人，非知失也；時勢適然。夫水行不避蛟龍者，漁父之勇也；陸行不避兕虎者，獵人之勇也；白刃交於前，視死若生者，烈士之勇也；知窮之有命，知通之有時，臨大難而不懼者，聖人之勇也。由處矣！吾命有所制矣。」無幾何，將甲者進，辭曰：「以為陽虎也，故圍之。今非也，請辭而退。」[2]

這段孔子被圍，絃歌不惙的記載，把孔子描寫成一個安時處順的道家式聖人，其義蘊與《論語》所載儒家知命之旨不同。此事見於《莊子》外篇，而義不弘深，故清林雲銘乃批評說：「諱窮求通等語，以擬聖人之言，恐覺不似；且筆頗平庸，非莊所作也。」[3]其事又載於《韓詩外傳》，則曰：

> 孔子行，簡子將殺陽虎，孔子似之，帶甲以圍孔子舍。子路慍怒，奮戟將下，孔子止之。曰：「由，何仁義之寡裕也！夫《詩》《書》之不習，禮樂之不講，是丘之罪也。若吾非陽虎而以我為陽虎，則非丘之罪也，命也。（我）歌，（子）〔予〕和若！」子路歌，孔子和之，三終而圍罷。[4]

在上海漢語大辭典出版社初版的《漢語大辭典》（上海：漢語大辭典出版社，1991 年 6 月），第 7 冊，以及北京中華書局出版的《王力古漢語字典》（北京：中華書局，2000 年 6 月），其釋《論語》「子畏於匡」，亦並用此說。

[2] 〔清〕郭慶藩：《莊子集釋》（北京：中華書局，1989 年），第 3 冊，頁 595-597。

[3] 〔清〕林雲銘：《增註莊子因》（臺北：廣文書局，1968 年），卷 4，頁 15 上。

[4] 〔漢〕韓嬰：《韓詩外傳》（臺北：臺灣商務印書館，1975 年影印《四部叢刊初編》本），第 4 冊，卷 6，頁 55。案：此本「命也」下原作「我歌，子和若」，參《說苑》作「由歌，予和汝」，《孔子家語》作「歌，予和汝」；且下文既謂「子路歌，孔子和之」，則「我」字疑衍，「子」當為「予」字訛。

有關匡簡子之所以帶甲士以圍孔子，《莊子》書便說是誤為陽虎，但明白指出乃因孔子貌似陽虎而誤會者，似首見於此。類似的記載還見於《說苑·雜言》和《孔子家語·困誓》；三處文字略有小出入，惟《家語》說尚有不同：

> 孔子之宋，匡人簡子以甲士圍之。子路怒，奮戟將與戰，孔子止之，曰：「惡有修仁義而不免世俗之惡者乎？夫《詩》《書》之不講，禮樂之不習，是丘之過也。若以述先王好古法而為咎者，則非丘之罪也。命（之）夫！歌，予和汝。」子路彈琴而歌，孔子和之，曲三終，匡人解甲而罷。[5]

這段記載與前兩者最大的不同，在於並不說孔子貌似陽虎。《家語》一書，前人或疑其中有王肅所增加，至今尚不能論定，如此之類，或亦先秦以來相沿傳聞，而彼此互有參差者。若說此事與孔子外貌無關，然則何以會招致匡人之圍？則說是因「述先王好古法」。兩說相較，貌似陽虎似較易邀信。然三書皆謂其後匡人終於解甲而罷，若說只因聽了孔子師弟子的絃歌，就不免嫌於牽強而令人不解了[6]。

到了司馬遷作〈孔子世家〉，本於《論語》而詳述其事，曰：

> （孔子）去衛，將適陳。過匡，顏刻為僕，以其策指之曰：「昔吾入此，由彼缺也。」匡人聞之，以為魯之陽虎。陽虎嘗暴匡人，匡人於是遂止孔子。孔子狀類陽虎，拘焉五日。顏淵後，子曰：「吾以汝為死矣。」顏淵曰：「子在，回何敢死！」匡人拘孔子益急，弟子懼。孔子曰：「文王既沒，文不在茲乎？天之將喪斯文也，後死者不得與于斯文也。天之未喪斯文也，匡人其如予何！」孔子使從者為甯武子臣於衛，然後得去。[7]

---

[5] 舊題〔魏〕王肅：《孔子家語》（臺北：臺灣商務印書館，1975年影印《四部叢刊初編》本），第18冊，卷5，頁61。案：「命之夫」，「之」字疑衍。

[6] 清儒崔述即疑所謂「以歌退師」之無稽。參所著《洙泗考信錄》，《崔東壁遺書》（臺北：河洛圖書出版社，1975年），第2冊，卷3，頁4。

[7] 〔漢〕司馬遷：《史記》（北京：中華書局，1982年），第6冊，卷47，頁1919。案：日人瀧川資言《史記會注考證》（臺北：大安出版社，1998年）云：「據《左傳》，甯武子在時孔子未生，孔子畏匡時，則甯氏族滅已久，此必無之事。說詳于胡氏《讀史管見》、毛氏《四書索解》、崔氏《洙泗考信錄》。」見該書頁734。然則謂「孔子使從者為甯武子臣於衛」，其事不足信。

由《史記》所述，可知西漢人理解此事，是認為《論語》兩處「子畏於匡」乃同一時事。其事則緣於其前魯季孫氏掌政家臣陽虎曾率眾施暴於匡人，當時為陽虎駕車的是孔子弟子顏剋[8]，匡人因此記恨於陽虎。此時孔子過匡，御者適又是顏剋；《史記》又謂孔子的面貌與陽虎類似，這便採用了與《韓詩外傳》、《說苑》相同的傳說，如此更易坐實了匡人的誤認，於是便「拘焉五日」，引起了孔子「文王既沒」之歎；在紛亂中與顏淵失散，顏淵趕上會合孔子後，便有師弟子間那兩句對話。

《經典釋文》引司馬彪解《莊》，云：

> 宋當作衛。匡，衛邑也。衛人誤圍孔子，以為陽虎，虎嘗暴於匡人。又孔子弟子顏剋，時與虎俱，後剋為孔子御。至匡，匡人共識剋。又孔子容貌與虎相似，故匡人共圍之。[9]

司馬云云，本《論語·子罕》包咸《注》[10]，實同是採用了《史記》的說法；尤如《莊子》明是說匡地屬宋，司馬則改云為衛，顯然是改從《史記》[11]。《史記正義》引《琴操》亦述其事，情節則略有不同：

> 孔子到匡郭外，顏（淵）〔剋〕舉策指匡穿垣曰：「往與陽貨正從此入。」匡人聞其言，告君曰：「往者陽貨今復來。」乃率眾圍孔子數日，乃和琴而歌，音

---

8 即《史記》之顏剋，古籍往往同名異字，皆同一人。

9 〔唐〕陸德明：《經典釋文》（臺北：鼎文書局，1972 年影印通志堂刊本），《莊子音義·中》，頁 383。

10 說見王叔岷：《莊子校詮》（臺北：中央研究院歷史語言研究所專刊之 88，1988 年），中冊，頁 618。

11 匡地何在，前人亦多所討論。蓋春秋名匡者凡四：其一鄭邑，《左傳·定公六年》「公侵鄭，取匡」，其地在今河南扶溝縣。其二衛邑，《左傳·文公八年》「歸匡、戚之田于衛」，今河南長垣縣西南。其三宋邑承匡，《左傳·文公十一年》「會晉郤缺于承匡」，今河南睢縣西。其四魯邑，《左傳·成公十七年》有「匡句須」，《廣韻》《通鑑注》並引《風俗通義》佚文〈姓氏篇〉：「匡，魯邑，句須為之宰，其後氏焉。」今地未詳。孔子畏匡，或謂衛地，本《史記》；或謂宋地，本《莊子》、《說苑》、《家語》。〔清〕沈濤《交翠軒筆記》嘗考唐以前皆以孔子所畏在衛之匡地，應與蒲城相近，故〈孔子世家〉言孔子去即過蒲；其說可從。沈說見引於〔清〕楊守敬疏：《水經注疏》（南京：江蘇古籍出版社，1989 年），頁 706-707。

曲甚哀，有暴風擊軍士僵仆，於是匡人有知孔子聖人，自解也。[12]

這段記載略與《史記》相近，而情節則頗不合理。依《史》文所載，孔子過匡，顏剋為御，經過昔日他載陽虎攻入匡城的城垣缺口，忍不住告訴孔子說，此正昔時從入之處。「匡人聞之」，乃是聞顏剋言，其時究竟是否親見孔子面貌，不得而知。若未直見孔子面貌，由剋所云「昔吾入此，由彼缺也」，推想御者既是同一人，還炫耀昔日攻入之所，則車上主子自應是主攻的陽虎，這樣的判斷也不足為奇。若匡人不但見到顏剋，還親見孔子，仍得此判斷，則除非真如《史記》所說，孔子面貌本來就與陽虎相像，否則便不易解釋。至如《琴操》云云，顏剋的話已明說「往與陽貨正從此入」，則無論匡人是否見到孔子容貌，皆易知車上主人不會是陽虎，如何竟得出「往者陽貨今復來」的論斷，實在並不合理。至於說孔子過匡被圍時曾絃歌，在《莊子》書中所描寫，不過謂孔子知命而毫不憂懼而已，《琴操》所述發生的奇跡，過於荒誕，自是神化聖人的傳聞，恐怕是更不足信的。不過《琴操》本文卻真未明說及孔子面貌與陽虎是否相像，而圍困得解的原因，也並非由於匡人最終從容貌上了解認錯了人，而是據近乎神跡的顯現以判斷來者應當是聖人。

姑不論孔子是否因為自己面貌近似陽虎，抑或二人先後皆由顏剋為御，總之孔子在匡蒙難乃是眾說所同的。惟《論語》兩處述及此一事件，均稱「子畏於匡」，當然關鍵的字眼是在「畏」字上。何謂「畏」？《論語·子罕篇》此章的解讀，今所見最早者應為東西漢之間的包咸，但僅說「匡人誤圍夫子，以為陽虎」云云[13]，上引司馬彪解《莊子·秋水》即略襲其文，故後人不認為其於「畏」字文義有所解釋。直到東漢後期的鄭玄，才說：

匡人以兵遮脅之。……孔子見兵來，恐諸弟子驚怖，言以此言照之：……。[14]

12 〔漢〕司馬遷：《史記》，頁 1919-1920。案：舉策語孔子者，三家注諸本並作「顏淵」，宜據《史記》本文正作「顏刻」，或作「顏剋」。

13 說見〔魏〕何晏、〔宋〕邢昺：《論語注疏》，《十三經注疏》（臺北：藝文印書館，1965年影印嘉慶二十年江西南昌府學本），第 8 冊，卷 9，頁 77 引。

14 王素：《唐寫本論語鄭氏注及其研究》（北京：文物出版社，1991 年），頁 105。此文乃據伯希和二五一〇號寫本。王素〈校勘記〉謂據其所謂〈午本〉（吐魯番阿斯塔那二七

「畏」訓恐懼、害怕，乃最常用的釋義。孔子在匡遭兵厄，其內心究竟有無恐懼？上引先秦以來各種載籍的傳聞，不但絕無這種內容記載的痕跡，道家傳述，甚至說孔子師弟間還絃歌不輟，其臨危不懼自無可疑。何況即從〈子罕〉原文，孔子說「文王既沒，文不在茲乎……匡人其如予何」，便正可見其不懼。但鄭玄此處乍看似以「恐弟子驚怖」來解釋，意謂孔子自身無畏，乃擔心弟子們驚懼，因此便用「文王既沒」云云的一番道理來安慰和穩定學生的情緒。信如此解，則鄭玄仍是以「恐」釋「畏」，仍是常訓，只強調孔子當時所畏者不在外來的兵難，而是從行弟子們的心理反應。然而鄭玄的語意粗看也並不十分明朗，究竟是否確如此解，還不能即此坐實；說詳後文。

下逮東晉，孫綽便似不明鄭說，遂批評諸家解說沒有解釋這個「畏」字。說見梁皇侃《論語集解義疏》引錄：

> 「畏匡」之說，皆眾家之言，而不釋畏名，解書之理為漫。夫體神知幾，玄定安危者，雖兵圍百重，安若太山，豈有畏哉！雖然，兵事阻險，常情所畏，聖人無心，故即以物畏為畏也。[15]

孔子本身無畏，是古今學者共同的認知，故孫綽便說聖人無心，以眾人之心為心，所謂「以物畏為畏」，「物」猶言眾，意謂他人。這種清談家玄理化的解釋，非但迫使孔子穿上道服，抑且穿上魏晉時期的道服。又皇侃在引用孫說之前，尚別出「心服為畏」的訓釋，此訓則本於《禮記·曲禮上》「賢者……畏而愛之」鄭《注》文，言畏，猶心服而畏敬之。此意於《論語》，可施於〈季氏篇〉之「君子有三畏」，而無當乎孔子之畏匡，實亦與孫綽云云不協。

至宋邢昺為何晏《集解》作疏，仍略據孫說以補注所未詳，其言曰：

號墓二九（a）、三〇（a）號寫本），引文末句「言以此言照之」，作「教以此言強之曰」。今案：杜預〈春秋序〉孔穎達疏云：「孔子過匡，匡人以兵遮而脅之，從者驚怖，故設此言以強之。」見〔晉〕杜預、〔唐〕孔穎達：《左傳正義》，《十三經注疏》（臺北：藝文印書館，1965 年影印嘉慶二十年江西南昌府學本），第 6 冊，卷 1，頁 17。比對鄭《注》，知孔文本鄭，則〈午本〉異文較勝。

[15] 〔梁〕皇侃：《論語集解義疏》（臺北：廣文書局，1977 年），上冊，頁 297。

> 子畏於匡者，謂匡人以兵圍孔子，記者以眾情言之，故云子畏於匡，其實孔子無所畏也。[16]

不知孫綽玄言，就玄學對聖人的內涵而言，尚自有其立場，亦可自圓其說；邢昺襲用其「眾情」之說，而袪其玄思，則孔子明明無畏，畏者乃眾弟子，而記者卻偏記為「子畏」，於理又焉能得通？

因此到了南宋朱子作《論語集注》，便改採了程子門人呂大臨的說法。《集注》云：

> 畏者，有戒心之謂。[17]

所謂「有戒心」，殆本《孟子·公孫丑下》：

> 當在薛也，予有戒心。

趙《注》：

> 戒，有戒備不虞之心也。時有惡人欲害孟子，孟子戒備。[18]

其後朱《注》亦承其說。前述皇、邢二疏無疑都太牽強，所以朱子不之從，而特有取於呂氏說。朱子門人輔廣申其師說，云：

> 聖人非若常人，妄有畏懼，但臨危涉險，則戒備之心自不可無。[19]

總之自來學者，皆知常人怵迫懼死，至聖孔子決不爾，因之「畏」字決不訓恐懼，遂轉借《孟子》戒懼之意以為訓，如此亦可與「臨事而懼」之義相近。可惜「畏」字訓「有戒心」，畢竟在先秦典籍中並無他證。若然，何以不書「戒於匡」而曰「畏於匡」？況且「畏」字無論釋為「畏懼」以至「戒心」，皆是指述其心理狀態之詞。故縱使在〈子罕篇〉此條能說得通，同樣的解說用在〈先進篇〉另一條中則仍覺有其不通。蓋

---

[16] 〔魏〕何晏注、〔宋〕邢昺疏：《論語注疏》，頁 78。

[17] 〔宋〕朱熹：《四書章句集注》（臺北：大安出版社，1994 年），頁 148。案：朱說本於藍田呂氏，別見朱熹《論孟精義》，《朱子遺書》（臺北：藝文印書館，1969 年影印清康熙中禦兒呂氏寶誥堂重刊白鹿洞原本），第 9 冊，卷 5 上，頁 6 上。

[18] 〔漢〕趙岐注、舊題〔宋〕孫奭疏：《孟子注疏》，《十三經注疏》（臺北：藝文印書館，1965 年影印嘉慶二十年江西南昌府學本），第 8 冊，卷 4 上，頁 75。

[19] 〔宋〕趙順孫：《論語纂疏》（臺北：漢京文化事業有限公司，1980 年影印《通志堂經解》本），第 36 冊，卷 5，頁 20732 引。

〈先進篇〉是記述「顏淵後」的背景，此一背景依一般記敘文理，應是交待匡人兵圍孔子之事，而不應獨述其事過程中孔子一人當時的心理狀態。

自漢迄宋，這一「畏」字似乎始終找不出一個令人滿意的解義。直到晚清，俞樾《群經平議》才提出一個新說，曰：

> 《荀子‧賦篇》：「比干見刳，孔子拘匡。」《史記‧孔子世家》亦云：「匡人於是遂止孔子，拘焉五日。」然則畏於匡者，拘於匡也。《禮記‧檀弓篇》：「死而不弔者三：畏、厭、溺。」鄭《注》即以孔子畏於匡為證。而《通典》引王肅《注》曰：「犯法獄死謂之畏。」是畏為拘囚之名，後人不達古義，曲為之說，蓋皆失之。[20]

俞氏謂畏為拘囚，固可援《荀子》、《史記》為證，然二書所述乃其事，未必解「畏」字義。而且《史記》拘囚五日之說亦遭清崔述的質疑。崔氏說：

> 拘之五日，亦當出一言以相詰，乃至竟不知其非陽虎，豈人情耶？[21]

此疑亦非不近理。不過俞氏已不用「畏」字一般字訓，轉而在古籍中求其特解，因此引及《禮記》所謂「畏、厭、溺」。此一「畏」字，鄭玄即舉孔子畏於匡為說，但鄭《注》解文原與王肅「犯法獄死」云云不同，鄭云：

> 人或時以非罪攻己，不能有以說之死之者。孔子畏於匡。[22]

可見將《禮記》三不弔中的「畏」和孔子畏於匡合併理解，俞樾便是沿著鄭玄的足跡。但鄭玄注《論語》時則並未引述及此。俞氏引及鄭注，其可啟發吾人者：在古代，「畏」字實別有特解，《禮記》正可見。但是《禮記》這處也不好解。對鄭玄的注文，孔穎達進一步疏說云：

---

[20] 〔清〕俞樾：《群經平議》（臺北：河洛圖書出版社，1975年），下冊，卷30，頁1970。

[21] 〔清〕崔述：《崔東壁遺書》，第2冊，卷3，頁4。

[22] 〔漢〕鄭玄注、〔唐〕孔穎達疏：《禮記正義》，《十三經注疏》（臺北：藝文印書館，1965年影印嘉慶二十年江西南昌府學本），第5冊，卷6，頁120。案：末句「孔子畏於匡」，別本作「若孔子畏於匡」、「孔子若畏於匡」。參見〔日本〕山井鼎輯、物觀等補遺：《七經孟子考文並補遺》（臺北：新文豐出版社，1984年），第3冊，《禮記》卷6，頁800。

「畏」謂有人以非罪攻己，己若不有以解說之而死者，則不弔。鄭玄《注》引
《論語》以證之，明須解說也。……孔子自說，故匡人解圍也。自說者，謂卑
辭遜禮。《論語注》云：「微服而去。」謂身著微服，潛行而去，不敢與匡人鬥，
以媚悅之也。[23]

此說大為清儒毛奇齡所譏。毛氏《經問》答沈昌祚問：

此漢儒解經之最不通者。〈檀弓〉「畏」字原難解，大抵畏者，患也，謂以憂患
死也；又害也，謂害死也。第古無畏死之據，惟《論語》有子畏于匡「畏」字
可証。而鄭氏、孔氏皆謂孔子自行解說，故免于患害，遂不主畏字而反主解說
字，謂不弔者，以不自解說致死，則誤甚矣。夫孔子畏匡未嘗解說，即夫子不
解說而死，亦豈可為夫子罪而竟置不弔？此不通之論也。夫子畏于匡，雖同此
畏字，而不弔之畏實大不同。……從來弔法問親疏不問賢否，惟此三等之死，
所云死于非命者，則當辨是非而審可否：可則弔，不可則不弔。是此三不弔專
以死于非命而又有罪者為言，並非死于非罪而又無解說者為言，其理易明。[24]

鄭玄解注云云，本含兩義，一曰非罪攻己，一曰不有以解說而死。總之「畏」是已死。
但若說孔子畏於匡即是此訓，則孔子終於未死，故孔《疏》便將重點放在自行解說上。
姑無論孔子在匡有無解說，其實要將「畏」字和「解說」串講，依然不易使人信服。
故毛氏便指責鄭、孔為曲解，並且不主張以《論語》、《禮記》兩「畏」字合觀。但縱
使他此處解了《禮記》，《論語》還是依然無解。

　　近時學者對《論語》此字，固多不主畏懼之常訓，但也不從朱《注》有戒心之說。
如錢賓四師《論語新解》云：

古謂私鬥為畏，匡人之拘孔子，亦社會之私鬥，非政府之公討。[25]

---

[23] 《禮記正義》，頁120。案：「匡人解圍」，原誤作「匡又解圍」，參〔清〕阮元《校勘記》。

[24] 〔清〕毛奇齡：《經問》（臺北：臺灣商務印書館，1986年景印《文淵閣四庫全書》本，
1986年），第191冊，卷15，頁12下-13下。

[25] 錢穆：《論語新解》，《錢賓四先生全集》（臺北：聯經出版事業公司，1998年），第3冊，
頁312。錢先生「私鬥」之說，又嘗另申之云：「雖以孔子之聖，而畏於匡。蓋橫逆之
來，侵暴之及，在古社會為常事，有君子所不料者，故可畏也。」則所謂以私鬥為畏者，

毛子水師《論語今註今譯》則曰：

> 畏，受危難的意思。[26]

此說似近毛氏《經問》所謂「患也」。此等解釋，於文義並通，而都礙於古訓無徵。

十餘年前，讀近人陳奇猷《呂氏春秋校釋》，見其考論「畏」字，牽連與《論語》相證，初以爲最爲精善。《呂覽》原文見〈勸學篇〉：

> · 曾子曰：「君子行於道路，其有父者可知也，其有師者可知也。夫無父而無師者，餘若夫何哉！」此言事師之猶事父也。曾點使曾參，過期而不至，人皆見曾點曰：「無乃畏邪！」曾點曰：「彼雖畏，我存，夫安敢畏？」孔子畏於匡，顏淵後，孔子曰：「吾以汝爲死矣。」顏淵曰：「子在，回何敢死？」顏淵之於孔子也，猶曾參之事父也。古之賢者與，其尊師若此，故師盡智竭道以教。[27]

這一段記載很明顯是將曾點、曾參父子的一番經歷和孔子、顏淵師弟相提並論，而尤值注意者，乃在曾點的話中正屢次用到這「畏」字，和下文「孔子畏於匡」相應。然則《呂覽》曾點所謂「畏」，究當何義？高誘注「無乃畏邪」：

> 畏，猶死也。

劉師培則以爲：

> 蓋（高）《注》「死」上挩「畏」字，當云「畏猶畏死也」。

陳奇猷辨此兩說之非，而謂「畏」當是「圍」之假借字。其說曰：

> 高訓畏爲死，於此尚勉強可通，但下文「孔子畏於匡」而謂孔子死於匡，與事實不符。蓋孔子不死於匡，史有明文。且孔子既死於匡，安可與顏淵對話？高氏之謬可知矣。劉改爲「畏猶畏死」，亦不通。蓋孔子被困於陳、蔡，弦歌不

乃以其事之可畏爲言，仍似從畏字常訓所引申。詳參所著〈儒禮雜議之一──非門〉，見《中國學術思想史論叢（二）》，《全集》第 18 冊，頁 260。

[26] 毛子水：《論語今註今譯》，《毛子水全集》（臺北：毛子水全集編委會，1992 年），《學術分冊》，頁 127。

[27] 陳奇猷：《呂氏春秋校釋》（臺北：華正書局，1985 年），卷 4，頁 196。案：陳書末句原作「古之賢者，與其尊師若此」，然「與」字似當爲語詞，屬上讀，今逕改。此承台灣師範大學張素貞教授惠正，謹致謝意。

輆，詳〈慎人〉。其為匡人所困，亦當無畏死之理，其謂弟子曰：「天之未喪斯文也，匡人其如予何？」正可明孔子之不畏死。且訓畏為畏死，未聞。則劉說之謬亦可知矣。案「畏」乃「圍」之假字，畏、圍古音同部，自可假借。《論語·子罕》及此作「孔子畏於匡」，《淮南·主術訓》作「孔子圍於匡」，尤為畏、圍通之明證。「圍」，本字作「囗」，《說文》：「囗，回也，象回匝之形」，則以物回繞謂之圍。被他人回繞不得出固可謂之圍，自我以物回繞而不出當亦可謂之圍。被他人以物回繞不得出即是困，自我以物回繞而不出即是藏。此文「無乃畏邪」猶言無乃藏而不出耶？下文「彼雖畏，我存，夫安敢畏」，猶言彼雖藏，而我尚存，彼豈敢藏而不出耶？下文「孔子畏於匡」，猶言孔子被圍困於匡。文義了然。高、劉不得「畏」字之義耳。[28]

《呂覽》此文所深值玩味者，正在曾點云云與《論語》之對應，故上下文義求其相通並解是最要點。若如高誘逕以「畏」為「死」，則孔子雖畏於匡而實未死；至劉師培以「畏」為「畏死」，則曾參過期不至，人問「無乃畏耶」，語義已顯為不相銜接，何況連及孔子畏匡，則自古皆知孔子當時無畏，更不畏死。故陳奇猷所辨殊為有理；而其發明「畏」為「圍」之借字，初讀更覺撥開迷霧，以為大有廓清之功。尤以所舉《淮南·主術》：「孔子圍於匡」，比於《論語》「畏於匡」，自見圍、畏之通用，論證當甚確鑿。若「畏」果為「圍」之借，則先秦以還，自《莊子》、《韓詩外傳》諸家傳述，無不謂是匡人「圍」孔子，豈不亦正相合？

嗣後重讀陳著，反覆推求《呂覽》此段文義，漸疑其解讀中尚有未盡足恃之所在。因陳氏之前，近人范耕研尚有一說，以為《呂覽》原文有錯字。蓋曾點云：「彼雖畏，我存，夫安敢畏？」范氏云：

按因畏而致死，畏與死非一事，以死訓之，似非。「夫安敢畏」與下文「回何敢死」句法同，亦當作「夫何敢死」。夫與彼同，指曾參而言。前後「畏」字

---

[28]　陳奇猷：《呂氏春秋校釋》，頁 203。

甚多，因以致誤。

陳奇猷則駁之，云：

> 范蓋不知畏乃圍之假字，故有此說。下文「回何敢死」，與「吾以汝為死矣」
> 相應。此文「夫（何）〔安〕敢畏」與「彼雖畏」相應。若改作「夫何敢死」，
> 與「彼雖畏」句不相蒙矣。范說之謬甚明。[29]

范氏提出「夫安敢畏」與下文「回何敢死」句法相應；陳氏則謂曾點語前後自相應，
若依范氏主張更改原文，便變成不相應。兩家著眼點各有不同，陳說是注意到曾點自
身語句上下文的照應，而范氏則指出曾點的話和顏淵的話對應。竊意以爲此兩者皆不
容忽視。陳氏發明「畏」爲「圍」義，其實用在《論語》孔子畏匡一事上是暢通無礙
的，倒是在《呂覽》曾點云云，則頗仍難解。故陳氏引而申之，謂「圍」有相對兩面，
一是被他人所圍，爲一般常解；另一則是自身布圍，則義同於「藏」。他以爲曾點云
云，所用即是後義。但我們若將此訓義套回原文情境之中：曾參過期不至，人何以疑
其藏？人疑其藏，雖嫌突兀，猶不得謂絕不容有此想；而曾點回語，乃謂「彼雖藏，
而我尙存，彼豈敢藏而不出耶？」則殊嫌無理。若曾點不存，曾參是否即可長藏而不
出？且所謂不藏而出，與孔子畏匡，顏淵之不敢死，事不相侔，何得相提並論，而謂
事父、尊師可以一其道？可見范氏改字之說縱有未是，他說上下兩節相應的觀點，和
《呂覽》那段記載的整體文義應是相協的。我們可以猜測陳氏之所以委曲以「藏」解
「圍」，是因爲不只是孔子畏匡而未死，曾參不畏亦同樣不死，故不得以死爲解；若
易以圍困之義，雖可以釋孔子之畏匡，而以釋曾點語，卻仍不能無礙，爲求上下文義
通解，故姑爲遷就。總之，「孔子畏於匡」的文義因《呂覽》這段記載已略透曙光，
然牽連相關文義，仍有葛藤糾纏未解。故即就《呂覽》原文，「畏」是否即是「圍」
之借，實亦不能遽定。古籍中似無「畏」借爲「圍」之他例；不過二字之可以通假，
古音條件是符合的，若有《淮南》異文，可相旁證，自可有助其說服力。可惜檢視《淮

---

[29] 陳奇猷：《呂氏春秋校釋》。范說見頁203引，陳說見頁204。

南・主術》原文，則是：

> 孔子之通，智過於萇弘，勇服於孟賁，……春秋二百四十二年，亡國五十二，
> 弒君三十六，采善鉏醜以成王道，論亦博矣。然而圍於匡，顏色不變，絃歌不
> 輟，臨死亡之地，犯患難之危，據義行理而志不攝，分亦明矣。[30]

可見《淮南》亦猶諸子、《史記》之文，乃敘其事，則「圍於匡」未必能視爲《論語》
「畏於匡」的異文。

說拘囚、說圍困，不只是字訓上缺乏證據，且於說明當時情勢，似亦尚差一間。
朱子的門人嘗問朱子：

> 「子畏於匡」一節，看來夫子平日不曾如此說，往往多謙抑，與此不同。

朱子笑云：

> 此卻是真箇事急了，不覺說將出來。[31]

若非生死關頭，也不會逼得孔子說出天命在己云云。至於匡人是否能「違天害己」，
其實並不可必，故程子嘗云：「夫子免於匡人之圍，亦苟脫也。」或以此問朱子，朱
子亦云：「謂當時或爲匡人所殺，亦無十成。」而孔子云「匡人其如予何」，朱子也只
說：「理固如是，事則不可知。」[32]〈先進篇〉所載畏匡一段，正見當時兵荒馬亂，顏
淵相失在後，孔子疑其與匡人相鬥而死，故一旦師弟重逢，孔子驚喜莫名，便脫口而
說：「吾以汝爲死矣。」其時境況，真可謂之死生相與鄰；身處險惡，其結果實亦未
可逆知。故但說圍困，語態仍嫌太緩。至如《史記》，卻謂匡人以孔子「狀類陽虎，
拘焉五日」，不免招來崔述的質疑。所以如俞樾據以說「畏」爲拘囚，更未必與當時
真相相符。

---

[30] 張雙棣：《淮南子校釋》（北京：北京大學出版社，1997 年），頁 1009-1010。
[31] 〔宋〕黎靖德編：《朱子語類》（臺北：文津出版社，1985 年），第 3 冊，卷 36，頁 957。
[32] 同前註。

三、《禮記》「三不弔」之「畏」

上文提及《禮記・檀弓上》：「死而不弔者三：畏、厭、溺。」所謂「三不弔」的「畏、厭、溺」，自鄭玄以降，學者亦多感費解，然自鄭氏舉「孔子畏於匡」爲說，此後討論《禮記》此文解讀者亦往往牽連及之。鄭《注》語焉未詳，孔穎達牽強爲疏，可推兩處文義之相關，大抵亦應有所受，出古來相傳，否則鄭氏亦不必牽附爲說以自找麻煩了。

歷代對此章文義的爭議也相當紛繁，主要的歧點首先在於「死而不弔」於禮而言究竟是懲罰性的措施，抑或是正面的哀悼行爲。由以上認知的不同，連帶便會影響對「畏、厭、溺」三者的解讀：主懲誡說者自會判定此三者應屬違理不義，主哀悼說者則推此三者非關理義，而可以哀憐。當然我們也可以反過來說，是由於對「畏、厭、溺」是否符合義理的解讀不同，導致對死而不弔性質的認知也可隨之而不同。總之，兩者是有因果關係的。

主前說者應本於注疏，因鄭玄即以「輕身忘孝」爲此三者定調。所謂「輕身忘孝」，鄭解「厭」爲「行止危險之下」，孔補充「爲崩墜所厭殺也」一句，蓋讀「厭」爲「壓」；鄭又解「溺」爲「不乘橋舡」，孔亦補「而入水死者」。此兩字之訓解嚮無異議，爭議的重心仍只在其最前「畏」之一字。驟看鄭、孔之文，似並未明白直解「畏」字，而反在臨難「解說」上著墨，不免引起後人的質疑，其說已見上文。且「畏」與「厭、溺」之爲意外死於非命者顯有不類，故孔氏乃說「此一節論非理橫死不合弔哭之事」。以「非理橫死」通括三者，自可說得通。清代朱軾便曾說：「孔氏云『非理橫死』，謂以非理而橫死於畏、厭、溺者，非謂畏、厭、溺皆非理橫死也。」[33]誠如其說，則孔《疏》亦並不盡如《經問》所指摘。但孔氏在疏中乃又補說：「除此三事之外，其有死不得禮亦不弔。」舉《左傳・昭公二十年》宗魯死，琴張往弔之，孔子止之之事爲

---

[33] 〔清〕方苞：《禮記析疑》（臺北：臺灣商務印書館，1986 年景印《文淵閣四庫全書》本，1986 年），第 128 冊，卷 3，頁 8 上引。

證。如此又在「非理橫死」之外，增言「不得禮」而死之事，顯然其義已溢出《記》文三不弔之外。

宋方慤便從鄭孔注疏中修正其「畏」義，曰：

> 戰陳無勇，非孝也，其有畏而死者乎？君子不立巖牆之下，其有厭而死者乎？
>
> 孝子舟而不游，其有溺而死者乎？三者皆非正命，故先王制禮在所不弔。[34]

此一解說，其實亦本於鄭氏「忘孝」之義而來，但厭、溺可謂之「輕身忘孝」，而戰陣無勇以畏而死，即指在戰爭中畏避不能死難卻到最後仍不免於死者，這種人則似不能謂之「輕身」，故方氏改曰「皆非正命」；所解云云，於載籍亦皆有援據，其於「畏」字，亦得從字面實解，似較鄭、孔差勝。惟其所援據，戰陣無勇非孝、孝子舟而不游皆本《禮記・祭義》[35]，而不立巖牆之下則本《孟子・盡心上》。依《孟子》所謂「非正命」，與「立巖牆之下」相同者尚有「桎梏死者」，指犯罪而死者，皆人所取，非天所爲，故並屬非正命[36]。因此「立巖牆下」與「舟而不游」應可相提並論，至「戰陣無勇以畏而死」是否同類，則不無可商。況戰陣而死，其爲有勇而壯烈犧牲，抑或以畏而死，有他人所不能知者。且在〈祭義〉原文提及「戰陳無勇非孝」乃與「居處不莊」「事君不忠」「蒞官不敬」「朋友不信」四者同列，並謂「五者不遂，災及於親」，以此爲孝子所當敬承以成之者，否則災害必及於親。此等與孟子所謂非正命者仍應有辨。

另一派主張畏、厭、溺而死者無關乎非孝或非禮，而是此三等之死特可哀憐，故於禮以不弔別異。其說發於張載：

> 「知死而不知生，傷而不弔。」畏、壓、溺可傷尤甚，故特致哀死者、不弔生者以異之，且「如何不淑」之詞無所施焉。[37]

---

[34] 〔元〕陳澔：《禮記集說》（成都：巴蜀書社，1989 年影印明善堂重梓怡府藏本），上冊，卷 2，頁 15 下引。

[35] 亦見《大戴禮記・曾子大孝》。

[36] 參《孟子・盡心上》「莫非命也」章並朱《注》；《四書章句集注》，頁 490。

[37] 〔宋〕張載：《正蒙・王禘篇》，《張載集》（臺北：里仁書局，1979 年），頁 62。

這一解說與舊說正相反對，但張載並未明解「畏」義，總謂三者皆不得其死，可傷尤甚。而其解「不弔」則據《禮記‧曲禮》「知死而不知生，傷而不弔」中的「不弔」為說，謂此等死況慘於一般，故但致憫於死者而已，其哀有餘，而不暇於文。這個說法好像很特別，但是也是有據的。《禮記‧曲禮上》：

> 知生者弔，知死者傷。知生而不知死，弔而不傷；知死而不知生，傷而不弔。

鄭玄對此段禮文的注解是：

> 人恩各施於所知也。弔、傷，皆謂致命辭也。〈雜記〉曰：「諸侯使人引弔，辭
> 曰：『寡君聞君之喪，寡君使某，如何不淑！』此施於生者；傷辭未聞也。說
> 者有弔辭云：『皇天降災，子遭罹之。如何不淑！』此施於死者，蓋本傷辭。
> 辭畢，退，皆哭。[38]

則所謂不弔，非謂不致哀悼之謂，僅是指未致弔辭而已。張載即本此立說。所以不致弔辭，宋楊簡便解釋說：

> 《禮》曰：「死而不弔者三：畏、壓、溺。」畏死於兵，壓死於巖牆，溺死於
> 水，非不弔也，不忍為弔辭，不忍言之也。使孔子果死於匡，則亦不可弔乎？
> 屈原之死，亦不可弔乎？而先儒有謂直賤之而不弔，此乃固陋，執言失意，人
> 心所不安也。[39]

清方苞也說：

> 傷死之禮，起於生前之恩義，設周親昵好而死於非命，則痛隱更深，豈反有不
> 弔之禮！蓋奔赴而號泣呼搶，不復置弔辭以重傷主人之心也。[40]

這些意見，應都是承張載之說而來。〈雜記〉弔辭有其固定格套用語，所謂「如何不淑」，不淑即不善，猶今語所謂不幸。古籍言「不淑」者，可分指人死、生離、失德、

---

[38] 《禮記正義》，卷3，頁54-55。
[39] 〔宋〕楊簡：《慈湖遺書‧家記三》（臺北：國防研究院，1966年影印《四明叢書》本），卷9，頁292。
[40] 《禮記析疑》，卷3，頁8上。

國亡，總皆不善，而〈雜記〉自是指人死[41]。故此語遂爲漢魏以下墓誌銘文及祭文所習用。弔辭是慰問之意，意爲何爲而遭此凶禍。張載之意，殆謂此三等死者可傷尤甚，故特致哀以別於弔生之禮，且死非其道，於生者之前難於措辭，故不當弔[42]。

以上略敘過去學者對《禮記》三不弔兩派迥然相異的意見。惟主前說者到最後還是說三不弔是有條件的，亦即凡不得正命而死者才不弔，正命者如殺身成仁者則並不包括在內。如上文所引《經問》須辨死於非命之有罪無罪，即屬此類主張。主後說者則視三等之死純屬意外災厄，不惟無所謂懲誠，反而更堪哀憫。同時對於「不弔」的認知也有所不同：前者以爲「弔」是廣義的哀悼慰問；而後者則認「弔」爲相對於「傷」，是指命辭而言，一施於生者，一施於死者，故此「弔」字乃是狹義的解釋。兩說於古事皆可得其援證[43]。居今而論古，因未有更多文獻可爲佐證之資，實亦不易辨其孰是孰非，恐怕也只能存其所疑，以俟知者。儘管如此，有一點大體上是持歧義的雙方所共同同意的：即「畏厭溺」皆屬橫死。壓、溺之爲意外橫死，可無疑義，如我們從此處參入，則「畏」之性質理應相類。自此角度探索，古來傳說則尚有可以進窺的餘地。

四、論「畏」「威」相通

上述張載云云，雖屬創說，然遠自鄭玄立說未久，即有王肅不服其說，王肅嘗云：

孔子畏匡，德能自全也。設使聖人卒離不幸，可得不痛悼而罪之乎！非徒賢者，

---

[41] 說見〔清〕顧炎武：《原抄本日知錄》（臺北：明倫出版社，1970 年），卷 32，「不淑」條，頁 931。

[42] 說參〔清〕王植：《正蒙初義》（臺北：臺灣商務印書館，1986 年景印《文淵閣四庫全書》本），第 697 冊，卷 16，頁 32 下。

[43] 王鳳陽謂古之「弔」皆專指「弔生」，東漢以後始漸轉向「弔死」之義；故《說文》「弔，問終也」，實東漢以後的觀念，先秦不爾。說見所著《古辭辨》（長春：吉林文史出版社，1993 年），頁 773-774。今案：先秦時期「弔」之應用似甚廣，凡於不幸者往往得而用之，也不限於對生者而言。如《莊子・養生主》：「老聃死，秦失弔之，三號而出」，「弔之」的「之」，即同後文「老者哭之，如哭其子；少者哭之，如哭其母」兩「之」字，並指死者老聃而言。故或可謂先秦「弔」之用法未若東漢以下之專主一偏，似不能即謂其用與東漢以下適相反對。至於「知生者弔」，則不是一般的用法，已詳上文。

設有罪愚人，亦不得不哀傷之也。[44]

孔子當時，雖有「天生德於予」之自信，然自客觀形勢而言，其死生固亦可謂未卜，王肅對鄭玄這一番論難，其意正猶後代的程、朱所謂「苟脫」。張載的新說不知是否受到王肅的啓發，但是王肅對三不弔中的「畏」卻已明白作了不同於鄭玄的解釋，他說：

犯法獄死謂之畏。《爾雅》曰畏，刑者也。[45]

王肅蓋讀「畏」爲「威」，故以威刑爲解，謂犯法獄死爲畏[46]。當然犯法得罪正法而死，與壓、溺之意外橫死顯然不同；且縱是說中了三不弔，孔子畏於匡仍明見其不合此義，可見王肅的說法是靠不住的。然而他這一說卻揭出了「畏」字義解的端倪來。前述陳奇猷以爲「畏」爲「圍」之借，不僅在解讀原典時尙非圓滿，而古籍也並無其他旁證；但「畏」「威」互通卻是古籍所常見。

《書‧皋陶謨》：

天明畏。

《釋文》引馬本「畏」作「威」[47]。〈呂刑〉：

德威惟畏。

《墨子‧尙賢中》引作「德威維威」[48]。《老子‧七十二章》：

民不畏威，則大威至。

---

[44] 〔唐〕杜佑：《通典》（北京：中華書局，1992年），卷83，頁2258引王肅《聖證論》。

[45] 同前註引。案：此為王肅解《禮記》文。

[46] 《孟子‧盡心上》：「桎梏死者，非正命也。」趙注：「畏、厭、溺死，禮所不弔，故曰非正命也。」自孫《疏》以下，以至焦循《正義》，莫不據鄭注《禮記》說之。細玩趙文，厭、溺無與乎桎梏，故彼引〈檀弓〉三不弔以注桎梏之非正命，特在「畏」之一事，疑趙氏亦猶稍後王肅之以威刑解畏，而兩家疏義皆失趙義。至王肅是否承自趙解，則不能確指。

[47] 《經典釋文》，《尙書音義上》，頁39。

[48] 〔清〕孫詒讓：《墨子閒詁》（臺北：華正書局，1987年），頁57。孫氏云：「《禮記‧表記》引〈甫刑〉，二『畏』字亦並作威，與此同。」今案：《書》本只一「畏」字，當云〈表記〉引畏亦作威，與此同。

「畏威」,馬王堆帛書〈甲〉〈乙〉本並作「畏畏」;「大威」,〈甲〉本殘,〈乙〉本亦作「大畏」[49]。《釋名·釋言語》:

> 威,畏也,可畏懼也。[50]

《廣雅·釋言》:

> 畏,威也。[51]

《左傳·襄公三十一年》:

> 有威而可畏謂之威。[52]

畏、威二字在上古事實上是音義並通的同源字。凡顯示使人畏懼懾服的力量皆可謂之威,是故武力、脅迫、刑罰之類通屬其範圍之內。我們尤可注意到畏、威二字的兩面性,即自施威此方而言,固可謂之畏,自受威之彼方而言,同亦可謂之畏。如王肅以威刑解畏字,在〈檀弓〉三不弔之畏,是受威之畏,然實與同列之壓、溺性質有差;而轉稽於《論語》,則施受兩義皆不合套用,並見為落空,宜非正解。

分析至此,且讓我們回顧重錄鄭玄的《論語》解注:

> 匡人以兵遮脅之。……孔子見兵來,恐諸弟子驚怖,言以此言照之:……。

所謂「以兵遮脅之」,明即是「畏」、是「威」。然則此處「匡人以兵遮脅之」,鄭《注》正解「子畏於匡」四字。只可惜鄭注《論語》久佚,後世輯佚之書如《漢魏遺書鈔》、《黃氏逸書考》、《玉函山房輯佚書》等所集者亦不及此,而惟幸見於唐寫本敦煌殘卷,然亦流傳不廣,鮮為人所注意。鄭氏注《禮》則歷代盛行不輟,然其解三不弔之畏,則雖已解云「人或時以非罪攻己」,與注《論語》相通,惜乎又增出「不能有以說之

---

[49] 參見〔魏〕王弼等:《老子王弼注》,《老子四種》(臺北:大安出版社,1999 年),頁 61;《馬王堆帛書老子甲本殘卷》,頁 9;《馬王堆帛書老子乙本殘卷》,頁 29。

[50] 〔漢〕劉熙:《釋名》(臺北:臺灣商務印書館,1975 年影印《四部叢刊初編》本),第 5 冊,卷 4,頁 16。

[51] 〔魏〕張揖撰、〔清〕王念孫疏證:《廣雅疏證》(臺北:新興書局,1965 年影印原刻本),卷 5 上,頁 150。

[52] 〔晉〕杜預注、〔唐〕孔穎達疏:《左傳正義》,《十三經注疏》(臺北:藝文印書館,1965 年影印嘉慶二十年江西南昌府學本),第 6 冊,卷 40,頁 690。

死之者」，則為解釋「孔子畏於匡」何以未死，而語焉不詳，孔《疏》亦似於此未確了，故著重在解說之意上發揮，以致後人誤以為鄭氏未解畏字[53]。復以後世解義紛披，莫衷一是，即讀敦煌殘卷，亦易誤認其亦如諸子、史書之敘事，而忽略其為解注。至此可知，王肅雖駁鄭玄，其讀「畏」為「威」實仍一如鄭玄。至所謂「威」之具體含義，王謂指「刑威」，實於《禮記》、《論語》兩失，而鄭玄解為「兵威」，則可以兩通。

由是言之，以兵刃攻殺人，可謂之畏；遭人以兵刃攻殺而致死，亦可謂之畏。孔子畏於匡，乃匡人舉兵來攻殺，故其時情勢危急，千鈞一髮，乃迫出了「文王既沒，天生德於予」之歎。兵亂中乃與顏淵失散，擔憂其已死亂中，及出險後師弟重逢，不禁驚喜脫口而說「吾以汝為死矣」。本此解，我們再回視《呂氏春秋》所載曾點父子那段文字，亦與此相類，便知范耕研的懷疑是合理的，只不過因他不知「畏」字可含有被攻殺而死之義，故逕謂「畏」為訛字，當正為「死」字，猶不達一間。曾參既逾期而不至，人或疑其已遭兵厄而死；曾點回人的話，意謂其子曾參縱遭兵厄攻殺之險，然以我為父者尚存，必不敢率爾輕身赴鬥而被殺。其語意正與顏淵之言相仿，只在曾氏父子，言出於父；而在孔顏師弟，則言出於弟而已。故其文三「畏」字：上「畏」字指被攻殺而致死；次「畏」字則指被攻殺之事，指動作行為而言；末「畏」字義同首字，指其動作行為所引生之結果。如此說來，則原文第一個「畏」字那句「無乃畏耶」之下，高誘所注「畏，猶死也」，已特下一「猶」字，明「畏」並不逕訓為「死」，意謂在此語中其義相當於死，注語雖略，其實是正確無誤的。

我們試再考察一些在鄭玄以前的論述，可證鄭玄的解說也是遠有傳承，而非出自己意虛造。在東漢初班固所編的《白虎通·喪服》中便有一段專論「三不弔」之文：

有不弔三何？為人臣子，常懷恐懼，深思遠慮，志乃全身。今乃畏、厭、溺死，用為不義，故不弔也。〈檀弓〉曰「不弔三，畏、厭、溺」也。畏者，兵死也。[54]

---

[53] 孔穎達疏杜預〈春秋序〉，已明引鄭注《論語》文（參前註 14），但未加說明，且彼於鄭玄此義似未有領會，故疏〈檀弓〉三不弔並未引錄為說。

[54] 〔清〕陳立：《白虎通疏證》（北京：中華書局，1994 年），卷 11，頁 524。

此處解釋三不弔的基本立場近於前述所謂懲誡說，以爲所以不弔乃因於死於不義。但尤可注意者，乃其解說「畏」義，指爲「兵死」。所謂兵死，以兵而死之謂，猶云戰死。《禮記‧曲禮下》：

> 死寇曰兵。[55]

鄭《注》：「異於凡人，當饗祿其後。」孔氏《正義》：「言人能爲國家捍難禦侮，爲寇所殺者，謂爲兵。兵，器仗之名，言其爲器仗之用也。故君恆祿恤其子孫，異於凡人也。」蓋兵即是兵器，故此謂爲國禦寇死於戰陣者爲兵。《釋名‧釋喪制》：

> 戰死曰兵，言死爲兵所傷也。[56]

而王肅於「死寇曰兵」，乃逕注云：

> 兵，死也。[57]

此亦猶高誘之注《呂覽》「畏」字，惟高氏曰「猶死也」，下一「猶」字，較王氏更爲精確一些而已。可見「畏」猶言「兵」或「兵死」。「兵」字本身亦含兩面意義：以兵器攻擊他人曰兵，如《史記‧伯夷列傳》「左右欲兵之」；爲兵所殺亦曰兵，如此處謂「死寇曰兵」。其義亦猶「畏」，皆可兩面言之；而「畏」之或訓「兵死」，或逕訓「死」，即由「畏」通「威」之指兵威義而來。所以不惟鄭玄以「以兵遮脅」解《論語》之「畏」，並於《禮記》三不弔之「畏」亦舉孔子畏匡爲說；與鄭玄同學於馬融的盧植，解釋三不弔之「畏」，也說：

> 畏者，兵刃所殺也。[58]

後代學者中，倒是前文已引述過楊簡所說的幾句話，最爲貼切：

> 畏死於兵，厭死於巖墙，溺死於水。[59]

可惜楊氏也只有這麼一句話，沒有進一步的發揮解說，也無由推定他所認知的確切含

---

[55] 《禮記正義》，卷5，頁99。
[56] 《釋名》，卷8，頁33。
[57] 《通典》，卷83，頁2244引。
[58] 同前註，頁2258引。
[59] 《慈湖遺書‧家記三》，卷9，頁292。

義。

今再旁徵諸王充《論衡》。王氏約與班氏同時，皆早於鄭玄，其言人生意外災害致死者，往往以「兵燒壓溺」並言。〈氣壽篇〉：

> 凡人稟命有二品：一曰所當觸值之命，二曰彊弱壽夭之命。所當觸值，謂兵燒壓溺也；彊壽弱夭，謂稟氣渥薄也。[60]

蓋王充主張有正命、遭命二品之殊，百歲之命，所謂正命；兵燒壓溺，非人所冀，乃遭逢於外而得之凶禍，則所謂遭命。王充主張「凡人受命，在父母施氣之時，已得吉凶」，故於兵燒壓溺等意外災害之爲遭命者，也叫做「所當觸值之命」[61]。〈偶會篇〉亦云：

> 或客死千里之外，兵燒厭溺，氣不相犯，相賊如何？[62]

〈刺孟篇〉亦云：

> 人稟性命，或當壓溺兵燒，雖或慎操脩行，其何益哉？[63]

死於火者曰燒；所謂「兵」，即是〈曲禮〉之「死寇曰兵」[64]；燒與壓溺兵同爲意外可以致死之災。《禮記》曰「畏厭溺」，《論衡》則曰「兵燒壓溺」，湊成四字，若除去了燒，所謂「兵壓溺」便正與「畏壓溺」相當。可見在鄭玄以前，言兵或畏，往往與壓、溺相提並論，舉以爲意外災禍之常言。

若再往下看魏晉人的著作，如王弼注《老子》。《老子·十五章》：

> 猶兮若畏四鄰。

王弼《注》：

> 四鄰合攻中央之主，猶然不知所趣向者也。[65]

---

[60] 黃暉：《論衡校釋》（北京：中華書局，1990 年），頁 28。
[61] 其前舊說，有正命、隨命、遭命三品之殊，王充不主隨命，說詳〈命義篇〉，故此只說二品。
[62] 同前註，頁 104。
[63] 同前註，頁 468。
[64] 參《論衡·刺孟》黃暉校釋，同前註。
[65] 《老子王弼注》，頁 12。

以「四鄰合攻」解「畏四鄰」，是以「攻」訓「畏」。若不知「畏」通「威」，義同於兵，以兵攻之可謂之畏，便不易明白王弼此處實亦是訓釋字義[66]。然則自班固、王充、鄭玄、盧植以至王弼，自古相傳，皆知「畏」字有此一義。然自孫綽、皇侃以下，其義已湮；逮宋以下，新義紛披，古義更渺不可尋了。

至於何以古常以「畏壓溺」或「兵壓溺」並言，則或可從錢賓四師〈儒禮雜議〉一文所考述得知，先秦盛行私鬥，即如儒家其始亦所認許，故遭兵難而死，固不必盡屬爲國公戰[67]。後世社會風氣不同，私鬥之風不復昔時，故言意外災厄，往往只言「壓溺」，不再及「兵」，此在後世史乘所經見，不遑枚舉。

五、結論

《論語》兩處「子畏於匡」之「畏」字，自魏晉以降，失其古義，一般學者多沿宋儒「戒心」之說。其說本於《孟子》，雖有援據，然就當時情境語意而論，似終嫌不協。故近人屢出新義，或謂爲拘囚、私鬥、危難、圍困等等含義，於義則俱通，於字解則仍不能相洽。且《禮記》有所謂三不弔的「畏、厭、溺」，其「畏」字，自鄭玄以來多牽合孔子畏匡爲說，而《禮記》此處之「畏」，亦是歷代學者深感難解之所在。此外，《呂氏春秋》還有一段記述曾點父子的故事，與顏淵回應孔子的話並舉，也屢提到這個「畏」字；而這幾句話也成爲學者爭議之所在。三種古籍的記載既有其相關性，因此，解決這個困擾歷代學者難題的鎖鑰，應在索求《論語》、《禮記》、《呂氏春秋》三書諸「畏」字的通解，而非孤立解說某一書某一處於義可通所可爲功的。

本文鉤稽典籍，推原舊義，考證《論語》、《禮記》、《呂氏春秋》共六處「畏」字應同屬一義，與「威」爲同源字，其實際含義則指兵威，以兵威人或受人兵威同謂之

---

[66] 此處王弼《注》文，若以上文所提陳奇猷所謂「畏」通「圍」觀之，似亦可相合，然「圍」有合義，無攻義，且就上文所及古籍各相關處綜合以判，似仍當以訓「畏」爲「威」，故得有兵攻之義爲是。王氏言「合」，應從「四鄰」之義而來。

[67] 錢穆：《中國學術思想史論叢（二）》，《錢賓四先生全集》，第 18 冊，頁 257-277。

畏，受兵傷而死亦謂之畏，皆一義之引申。故畏有攻脅、受攻脅義，復有死義。《論語》兩處「子畏於匡」即用其前義；《禮記》三不弔即用其後義；《呂氏春秋》記曾氏父子事，凡三「畏」字，其首尾兩畏字皆用後義，中間的畏字則用的是前義。

故本文所提解義，自魏晉以下諸家解讀視之，似爲新說，實則本文作意，僅在還原漢以前固有舊義。但此等舊義或因語焉不詳，如鄭玄注《禮記》，或因長期亡佚，如鄭玄注《論語》，遂致千餘年來索解人而不得。故本文考得之解讀，一合於《白虎通》解三不弔之「畏」爲「兵死」，二合於敦煌殘卷鄭注《論語》「匡人以兵遮脅之」，三合於《禮記》鄭注「人或時以非罪攻己，不能有以說之死之者」，四合於盧植所謂「兵刃所殺」，五合於《呂覽》高誘注之「畏，猶死也」，六則合於王弼注《老》之「畏四鄰」，七則合於《論衡》以「兵」與「壓」「溺」並提之古人觀念。有此七合，而可以三書通釋，則知古人流傳古注之辭雖略，若善加推尋，有時反而勝卻後人妄測之紛紛。

龍宇純先生七秩晉五壽慶論文集
2002 年 11 月　　頁 189～194

釋「尌」

裘錫圭[*]

　　殷虛甲骨卜辭中有从从「又」从「木」之字，作 ![字形] 等形（以下隸定爲「权」[1]）。此字不甚常見，較完整之辭例爲筆者所知者僅下引二辭：

　　　　甲午卜，王其省权于㭫，乇（比）囗往來亡戋（災）。（《甲骨文合集》27781；

　　　　以下簡稱爲「《合》」）

　　　　囗子（地支之「子」），王弗权。（《殷虛文字乙編》1781）

此外尚有少量其文字嚴重殘缺之辭例，不具引[2]。

　　《甲骨文編》[3]及《甲骨文字集釋》[4]，皆以此字爲「《說文》所無」，未加考釋。後出之《甲骨文字詁林》則於「权」字條收有數家之說：張亞初釋爲「㭫」[5]；王獻唐以爲是「尌」字初文[6]，王襄及白玉崢以爲是「叔」字簡體（前者從釋「叔」爲「尗」之說，後者從釋「紫」之說）[7]，《詁林》編者姚孝遂按語則「疑爲『权』字（引者按：

---

[*]　北京大學中文系教授。

[1]　孫海波：《甲骨文編》（北京：中華書局，1965 年），頁 124。

[2]　此類殘辭見《合》862、18159。島邦男《殷墟卜辭綜類》（東京：汲古書院，1977 年）頁 188「权」字條收有卜辭六例。「後下 21・13」即《合》18142，《綜類》摹作「权」者，實爲一般釋爲「秉」之从「又」从「禾」之字。「明 105」即《合》17445，「权」亦从「又」从「禾」之字之誤摹。「存 2・514」即本註所引之《合》18159。「林・1・29・11」即本註所引之《合》862。「鄴三・46・5」即本文上文所引之《合》27781。「七 S81」即《合》692，《綜類》以爲「权」字者，實爲一般視爲「妻」字異體之 ![字形] 之殘文。

[3]　孫海波：《甲骨文編》，頁 124。

[4]　李孝定：《甲骨文字集釋》（台北：中央研究院歷史語言研究所，1982 年），頁 945。

[5]　于省吾、姚孝遂等：《甲骨文字詁林》（北京：中華書局，1996 年），頁 1369。

[6]　同前註，頁 1369-1370。

[7]　同前註，頁 1370。參看同書 1065、1068。

即「埶」字）之省，假作「邇」[8]。竊以爲上舉諸說中，王獻唐之說最可注意。《詁林》引錄其說稍嫌簡略，今據王氏原著介紹其說於下。

卜辭中有一屢見之字，作从「𠬞」持「Ψ」形（「𠬞」象人伸出兩手）[9]，羅振玉等釋爲「苣」（炬），于省吾等釋爲「埶」[10]。王氏則以爲此字象「人跪執燭形」，乃「燭」之初文[11]；又由於此字字形中之「Ψ」（以下隸定爲「中」），亦可寫作「Ψ」或「米」，而雙手執燭與單手執燭，其義並無不同，遂以爲「权」字即是此字異體，古音與「燭」相近之「尌」乃其後起字。其言曰：

> 單手所執之燭，契金小篆共有二體，一作「Ψ」，一作「米」。於此更得一音讀佐證，《說文》，樹，籀文作「𣏟」，石鼓文作「𣏟」，从「米」豆聲，即作「米」之體也。尌字小篆作「𣗏」，从「屮」豆聲，又作「Ψ」之體也。《說文》，尌，立也，即經典樹立之樹。樹木字當作樹，樹立字當作尌。經典假樹爲尌，籀文石鼓，假尌爲樹。樹體後起，古通作尌，尌从又从寸，皆一事也。又寸所執之燭，作「Ψ」作「米」，亦一事也。火把之燭，無論手執植地，皆必直立。譬況直立之意，曰如燭直，久而直立之意因緣簡呼曰燭，燭體作「米」作「Ψ」，並以其字當之。迄後燭音或轉他部，恐與淆溷，又加豆音注之，即釵尌二體所从起也，亦即尌訓直立所从起也。

王氏認爲「尌」乃「权」字加注「豆」聲而成之字，允爲卓識。筆者於〈釋殷墟甲骨文裏的「遠」「𣒦」（邇）及有關諸字〉一文中曾指出：

> 在古文字裏，形聲字一般由一個意符（符）和一個音符（聲）組成。凡是形旁包含兩個以上意符，可以當作會意字來看的形聲字，其聲旁絕大多數是追加的。也就是說，這種形聲字的形旁通常是形聲字的初文。（此後原舉「寶」、「耤」

8 　于省吾、姚孝遂等：《甲骨文字詁林》，頁 1370。

9 　孫海波：《甲骨文編》，頁 111-112，「埶」字條。

10 　于省吾、姚孝遂等：《甲骨文字詁林》，頁 427-435，「蓺」字條。

11 　王獻唐：《古文字中所見之火燭》（濟南：齊魯書社，1983 年），頁 21-22。王氏關於「米」可表示燭以及雙手執燭與單手執燭同義之說明，見此書頁 17-21，文繁不錄。

二例，從略。）[12]

從「又」從「木」之「权」加注「豆」聲而成「𣏾」（尌），亦上述現象之一例。「尌」「豆」二字上古音皆屬侯部。「尌」屬禪母，「豆」屬定母，二母上古音極近[13]。以「豆」為「尌」字聲旁，極為合理。讀音與「尌」相同或相近之「侸」「豎」「裋」等字，亦皆以「豆」字為聲旁。《說文‧五上‧壴部》將「尌」分析為「從壴，從寸持之」，非是。

然而王氏將卜辭「权」字與並無相似用例之「屮凡」字合而為一，定為「燭」字初文，並謂「尌」之樹立義即由「燭」義引伸而出，則極為牽強，顯不足信。從樹立之義考慮，「尌」字初文「权」之字形，無疑象以手植木，「木」即樹木之「木」，與燭絕無關係。高鴻縉《中國字例》謂「尌」「為樹植之意，動詞，石鼓文從𠬻（手）植木，豆聲」[14]。羅振玉《殷虛書契考釋》謂「尌」「樹」本一字，其言曰：

> 《說文解字》：「樹，生植之總名。從木，尌聲。」籀文作𣗥。案樹與尌當是一字。樹之本誼為樹立，蓋植木為樹，引申之則凡樹他物使植立皆謂之樹。石鼓文叙字從又，以手植之也。……許書凡含樹立之誼者，若尌若侸（引者按：《說文‧八上‧人部》：「侸，立也。從人，豆聲。讀若樹。」）若豎，其字皆為樹（引者按：據文義，此「樹」字以作「叙」或「尌」為宜）之後起字。古文從木之字，或省從屮，於是壴乃變為豈，既誤為壴，遂於壴旁增木，而又訛又為寸，於是樹之本誼不可知矣。[15]

高、羅二氏之說皆可從。「尌」（尌）本從「木」，「樹」又加「木」旁，與「莫」本從「日」，「暮」又加「日」；「然」本從「火」，「燃」又加「火」類似。

---

[12] 裘錫圭：《文古字論集》（北京：中華書局，1992 年），頁 3。

[13] 周祖謨：〈禪母古音考〉，《問學集》（北京：中華書局，1981 年），頁 139-161。

[14] 轉引自周法高：《金文詁林》（香港：香港中文大學，1975 年），頁 3062。

[15] 轉引自《甲骨文字詁林》，頁 2783。羅氏釋殷墟卜辭中作壴壴等形之字為「尌」。此字實當釋「嘉」，參看《詁林》頁 2783-2784 所引陳漢平說。羅釋不確。但羅氏以「尌」「樹」為一字，實以籀文及石鼓文「尌（樹）」字為據，其誤釋並不影響此說。

王獻唐爲維護其「燭」字說，反對以植木使立爲「尌」之本義，故力詆羅氏「尌」「樹」一字之說，但並不能提出使人信服之理由[16]。前引王文以未經證實之「权」「㸚」一字說，解釋「叔」之亦可作「尌」（尌），亦不如羅氏「尌」字左牛之「壴」因省變而成「壴」之說合理。

王氏認爲官 李 父簋 㸚 字與「权」爲一字[17]，亦有問題。王氏以「木」爲燭，故可將此二字皆視爲以手執燭而合爲一字。今既知「权」以手植木，則手形在「木」下之「李」字自不得與之爲同字。

《說文・五上・壴部》：「壴（壴），陳樂立而上見也。从中从豆。」「尌」「鼓」二字之左牛，《說文》皆以爲是此字。「尌」字左牛由「壴」變來，已詳上文。「鼓」字左旁，古文字作 壴 壴 壴 等形[18]，本象鼓，且可獨立成字，即「鼓」之初文[19]。二者雖形近，本不相關涉。徐鍇《說文解字繫傳》釋「壴」字之形曰：「豆，樹鼓之象（意謂此「豆」非俎豆字而象鼓在架上之形）。中，其上羽葆也。象形。」除羽葆之說待商外，此釋對「鼓」字所从之「壴」極爲適合。然由於《說文》將兩種「壴」形混而爲一，徐鍇已不知「壴」尚有由「壴」變來之形。《說文》「壴」字，釋義遷就「鼓」字所从之「壴」；分析字形則對由「壴」變來之「壴」比較適合。《說文》所收之从「壴」之字，除「尌」「愷」及从「尌」聲諸字外，其所从皆爲本鼓形之「壴」。

關於兩種「壴」形之混同，王獻唐亦已有所論析，其言曰：

《說文》，壴，陳樂立而上見也。《繫傳》謂樹鼓之象，饒炯從之。（見《說文解字部首訂》）字象鼓及筍虡崇飾，爲鼓字古文。……契金文彭鼓諸字，從壴者

---

16 王氏在《古文字中所見之火燭》中，認爲「尌」「樹」二字間只有假借關係，其文前已引錄。其書頁 22-23 尚有專駁羅氏此說之文，主要據其「㸚」「权」一字說立論。此一根據本身即不能成立。

17 王獻唐：《古文字中所見之火燭》，頁 19。

18 孫海波：《甲骨文編》，頁 220-221。容庚：《金文編》（北京：中華書局，1985 年），頁 329。

19 此種「壴」字殷墟卜辭屢見，參看姚孝遂等：《殷墟甲骨刻辭類纂》（北京：中華書局，1989 年），頁 1071-1073。

甚多，字作（引者按：此形不可信）。作，作，作，初與尌左形各別。迨後之中畫，或不通下，彼此相混。其體已見金文，小篆沿之……[20]

本象鼓形之「壴」中畫「不通下」之例，早在西周金文中即已出現，如西周中期瘐編鐘個別器「鼓」字所从之「壴」作[21]，西周晚期士父鐘、弔姞簋「喜」字所从之「壴」略同[22]。西周中期器有中盤[23]，「中」上氏名一般釋爲「尌」，其「豆」上「木」形已變作。則逕省「木」作之「尌」字，此時可能亦已存在。故兩種「壴」形相混之例，有可能在西周中晚期即已開始出現。西周晚期器有中簋，「中」上氏名一般亦釋爲「尌」[24]，似「壴」亦有變而混同於象鼓之「壴」者。然此字究竟是否「尌」字，似尚不能完全肯定。

入東周後，金文所見象鼓形之「壴」中畫「不通下」之例明顯增加[25]。兩種「壴」形相混之例，亦應有所增加。楚、徐金文中畫不通下之「壴」，上部有作者[26]。據楚簡，在上方之「木」旁亦可省作[27]，而古文字中「豆」字用作在下之偏旁時可省去上横，六國文字中即獨立之「豆」字一般亦不加上横[28]。此種情況亦易使兩種「壴」形相混。如上海博物館所藏楚竹書中之《孔子詩論》，「壴」（周作「樹」）作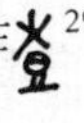[29]，「憙」

20 王獻唐：《古文字中所見之火燭》，頁 23-24。

21 中國社會科學院考古研究所：《殷周金文集成》第 1 冊（北京：中華書局，1984 年），頁 278，編號 250。。

22 容庚：《金文編》，頁 327。

23 中國社會科學院考古研究所：《殷周金文集成》第 16 冊（北京：中華書局，1994 年），頁 103，編號 10056。。

24 容庚：《金文編》，頁 328。

25 同前注，頁 327「喜」字、頁 329「鼓」字。此二字下所引王孫鐘、沇兒鐘、子璋鐘、王孫誥鐘、邵鐘、郐王子鐘等皆春秋器。同書頁 328「彭」字所引戰國時鄂君啟舟節「彭」字之「壴」旁，中畫亦不通下。

26 如沇兒鐘、王孫誥鐘「喜」「鼓」二字之「壴」旁及王孫鐘用作「鼓」之「壴」字。出處同上註。

27 滕壬生：《楚系簡帛文字編》（武漢：湖北教育出版社，1995 年），頁 438-439，「柰」字。此書釋此字為「祟」，不妥。

28 同上註，頁 389-390「豆」字。

29 馬承源等：《上海博物館藏戰國楚竹書（一）》（上海：上海古籍出版社，2001 年），頁 27 第 15 號簡。此「壴」字可視為「尌」之省，亦可視為「梪」字異體。

字所从之「豆」作⬚[30]，字形基本相同。後者由於下有「心」旁，下部筆畫稍有簡省，楚簡中常見之「豆」旁作⬚一類形狀之「喜」字，亦有此類現象[31]。由於「豆」不加上橫畫，「喜」等所从之⬚一類「豆」旁及見於子璋鐘「鼓」字之⬚（豆）旁[32]，與「尌」字所从之「豆」恐亦不易分辨。至睡虎地秦簡，「尌」字所从之「豆」與「喜」「憙」「鼓」等字所从之「豆」皆寫作⬚[33]，二者確已毫無分別。兩種「豆」形混同之過程，在戰國晚期已基本或完全完成。

在此文之末，應對文首所引兩條卜辭略作解釋。

後一辭言「王弗尌」，由於文句過簡，辭義難以求索。

前一辭言「王其省尌于槑」，「省」之義爲省視。卜辭或言「王省，往來亡災」[34]，或言「王其省田」、「王其省噩田」、「王其省盂田」[35]，或言「王往省牛」[36]，或言「〔王〕往省黍」、「王勿往省黍」[37]。「省尌」即「省樹」，當爲與「省田」、「省牛」、「省黍」相類之事。「樹」本動詞，在此理解爲「所樹」，當指命人種植於槑地之樹木。

「槑」可分析爲从「林」「白」聲，應即卜辭屢見之地名「白」[38]之繁體。加「林」當表示白地多林木，與卜辭加「水」旁於地名以示其地有河流同例。殷墟出土之牛距骨刻辭提及「白麓」[39]，可知白地有山麓，山麓一般多林木，此亦白地多林木之旁證。上舉卜辭說明白地之林木應有一部分爲人工所栽培，植樹業在商代似已有一定規模。

---

[30] 馬承源等：《上海博物館藏戰國楚竹書（一）》，頁 30 第 18 號簡。頁 34 第 22 號簡亦有「憙」字，「豆」旁作⬚。

[31] 滕壬生：《楚系簡帛文字編》，頁 387-388。

[32] 容庚：《金文編》，頁 329。

[33] 張守中：《睡虎地秦簡文字編》（北京：文物出版社，1994 年），頁 71。

[34] 姚孝遂等：《殷墟甲骨刻辭類纂》，頁 212「王省」條。

[35] 同前註，頁 211-212「省田」條。。

[36] 同前註，頁 212「省牛」條。

[37] 姚孝遂等：《殷墟甲骨刻辭類纂》，頁 212「省黍」條。

[38] 同前註，頁 381「在白」、「于白」兩條。

[39] 胡厚宣等：《甲骨文合集》（北京：中華書局，1983 年），第 12 冊，頁 4444，編號 35501。

龍宇純先生七秩晉五壽慶論文集
2002 年 11 月　　頁 195～208

論甲骨文的名詞

朱歧祥[*]

　　甲骨文是代表殷商時期的書面語，目前可見的單字字形大約有 4500 字左右[1]。然而，對字的本義和用義都有明確的了解的卻不超過 1500 字[2]。這 1500 個甲骨文的詞性，涵蓋了名詞，動詞、形容詞、時間詞、否定詞、代詞、連詞、介詞、副詞、數詞、量詞、語尾詞等用法，與先秦文獻中所歸納的詞性相當。

　　本文嘗試較全面的觀察甲骨文中名詞的特性。名詞一般見用於主語或賓語的位置，根據拙稿《殷墟甲骨文字通釋稿》收錄甲骨文的 1477 字的用法[3]，其中屬於名詞核計多達 1240 字，佔全數甲文的 84%。1240 個名詞就用義可區分作地名 456 字、水名 25 字、山名 16 字、族名 250 字、人名 288 字、動物名 57 字、器物名 38 字、祭儀與祭名 40 字[4]、吉凶名 9 字、天象方位名 20 字[5]、官爵名 10 字、人體名 19 字。以下就此十三類名詞逐一申論如次。

---

[*]　靜宜大學中國文學系教授。

[1]　中國科學院考古所編的《甲骨文編》共收正編 1723 號字（見於說文 941 字），附錄 2948 字，合計 4672 字。姚孝遂、趙誠主編的《殷墟甲骨刻辭類纂》共收 3526 號字。于省吾主編的《甲骨文字詁林》收錄 3691 字。以上有許多字還可以歸併和未能釋定。

[2]　據朱歧祥《殷墟甲骨文字通釋稿》通盤整理甲文的字用，剔除重文 245 字和不明用法的 57 字，總計可釋字 1477 個。

[3]　朱歧祥：《殷墟甲骨文字通釋稿》（臺北：文史哲出版社，1989 年）。

[4]　其中的 𤔔、𢀡 二字重出於器物名一類。

[5]　其中的 粘字重出於祭名一類。

一、地名

包括貞卜、祭祀、田狩、農業、征伐等地名。甲文中具地名用法的多達 456 字[6]，大量是以假借的形式呈現。有許多常用字例，除用作本義外，有借用爲地名，如：木作 米，有用爲地名；羊作 羊，有用爲地名；虎作 虎，有用爲地名。復有更多的字例，在卜辭中只作爲地名，卻全已不見以本義入文。例：

休作 休，只用爲地名，但並無休止的用法。

鬥作 鬥，只用爲地名，但並無格鬥的用法。

夾作 夾，只用爲地名，但並無挾持的用法。

麐作 麐，只用爲地名，但並無鹿首的用法。

甘作 甘，只用爲地名，但並無甘美的用法。

倉作 倉，只用爲地名，但並無倉廩的用法。

名作 名，只用爲地名，但並無名目的用法。

州作 州，只用爲地名，但並無沙州的用法。

柳作 柳，只用爲地名，但並無柳樹的用法。

單作 單，只用爲地名，但並無捕獸的用法。

雞作 雞，只用爲地名，但並無家禽的用法。

帛作 帛，只用爲地名，但並無布帛的用法。

囧作 囧，只用爲地名，但並無窗牖的用法。

谷作 谷，只用爲地名，但並無山谷的用法。

甲骨文是一批十分成熟的文字，在卜辭上下文已離開本義的用法，大量應用引申、假借的意義。對這些文字本義的了解，需要仰賴字形分析和參考《說文》等專門探討字

---

[6] 正文的統計數字如沒有另外註明，都是據《殷墟甲骨文字通釋稿》對甲文用法核算的結果；下同。王宇信主編《甲骨學一百年》第 11 章 499 頁統計方國有 128 個、第 12 章 538 頁統計農業地名有 110 個。

源的字書。因此，《說文》的價值相對的在此益彰顯其重要性。

甲骨文作爲地名的特牲，除大量以借音的方式利用已有的他字作爲借代外，在形体上亦嘗識增刪已有的字形來加以區別：

有增「口」旁作爲區別意。例：隹作（甲文字形），本義爲短尾鳥，甲文有增口作（甲文字形），用爲地名。兔作（甲文字形），本義爲白兔，甲文有增口作（甲文字形），用爲地名。來作（甲文字形），木義爲麥子，甲文有增口（甲文字形），用爲地名。魚作（甲文字形），本義爲游魚，甲文有增口作（甲文字形），用爲地名。目作（甲文字形），本義爲眼目，甲文有增口作（甲文字形），用爲地名。這種增「口」部件以另創新字，所从的口符並無實意，它具備有區別本形本義的功能，也可以說是作爲地名專有用法的特定標誌。過去有將上述個別字例從口的偏旁表示爲容器或陷阱，實有可商。有增筆畫作爲區別意。例：首作（甲文字形），本義爲人首，甲文有增毛髮作（甲文字形），用爲地名。大作（甲文字形），本義爲人正立形，甲文有增虛點作（甲文字形），用爲地名。豕作（甲文字形），本義爲豬，甲文有增尾毛作（甲文字形），用爲地名。羌作（甲文字形），本義爲族名，甲文有增冠飾和枷鎖作（甲文字形），用爲地名。辟作（甲文字形），本屬人名，甲文有增橫畫作（甲文字形），用爲地名。允作（甲文字形），用爲副詞，甲文有增虛點作（甲文字形），用爲地名。矢作（甲文字形），本義爲箭，甲文有增短畫作（甲文字形），用爲地名。這種就常態字形上增加局部的筆畫而另創新字，其中所增設的筆畫所含實意不多，反而明顯具備區別原字和強調地名用法的功能。

有刪減部件作爲區別意。例：岳作（甲文字形），本義爲眾山，甲文有省作（甲文字形），用爲地名。冥作（甲文字形），本義爲山谷，甲文有省作（甲文字形），用爲地名。這種省減常態字例中的部件，作爲區別功能的用例並不多見。

有稍變異常態形体作爲區別意。例：去作（甲文字形），本義爲離開，甲文有異其形作（甲文字形），用爲地名。目作（甲文字形），本義爲眼目，甲文有變異其形作（甲文字形），用爲地名。㫃作（甲文字形），本義爲旌旗，甲文有異其形作（甲文字形），用爲地名。叀作（甲文字形），本義爲紡垂，甲文有異其形作（甲文字形），用爲地名。這種異体字的特定寫法，對於本形本義的理解並沒有影響，明顯只是具有與原字區別的含意。

有疊体作爲區別意，例：東作（圖），本義爲囊，用爲方位詞，甲文有疊体作（圖），用爲地名。玉作（圖），本義爲串玉，用爲祭名品。甲文有疊体作（圖），用爲地名。（圖）作（圖），本義爲盾形兵器，甲文有疊体作（圖），用爲地名。這種疊体字對於本形本義的理解並無影響，也只是由增形以強調區別的功能性。

二、水名

甲文用作水名的共 25 字，固定的從水旁，如：沈、洛、洱、洹、河、沁、（圖）等，一般作左右式兩個結体的排式，偶有作上下式的，如（圖），亦有三個以上結体的組合，如（圖）、（圖）是。這些水名的位置大都在河南殷墟附近，其中的河、洛、洹等明顯爲後來文獻所沿用。相對於地名大量是以假借的方式出現，水名一般是以形聲的方法成字，聲符有否兼具表意的功能，則需視個別字例而定。

水名用字有大量與地名有關，如下表：

地名	水名
（圖）	（圖）
（圖）	（圖）
（圖）	（圖）
（圖）	（圖）
（圖）	（圖）
（圖）	（圖）
（圖）	（圖）
（圖）	（圖）
（圖）	（圖）
（圖）	（圖）
（圖）	（圖）
（圖）	（圖）
（圖）	（圖）

(甲骨字形)	(金文字形)
(甲骨字形)	(金文字形)
(甲骨字形)	(金文字形)
(甲骨字形)	(金文字形)
(甲骨字形)	(金文字形)
(甲骨字形)	(金文字形)

這些水名恐怕是因地名增添水旁而命名的。它們的出現，理論上是在地名之後。就造字的理論言，是先據啤借而成地名，再據形聲而爲水名。水旁是後加的意符偏旁。水名的用字，呈現了兩點文字流變的意義：①假借的用法是先於形聲而下開形聲。②後加意符大類的形聲字，啓示了形符與音符併合成字的造字方法，代表常態的形符和音符同時並出的形聲字之前的一個文字發展階段。

三、山名

甲文用作山名的共 16 字，數目不多，這和殷商勢力範圍附近並沒有太多崇山峻嶺有關。山名固定的從山旁而作爲專有名詞，如：（字形）、（字形）、（字形）、（字形）、（字形）等，有屬獨体，有爲合体的形聲字。基本上是以形聲的造字方法表達，多屬上下式結体。相對於水名，山名多獨創的新字，與地名鮮少相連；字形不見於西周金文和文獻，亦無相對於《說文》的字。殷人使用的山名顯然在入周後已遭淘汰，不爲時人所熟悉。

四、族名

甲文用作族名的多達 250 字，包括盤庚遷殷後 273 年間歸順商朝的附庸，如（字形）、（字形）、（字形）等，和大量敵對的外邦部族，如（字形）、（字形）等。這些族名有早期爲附庸，其後叛逆爲方國，有本屬敵對方國，復歸順或

被征服而爲附庸。殷商四周氏族眾多，長期爲殷人生存的大患，這反映在大量的征伐卜辭之中[7]。族名一般都是以假借的形式出現，其中約百分之二十與人名、地名用字相合：

族名與地名相同的 28 個：⚘、✕、⚘、⚘。

族名與人名相同的有 9 個：⚘、⚘、⚘、⚘、⚘、⚘、⚘、⚘、⚘。

族名與人名、地名兼用的有 14 個：⚘、⚘、⚘、⚘、⚘、⚘、⚘、⚘、⚘、⚘、⚘、⚘、⚘、⚘。

甲文中族名的用字有大量借用動物、植物、兵器、彝器等具字類字。這種名稱是否殷人對外邦的賤稱，抑是該族的自稱與上古圖騰崇拜有關，又或是站站殷人的角度方便以表示不同族眾的勢力範圍的實物代稱，仍有待更多材料的檢驗。族名有借動物名的，如馬、虎、蛇、蜀、龍、萬、吳、⚘、犬、䖵、蛛。族名有借植物名的，如木、林、杞、葉、⚘、⚘、⚘。族名束借兵器名的，如戈、田、我、矢。族名有借彝器名的，如爵、盂、盤、豆、卣。族名有借自然地理名的，如土、周、雪等。族名有借制成物名的，如裘、⚘、缶等。其中，甚至有全不用本義，只見借用爲族名的，如角、裘、土、鬼、馬、龍、爵、貯、雪、絲、⚘、⚘。

族名除屬於假借字外，亦有就字形的增易而爲特定的專有名詞的用法。這種就已有形增易筆畫以改變用法的造字方法，其增易的部件明顯具備區別的意義，用法與地名類相同。

甲文族名有增「口」旁作爲區別意。例：由人、隹、戈、弓增口作⚘、⚘、⚘、⚘，均用爲方國名。其中的隹，本義爲鳥，對比地名的⚘和用爲族名的⚘，增等本身的位置顯然亦有區別的含意。以上從口的部件不作任何實意的理解。

甲文族名有增虛畫作爲區別意。例：隹作⚘，有增作⚘而爲族名。羊作⚘，有增

7　參拙文《甲骨文研究》第 21 章〈殷初戰爭史稿〉里仁書局，1998 年。

作 ⌇ 而爲族名。刀作 ⌇，有增作 ⌇ 而爲族名。酉作 ⌇，有增作 ⌇ 而爲族名。莽作 ⌇，有增點作 ⌇ 而爲族名。凡作 ⌇，有增點作 ⌇ 而爲族名。自作 ⌇，有增點作 ⌇ 而爲族名。又作 ⌇，有增方形作 ⌇ 而爲族名。乎作 ⌇，有增作 ⌇ 而族名。

　　甲文族名有從人旁，復增置不同的冠飾作爲彼此的區別意。例：⌇（先）、⌇（冑）、⌇（兒）、⌇（兄）、⌇（羌）、⌇（奚）和 ⌇。以上諸從大的字例，首具冠飾所代表的自然可理解是該族的一種共同表徵，亦可視爲殷人識別不同部族的區別代號。

　　甲文族名有改變常態的字作爲區別意。例：人作 ⌇，甲文有曲人膝而爲 ⌇，用作方國名。卩作 ⌇，甲文有張手作 ⌇，用爲方國名。這種變形的用法是強調文字本身用意的改易。

　　甲文族名有用疊體作爲區別意。例：又、隹、羊在卜辭皆各有本義，復疊體作 ⌇、⌇、⌇ 而用爲族名。疊體在字義理解上並沒有改變，只是在字用上有所區別。

　　就字例的詞性言，族名字一般作爲名詞外，有兼用作動詞的，如：⌇、⌇、⌇、⌇、×、⌇ 諸字，既用爲族名，亦有改變詞性而作爲動詞。有兼作爲否定詞，如 ⌇，字與鑑同用。

五、人名

　　甲文用作人名的多達 288 字，包括先祖名如：夒、契、季、亙、咸，將領名如 ⌇、雀、好，方伯名如 ⌇、龜，貞人名如爭、韋、賓、⌇、㞢、㱿、⌇，及大量的名和子名。

　　甲文人名與地名、族名多見互用例。人名與地名相同的，如 ⌇、⌇。人名與族名相同的，如 ⌇、⌇、⌇、⌇、⌇、⌇、⌇。人名、地名、族名，均相同互用的，如 ⌇、⌇、⌇、⌇、⌇、⌇、⌇、⌇、⌇、⌇、⌇、⌇、⌇。這種名詞轉用的例子，是人名以地名族名爲姓，抑特殊的人物影響了地族名的用法，需就個案判斷。

如周（⊞）、虎（🐯）⁚興（🐦）等字的出現，恐怕是先有族名而地名而人名的。

甲文人名多屬假借的用法，有以動物名借爲人名，如象、虎、🐯、隹、雞、虯（🐍）、龜（🐢）、🦎。有以植物名借爲人名，如果（🌿）、禾（🌾）、喪（🌳）。有以器物名借爲人名，如盤（凵）、壴（🥁）、冊（卌）、🎋。有以自然地理借爲人名，如丘、岳、圃（🏔）、周。有以一般常用字借爲人名，如口、困、弘、弓等。其中有全不用本義，而只見借用作人名的，如：次（🌀）、夒（🐒）、🐉、🌾、宰（🏠）、雀（🐦）、漁（🎣）。

甲文人名除假借外，更有就已有字形加以增改。這種增改部件的方式或具區別的意義。有增添虛畫以爲人名的，例：大作🧍，本象人正立形，甲文有增點作🧍，用爲人名。欠作🧎，象人張口形，甲文有增點作🧎，用爲人名。禾作🌾，象禾穗形，甲文有強調穗粒作🌾，用爲人名。羊作🐑，象羊首形，甲文有增點作🐑，用爲人名。豕作🐖，象豬形，甲文有增虛畫作🐖、🐖分別用爲人名。

有繁體以爲人名的，例：獲作🐦、甲文增手作🐦，用爲人名。此從雙手示與常態的捕獲字從單手加以區別。商作🌵，一般用爲地名，甲文的子商作🌵，增繁以示人名。🐚爲歲戉字，甲文有增手作🐚，用爲婦名。🏹爲矢或借爲地支的寅，甲文有增口作🏹，用爲人名。

有變形以爲人名的，例：八，由常態的八字一般對稱作八形稍變位置而用爲人名。🐾，由常態的止字作🐾變形而爲人名。🙏，由常態的羌字作🙏曲膝而用爲人名。🐑，由常態的翌字作🐑省畫而爲人名。

有固定的從人正立形以表人名。對比下列虎、美、鬼諸字作爲人名和族名的用法：

	人名	族名
虎	🐯	🐯
美	🦌	🦌
鬼	👹	👹

由以上字例，可能暗示甲文有意識的將從人正立形和立形視作人名和名用法的區別號。

有以否定詞作爲人名的，例：不。甲文中婦名出現的形式一般作「婦某」，皆屬商王的嬪妃，多達81個[8]，如：婦🔣、婦🔣等。其中的婦名如周、🔣等都是承族名而來，宜爲外邦的貢婦。甲文復有省「婦」，單獨作從女旁的人名十分普遍，多達50字。如：🔣、🔣等。其中兼作爲地名的，如🔣；有兼作爲族名的，如🔣。這是人名用法與地名、族名關係密切的一個証明。相對的從女的字有9個用爲地名：🔣、🔣、🔣、🔣、🔣、🔣、🔣、🔣、🔣，有4個用爲族名：🔣、🔣、🔣、🔣，有4個用爲人牲的專名：🔣、🔣、🔣、🔣。這些字例如僅就字形看與人名無異，我們只能就卜辭中的用法加以區別。甲文大量從女偏旁的字，涵蓋人名、地名、族名，以至女性的用法，此可能爲早期母系社會遺留下來的一種習稱。

子名一般用「子某」來表達，多至132個[9]。如：子🔣、子🔣等。子有王子、貴族子、子姓、子爵等用法，卜辭辭簡，無法作明顯的區別。單在第一期卜辭就有112個「子某」，不見得都是武丁的親子。此外，卜辭見卜問子某有孕生子吉否，如〈集14034〉的「庚午卜，賓貞：子🔣娩，嘉？」，其中的「子」也可能用作女子的代稱。

甲文婦、子共同的人名，有：🔣、🔣、🔣、🔣、🔣、🔣。此恐怕都是沿襲地或族爲人名的例子。由下列婦名的從女與不從女明顯爲同字異體，而不從女旁的字又用爲

---

8 此數據參王宇信編：《甲骨學一百年》第11章〈諸婦與諸子〉一節的統計，見頁468。
9 王宇信編：《甲骨學一百年》，頁452。

地族名，此更可証明殷人以地爲名、以族爲名的普遍性。

婦妍—婦井　　　　　　　　婦妤—婦多

婦嬪—婦賓　　　　　　　　婦嫚—婦豐

婦媒—婦果　　　　　　婦　—婦羊

六、動物名

　　包括田狩、祭牲、家畜的對象，共 57 字。屬於陸地上的動物有：[甲骨文]、[甲骨文]、[甲骨文]、[甲骨文]、[甲骨文]、[甲骨文]、[甲骨文]、[甲骨文]、[甲骨文]（狛）、[甲骨文]（狼）、[甲骨文]、[甲骨文]、[甲骨文]、[甲骨文]、[甲骨文]（豚）、[甲骨文]、[甲骨文]、（借爲豰，小豚）、[甲骨文]（犀）、[甲骨文]（虯）、[甲骨文]、[甲骨文]、[甲骨文]。屬飛禽的有：[甲骨文]、[甲骨文]、[甲骨文]、[甲骨文]、[甲骨文]、[甲骨文]（雉）、[甲骨文]、[甲骨文]。屬魚類的有：[甲骨文]、[甲骨文]、[甲骨文]（鮪）。甲文的動物以走獸爲主，飛禽次之，魚類名最少。走獸中又以馬（9）、豕（8）的分類最細，其次爲牛（6）、犬（4）、羊（4）、鹿（3）、虎（3）。此外，如牢與宰二字屬圈養的特殊一類牛羊（朱歧祥說），抑或是一雙牛或羊的用法（郭沫若說），目前仍有爭議，故暫不列於此。又如龍鳳蜺類是神話傳說中的動物，學界雖有龍本鱷魚，鳳指孔雀的說法，目前亦不計算在內。甲文有本動物形但在卜辭的用法上卻不用本義的如：燕作[甲骨文]、本象燕子形，卜辭借爲宴。馬作[甲骨文]，本象馬形，卜辭均用作方國名。蛇作[甲骨文]，本象蛇形捲曲，卜辭用爲族名。虎作[甲骨文]，象虎全形，卜辭有用作方國名。蛛作[甲骨文]，即蜘蛛，卜辭借爲殊，死也。由此可見甲文中假借意用法的普遍性。

七、植物名

　　甲文的植物名主要屬於農作物，爲殷人冀求豐年的主要內容，共有 12 字：[甲骨文]（禾，即穀子）、[甲骨文]（稷）、[甲骨文]（秆）、[甲骨文]（秜，即稻）、[甲骨文]（黍）、[甲骨文]（麥）、[甲骨文]（米）、[甲骨文]（㐭）、

（畲，即高粱）、（穧）、（秱）、（釐，或即豆）。禾黍麥稻等重要米糧均已出現，甚至有一些不知名的農作物，品種豐富。殷人顯然完全過渡至農業社會的固定城邦生活。由卜辭中大量「受年」的貞問，農業無疑是殷人主要的糧食產品。

八、器物名

殷人的生活制成品十分繁多，可反映殷商社會的富足水平。器物名多屬實象，其中有關飲食的，如（卣）、、（酉）、（鬲）、（鼎）　　　　（卣）、（盤），若干亦兼用為祭祀時的用品。有關宗教的，如口（祊）、、（宗）、（冊）。有關建築的，如（寢）、（室）、（亞）。有關樂器的，如（龠）。有關兵器的，如（箙）、（束）。有關交通的，如（車）、（舟）。有關日常生活的，如（衣）、（玉）、（扒）。

甲文復有大量本屬器物，但卜辭中已借為他義的。如即矢，借為族名、地名。即刀，借為族名。即戊，借為族名。即弓，借為族名。戈形兵器的我，借為代詞。即枷鎖的幸，用為執字省。即捕獸器的單，借為地名。即網形的畢，借為禽。即衣，借為殷盛意。即囊形的東，借為方位詞。亦示囊形的束，借為地名。即皿，用為寧字省。即酒瓶的西，借為奠。即形的卄，借為地名。即帚，借為婦。即盛酒的勺，借為升。即絲，借為族名。以上大量借字用法所代表的現象，在文字應用上言，是屬於在早期形聲造字尚未普遍使用時，已有字形嚴重不足以表達日趨頻繁的語言記錄需求下的一個過渡方法[10]。

---

[10] 對照拙文〈甲骨文表〉中的統計，形聲字佔全數甲文不到 20%，其餘八成都屬形意字。表見法國社會科學院東亞語言所主辦紀念甲骨文發現百週年國際學術對會論文，1999 年 12 月。

九、祭儀與祭名

　　甲文多屬祭祀卜辭，其中屬於專祭的祭名和強調祭祀特殊內涵的祭儀並不容易明確細分。除作爲固定相連貫的五種祭祀專名：翌、祭、𤔲、畚、彡等五個祀典外，其他的 35 個祭祀用詞一般可視作用牲的方法──祭儀來理解。如：用火祭的 〓（焱）、〓（燎），投牲於水以祭的 〓（沈）、〓（沈），埋牲祭的 〓、〓、〓、〓，用人牲祭的 〓（烄）、〓，獻牲祭的 〓、〓、切牲肉以祭的 〓（俎），用牲血以祭的 〓（盟），用兵器殺牲以祭的 〓（歲）、〓（戕）、〓（戔）、〓（戒）、〓（剛），用彝器物品以祭的 〓（盧）、〓（鷹）、〓、〓、〓、〓（豆）、〓（簋）、〓（熹）、〓（鼓）、〓（豐）、〓（興）、〓（𤰴）、〓（龠），用農作物祭的 〓（祓）、〓。由以上繁雜的祭儀足見殷人尙鬼的迷信程度。據文字的用法看，祭名多爲假借；祭儀則屬引申，且有以動詞的詞位出現。

十、吉凶名

　　卜辭多貞問的語言，有關吉凶的用字多爲借字，屬正面意義的只有 〓（吉）一字，其他的都屬凶語，如〓（艱）、〓（𡆥）、〓（災）、〓（〓，借爲祟）、〓（禍）、〓（尤，咎也）、〓（蠱，有禍害意）、〓（桹，借爲瘉，病也）。卜辭習用反詢的形式如以「亡艱」、「亡桹」、「亡𡆥」、「亡災」等分句來貞問事情的吉否。

十一、天象方位名

　　甲文中的天象，有據實物繪形的象形，如〓（雲）、〓（雨）、〓（日）、〓（月）、〓（申）、〓（虹）〓（晶，即星字初文）。有增聲符而爲形聲的，如星作〓，作星名的〓。更有大量以假借形式出現，如〓（鳳），讀如風。〓（易），讀如錫，晴也。〓（雇），

讀如霧。🐦(鳥)，用作星名。此外，如四方位置的 🌳(東)、🌿(南)、🌿(西)、🌿(北)，四方風名的東方風曰🌿(劦)、南方風曰🌿(長)、西方風曰🌿(彝)、北方風曰 🌿(役)，理論上都是屬於假借用法的名詞。

十二、官爵名

甲文中的官名有分文官、武官二類。文官有 🌿(尹)、🌿、🌿(臣)、🌿(宁)、🌿(巫)、🌿(史)。武官有🌿(衛)、🌿(射)。爵名有 🌿(伯)、🌿(侯)。這些官名用字與其職位的功能性有關，屬引申義；爵名則都屬借字。

十三、人体名

甲文中有關人体的共 19 字，其中以獨体象形居多，如🌿（人）、🌿（止）、🌿（趾）、🌿（又）、🌿（首）、🌿（目）、🌿（耳）、🌿（自）、🌿（口）、🌿（舌）、🌿（心）、🌿（齒）和屬於人的小類的 🌿（女）、🌿（子），有以指事的形式出現，如🌿（身）、🌿（臀）、🌿（肱）、🌿（天，指人首），亦有屬形聲字的🌿（腹）。

甲文中有超過八成是屬名詞的性質。總結以上十三類名詞的討論，我們可以歸納幾點看法：（1）名詞大多以假借的方式呈現。（2）大量名詞是透過對常態字形的增刪更易而來，這種形体的變異有區別的功能。（3）文字流變主要是由本形本義而假借而增意符爲形聲的用法。殷商甲文正處於假借大盛，形聲未興的由假借至普遍應用形聲之間的一個過渡階段。（4）地名、族名、人名多屬假借，亦有增設區別符號造字，其中的人名復多以地名、族名爲姓氏。水名多屬增水旁的形聲。山名多獨創的新字。（5）相對於地、族、人名大多應用假借，動、植、器名則以實物取象的象形爲立。大量器物名在用法上借爲他義，明顯發見殷商文字正處於詞性和字用轉變頻密的階段。（6）大量不同類別的祭儀和吉凶語，考見殷人對語言文字的內容要求有十分細微精確的需

要。(7) 天象、爵名等舉凡是抽象的觀念，多以假借的方式表達。(8) 天象、人体名多見象形造字，所謂「近取諸身，遠取諸物」是也。其中星字由象形的𣊾而形聲的𣊨、身字由指事的𠂤而形聲的𨈟，甲文已開始掌握另外一條造字途徑：直接據象形、指事增添聲符的形聲造字方法，成爲後來半表形半表音而形音同時並出的常態形聲字之先河。

龍宇純先生七秩晉五壽慶論文集
2002 年 11 月　　頁 209～238

「《殷虛甲骨刻辭類纂》刪正」補說

李宗焜[*]

　　1997 年 6 月 15 日,我在《大陸雜誌》第 94 卷第 6 期,發表了一篇〈《殷虛甲骨刻辭類纂》刪正〉(以下簡稱〈刪正〉),指出《殷虛甲骨刻辭類纂》[1](以下簡稱《類纂》)因爲誤摹、誤釋等原因而誤增的字頭 146 個。近年讀書所得,陸續發現《類纂》誤增的字頭還有一些。

　　日前讀到沈建華、曹錦炎兩位先生編著的《新編甲骨文字形總表》[2],對拙文〈刪正〉多所批評,感激之餘,仍覺尚有說明的必要。當然區區拙文,並無一再討論的價值,所以不憚辭費者是希望對使用《類纂》的人有所幫助,同時對自己的淺見做進一步的說明。

一　補充

　　首先是「補」的部份

　　我在撰寫《甲骨文字表》[3]時,曾附帶指出《類纂》誤增的字頭,但沒有論證,後來寫成〈刪正〉才有稍微詳細一點的說明。近年又陸續發現尚有若干誤增的字頭,這些誤增的字頭,如已先見於他人著述,則不敢掠美;聞見所及,尚未見諸學者論述,尚存二例,謹略說之。

一、《類纂》1028 號列字頭「![字]」，引《甲骨文合集》（以下簡稱《合》）7301
號「![字] 人」。

謹按：此所謂「![字]」字應是「![字]」字（《類纂》1022
號），卜辭「![字]人」一詞習見，可參《類纂》361 頁。《合》
自 7277 號到 7309 號，所見卜辭均見「![字]人」或「![字]」，
自是編者有意的集中，《合》7301 號的拓片「![字]」下所謂的
「![字]」應非筆畫[4]，只是雜紋正巧落在此處，若要勉強說
成「![字]」，不但筆劃不完整，而且典型賓組也不應該有這
麼纖弱頹廢的筆劃。

《甲骨文字詁林》姚孝遂先生的按語說：「此疑『![字]』
之省。辭殘，難以為證 。」[5]按姚說無可從。孫海波《甲骨
文編》附錄下二七，第 5715 字號，列有「![字]」，並說「疑
即![字]之異體[6]。」蔡哲茂先生以為「![字] 人」是「![字] 眉人」，
並可參考。

《合》）7301

二、《類纂》2844 字號列字頭「![字]」，引《合》21534 卜辭「乙亥子卜貞覸 ![字] 獲
女[7]。」《甲骨文字詁林》姚孝遂先生按語：「字不可識，其義不詳[8]。」

謹案：《類纂》讀此條卜辭失誤較多。「覸」字作「![字]」，或釋為「夢」[9]。「![字]」
應為「![字]」（1827 號「龍」）之誤，子組卜辭數見「龍母」，其辭曰：

4　此片又見於羅振玉《殷虛文字後編》1.28.3，但《後》的字跡比《合》更不清楚。
5　于省吾主編：《甲骨文字詁林》（北京：中華書局，1996 年 5 月），頁 953。
6　孫海波：《甲骨文編》（北京：中華書局，1989 年 3 月），頁 951。
7　此片又見林泰輔《龜甲獸骨文字》2.29.9，不如《合》清楚。
8　同前註，頁 2843。
9　詳見《甲骨文字詁林》3074 號，頁 3105-3110。

(1)戊辰卜，㣈貞，酒盧豕至豕龍母。　　　　　　　　《合》21804

(2)庚子，子卜，車小宰卯龍母。

辛丑，子卜貞，用小牢龍母。　　　　　　　　　　《合》21805

(1)辭的龍字作「🐉」，(2)辭的龍字作「🐉」。《甲骨文字詁林》姚先生按語以「龍母」爲人名，爲祭祀之對象[10]。卜辭復有人名「龍」，如：

(3)貞，龍亡不若，不🐉羌。　　　　　　　　　　　《合》506 正

(3)辭的龍字作「🐉」，與上引「龍」字只有方位的不同，這在古文字中往往沒有差別。我認爲《合》21534《類纂》所釋的「🐉獲女」應讀爲「龍隹若」，拓片雖不清楚，但仍依稀可見「隹若」二形。而且子組卜辭中「隹若」一辭常見，如：

(4)癸亥卜，中子又，往來隹若。　　　　　《合》21566

(5)辛巳卜，子貞，我自茲隹若。　　　　　《合》21829

(6)庚申卜〔子〕貞，我自〔茲〕隹若。　　　《合》21831

因此，《合》21534 的卜辭應讀爲「乙亥，子卜貞，夢龍隹若。」《類纂》2844 的「🐉」爲「🐉」之誤，應併入 1827 號「龍」字之下。

《合》21534

二　說明

其次是「說」的部份。

沈建華、曹錦炎兩位先生新近編著出版《新編甲骨文字形總表》（以下簡稱《總表》），這本書是編者自 1996 年開始「用了整整五年時間」完成的，對於甲骨字形多

---

[10]　《甲骨文字詁林》，1827 號，1761 頁。

所創獲，相信對研究甲骨文字的人一定能提供很大的幫助。書中的「《殷墟甲骨刻辭類纂》〈字形總表〉校記」（以下簡稱〈校記〉），指出《類纂》誤增的字形 146 個，並「附帶」提到拙文〈刪正〉，內容如下：（本文所引〈校記〉文字，均忠實迻錄，不作校改。）

> 附帶指出，近時我們也注意到台灣史語所李宗焜先生於 1997 年刊登在台灣《大陸雜誌》第 94 卷第 6 期大作〈《殷墟甲骨刻辭類纂》刪正〉（以下簡稱《刪正》），指出：「《類纂》的誤增字頭有 146 個」。根據我們共同校勘《總表》，經過修訂統計取消誤增字大約也在 146 左右。使我們欣慰的是有一部份應併入取消的字是和《刪正》基本上相同的，對於《刪正》指出缺筆和誤認殘文的字，有些根據同文例上下文是可信的，如：（117）例舉 1045 號[11] 𥄎、𥄎 字認為是爭、𥄎 字的缺刻筆；（136）𥄎 應是 𥄎 之殘；（141）𥄎 應是 𥄎 之殘；（142）𥄎 應是 𥄎 之殘等，但是有一些《類纂》分明摹對的字形，《刪正》根據此字形與某字相近過多臆測，而斷然被取消，恐有所失當，類似這樣的例子不少。我們覺得應該還有商榷的餘地，因篇幅的關係有待專題討論。下面只挑選一部分來舉例說明，以供參考。

接著是該書編者對〈刪正〉所言不以為然的九個「舉例」。

這一段文字舉出〈刪正〉所說四個可信的例子，及從「過多臆測」的說法當中「挑選」出來九個明顯錯誤的例子。文章能引起討論，固然是作者應該感到欣慰的事，故當初讀這段文字並不以為意。但最近幾個讀過這段文字的朋友，所得到的理解竟是：〈刪正〉所談的 146 條說法，其中有四條是講對的，其它大多數屬於臆測，而有九條是明顯錯誤的。

朋友有這樣的理解，是善意的提醒，殊可感謝；如果別人也有同樣的理解，進而否定我的學術能力，似乎也一點都不令人意外。個人無意在數字上算百分比，但有些情況似乎也有說明清楚的必要。

---

[11] 應為 1056 號之誤。

文中所舉四個正確的例子，除了 117 例見於〈校記〉第 45 例之外，其餘三則並未見於〈校記〉，這充分表現了編者尊重智慧財產權的嚴肅態度。

然而，在〈校記〉中所列的 146 則中，除了第 45 例外，尚有 50 多個與〈刪正〉看法相同，卻未見編者指出其與〈刪正〉有任何關係。

我在撰寫〈刪正〉時，把應刪的字各因其性質做了分類，好處是較有系統，不至於零散瑣碎；缺點是打亂了次序，要與《類纂》對照時，不免前後翻查之勞。我趁此機會在本文之末附上對照表，並加上《校記》與〈刪正〉有關的資料，以供讀者參考。

〈校記〉中五十多個與〈刪正〉「基本上相同」的字例，其相同者當然不必再討論，其或有不同者，略說如下[12]：

一、〈校記〉28 例，引《類纂》768 號「𠱠」，云：

> 無釋。原片為：『〔王〕固曰：㞢希…亡終𠃍𠱠。』《合》4307 反。此字實為二個字形誤摹，應併入 0732 𠱠字條下，𠃍字疑『之』或『申』字。

〈刪正〉85 例說：

> 768 號「𠱠」，引《合》4307 反。其字實為 3007 號「𦥑」之誤摹。卜辭數見「有遣」，如《合》5447 丙（賓組）、《合》31935（無名組）。本辭云「亡遣」義正相反。

今按：《合》4307 反「亡終」之下稍有漫漶，《類纂》摹為「𠱠」，於形於義均無可說。〈校記〉釋為「之（或申）由」形義亦無可解，不論「亡終之由」或「亡終申由」皆未見其它卜辭。雖然無法解釋的卜辭甚多，有些是因為時代相隔太遠，可資參考的材料太少所致；而有些不可解者，則是人為造成的。卜辭雖有「有由」一詞[13]，于省吾先生讀由為咎[14]，然則「亡終由」猶有可說，「亡終之由」或「亡終申由」則不知何解？

---

[12] 〈刪正〉發表於《大陸雜誌》，因該刊採用直排，數字均用國字。這裏為了閱讀方便，均改為阿拉伯數字。

[13] 見《類纂》頁 262。

[14] 見《詁林》頁 715 姚先生按語所引。

《合》4307 反

二、〈校記〉第 81 例，引《類纂》2109 號「」，云：

> 姚按："祭名"。此字實作""形，即家字。誤摹。見《合》34069 片"丙
> 子卜王…其家，自☒…于室"。"其家"與"于室"相對應，可知釋"家"不
> 錯。應取消 2109 號，併入 2044"家"字條下。

〈刪正〉第 65 例說：

> 2109 號「」，實為 2119 號「」（实）之誤摹。

〈刪正〉此條過於簡單，讀者或不易了解，有必要做進一步的說明。《合》34069 的卜
辭，《類纂》讀作「丙子卜，王…
其自日…于室。」陳夢家則
讀為「丙子卜，王其实自日戊室」
[15]，陳氏把「其」下「自」上一
字（本節以△表示）釋為「实」，
確是獨具隻眼；他把本辭讀為完
整的一辭，並不認為有殘斷，應
該也是正確的[16]。從字形看，△
與「家」並不相似；從卜辭來說，
「家」與「室」也沒有「相對應」
的關係[17]。且看另一條類似的卜
辭：

《合》34069

　　(7)甲子卜，彭貞：王藝裸，其于且。　　　　　《合》27543

---

[15] 陳夢家：《殷虛卜辭綜述》（北京：中華書局，1988 年），頁 471-472。
[16] 「戊」字應改釋為「于」。
[17] 與「室」有關的，應是同版「于東」的「」。

《類纂》2109 號的△字，姚孝遂先生以爲祭名[18]，陳夢家以爲「宊字從矢，與作宊者或是一字[19]。」我認爲姚、陳二說都是對的，《合》34069 的「其△自…」與《合》27543 的「其 🔲 于且」，△、🔲 均爲祭祀動詞，二者實爲一字[20]。如果認爲△是「家」之誤，於形已難牽強，於義亦無可強解，如〈校記〉讀爲「丙子卜王…其家，自☐…于室。」全辭殘文甚多，不論「其」下一字爲何，大概均無法理解其義，所以△字釋爲何字，都不影響全辭的理解。但如讀爲「丙子卜，王其△自日于室」，讀△爲「宊」，爲祭祀動詞，全辭曉然，讀爲「家」則不知所云。

三、《校記》102 例，引《類纂》2961 號「🔲」，云：

　　姚按："疑是'重雨'二字"，姚說甚是。見《合》31942 片。"辛丑卜，王…重雨果弜 …"。應取消 2961 號，"雨"字併入 1180 號"雨"字條下。

〈刪正〉145 例說：

　　2961 號「🔲」，引《合》31942。此片係據《合》20500 僞刻。「🔲」即誤合20500 的「🔲」和「🔲」（《類纂》1458 號）的一部分筆畫而成。

對照《合》31942 和《合》20500，《合》31942 爲僞刻至爲明顯。〈校記〉既不知其爲僞刻，且既讀爲「雨果」二字，復於《總表》1547 號（78 頁）引《合》31942 的「🔲」和《類纂》1458 號的「🔲」，以爲同字，自相矛盾。

---

[18] 見《甲骨文字詁林》，頁 2039。
[19] 《殷虛卜辭綜述》，頁 472。但陳氏以爲宊是夾室、側室，則尚待論定。
[20] 這兩個字另有作地名的用法。

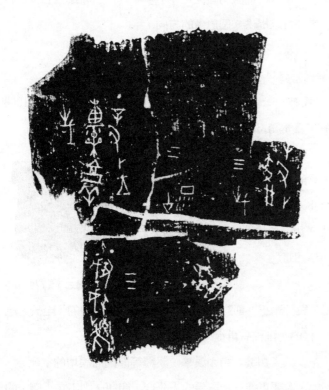

《合》20500

《合》31942

四、〈校記〉126 例引《類纂》3437 號「 」,云:

> 無釋。姚按:"字與'帀'形體有別,釋'帀'不可據。卜
> 辭當為祭名。"此形實 "希" 字簡體之誤摹,見《合》2916
> 片, " 重豕兄戊希"。應取消 3437 號併入 1540 號 "希" 字
> 條下。

〈刪正〉第 130 例說:

> 3437 號「 」,應是 2516 號「不」異體。

《合》2916

今按《類纂》3437 號所引《合》2916「重豕兄戊 」,〈刪正〉以爲作「 」爲「不」

217

之異體，今細審拓片，字形作「 ﾗ 」，即賓組習見之「不」字，不待深論。《合》2917 卜辭云「□豕兄戊，用。」或許可以提供一個思考的方向。

五、〈校記〉145 例，引《類纂》3544 號「ﾖ月」，云：

> 姚按：「當為『翌』字殘泐」。此字實作屮形，當為"屮"字誤摹，見《合》21908
>
> 片"壬子貞：王屮商"。應取消 3544 號，併入 3350 號"屮"字條下。

〈刪正〉125 例說：

> 3544 號「ﾖ月」，引《合》21908（即《乙》1779），從
>
> 《乙》可見此字即 3338 號「用」（用）之誤摹。

按「ﾖ月」為「用」之誤，「王用商」的「用」，應與《合》236「用望乘來羌」的「用」，用法相似。

《乙》1779

以上所說的，是〈校記〉與〈刪正〉都討論到的問題，而看法不同的。至於〈刪正〉所言，〈校記〉的說法一樣的，則沒有再提的必要。

〈刪正〉寫作的初衷，是要把《類纂》中因誤摹、誤釋等原因而誤增的字刪掉，至於單純的重複，或摹釋不誤，需要更進一步認識的「分合」問題，則不在「刪」的範圍，因此不見於〈刪正〉。〈校記〉中有若干分合和重複的字例，下面將談到的 ﾋ 即是一個分合的例子。

1998 年 5 月 10-12 日史語所與台灣師大國文系合辦「甲骨文發現一百周年學術研討會」，我提出一篇小文〈《甲骨文字編》芻議〉，對自己撰寫《甲骨文字編》的構想提出一些看法，舉了一些分合的例子[21]。其中談到「ﾋ」、「ﾋ」可合為一字，文章說：

> 《類纂》1086 號「首」字下列兩個字形，其中「ﾋ」的主要辭例是「ﾞ ﾋ」
>
> （《類纂》釋「途首」），例如：

---

[21] 見《甲骨文發現一百周年學術研討會論文集》（臺北：文史哲出版社，1999 年），頁 125。

　　甲戌卜，殼貞：翌乙亥，王途首無囗。　　　　　　　　《合》6032 正

《類纂》3425 號「🖐」字頭下引一卜辭云：

　　己丑卜，古貞：王途🖐無蚩。　　　　　　　　　　　　《合》916 正

　　辭例與 1086 號的「途首」一樣，我們認為「🖐」也是「首」字。「🖐」是
側面象形，「🖐」是正面象形。

2001 年出版的《總表》〈校記〉第 122 例云：

　　無釋。姚按："當為方國名"。此形實即"首"字省體，見《合》9196 片[22]。

　　"己丑卜，吉貞：王夆🖐亡壱"，"途首"一詞卜辭多見，如《合》6032："甲

　　戌卜，殼貞：翌乙亥王夆首亡囗"，首字側面作形。"首"字正面字形見 3501

　　號，作🖐形，姚按："此乃'首'字之異文"。此說可信。可知🖐釋"首"無

　　疑。故應取消 3425、3501 號，併入 1806 號"首"字條下。

個人淺見，得到如此的響應，自是應該感到欣慰的。要補充說明的是姚先生對 🖐 的
看法很有道理，我在博士論文《殷墟甲骨文字表》中，把這個字緊次於「首」字之後，
不馬上併爲一字，主要是因爲考慮到辭例存在著相當的差異，分合兩可時，「求其分」
是我的基本原則，這是體例的問題。

　　另一個例子是關於磬、聲諸字的合併。我在 1997 年 10 月提交給香港中文大學中
國文化研究所「第三屆國際中國古文字學研討會」的會議論文──〈釋磬聲〉[23]，詳
細論證了幾個過去學者不認識的甲骨文字，分別應釋爲磬或聲。半年後，《總表》的
主要編者沈建華女士寫了一篇〈甲骨文中所見幾種異體字例釋〉[24]，其中的「移位異
體」一節，對甲骨文中若干與磬、聲有關文字的摹釋、分合，所持觀點與拙文若合符
節，當然沈女士文中並未提及拙文，應該是沈女士自己的發明，我應該欣慰所見略同。

　　甲骨文字的分合比較複雜，不只是摹寫對錯的問題而已。我正準備寫一專文討

---

[22] 此原文之誤，當是 916。

[23] 見會議論文集，頁 205-210。

[24] 吉林大學古文字研究室編：《中國古文字研究》第 1 輯（長春：吉林大學出版社，
　　1999 年 6 月），頁 33-38。

論，到時也希望能有「如應斯響」的喜悅。

下面針對〈校記〉所「挑選一部份來舉例說明」的「過多臆測」、「有所失當」、「還有商榷餘地」的例子進行商榷，所引〈校記〉文字，第一個數字是〈刪正〉的編號，接著是《類纂》的編號及字形，其下是〈校記〉作者的說明。

一、（96） 1596 ▨▨ 　查對原片臨摹無誤，《刪正》："案此字當為 ▨▨ 之誤摹，即 ▨▨ 異體"。按此字為晚期地名不作動詞用，恐屬臆測。

（97） 1465 ▨ 　《刪正》："案此字為 ▨▨ 之誤摹，1407 號即 ▨▨ 字"。作者忽略對貞卜辭中分明作 " ▨ " 形無誤，▨▨ 字為晚期地名，不作動詞用。

〈刪正〉96、97 二例，談的是《類纂》的兩個字，實際則為同一個問題，因此放在一起討論。〈刪正〉的原文是：

（96）1596 號「▨▨」，引《合》27816。《類纂》將其字入於犬部，可見其認為此字從犬，《甲詁》姚按[25]即以為此字「從犬從未」。謹案此字當為「▨▨」之誤摹，即 1407 號「▨▨」之異體，其字既不從犬，也不從未。又案《合》27816 辭例與《類纂》1455 號所引《合》30757（《甲》3915）類似，30757 的「▨▨」與 27816 的「▨▨」應為一字，參見下例。

（97）1455 號「▨」字，詹鄞鑫以為「象木上插著楔尖，因知枼是薪字初文」，《甲詁》姚按認同詹說。謹案此字當為「▨▨」之誤摹，即 1407 號「▨▨」之異體，說見上。

先從例（97）談起。首先要指出的是：〈校記〉所謂「對貞卜辭」的說法是錯的。《類纂》1455 號所引的「▨」，見於《合》30757，即《甲》3915。這一龜版卜辭的對貞關係，其左右對稱的相對位置，是屬於「常例」。「▨」字（本節用△表示）出現在龜版上部左側，辭云：

---

[25] 在〈刪正〉中說明此是《甲骨文字詁林》姚孝遂先生按語的簡稱。

(8)甲子卜，狄貞：王其△ 〔圖〕重丁。　　　　　　　　　　　　《合》30757

△字屈萬里先生摹爲 〔圖〕，云「〔圖〕 字亦未能識」[26]。《類纂》摹爲「 〔圖〕 」[27]。與本辭對貞的應是上段右側的：「☐重乙，吉」，是「丁」和「乙」的選貞。〈校記〉所指對貞的「 〔圖〕 」字出現在右側甲橋附近的上部，只剩二個字的殘辭；與之對貞的是左側甲橋附近上部的「癸卯卜」一辭，與上引「甲子卜」一辭並非對貞的關係，無從強行比附。

再從字形來看，〈校記〉所謂對貞的「 〔圖〕 」字，位於龜版殘斷處，目前可見的筆劃只有「 〔圖〕 」，其上一橫是否即是殘斷處之筆劃無從論定，甚至爲某字之下半亦未可知。至於△字，《合》30757 與《甲》3915 拓片都不甚清楚，經查《甲》3915 實物，其字作「〔圖〕」，屈先生考釋摹作 〔圖〕，雖不十分精準，基本上是對的；〈刪正〉寫作時未參核實物，所摹亦稍有誤失。要之△字從雙「又」，驗之實物絕無可疑，說其字即「對貞」的「 〔圖〕 」絕不可信。

回到〈刪正〉的（96）例。《類纂》1596 號「〔圖〕」，謂其字從犬，引卜辭：

丁卯卜，狄貞：王其 〔圖〕〔圖〕，若☐。　　　　　　　　　　《合》27816

我在〈刪正〉（96）例說《合》27816 和《合》30757「辭例類似」，現在甚至可說兩者基本同文。《合》30757 的△，驗之《甲編》實物，作「〔圖〕」，從雙「又」既確無可疑，則《合》27816 相應之字從雙「又」更待何說？

至於〈校記〉所謂《類纂》1407 號的「〔圖〕」，「爲晚期地名不作動詞用」，則需進一步說明。《類纂》1407 號所引卜辭，確實多數用爲地名。但這只說明《類纂》所引者如此，並非其字絕不可有其它意義。前引二例，其字既與《類纂》1407 號一般無別，就不得不承認其字除地名外，仍有作爲動詞的用法，除非能證明彼等爲不相干的兩個字。把《類纂》1596 號和 1455 號併入 1407 號，正可以豐富 1407 號「詞義」的內涵，大可不必因 1407 號原多用爲地名，即謂其用爲動詞者爲臆測。

---

[26] 屈萬里：《殷虛文字甲編考釋》3915 片（臺北：中央研究院歷史語言研究所，1961 年 6 月），頁 491。

[27] 《殷墟甲骨刻辭摹釋總集》讀此辭至△爲止；其下爲另一辭，讀爲「叀丁舟」。

《合》27816

《合》30757（局部，縮小）

二、（99）1617 ⾦ 　《刪正》糾正《類纂》所引《合》1083[28]"⾦"字，
疑"⾣獲"缺筆，似可信。但對《類纂》另外一條所引《合》7653

---

[28] 應為 10863 正。

片"🔸"認為是"豪"字，經核對原摹無誤，疑屬 1628 號字形相近。

〈刪正〉99 例的原文是：

（99）1617 號「🔸」下引兩條卜辭。其一為《合》10836，辭云「辛卯卜，爭貞：🔸 獲」。卜辭習見「干支卜某貞 🔸 獲」之辭例，如《合》21761、21763 等。本辭「🔸」字當為 1054 號「🔸」之有缺筆者，類纂所摹有誤。其二為《合》7653，從其字之筆勢看，當為 238 號之「🔸」。

首先，我要提出一點修正。〈刪正〉所提的第一個字形，《合》10836 應為 10863 正；其字形應該併入《類纂》的 1625 號「🔸」。1054 號字頭作「🔸」等，所引卜辭雜有作「🔸」者，應一律移到 1625 號之下。

接著談〈校記〉的問題。

《類纂》1617 號的字頭是「🔸」，不是〈校記〉的「🔸」，〈校記〉所摹嚴重失真。關於《合》7653 片，我當時用的是《合集》的拓片，推論「從其字之筆勢看，當為『🔸』」。〈校記〉果真「核對原摹無誤」，也應該如《類纂》所摹的「🔸」，絕不可能變成「🔸」，進而謂其應與 1628 號的「🔸」相近。今更要補充說明的是，《合》7653 即《鐵雲藏龜》208.4，拓片比《合集》還差，嚴一萍先生《鐵雲藏龜新編》[29]415 頁收錄此片，拓片甚為清楚，其字作「🔸」至為清晰，也印證我當初依《合集》拓片筆勢的推論完全正確。

《合》7653

《鐵雲藏龜新編》

[29] 嚴一萍：《鐵雲藏龜新編》（臺北：藝文印書館，1975 年）。

223

三、（100）1927 〔字形〕　此字查對原片對貞卜辭作〔字形〕形，清晰無誤，《刪正》斷
作〔字形〕字有誤，實為 1916〔字形〕字異文。

〈刪正〉第 100 例的原文是：

（100）1927 號「〔字形〕」，實為「〔字形〕」之誤摹，即 1916 號之「〔字形〕」字。《類
纂》1927 號引《合》29711、29712 版四辭。從 29711 這一版上的確很難斷定是
非，但 29712「不遘〔字形〕日」已清晰可見此字本從〔字形〕，《類纂》1916 引《屯》[30]2442
「其遘〔字形〕日」字亦明顯從〔字形〕。

又黃天樹於 29711 之上綴合 29403（《殷墟王卜辭的分類與斷代》附錄三〈甲骨
新綴廿二例〉第十八例，文津出版社，1991），其字從〔字形〕亦確然無疑。

謹案：〈校記〉的文字，讓人感到不知所云。《刪正》只說《類纂》1927 號的字應該
「從〔字形〕」，從未「斷作〔字形〕字」。而且從所
有清晰無誤的字形看，其字均「從〔字形〕」，
作「〔字形〕」是錯的。〈校記〉所說的「此字
查對原片對貞卜辭作〔字形〕形，清晰無誤」，
其字分明「清晰無誤」作「〔字形〕」，實在
不懂〈校記〉在說什麼？

《合》29711

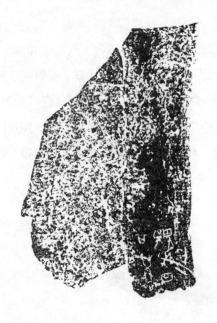

《屯》2442

---

[30] 《小屯南地甲骨》的簡稱（北京：中華書局，1980 年）。

《合》29712 　　　　　　　　　　　　　　《合》29711+29403

四、（106）2214 畏　　此字原片不清，難以隸定。《刪正》："按為應作 ㄓ 字
　　　　　併牧入字以下"，恐怕也有問題。

〈刪正〉的原文是：

　　（106）2214 號「畏」，所引《合》37677 並不清楚，但參照《合》37373，其
　　字應作「 ㄓ 」，應併入 2827 號。

225

謹案：《合》37677 拓片不很清楚是事實，但只因「原片不清，難以隸定」，就斷定我的說法「恐怕也有問題」，似乎也是想當然耳。

《類纂》2214 號所引的卜辭作：

… 貞王 … 往來亡 … 固曰：吉。… 王曰卑母(?)

《合》37677

「卑母」不論從字形或詞義來說，都是講不通的，《類纂》編者在「母」字旁打問號，亦表示存疑。「曰」字作「ㄩ」，《類纂》讀爲「曰」是對的。我覺得本辭完整的讀法應是：

(9)〔□□王卜〕貞：〔田□〕，往來亡〔災，王〕固曰：吉。王曰🦌 鹿。

從字形上說：《類纂》所存疑的「母」，應是「鹿」字。「鹿」上一字《合集》較模糊，此片即《殷契遺珠》118，爲河井荃廬舊藏，拓片比《合集》清楚一些，其字略作🦌，不是「卑」字。《類纂》2827 號把見於《合》19233 的「🦌」收在「🦌」字下是正確的。《合》37677 的「🦌」與《合》19233 的「🦌」無疑是一個字，與見於《合》37373 的「🦌」爲一字異體。

從詞義上講，裘錫圭先生認爲甲骨文字形作「ㄩ」（口）而讀爲「曰」的，應該訓爲「謂」，義近於「命」，「王曰」即「王命令臣下」[31]。如此，則這條黃組田獵卜辭的「王曰擒鹿」，即是「王命令臣下擒鹿」的意思。

五、（129） 3189 🦌 《刪正》認為："🦌是東字異體，或是🦌之誤"，畢竟屬推測，查原片無誤，究竟是東或束，需要研究，取消恐失妥。

〈刪正〉的原文是：

（129）3189 號「🦌」字頭下所引各辭條，或是 2968 號「東」字異體，或是 1530 號「🦌」之誤。3189 號之字實際並不存在。

---

[31] 參見裘錫圭：〈從幾件周代銅器銘文看宗法制度下的所有制〉，《盡心集》（北京：中國社會科學出版社，1996 年），頁 133；〈關於殷墟卜辭中的所謂「圭祀」和「圭司」〉，《文物》1999 年第 12 期。

謹案：從〈刪正〉的體例而言，取消本字確實不很恰當。〈刪正〉例（126）至（130）基本上摹寫都沒錯，只是沒把字認出來。例（129）的情況又比較複雜，不像例（128）說「 」是「 」（不）倒刻那樣，一經指出茅塞頓開。《類纂》3189 號這個字應該在分合中去討論比較恰當。「究竟是東或束，需要研究」是有道理的。 、 、 、 諸字的關係比較複雜，需進一步研究；但 是「東」字異體的說法，絕對不是「推測」。最明顯的例子如《合》28190 的「西方 鄉」、「 方西鄉」對貞，「 」無疑是「東」字。《類纂》3189 號所引《合》893 正即《丙》617，「勿 …于 」， 字張秉權先生釋東是有道理的；《合》14658、14755 等的「貞于東」可證。另外《合》22344 即《甲》2289，辭甚殘，唯一完整的一個「 」字，屈萬里先生釋爲「東」，《類纂》摹「 」釋「東」且放在 2968 號「東」字下[32]，這些都不應屬於推測的偶然[33]。

《合》28190

六、（132）　599 　　《刪正》誤為 "制字之殘"。查原片該位置正好在甲首右端，完整無缺，不存在「殘存斷裂」，而且與制字同文例也不相符，《類纂》臨摹無誤。

〈刪正〉原文是：

（132）599 號「 」，見《合》895 乙，其字位於右上角，字之右半殘斷，從其殘存筆劃判斷，應是 2484 號「 」字之殘。

---

[32] 《類纂》，頁 1148。
[33] 《總表》，頁 146，3405 號「東」字沒有作「 」的異體。

《合》895 乙

這個問題可以分兩階段來說。

首先，不論該字是否在「甲首右端」，但其字在邊緣是不可否認的事實，邊緣的筆劃容易受風化粉碎而丟失，做拓片時也較難拓出來，前面所舉第一個例子的「＊＊」，左側的雙「又」也因位處邊緣，從拓片上看不出筆劃，這種情形是很普遍的。

從字的構造來講，拓片所見的所謂「夕」字，左旁的「夕」，明顯比右旁的「夕」大得多，賓組的字大抵從容安雅，不太可能有這麼彆扭的字。〈校記〉所摹的「夕」顯然是經過「美化」的。所謂「與剞字同文例也不相符」，我們不知道〈校記〉所謂的剞字同文例指的是什麼？如果堅信「夕」字臨摹無誤，則「夕其」又能得到什麼同文例的證明。

其次，再來檢討該字「位置」的問題。前面說到，姑不論其「位置」何處，字處邊緣筆劃容易流失是事實。〈校記〉所說的「位置」，見《合》895 乙，是《乙》5762和《乙》6208 拼合的；「夕」字在上半段，即《乙》5762。我翻查新版《乙編》[34]的拓片，右側似仍有一短豎，自是增加了自信。為了慎重起見，乃調閱原件，始知蔡哲茂先生在最近重加綴合，《乙》5762 不在「甲首右端」，是在「千里線」左側，《合》895 乙的綴合是錯的。其右加綴《乙》5527 和《乙》5718，密合無間，「夕」字赫然在目，印證了我當初利用殘存筆劃，判斷「夕」字應是「夕」字的推論明確無疑。

---

[34] 臺北：中央研究院歷史語言研究所，1994 年 6 月。

從蔡先生的綴合看，其辭云：

(10)丙辰卜，殼：剌其有囚。

丙辰卜，殼：剌亡囚。

這些文例皆未見於《類纂》所引，但卻是事實俱在的對貞卜辭，由這一組對貞卜辭，也驗證了李孝定先生根據《乙》2262（按即《合》4814，見蔡先生綴合之右下角）「丙辰卜，爭〔貞〕：剌亡不若」一辭，認爲剌「爲人名或方國之名」[35]的說法是正確的。

七、（134）1824 《刪正》指出：《類纂》所引文《合》16043：" " 字爲1814號 之誤，作者忽略同版對貞卜辭分明作 形，雖有殘，但右邊從[36]清晰可見，《類纂》臨摹無誤。

〈刪正〉134例的原文是：

（134）1824號「」字頭下引二條卜辭，其一爲《合》1333，但其字作「」，不從魚，應與1807號「」等爲一字，參見《殷墟甲骨文字表》1932號，此不贅述。其二爲《合》16043，相關之字出現在拓片的邊緣，上部略顯模糊。右上一字只剩下「魚」字的下半，右邊的筆畫是魚字的右半「」，並不是字頭的「」；左上一字亦殘斷，但其字從魚無疑，從相關辭例看，卜辭常見「不其魚」（見《類纂》674-675頁），可斷1824號「」爲1814號「」之誤。

謹案：〈校記〉所謂「作者忽略同版對貞卜辭分明作 形」，實屬粗枝大葉。〈校記〉分明忽略了〈刪正〉所說「左上一字亦殘斷，但其字從魚無疑」，所指的即是〈校記〉所說「同版對貞卜辭」那個字。至於這個字何以是 ，〈刪正〉說得已夠清楚，不待辭費。

---

[35] 李孝定：《甲骨文字集釋》（臺北：中央研究院歷史語言研究所，1982年6月），頁1531。
[36] 原文如此，依其內容應補「」字。

《合》16043

《合》18807 正

八、（139） 3200 　經核查《合》29284 作地名，原片同版另有其字，無從
　　　　林字，完整無缺。《刪正》斷為 字殘，而焚為動詞，與此作地名
　　　　不合，顯然錯誤。

〈刪正〉140 例的原文是：

　　（140）3200 號「　」，應是 1476 號「　」之殘。

謹案：〈刪正〉140 例充分顯現了個人寫文章一向「無乃太簡」的缺點，言簡意不賅，
一般人難以理解。這一條最簡單的說法至少應該是：

　　3200 號「　」應是「　」之殘，與 1476 號「　」應為一字異體。

《類纂》3200 號「　」引如下二條卜辭

　　其田徚于　無災擒

　　…　　　　　　　　　　　　　　　　　　　　　　　《合》29284

〈校記〉據以說「經核查《合》29284 作地名，原片同版另有其字，無從林字，完整
無缺」，並認為「　（焚）為動詞，與此作地名不合」。

　　如果仔細核查，就知道〈校記〉的說法無一是處。《合》29284 的卜辭有三段，最
下一段是「王車…田…」殘辭，最上一段即「　」，即我認為殘斷而〈校記〉認為
「完整無缺」的字。中間一段是關鍵所在，其辭的正確讀法應該是（釋文依《類纂》）

　　(11)其田徚　，無災，擒。　　　　　　　　　　　《合》29284

231

《類纂》誤把所從的「林」釋爲「于」，〈校記〉大概因爲《類纂》把「▢」放在「于」下，就認爲「▢」是地名，那麼「其田徦于▢」的「徦」將作何解釋？

我們認爲「徦」才是地名，田獵卜辭中的「其田△」、「重△田」，△一般是地名，即田獵的地方。「徦」作地名還有其它的例子，如：

(12)王其田徦。　　　　　　　　　《合》29283

(13)重徦田無災。　　　　　　　　《合》29285

由此可證，《合》29284 的「徦」才是地名，「▢」則爲動詞。

卜辭還有在「徦」這個地方進行「焚」這個動作的。如：

(14)重徦麓焚，擒，有小狩。　　《屯》2326

(15)重徦焚。吉。　　　　　　　　《屯》2395

這兩條卜辭與《合》29284 意思相當，而焚作「▢」，使我們有理由相信《類纂》3200 號的「▢」，不但應該是「▢」，而且與「▢」爲一字異體。見於《屯》4490 的「重尤焚，無災，擒」，辭例與《合》29284 相似，焚字作「▢」，亦可證尤、徦都是地名，▢、▢爲一字異體。

《類纂》1476 號引卜辭：

(16)辛巳卜，翌日壬，王其▢麦麓。　　　　　　　《屯》2722

如果對照下引的卜辭：

(17)弜▢淒麓。　　　　　　　　　　　　　　　　《屯》762

不難看出▢與▢也是一字異體。甲骨文往往在地名加水旁，麦、淒同地無庸置疑。

從以上的論證，可知「▢」確爲「▢」字之殘，與「▢」、「▢」皆爲一字異體，爲動詞。《合》29284 的「徦」才是地名，與「焚」爲動詞並不衝突。

《合》29284

232

　　上面針對〈校記〉所明指爲臆測的九則詳爲說明。〈刪正〉中尚有一些例子，既未得〈校記〉作者指教，自亦無從得知臆測之所在。個人論述，容或不敢自專，尚有數十則有幸被寫入《總表》中，而有些字例只是客觀存在的事實，本身毫無爭議，《總表》仍不敢信其是，實在令人不解。如《類纂》562 號「」（姅）引《合》21568，〈刪正〉118 例指出與《合》21568 同片的舊著錄《鐵雲藏龜拾遺》11.11，清楚明白作「」（妹，《類纂》462 號），《總表》仍以列爲 573 號（44 頁）。

《合》21568　　　　　　　　　　　　　　　　《鐵雲藏龜拾遺》11.11

　　以上謹就與〈刪正〉有關的問題提出補充和說明。相信《總表》中必有甚多精彩的見解，因本文旨趣不在爲《總表》寫書評，也就不討論了。

三　詞義

　　末了，我想以本文牽涉到的一些關鍵字例，來簡單說一下如何正確認識一個甲骨文字的方法問題。在這裏主要先說「詞意」的理解。

　　誰都知道，徹底認識一個甲骨文字，必須形、音、義三方面都講都通，但現實條件的限制，能完全解決形、音、義的甲骨文字，在全部的文字中所佔比例並不高[37]。雖然能完全認識的字不多，但能基本暸解的「卜辭」，在比例上來說要比「文字」來

得高。

　　陳夢家曾說：「認字是爲了通讀卜辭，爲了瞭解文字所反映的意識，不在乎出奇致勝的要發明什麼　。」[38]陳氏的說法很有道理，可惜很多人的重點似乎放在「出奇致勝的要發明什麼」，「發明」的結果對通讀卜辭卻毫無幫助。就「認字」與「通讀卜辭」的關係來講，既認識字又能通讀卜辭當然是最理想的，但有些卜辭，每一個字都認得，卻無法瞭解卜辭的意思，這種情形在讀甲骨卜辭時經常發生。另一方面，有一些甲骨文字的本形、本音、本義俱無可說，卻不影響卜辭的理解。陳夢家提到認字過程的兩個重要的「技術」，其中之一是：「單字當作一個『詞』在卜辭句子中的位置及其作用」[39]，只要正確認識這個「詞」的位置及作用，字雖不認識，仍不害於「詞義」的瞭解。

　　在甲骨卜辭中，有爲數不少的不認識的「字」，從其「位置及作用」可以知道它「所反映的意識」，其中最明顯的就是地名和人名的認識。如前面提到「重△田」，知道△的位置及作用，儘管△的形音義皆不可知，也能知道△指的是田獵的地方。又如「劓亡不若」、「劓亡囚」，即知「劓」爲人名或方國名。

　　過去學者對甲骨「文字」所作的努力，大部分集中在本形、本音、本義的考證，對於「詞義」所做的工作相對較少。研究一個字的本形、本音、本義是文字學者追尋的目標，找到形音義的源頭，其後的引申、假借等，便如目在綱。既是本形、本音、本義，其「本」自然只有一個。但作爲一個「詞」，它的意義就不是那麼封閉。參考相關文例可知，前面提到的「劓」字除用爲人名外，也用爲動詞，如《合》21021「大風自西劓雲」，學者引《說文》「劓，擊也」之說，來解釋這條卜辭。由此可知，不論「劓」字的本來形、音、義爲何，它在卜辭中至少有「人名」和作動詞用的「擊」兩個意義；而在作爲人名時，當時的取義未必跟動詞的「擊」有關。趙誠在《甲骨文簡明詞典》中說「劓，從刀弗聲。本義似爲以刀刃擊斷。甲骨文用作動詞，有吹拂、擊打之義，似爲本義之引伸[40]。」從上面的論述，可知「劓」不只「擊斷」一義，另有「人名」一義，這從卜辭中都可得到證明，如果拘執其中一義，遂認爲別的詞義與文例不相符，未免失之偏頗。

---

[37] 大約不到三分之一，詳拙著：《殷墟甲骨文字表》，第一章第一節。
[38] 《殷墟卜辭綜述》，第二章〈文字〉，頁 73。
[39] 同前註，頁 70。
[40] 北京：中華書局，1988 年 1 月。頁 371。

即使從現有卜辭看（更實際的說，是從論者所知見的卜辭看），某字只有某一個意義，也不意味該字即絕不能有別的詞意，如前舉「⿰字」字，從現有卜辭看，幾乎都是地名，但「王其⿰字」等卜辭，用為動詞，字形既與用為名詞的字完全一樣，儘管它們有不同的意義，但無疑是一個字，在未能論定它們不是一個字之前，實不應因為其字為「地名」，即「不作動詞用」。

由此可見，詞義的研究與字義的研究有所不同，詞義顯然不像字義那麼封閉。

雖說詞義的瞭解，有時不受字義局限，甚至不認識的字也不影響卜辭的通讀，但這絕不表示在瞭解卜辭時，「認字」不重要。更多卜辭的通讀，仍是建立在字的認識上。前面《合》34069「丙子卜，王其实自日于室」的卜辭，如果把「实」這個「字」認成「家」，不論如何解釋它的「詞義」，這條卜辭都是讀不通的。很多卜辭理解上的出入，往往都是因為認字不清引起的。

詞義雖比字的本義廣泛，但不是說在討論字義時即可完全不顧詞義。有些字雖然在形體上或可視為一字，但若詞義有明顯區別，仍需持較保守態度。如前舉的「⿰字 ⿰字」（途首）、「⿰字 ⿰字」，形既可說，又能得到詞義的證明，「⿰字」、「⿰字」可定為一字。但《合》20322：「…王貞余…⿰字于示…我祐」，姚先生說「⿰字」是首的正面象形不無道理，但字形既與「⿰字」、「⿰字」存在差異，詞義亦有所不同，是否一字尚待進一步論證。

附帶提一下筆劃的問題。甲骨文中常見缺刻筆劃的情形，學者對此措意較多，也有一些文章發表，從對字形或同文例的認識，進而「足成」缺刻的筆劃。反之，有些泐痕被誤以為筆劃，從同文例中本可以得到正確的理解，卻因一念之差而治絲益棼，前面關於「不其黍」甚至「⿰字人」的討論，就是明顯的現象。

附表

說明：本對照表中的數字均爲序號，不是頁碼。〈校記〉欄中，與〈刪正〉內容基本相同的，只列其序號；與〈刪正〉說法不同的，序號後加一「異」字；謬承認同者，加「指正」二字；其特別指出〈刪正〉錯誤而實不然者，加「指誤」以別之。

類纂	刪正	校記	類纂	刪正	校記	類纂	刪正	校記
0109	35		0733	84		1453	25	
0121	36		0764	46		1455	97	指誤
0124	37		0766	50		1460	146	
0126	38	1	0768	85	28 異	1467	26	
0149	1	5	0779	7	29	1479	57	
0159	2	6	0787	127		1580	98	69
0162	126		0788	51		1596	96	指誤
0163	39		0792	48	30	1617	99	指誤
0173	40	8	0834	86		1624	12	
0179	79		0850	87		1690	58	
0187	80	10	0891	52	31	1731	59	72
0194	81	11	0901	110		1749	60	
0220	82		0959	53	34	1750	90	
0266	41		0960	8		1804	13	
0277	42		0969	54		1824	134	指誤
0371	109		0985	9	40	1885	61	
0377	131		0995	55		1895	62	
0389	43	95	0998	119		1927	100	指誤
0402	44	16	1021	116	43	1970	101	
0405	45	17	1056	117	45 指正	1975	14	78
0411	3		1059	88		2009	63	
0414	47		1083	89	48	2074	135	
0443	49		1129	92		2079	136	指正
0550	83		1138	24		2098	64	
0562	118		1227	10		2109	65	81 異
0566	115		1262	56	55	2214	106	指誤
0567	105	21	1264	11	56	2259	15	
0598	4	23	1336	133		2270	107	83
0599	132	指誤	1430	95		2274	137	
0676	5	26	1431	94	62	2276	138	

類纂	刪正	校記	類纂	刪正	校記	類纂	刪正	校記
2372	27	84	3057	19	105	3437	130	126 異
2377	111	85	3113	20		3443	76	128
2384	66	86	3144	21	106	3448	93	·130
2390	67	87	3144	21	142	3458	6	133
2467	16		3189	129	指誤	3469	122	
2695	68	95	3200	140		3471	103	
2700	128	96	3202	112		3476	108	
2790	69		3235	29		3481	23	136
2803	70		3269	73		3492	143	
2813	71		3276	141	指正	3509	78	
2853	72	100	3292	30	132	3511	114	
2889	139	指誤	3292	31	132	3512	32	140
2929	102		3352	113		3517	33	
2961	145	102 異	3388	22	115	3522	123	141
3000	17		3397	142	指正	3527	34	
3034	120	103	3406	74		3534	124	
3035	28		3408	121		3536	77	
3045	18		3416	75	120	3544	125	145 異
3046	144		3432	91	124	3546	104	146

龍宇純先生七秩晉五壽慶論文集
2002 年 11 月　　頁 239～254

談青銅簋類器自名前的修飾語問題
——以《殷周金文集成》為例

沈寶春[*]

一、前言

　　關於青銅簋類器的形制研究，一般通專論書籍論文時常觸及，如陳芳妹的〈商周青銅簋形器研究—附論簋與其它粢盛器的關係〉即是[1]，至於談青銅器中各類器的名稱用途，學者亦多所關注，如張亞初的〈殷周青銅鼎器名、用途研究〉[2]、陳劍的〈青銅器自名代稱、連稱研究〉[3]等。這其中，根據張亞初《殷周金文集成引得》整理〈《殷周金文集成》單字出現頻度表〉所顯現的，各器類銘文中除禮器共名通稱的「尊彝」二字出現頻度高出一般器類外（「彝」共出現了 1631 次，「尊」共 1533 次），作爲專名的青銅器中，就以「簋（殷）」字（以下行文用簋，引原文則用殷）出現的頻率最高，試將其與它器類在銘文中出現的頻率作個比較，從中似可窺知「簋（殷）」在商周時期應用的普遍訊息[4]：

序次	器類	頻度	序次	器類	頻度
1	簋	725	8	盨	86

[*]　成功大學中國文學系副教授。

[1]　見國立故宮博物院編輯委員會：《商周青銅粢盛器特展圖錄‧前編》（臺北：國立故宮博物院，1985 年 3 月），頁 19-110。

[2]　見中國古文字研究會、中華書局編輯部：《古文字研究》（北京：中華書局，1992 年 8 月），第 18 輯，頁 273-315。

[3]　見李圃主編：《中國文字研究》（南寧：廣西教育出版社，1999 年 7 月），頁 335-370。

[4]　見張亞初：《殷周金文集成引得》（北京：中華書局，2001 年 7 月），頁 1151-1515。

2	鼎	429	9	盉	48
3	戈	410	10	刀	41
4	鐘	391	11	戟	38
5	鬲	204	12	盤	34
6	壺	152	13	匜	28
7	簋	135	14	卣	23

簋以如此高的出現頻度，跨越的年限又從殷至戰國綿亙流長[5]，加上應用的普遍，誠如容庚、張維持所說：「傳世古器以簋為最多，證以古籍，可知殷、周兩代用簋的普遍。」[6]及陳芳妹所說：「粢盛器中，以簋出現最早、流傳最久、傳世的數量最多，在青銅禮器史中的地位也最突出。」[7]可知簋類器銘較諸他類，是一材料較豐足且全面的憑證，在觀察探索商周時期行文用語的模式時屬較殷實的取樣標準，以其一枝獨秀，管窺所得，或有助於建立商周青銅器銘中自名前修飾語所涉及的內容與結構，並對單詞修飾語組合成複合修飾語的過程有一番的考察與釐清。

二、《殷周金文集成》有關簋類器銘自名前的句型類別

張亞初在《殷周金文集成引得・序言》中曾說：「（《殷周金文集成》）它匯集了古今中外公私出土和收藏的青銅器銘文拓本約一萬兩千件，是迄今為止資料收集最為完備、編纂最為科學、印刷最為精美的、最有代表性的金文總集。」[8]當然，說《殷周金文集成》是具有「代表性」的金文總集並不為過，本文取為一臠，以推其餘。其中第

5　詳參沈寶春：〈西周金文重疊詞探析——以《殷周金文集成》簋鐘類銘文為例〉，臺灣大學中國文學系編印：《王叔岷先生學術成就與薪傳論文集》（2001 年 8 月），頁 271-272。

6　見容庚、張維持：《殷周青銅器通論》（臺北：康橋出版事業有限公司，1986 年 5 月），〈盛食器門・簋類〉，頁 34。。

7　國立故宮博物院編輯委員會：《商周青銅粢盛器特展圖錄・前編》，頁 19。

8　張亞初：《殷周金文集成引得》，頁 1。

六、七、八冊收的是「簋」類器，編號自 2911 至 4343，根據書後「銘文說明」可歸納出：殷器共 275，西周器 1091，春秋器 49，戰國器 5[9]，是簋在西周時期達到顛峰後，春秋戰國時則逐漸走下坡。若將觀察器類自名前的修飾語相關問題，可由其自稱「簋（殷）」字句先著手。在自名「簋（殷）」的 725 次中，依其字句差別列表如下：

序號	句型				代表器號	次數
	主語	動詞	修飾語	賓語		
1	某	乍		殷	6：3293	22
2	某	乍	某	殷	6：3499	11
3	某	鑄		殷	7：3964	7
4		爲	某	殷	7：3752	1
5		用乍		殷	8：4208	2
6		用乍	某	殷	8：4159	1
7	某	乍	寶	殷	6：3353	130
8	某	乍	某寶	殷	6：3530	56
9	某	用乍	某寶	殷	7：4118	37
10		鑄	某寶	殷	7：3896	1
11		鑄	保	殷	8：4262	4
12		用乍鑄	某寶	殷	8：4179	3
13		乍	某保	殷	7：4120	1
14	某自	乍	寶	殷	7：3891	7
15	某自	乍	某寶	殷	7：3807	1
16		用自乍	寶	殷	8：4203	2
17	某	乍	尊	殷	6：3700	27

9　見中國社會科學院考古研究所：《殷周金文集成》（上海：中華書局，1987 年 4 月），第 6、7、8 冊。以下簡稱《集成》。

18	某	乍	某尊	殷	6：3540	90
19		用乍	尊	殷	8：4130	13
20	某	用乍	某尊	殷	8：4225	50
21		乍鑄	某尊	殷	8：4127	1
22		用乍	某奠	殷	7：4036	2
23	某	乍	用	殷	6：3557	3
24	某	乍	旅	殷	6：3351	37
25	某	乍	某旅	殷	6：3474	10
26	某	鑄	旅	殷	7：4047	1
27		乍	从	殷	6：3458	2
28		乍	某从	殷	6：3455	2
29	某	乍鑄	從	殷	6：3707	3
30	某	乍	㻌	殷	6：3490	1
31	某	乍	雪	殷	6：3571	1
32	某	乍	某雪	殷	9：4419	1
33	某自	乍	尊	殷	7：3847	5
34	某自	乍	餗	殷	7：3919	3
35	某	乍	餗	殷	6：3439	24
36	某	乍	某䐭	殷	7：3775	27
37	某	乍	飤	殷	7：3762	1
38		用乍	某嘗	殷	8：4293	1
39	某	乍	叀	殷	6：3555	1
40	某	乍	飤	殷	6：3585	1
41	某	乍	淄	殷	6：3592	9
42	某	用乍	某飤	殷	7：3746	1
43		用乍	某爵	殷	8：4274	5
44		乍	某彝	殷	6：3453	1

45	某	乍	盂	殷	16：10310	1
46	某	乍	某盂	殷	6：3739	1
47	某	乍自爲	貞	殷	4：2276	2
48	某	乍	盨	殷	9：4410	1
50		用乍	某尊塍	殷	8：4128	1
51		用乍	某寶鼎	殷	8：4122	1
52		乍	某用貞	殷	5：2676	2
53		乍	寶用	殷	6：3413	1
54	某	乍	寶尊	殷	6：3496	21
55	某	乍	某寶尊	殷	6：3673	9
56		用乍	寶尊	殷	8：4286	3
57		用乍	某寶尊	殷	7：4203	17
58		用自乍	寶尊	殷	8：4244	1
59	某	乍	某尊寶	殷	7：3909	2
60		用乍	某尊寶	殷	8：4270	2
61	某	乍	登用	殷	6：3720	2
62	某	乍	某餗盨	殷	9：4440	2
63	某	乍	旅盨	殷	9：4375	2
64	某	乍	某旅盨	殷	9：4458	1
65		乍爲	某大宗	殷	7：4096	1
66	某	乍	某少食	殷	6：3651	1
67		用乍	寶皇	殷	8：4191	1
68	某	乍	餗盆	殷	9：4666	2
69	某	乍	鼎彝寶	殷	8：4317	1
70	某	乍	寶用尊	殷	6：3541	2
71	某	用乍	某寶尊彝	殷	8：4134	2

72	某	乍	某寶尊彝	殷	7：3979	1
73	某	乍	某鼎彝尊	殷	8：4124	1
74	某自	乍爲	寶尊	殷	7：3916	1
75	某自	鑄乍爲	旅	殷	6：3691	1
76	某自	乍	吉金用尊	殷	7：4095	1
77	某	乍	旅用鼎	殷	6：3616	2

在上表的 77 條分項組式中，尚有無法納入個中型式的，如 7：4112 命殷：「命其永以多友殷飤」、8：4160 伯康殷：「永寶茲殷」、8：4141 函皇父殷：「函皇父乍琱娟般盉尊器殷具／又殷八」、5：2724 毛公旅方鼎：「毛公旅鼎亦唯殷」、7：4097 悹殷：「用爲寶器：鼎二、殷二」、8：4152 鄦侯少子殷：「妳乍皇妣坅君中妃祭器八封殷」、5：2705 悹鼎：「爲寶器：鼎二、殷二」、7：3870 叔向父爲備殷：「叔向父爲備寶殷兩、寶鼎二」、8：4261 天亡殷：「每啓王休于尊殷」、8：4190 陳貯殷蓋：「用追孝於我皇殷鐘」、8：4285 諫殷：「殷（即）立（位）」等諸器銘即是。

有關其中動詞應用的情形，朱氏歧祥曾在〈釋乍〉一文中歸納出甲金文中「乍」字的用法有：甲骨文三大類，殷金文四大類，兩周金文七大類三十二分類，「乍」除作爲單動詞外，又可複合爲「用乍」、「自乍」、「用自乍」、「自乍用」、「乍鑄」、「自乍鑄」「乍爲」、「乍爲鑄」，「乍」在複合動詞中多作爲前動詞，與屬於後動詞的「鑄」、「爲」等字並列，有共同強化全句語意的功能，屬於遞進式的關係[10]。然透過上列組表顯示，除朱氏所舉諸類型外，尚有「用乍鑄」、「乍自爲」及「鑄乍爲」三種類型是朱文未提及者。這種由單動詞組合成複合動詞（二或三個）動詞的情況，「用乍」出現頻率高，有 139 例，佔 725 次中的 19%；其餘則例子並不多，「乍鑄」4 例，「乍爲」2 例，「用乍鑄」3 例，「用自乍」3 例，「乍自爲」2 例，「鑄乍爲」1 例。至其應用時代則偏晚，「乍鑄」的 6：3707、3708、3709 內公殷蓋屬西周晚期，4127 鑄叔皮父殷

---

[10] 見朱歧祥：〈釋乍〉，《甲骨學論叢》（臺北：臺灣學生書局，1992 年 2 月），頁 155-179。

屬春秋早期；「乍爲」的7：4096 陳逆簋爲戰國早期；6：3691 伯好父簋爲西周晚期，有些年代則含糊其辭，如「用乍鑄」的8：4179、4180、4181 小臣守簋則只言「西周」[11]，依此類推，或許其時代在西周中期以後，至少《商周青銅器銘文選》是如此認定的[12]，而複合動詞的時代雖因例子太少，無法詳細究詰，但如果大膽的推測，似乎其中也幽微的表現出時代較晚的特徵。

三、簋類青銅器銘自名前修飾語的內容分析

透過上表的歸納分式，可知在商周青銅簋類器自名爲「簋」前，尚有多種修飾語。這些修飾語，除用爲人名、爵名、職官名的「某」外[13]，其修飾語尚有一字的「寶」、「保」、「尊」、「奠」、「用」、「旅」、「从」、「從」、「燉」、「寶」、「餗」、「媵」、「飤」、「嘗」、「吏」、「飢」、「淄」、「鬺」、「彝」、「盂」、「貞」、「盥」、「膳」[14]等諸字；二字的有「尊媵」、「寶鬺」、「用貞」、「寶用」、「寶尊」、「尊寶」、「登用」、「餗盥」、「旅盥」、「大宗」、「少食」、「寶皇」、「餯盂」等；三個字的有「鬺彝寶」、「寶用尊」、「寶尊彝」、「鬺彝尊」、「旅用鼎」等；四個字的僅有「吉金用尊」一詞，茲依其應用次數及百分比，並依《集成·簋類銘文說明》的「時代」，分「殷」、西周早期簡作「西早」、西周中期簡作「西中」、西周晚期簡作「西晚」、早中晚期難定用「西周」、春秋早期簡作「春早」、春秋中期簡作「春中」、春秋晚期簡作「春晚」、早中晚期難定用「春秋」、戰國

---

[11] 上引諸條參見中國社會科學院考古研究所：《殷周金文集成釋文》（香港：中文大學中國文化研究所，2001年10月），第3卷，頁140、285、271、136、318-319。

[12] 馬承源：《商周青銅器銘文選》（北京：文物出版社，1988年4月），第3卷，頁235收〈小臣守簋蓋〉的時代訂爲「西周中期」。

[13] 關於此部分可參閱虞萬里：〈先秦動態稱謂發覆〉，李圃：《中國文字研究》（南寧：廣西教育出版社，1999年7月），第1輯，頁273-301。

[14] 根據張亞初的《殷周金文集成引得》頁1170引7、4054作「自乍（作）簋」，唯據《殷周金文集成釋文》，第3卷，頁254的4054曾大保簋則作：「曾大保□用吉今金自作膳簋」，隨州市博物館：〈湖北隨縣發現商周青銅器〉亦云：「底內銘文被刮掉，隱約可辨四行二十三字：曾大保（？）□用吉金自乍（作）膳（？）簋……」（《考古》，1984年第6期，頁510）故此處增補此條。

早期的「戰早」，按字序依次列表如下：

次序	時代 修飾語	殷	西早	西中	西晚	西周	春早	春中	春晚	春秋	戰早	總計	百分比
1	寶	—	45	64	103	9	10	—	—	3	2	236	
2	尊	1	4	39	134	2	3	—	—	1	—	184	
3	旅	—	13	22	15	1	1	—	—	—	—	52	
4	餴	—	3	3	18	1	2	—	—	—	—	27	
5	塍	—	—	—	22	1	4	—	—	—	—	27	
6	淄	—	—	—	1	—	—	—	8	—	—	9	
7	保	—	—	4	—	—	1	—	—	—	—	5	
8	䵼	—	—	—	5	—	—	—	—	—	—	5	
9	从	—	4	—	—	—	—	—	—	—	—	4	
10	用	—	3	—	—	—	—	—	—	—	—	3	87%
11	從	—	—	—	3	—	—	—	—	—	—	3	
12	鼎（貞）	—	2	—	—	—	—	—	—	—	—	2	
13	飤	—	1	1	—	—	—	—	—	—	—	2	
14	盂	—	—	1	1	—	—	—	—	—	—	2	
15	障	—	—	—	2	—	—	—	—	—	—	2	
16	寧	—	—	—	2	—	—	—	—	—	—	2	
17	彝	—	1	—	—	—	—	—	—	—	—	1	
18	嫩	—	—	1	—	—	—	—	—	—	—	1	
19	敕	—	—	—	1	—	—	—	—	—	—	1	
20	嘗	—	—	—	1	—	—	—	—	—	—	1	

21	盨	–	–	–	1	–	–	–	–	–	1	
22	膳	–	–	–	1	–	–	–	–	–	1	
23	飤	–	–	–	–	1	–	–	–	–	1	
24	寶尊	–	12	21	17	2	–	–	–	–	52	
25	尊寶	–	1	3	–	–	–	–	–	–	4	
26	旅盨	–	–	–	2	–	–	–	–	1	3	
27	用鼎(貞)	–	–	2	–	–	–	–	–	–	2	
28	登用	–	–	2	–	–	–	–	–	–	2	
29	饞盎	–	–	–	2	–	–	–	–	–	2	11%
30	餗盨	–	–	–	–	–	–	–	2	–	2	
31	寶用	–	1	–	–	–	–	–	–	–	1	
32	少食	–	1	–	–	–	–	–	–	–	1	
33	寶皇	–	–	1	–	–	–	–	–	–	1	
34	寶爝	–	–	1	–	–	–	–	–	–	1	
35	尊塍	–	–	–	–	–	–	1	–	–	1	
36	大宗	–	–	–	–	–	–	–	–	1	1	
37	寶尊彝	–	2	1	–	–	–	–	–	–	3	
38	寶用尊	–	2	–	–	–	–	–	–	–	2	
39	旅用鼎	–	2	–	–	–	–	–	–	–	2	1%
40	爝彝寶	–	–	1	–	–	–	–	–	–	1	
41	爝彝尊	–	–	1	–	–	–	–	–	–	1	
42	吉金用尊	–	–	–	–	–	1	–	–	–	1	0.1%

247

　　或許《集成》的斷代有些是不無疑慮的，如2705 惡鼎與4097 惡𣪘銘文相同，而其斷代一作「西中」，一作「西早」；又如依文例3702 彔惡：「彔乍文考乙公寶尊𣪘」與 3863 彔𣪘：「彔乍厥文考乙公寶尊𣪘」略同，唯字體有別，而一作「西中」，一作「西早」。苟能全盤採信，則由上表所列可知，𣪘之自名爲「𣪘」，自殷商至戰國雖多寡起伏，唯所在皆有，非如陳氏芳妹所謂：「青銅器上銘鑄的『𣪘』，也就是儀禮、詩經等所記載的『簋』……「𣪘」字在商代晚期首見於甲骨文及大理石器皿中。由甲骨文出現『𣪘』的文意看來，『𣪘』應是指器物的名稱，但指何種形狀的器物卻無法追溯……商代晚期青銅器中尙未見以『𣪘』自名者。商代青銅彝銘，基本上多簡短，少見銘鑄專名之例，若鑄有器皿稱謂，也稱共名『彝』而已……以共名『彝』稱呼的習慣，在西周早期甚爲普遍，直到接近中期時，銅器自名專名的例子始漸多，器皿上鑄刻『𣪘』的情況也愈普遍。西周中期以後，自名爲『𣪘』的例子便不勝枚舉了。」[15]這其中有似是而非之處者三：一是銅器自名專名跟銘文簡短與否關係似乎不大；二是其所說「商代晚期青銅器中尙未見以『𣪘』自名者」，然《集成》7：3904 小子𪩘𣪘：「用乍父丁尊𣪘」的時代「銘文說明」中即爲「𣪘」[16]；三是西周早期自名爲「𣪘」的例子已至少有 97 例，佔全部 725 例的 13%，雖然到西周中期共 166 例，佔 22%，而到西周晚期則有 333 例，佔 45%，逐漸增多，但西周早期似乎也不是不普遍吧！

　　當然，在圖表中可看出與「𣪘」字結合最緊密，應用也最頻繁的是「寶」字的 236 次，其次是「尊」的 184 次，以及「寶尊」的 52 次；而「𣪘」字前的修飾語又以單詞居多，而且豐富多樣，種類有 23 種之多；而複合的形式則較少，兩字組合的 13 種；三字組合的 5 種；而四字組合者僅 1 種而已，依次遞減，可見單詞修飾形容還是主流。在這些修飾語中，「寶」、「尊」字與結合「寶」和「尊」的「寶尊」出現頻繁，似乎也標示著作爲禮器的青銅簋，在一般人的心目中，是多麼珍貴和尊崇，其份量價值，是功勳美德與權勢地位的表徵和宣告，不正與一般銘末所祝禱的「子子孫孫永『寶』

---

[15] 國立故宮博物院編輯委員會：《商周青銅粢盛器特展圖錄‧前編》，頁 25。
[16] 張亞初：《殷周金文集成引得》，第 7 冊，〈𣪘類銘文說明二〉，頁 20。

用」而非「永『尊』用相應合乎！但有趣的是，西周中期多用「寶」，而西周晚期則多探「尊」字。此即徐中舒所謂的：「曰尊彝，曰寶彝，曰寶尊彝等，言其可尊可寶，舊以尊彝並爲器名者非是，卜辭金文有尊俎尊鼎尊史連文，尊皆作尊崇尊敬解。」[17]

其實，在上列的修飾語中有些是有問題的，其情況比較複雜，如「貞（鼎）」、「盂」、「盨」置於「殷」前的用法。觀察 1974 年陝西寶雞市茹家莊一號墓出土的西周早期 2276 弭伯鼎與 3618 弭伯殷銘文同作：「弭伯乍自爲鼎殷。」「鼎簋」名詞並列連用充當弭伯「乍自爲」的賓語，此處的「鼎」是否爲「簋」的修釋語呢？這種器名連稱，兩個專名連用的情形，陳劍在〈青銅器自名代稱、連稱研究〉中曾經作過說明：

> 鼎、簋爲周人食器的常見組合，常配套使用，也常同時鑄造。如凾皇父盤：「凾皇父作琱娟盤盂尊器，鼎簋一具，自豕鼎降十又一，簋八，兩罍兩壺。」鼎簋一具即鼎簋一套。又如惷鼎：「用爲寶器鼎二簋二。」鼎、簋雖然關係密切，但今所見大量自名中，卻僅這一處各自自稱《鼎簋》。說明當時人並不習慣於把鼎、簋分別都叫作「鼎簋」。此處的連稱，情況較爲特殊，應是鑄器時鼎簋同用一銘、同時記載所作之器的緣故……雖然同時鑄造的銅器往往有配套關係，但我們仍然覺得像「鼎簋」這樣的連稱是偶然的，並不是當時人們的習慣，與盨稱「盨簋」、鼎稱「鼎鬲」等性質有所不同，應視爲自名連稱的一種特殊情況……連稱的兩器名是並列關係，但兩類器物在用途與形制上並不相近，祇是常配合使用，有成套成組的關係，也常同時鑄造，例如鼎與簋、盤與盂、鋚等。這類自名連稱，一方面有因二者存在配合成套的密切關係而連及的因素，另一方面也要充分考慮到鑄器時成套器施以同銘的因素。[18]

可見把「鼎簋」連稱的「鼎（貞）」視爲自名「簋」的修飾語並不貼切實際。至於西

[17] 徐中舒：〈說尊彝〉，《徐中舒歷史論文選輯》（北京：中華書局，1998 年 9 月），頁 649。
[18] 沈寶春：〈西周金文重疊詞探析——以《殷周金文集成》簋鐘類銘文爲例〉，頁 362、364。按陳氏又在頁 339 云：「鼎的自名既可以用『鼎』表示，也可以借『貞』表示，因此鼎、貞祇是同類器同一名稱的不同寫法，表示的是同一個詞。」

周晚期的穌公殷銘：「穌（蘇）公乍王妃盂殷」，《銘文選》作「」而沒有隸定考釋[19]，《釋文》則隸作「姜」[20]，《引得》隸作「盂」，「盂殷」結合也非單文孤證，西周中期10310 滋盂銘作：「滋乍盂殷，其萬年子子孫孫永寶用。」即其用例，唯未見穌公盂與滋殷爾，故知此類器名連稱情況又與前引「鼎簋」情況有別。穌公殷例中的「盂殷」是否成立？趙平安與陳劍認為：

> 其字上從皿，為血字之省，下從示，是窣即「寧」。在蘇公簋中，「蘇公作王妃窣簋」，窣用作器名修飾語，窣簋即用以寧祭之簋。[21]

但 10310 滋盂銘明作「盂殷」，屬並列連用的名詞充當「乍」的賓語，與穌公殷的情況又有所不同，此或如陳芳妹所說的：「不同的器類專名，卻共具基本器形，簋與盂即是」者[22]，但奇怪的是器既為「盂」，不名為「殷盂」，卻名為「盂殷」，可見盂與簋「在功用、器形與使用時間上部分重疊，由於二者的關係密切，在青銅器形史上往往造成混淆……簋向盂節節進逼，幾乎有囊括盂成為簋形器器型之一的氣勢。」[23]如此說來，因簋擁有奪名的聲勢，盂向簋靠攏的結果，成為「近義連用」的專名連稱，而或許盂也有成為簋的修飾形容之語而作「盂殷」的可能。

至於「盨殷」組合連用是不見於簋類卻見於盨類的，西周晚期 4410 伯庶父盨蓋銘云：「伯庶父乍盨殷，其萬年子子孫孫永寶用。」「盨殷」在此屬並列連用的名詞充當動詞「乍」的賓語。可見「殷」在西周早期是與「鼎」組合連用，而到西周中晚期時則改與「盂」和「盨」組合連用，此即陳芳妹所說的：「不同的器類專名，因器用相關而有器名相互借用，甚而互換者，簋與盨即是。」[24]對於這種情形，陳劍也曾作過分析說：

---

[19] 馬承源：《商周青銅器銘文選》，第 3 卷，頁 352。
[20] 中國社會科學院考古研究所：《殷周金文集成釋文》，第 3 卷，頁 146。
[21] 李圃主編：《中國文字研究》，頁 356。
[22] 國立故宮博物院編輯委員會：《商周青銅粢盛器特展圖錄・前編》，頁 69-72。
[23] 同前註，頁 70。
[24] 同前註，頁 69-72。

我們注意到，有十二件銅盨自名爲簋，九件盨自名爲「盨簋」，在各類代稱連稱中可說是絕對數量相當大的。但同時，卻從來沒有一件簋自稱「盨」或「盨簋」……從盨、簋的自名情況來看，當時人應是習慣於把盨稱作簋、盨簋，但卻從不稱簋爲盨或盨簋。聯係其功用、形制淵源，我們可以作出一些推測：由於盨最初是從簋中分化出來的，功用形制都與簋相近，而且後來盨的器形一直比較穩定，用途也沒有變化，與簋始終保持著密切的聯繫，這種情況使得當時人們在對這個新器種冠以新名「盨」的同時，又習慣上把它看作簋的一個變種，稱作「簋」、「盨簋」。換言之，在當時人看來，盨也是簋的一種，但簋卻不是盨。它們之間有點類似大名與小名的關係。因此，盨稱「盨簋」，與鼎稱「鼎鬲」、盂稱「盤盂」等實質是不一樣的。稱「盨簋」的銅器，既可以說是「盨」，也可以說是「簋」，兩個詞中任何一個都可表義。這種情況，是因爲有簋從不稱「盨簋」這個前提存在的。

盨、簋並不完全同義，我們不妨稱之爲「近義連用」。[25]

從「盂簋」與「盨簋」二詞看來，「簋」皆居主要賓語地位，擁有絕對的優勢與掌控權，盂、盨新名從舊名脫胎而藕斷絲連的情景也依稀可見，彼此之間是「近義連用」，但不可倒置。

另外，我們也注意到「簋」的這種強勢稱名，在西周晚期如《集成》的 4666、4667 衛始豆不名爲「豆」而自稱作「殷」顯現出來，其前所用的修飾語《引得》作「餯（此採寬式隸定）𩚏」，《釋文》作「䬸霝」，若依《引得》所釋，「餯」字《說文解字》釋爲：「盛器滿貌。从食，蒙聲。《詩》曰：有餯簋飧。」[26]「𩚏」字《釋文》隸作「霝」於形不類，其上部似「鑄」所從，可隸作「皿」，下疑從水，字作「盇」或「𥁕」《龍龕手鑑》釋「盇」爲「淨」，《集韻》以「𥁕」爲「溢」或省，則「餯盇」即「滿溢」皆爲「滿貌」，是一同義並列結構的修飾語，以表明豆的盛放食物狀態。

---

[25] 李圃主編：《中國文字研究》，頁 364。

[26] 段玉裁注：《說文解字注》（臺北：天工書局，1992 年 11 月），頁 221。

　　至於「彝」作爲青銅器的大共名,「爲宗廟器之共名,或一切貴重飲飤器之大共名」[27],在銅器自名時有「共名＋專名」連用的情況,如《集成》2373 西周早期器斿父鼎:「寶尊彝鼎」,4134、4135 西周早期器御史競簋:「寶尊彝簋」,可見「彝＋專名」在西周早期已經形成,如 3453 西周早期器作冢商簋:「乍𣪘商彝𠦪」,「𣪘」作「𠦪」,與大共名「彝」組合頗爲常見,或加上修飾語「寶尊」;後來「彝」字似由器物大共名轉化爲器名修飾語,指「宗廟祭祀時常用的」意思,如中山王𧧷壺的「彝壺」,蔡侯盤的「彝盤」,皆當「祭祀」之用[28],已非器物大共名而已,此從 4317 西周晚期的𣪘簋:「𣪘乍𥛱彝寶𣪘。」與 4124 西周晚期尌仲𣪘蓋:「尌仲乍朕皇考趠仲𤱶彝尊𣪘」中可看出,在說明器物功能的「𤱶」、代表祭祀用途的「彝」、表彰器物價值的「寶」或「尊」字的多種修飾語並列組合下,器物的多種目的與功能及其價值也顯現了出來,可謂面面俱到,故「彝」字在此似乎不宜以「大共名的器物名」視之,等此,則置於專名前的「彝」,實際已朝修飾語邁進了。

　　當然,上列的修飾語,有些隸釋已無疑議,有些則未有共識,如「𤲮」字吳振武釋作「瀝」字異構[29],張亞初釋作「淄」通「飤」[30],這種隸釋的不同又牽涉到對其詞義的理解與掌握、用法的考察與確立、類屬的分析與歸納,本文限於篇幅不擬對這些修飾語一一作個別的考釋追索,只儘量採取較適切的隸釋,將之分類說解如下:

　　(一)、標示其價值的修飾語:如寶(珍貴的)、尊(尊貴崇高的)、保(通寶,珍貴的)、奠隓(通尊,尊貴崇高的)、寶尊(既珍貴又崇高的)、尊寶(既崇高又珍貴的)等共六詞。

　　(二)、標示其功能用途的修飾語:如旅(用來供養祭祀的)、餗(用來宴饗飤食

---

[27] 徐中舒:〈說尊彝〉,《徐中舒歷史論文選輯》,頁 647-651。

[28] 參見陳初生:《金文常用字典》(高雄:復文圖書出版社,1992 年 5 月),頁 1078。又《簡明金文詞典》(上海:上海辭書出版社,1998 年 12 月),頁 473。

[29] 吳振武:〈釋「𤲮」〉,《文物研究》第 6 輯;又董蓮池:《金文編校補》(長春:東北師範大學出版社,1995 年 9 月),頁 505。

[30] 張亞初:《殷周金文集成引得》,頁 1165。

的）、媵騰（用來陪嫁的）、飤溢（用來盛放飪食的）、鬻（用來煮食祭享的）、从從（巡狩征行所用的）、用（祭享用的）、𤏁（盛放熟食用的）、嘗（祭祀用的）、膳（盛放美食的）、飤（供給餐食的）、登用（祭祀用的）、旅用（供養祭祀用的）等共十三用詞。

（三）、標示狀態大小的修飾語：如霄（小的）[31]、少食（小食的）、餗盆（盛滿食物的）等共三詞。

（四）、標示使用對象的修飾語：如𠰷（專用的）、大宗（直系宗廟用的）等共二詞。

（五）、多面向並列組合式的修飾語：如寶用（用來享用且珍貴的）、寶皇（既珍貴又美大的）、寶鬻（珍貴而用來煮食祭享的）、尊媵（用來陪嫁且崇高的）、「寶尊彝」（珍貴崇高宗廟常用的）、「寶用尊」（珍貴享用崇高的）、「鬻彝寶」（煮食的宗廟常用的珍貴的）、「鬻彝尊」（煮食的宗廟常用的尊貴的）、「吉金用尊」（青銅作的享用的尊貴崇高的）等共九詞。

從上面粗疏的分類中，約可看出青銅簋的制作，以功能用途的修飾語應用最多樣化，其中又以祭祀宴饗盛放飪食為主要目的，此中頗能彰顯青銅簋類器的目的與特質來。

四、小結

透過上文的爬梳整理，我們知道殷周青銅簋類器銘的自名為「𣪘」，於殷已然，非始於西周早期。而其自名的情況，又與青銅簋類器的發展史相始末，西周早期與鼎配套成組，銘文亦同銘同鑄；中晚期簋的發展雖達到顛峰，但又與「盂」、「𦉞」、「豆」在名稱上糾纏不清，相互混淆，但簋畢竟是三類器的母源，在「盂」「𦉞」「豆」稱名時可名之為「𣪘」，但簋卻維持它主尊母源的地位，從未屈從委落自稱為「盂」「𦉞」

---

[31] 霄簋即小簋、參見楊樹達：《積微居金文說》（北京：科學出版社，1959 年），〈姜林母簋跋〉，頁 158；〈伯多父𥂖跋〉，頁 219。

「豆」的，因此在器名連稱時，「敦」總是置於最末，前則有「盂」、「盨」專名與「彝」的共名，卻彷若起修飾標別的作用，以致於宗廟器共名的「彝」最後捐棄連稱賓語的用法，而修飾起「敦」來了，這從「🈀彝寶」、「🈀彝尊」的用法中我們是可以如此揣測的。

另一方面，作爲禮器重要成員之一，爲了標榜它的至尊至貴，可寶可用，在青銅簋類器自名前的修飾語，可觀察到「寶」、「尊」、「寶尊」是最頻繁出現的，這種在祭享或宴饗都是既珍貴又崇高的宣示，而本身又是身份地位功勳美德的絕佳表徵，以致呈現在銘文修飾語也就直言不諱，宣美宣貴宣尊起來！而在眾多修飾語中，既有價值的標榜，也有功能用途、狀態、大小、對象、材質以及從中並列組合的型式，從中也可窺知其與自名句前的動詞「乍」、「鑄」、「爲」二或三個連用的情況不同，動詞連用大抵採同義、近義連用，「它們之間當是一種同位關係，而不是並列關係」[32]，但修飾語卻是意義各別的一種並列組合方式，在價值、用途、狀態、大小、對象、材質各類中進行排列組合的方式，以照顧各各面向，這和動詞「共同強化」的語意功能是不同的，這也透露出修飾語組合方式是不同於動詞組合方式的特性來。

---

[32] 李圃主編：《中國文字研究》，頁 364。

龍宇純先生七秩晉五壽慶論文集
2002 年 11 月　　頁 255～262

談覃鹽

季旭昇[*]

一、覃字的舊說

覃字，《說文》的說法有很多讓人不明瞭的地方，《說文》卷 5〈𪉦部〉云：

> 覃，長味也。从𪉦、鹹省聲。《詩》曰：「實覃實吁。」𣼱：古文覃。𪉦：篆文覃，省。

「覃」字爲什麼有「長味也」的意思？依許說，當然一半是來自「鹹省聲」，這個被省的聲符還要兼義，才能產生「味」的意義。但是，一個聲符「鹹」字的表音部分「咸」被省略了，只剩義符「鹵」，它能產生聲符的功能嗎？不能產生聲符的功能，許慎爲什麼仍然要用「鹹」字來說解呢？其次是，「長味也」的「長」義是來自「𪉦」，而《說文》對「𪉦」字的說解，自來就令人可疑。依古文字學家的看法，「𪉦」字本象容器形，那麼它怎能產生「長」的意義呢？這種種的疑問，自來費解。覃從鹹省之說，學者多有疑之者。徐灝《說文段注箋》云：

> 此字从𪉦鹵，即長味之義，似不必用鹹省爲聲。

郭沫若提出的想法比較特殊，他在《金文叢考·釋覃》中說：

> 案此乃象形文，象皿中盛果實之形，非鹹省聲也。此盉下從皿，則知其它
> 𣪊𣪊……等形亦必爲器皿之象形，小篆訛變爲　。……於皿若豆中盛果實以
> 供食，自可得「長味」之義。[1]

---

[*]　國立臺灣師範大學國文系教授。
[1]　《金文叢考·說覃》，頁 225-226。

龍宇純先生也以爲覃字從鹹省聲之說可疑：

> 鹹字胡讒切，覃从鹹聲，猶談淡从炎聲。雖金文覃字作〓，鹹省之說可疑。許說如此，姑存之。[2]

覃字下部所從的畐，也有不少問題。《說文》卷5〈畐部〉云：

> 畐，厚也。从反亯。

從反亯爲何會有畐（厚）的意思？段玉裁注說：

> 倒亯者，不奉人而自奉，畐之意也。

雖然好像也勉強能夠自圓其說，但是總覺得左支右絀，不愜人意。直到唐蘭之說出，才把「畐」字的初形本義弄清楚了：

> 此字習見，金文作〓……等形，舊亦不識。又巤字偏旁作〓（《殷文存》上11，巤父己殷）；覃字偏旁作〓（又下20、覃父丁爵）、〓（又上33、覃父乙卣）、〓（《嘯堂》上8、晉姜鼎）等形；厚字偏旁作〓（《憲》5·13、趠鼎）、〓（《憲》16·16，魯伯厚父盤）、〓（《貞松》51、戈厚殷）、〓（《薛氏款識》尸鎛）、〓（又尸鐘）、〓（《憲》1·20，井人妄鐘）等形，俱與此字相近，據《說文》覃厚並从畐，其字實當作畐，則此字當釋畐也。……其字本象巨口狹頸之容器，故葍象米在畐中，覃象〓在畐中，而簟字毛公鼎作〓，變畐从皿，更可證畐亦容器矣！《說文》訓畐爲厚，實因本義久湮，遂以意爲之耳。……《說文》謂覃字從畐鹹省聲，按省者必有不省之字，今本無从畐鹹聲之字，而遽言鹹省聲者，乃由覃字之聲難知而強爲附會耳。今謂覃字當從畐聲，覃與厚乃聲之轉。《說文》從覃得聲者有禫、葟、嘾、暺、樿、鄲、燀、驒、燂、潭、譚、撢、嬋、蟫、鐔、醰等字，而厚字無由之得聲者，然則畐字本當讀若覃，其作厚音者，偶變耳。[3]

唐氏以金文及偏旁分析法釋〓爲畐，證據確鑿，當可從。他已經指出「覃象〓在

2　《中上古漢語音韻論文集·古漢語曉匣二母與送氣聲母的送氣成分》，頁494。
3　《殷虛文字記》，頁31。

畐中」，也看到毛公鼎的「簠」字作「🔱」，「變畐从皿，更可證畐亦容器矣」，眼看就要解出「覃」字的正確意義了。可惜，他一個不小心，歧路亡羊，把「覃」字解成「盛蕙於畐，以蕙和酒」，又說卜辭中有「🔱」形，隸定作🔱，即是「覃」字：

> 右🔱字，舊不能釋，今按即覃字也。……

> 小覃字從鹵，今隸從西，由金文◇◇二形變來，然金文所從◇◇二形，本非鹵及西，特形相混耳。余謂　字所從之🔱，實乃圕字。《說文》：「胃，穀府也。從肉，圕象形。」又：「菡，糞也。從艸，胃省。」……《說文》無圕字，圕即𠦝之變也。……

> 由是言之，覃之本字，當象盛𠦝於畐，以聲化例推之，畐亦聲也。𠦝者蕙之本字，蕙蓋用以湛酒者。《說文》：「覃，長味也。」《字林》：「醰甜同，長味也。」徐灝《說文段注箋》說謂：「覃醰古今字」是也。以蕙和酒，引伸之，因有長味之義矣。[4]

據此，唐蘭明白地指出「畐」是裝酒的，因爲裝的是蕙酒，所以引伸有「長味」的意義。但是，以蕙和酒，可以有香味，似不應有「長味」。更何況他指出的「🔱」根本不能釋爲「覃」字[5]。

　　李孝定先生基本贊成唐蘭的說法，並進一步說：

> 唐氏釋此為畐，以金文諸形證之，固有形如反㐭者，其說蓋不誤。竊疑與許書訓滿之畐當為同類之器物，受物之器恆滿盈，故引申之義為滿為厚也。

受了唐、李二先生的影響，我以往一直認爲「畐」是裝酒的東西，因爲畐加示就是福，福是祭祀用的酒，那麼「畐」應該是裝厚酒的罈子吧。我一直沒有注意到，如果是裝酒的罈子，那麼爲什麼「畐」總是和「鹵」字在一起而組成「覃」（嚴格隸定當作𪕲）字呢？

4　《殷虛文字記》（北京：中華書局，1986 年），頁 38。
5　參《甲骨文字詁林》2957 號引諸家說及姚孝遂按語。

二、覃字的新解

「覃」字早見於殷金文，西周晚期的番生簋中有「簟」字（嚴格隸定可作簟，字表3），從竹從鹵從旱；同樣的字又見於毛公鼎，卻從竹從鹵從皿（嚴格隸定可作簠，字表4），二者的銘例都是「簟弼」，其爲同一字，毫無問題。對於毛公鼎「簠（簟）」字爲何從「皿」，高田忠周說：

> 按《說文》：「簟，竹席也。從竹覃聲。覃從鹹省，鹹從鹵，鹵從西也。故此以……
> 下亦從皿，此從鹽省也。」[6]

其說從《說文》出發，看起來把字形講通了，但是並沒有解決真正的問題。也就是覃爲什麼從鹽省？誰也沒有說明白。事實上，在新材料沒有出來以前，這個問題也解決不了。

1979年安徽壽縣出土了一批金幣，涂書田〈安徽壽縣出土一大批楚金幣〉盧金7（字形見「字形表」6）。1988年上海人民出版社出版的《中國歷代貨幣大系・1・先秦貨幣》收在頁1060第4266-4271號，隸定作「鐔」；同書頁115頁的金鈑出土簡況表作「盧金」（鑑）。1986年5月北京中華書局出版，張頷編纂的《古幣文編》分別收在「盧」、「金」字下。1990年《文物研究》第6輯何琳儀〈古幣文編校釋〉根據黃錫全來函所示改釋爲「鹽金」。2001年北京紫禁城出版社出版黃錫全《先秦貨幣通論》頁350釋爲「鹽金」，以爲即「鹽」地鑄的金鈑，鹽地在今江蘇鹽城。這樣的說法，還沒有引起很大的迴響，因爲金鈑上只有兩個字，說服力還不夠。

1987年，湖北荊門包山楚墓出土了一批竹簡，1991年文物出版社出版了《包山楚簡》一書，其中2.147簡的釋文云：

> 陸（陳）𫢶、宋獻爲王奧（具）盧（？）於泯爰，屯二儋之飤金鋥二鋥。牌（將）
> 以成收。

盧字作「🝕」，從鹵從皿。《包山楚簡》釋文只把它隸定作盧，還打了一個問號，顯然

6　《古籀篇》80，頁10。
7　涂書田：〈安徽省壽縣出土一大批楚金幣〉，《文物》1980年10期，頁67-71。

對於這樣的隸定並沒有什麼把握。簡文到底說什麼，不易了解。劉釗在〈談包山楚簡中有關煮鹽于海的重要史料〉一文中說：

> 簡文「煮」字舊釋為具。按字上從者，下從火，者字構形乃楚文字的特有寫法，試比較簡文中的者字自然清楚。鹽字從鹵從皿，見於《五音集韻》，為鹽字異體，由此可知這一寫法由來已久。海字舊誤釋為沬，應釋為海。海字的這種寫法還見於《古璽彙編》0362 號燕官璽「東陽海澤王符瑞」璽和《吉林大學藏古璽印選》43 號私璽。李家浩先生曾在《從曾姬無卹壺談楚滅曾的年代》（載《文史》33 輯）一文中考釋出燕官璽中的「海」字，包山楚簡中這一海字寫法與燕官璽中的「海」字很接近。

> 上揭包山楚簡簡文是迄今為止最早一條記載「煮鹽於海」的史料，具有重要價值。

> 早在西周銅器銘文中，就有關於賞賜「鹽」的記載。如免盤謂「錫免鹵百□」，晉姜鼎謂「錫鹵責（積）千兩」，其中的「鹵」就是指鹽而言。[8]

李家浩同意劉釗的說法，並在〈傳賃龍節銘文考釋──戰國符節銘文研究之二〉中說：

> 戰國時代，雇用勞動十分普遍。包山楚墓竹簡 147 號說：

> 陳□、宋獻為王煮鹽於海，受（授）屯二儋（擔）之飤（食），金鋌二鋌。將以（已）成收。

> 此簡文的性質類似雇傭契約。「王」是雇主、「陳□、宋獻」是雇傭者，「煮鹽於海」是雇傭者所從事的工作，「授屯二擔之食，金鋌二鋌」是雇主給雇傭者每月的飲食和傭金。[9]

經過這樣的解釋，《包山楚簡》的「盦」字即「鹽」字，已經毫無疑問了。「盦」字從

---

[8]　劉釗：〈談包山楚簡中有關煮鹽於海的重要史料〉，《中國文物報》第 3 期第 3 版（1992 年 11 月 8 日）。林澐：〈讀包山楚簡札記七則〉，《江漢考古》1992 年第 4 期也有相同的隸定。

[9]　《考古學報》1998 年第 1 期，頁 4。

鹵從皿，顯然是會容器有鹽鹵之意。

《包山楚簡》的「盬」字當釋爲「鹽」，既已確定。毛公鼎「籃（簞）」字從竹、盬聲也昭然可知。「籃」與「簞」同字，那麼「盬（覃）」也當與「簞（覃）」同字。鹵在皿中，與鹵在覃中同義，顯然皿和覃都是可以放鹽的容器。考慮到簞字以作「簞」爲多，作「籃」者只一見，而且時代較晚。因此「簞」字以作「簞」者爲正字，同理，其所從的「覃（覃）」應該是「覃」的正字，「盬（覃）」只能當或體了。當然，我們也可以理解成：覃「（覃）」是「鹽」的早期字形，「盬」是「鹽」的較晚起的字形，因爲讀音稍有不同、或意義漸有轉變（「覃」專指「深長」、「延長」義），所以分化爲二字。既分化爲二字，於是「覃」專指「深長」、「延長」，而「盬」則專指「鹽」。

「覃（覃）」既然就是鹽字，其字形從鹵在覃中，那麼覃應是放鹽的罈子。鹽可以使食物更有味道，周邦彥〈少年遊〉詞：「并刀如水，吳鹽勝雪，纖指破新橙。」吃水果加鹽，今台灣地區猶如此，其起始應該非常早。商銅器即有「覃」字，其時也有鹽。「覃」字從「鹵」，楊升南指出前人謂鹵即鹽，是正確的，「鹽是國民生活必須，人們天天不可離，且無論貴賤皆需要。武丁大力對西北亘方、基方、舌方、土方的征伐，一個重要經濟目的應當就是爲保護鹽業資源」[10]。其說可從，但「鹵即鹽」，應當改爲鹵即西北所產的鹽鹵。據此，「覃」即「鹽」字，在歷史上及文字上是說得通的。金文「覃」的地望何在，目前還不易考知，但文獻中的「譚」在今山東濟南府[11]，《讀史方輿紀要》卷 31〈濟南府〉云：「府南阻泰山，北襟勃海，擅魚鹽之。」[12]

壽縣出土金鉼釋爲「鐔」或釋爲「鹽金」，在字形上都說得通，但以地望而言，釋「鹽金」似乎比較好講。

---

[10] 參楊升南：〈從「鹵小臣」說武丁對西北征伐的經濟意義〉，收入臺灣師大國文系、中研院史語所合辦：《甲骨文發現一百周年學術研討會論文集》（臺北：文史哲出版社，1998年），頁 201-218。

[11] 參陳槃：《春秋大事表列國爵姓及存滅表譔異》（臺北：中研院史語所，1988 年），頁 253下。

[12] 臺北：樂天出版社印行，1973 年 10 月。

　　「覃」（徒含切）的上古音在定紐侵部開口一等，「鹽」（余廉切）在喻（余）紐談部開口三等。侵談旁轉，文獻多有，如《詩經‧陳風‧澤陂》以儼（談）韻枕（侵）。漢代聲韻也是這樣，如司馬相如〈長門賦〉以心、音、臨、風、淫、陰、吟、南（以上侵）韻襜（談）；王褒〈洞簫賦〉以濫（談）韻合（侵）。在聲母方面，學者多主張喻四（余）古歸定。據此，覃與鹽的聲韻都有關係。

　　鹽字的出現時期相當晚，就現有的材料看，秦「睡虎地秦簡」中才出現「鹽」字（字表6）。《說文》卷12〈鹽部〉云：

　　鹽，鹵也。天生曰鹵，人生曰鹽。从鹵、監聲。古者夙沙初作鬻海鹽。

秦文字「鹽鹵」義和「覃長」義可能逐漸分化，鹽鹵義的發音漸漸轉爲接近牙音，所以加上「監」聲，「監」和「鹽」共用偏旁「皿」，這就分化出「鹽」字了。「鹽」字所從「監」應該是個聲符，否則毫無作用。但有趣的是，「鹽」字雖然從「監」得聲，但大徐本保留的反切「余廉切」，以及直到我們今天的讀音，聲母都不讀「監」的舌根塞音。龔煌城先生〈從漢藏語的比較看上古漢語若干聲母的擬測〉把「監」的聲母擬作 *kr-、「鹽」的聲母作 *l-[13]。潘悟云則擬作「監」*kr-、「鹽」*g-l-[14]。二字的聲母關係極爲密切[15]。「鹵」字屬來母魚部，來母的上古音，不論擬爲*l-或*r-，都和「鹽」字密切相關。至於其韻部，則「談（鹽）」部和「魚（鹵）」部也有相通的例子，如《說文》以爲「敢」從「古」聲。是「天生曰鹵（產西北）」、「人生曰鹽（產東南）」，「鹽」「鹵」二字的聲音，應該也有非常密切的關係，甚至於有同源分化的可能。

　　「覃」、「鹽」二字既已分化，一般人逐漸漸不知道「覃」字原即「鹽」，但是在

---

[13] 《聲韻論叢》（臺北：臺灣學生書局，1994年），第1輯，頁86-87。

[14] 潘悟云：〈漢藏語比較中的幾個聲母問題〉，趙秉璇、竺家寧編：《古漢語複聲母論文集》（北京：北京語言文化大學，1998年）。

[15] 根據從金文、戰國秦漢簡帛到《說文》等材料的分析，喻四和滂、明、非、奉、端、透、定、泥、知、徹、澄、娘、見、溪、群、疑、精、清、從、邪、初、生、章、昌、船、書、禪、影、曉、匣、云、來、日等聲母都有通轉現象，可以說是一個非常複雜的聲母。見丘彥遂：《喻四的上古來源、聲值及其演變》（嘉義：中正大學中文系碩士論文，2002年6月）。

《說文》對「覃」字的說解中，仍然保留「長味也」、「鹹省聲」這些與「鹽」有關的線索。

綜上所述，我們終於知道：「覃」字《說文》解爲「長味也」，基本不錯。它作名詞用時，就是「鹽」；作形容詞用時，則解爲「長味也」。「長味也」的意義來自「覃」字上部的「鹵」，與下部的「甶」無關。「甶」只是放鹽的罈子。

附、「覃」字、「鹽」字字形表

1 商·共覃父乙簋 《金文編》	2 商·父丁爵 《金文編》	3 西周晚·番生簋（覃） 《金文編》
4 西周晚·毛公筶鼎（覃） 《金文編》	5 戰國·晉·侯馬盟書（覃） 《秦漢魏晉篆隸字形表》	6 戰國·楚·貨幣大系 4270 《貨幣大系》
6 戰國·楚·包 2.147（鹽） 《楚系簡帛文字編》	7 秦·睡 20.183（鹽） 《秦漢魏晉篆隸字形表》	8 漢印徵 《漢印徵》

龍宇純先生七秩晉五壽慶論文集
2002 年 11 月　　頁 263～300

詩經韻部說文字表——之部例[*]

謝美齡[**]

一、前言

　　援用《說文》諧聲字以論證漢語上古音古韻分部之研究，以清儒段玉裁
（1735-1815）、王念孫（1744-1832）、孔廣森（1752-1786）、嚴可均（1762-1843）、
及朱駿聲（1788-1858）、江有誥（?-1851）等最稱有成[1]。然以今日更多元之研究方法
及更豐富之研究資源以觀，發現諸家雖均頗有創發，亦或多或少有其未盡善處，本文

---

[*] 本文據《詩經韻部說文字表》（臺中：東海大學中文研究所博士論文，1998 年）改寫而
　成。撰文期間仰承龍師宇純先生指導研究觀點、方法及提供音韻學、古文字學研究資料
　並辛苦審閱，謹此深表謝忱。
[**] 臺中師範學院語文教育系副教授。
[1] 按段玉裁《六書音均表》（1775）前後，有關《說文》諧聲或古韻分部研究專著較重要
　者有下列二十六家，本文於此序列各家主要研究，行文中提及某家或僅以「某氏」簡稱；
　又「韻」字或作「韵」者皆本於原著書名，非本文自訂：

❶ 王念孫《古韻譜》177?	（以下民國以後研究學者著作）
❷ 戴　震《聲類表》1777	⓯ 黃　侃《黃侃論學雜著》19??
❸ 孔廣森《詩聲類》1786	⓰ 董同龢《上古音韵表稿》1944
❹ 嚴可均《說文聲類》1802	⓱ 周祖謨《詩經古韻部諧聲聲旁表》19??
❺ 姚文田《說文聲系》1804	⓲ 陸志韋《詩韻譜》《說文諧聲譜》（未刊）1948
❻ 江　沅《說文解字音韻表》1809	⓳ 江舉謙《詩經韻譜》1964
❼ 江有誥《諧聲表》1812	⓴ 周家風《黃氏古均二十八部諧聲表》1968
❽ 朱駿聲《說文通訓定聲》1833	㉑ 周法高〈詩經韻字音韻表〉1970
❾ 陳　立《說文諧聲孳生述》1837	㉒ 周法高《周法高上古音韻表》1972
❿ 苗　夔《說文聲讀表》1842	㉓ 權少文《說文古韻二十八部聲系》1981
⓫ 陳　澧《說文聲表》1853	㉔ 王　力《詩經韵讀》1986
⓬ 張成孫《說文諧聲譜》1888	㉕ 陳復華、何九盈《古韵通曉》1987
⓭ 丁履恆《說文諧聲》1889	㉖ 陳新雄〈毛詩韻三十部諧聲表〉1991
⓮ 丁　顯《諧聲譜》1900	

不擬一一述評，研究者旨在闡發龍師宇純先生所教示之研究觀點—兼從音韻學及文字學觀點檢討《說文》古韻內容—並以實證方法將上古音「之」部內容具體呈現，期能推介結合音韻學與文字學統整研究之效驗。

二、古韻分部之體例及內容應再檢討

後學對古韻分部可再檢討者，主要在於前賢之研究觀點未盡週延，然亦因受限於研究材料不若今人利便所致。下列二項為各家所共有不足，亦即研究者可再著力之處：

（一）「諧聲表」之體例及內容過於簡要

按各家雖皆建構自成體系之「諧聲表」，但皆無法得知《說文》諧聲全貌及各字之古韻具體歸部。如江氏之《諧聲表》即過於簡要，非諧聲字江氏亦往往失收；最不便者，為江氏只收首級聲符，讀者執此簡表必無由得知從其得聲各字之衍化生態。再者，漢語之諧聲字往往具複雜之發展機制，同一諧聲偏旁可能輾轉衍諧古韻異部諸字，如從「畐」、「昌」諧聲諸字分派幽、宵二部，豈是於幽部收列「畐」、「昌」二字即可概其餘[2]？後起許多「諧聲表」雖取《說文》全書排比敘列，因各家系聯諧聲所據觀點為「一聲可諧萬字」[3]，除「以聲相統，條貫而下如譜系」外[4]，參閱者無由得知各字歸部具體理據；嚴氏《說文聲類》可謂其中較詳實者，然嚴氏既以許說為尊以統系諧聲字群，對可疑諧聲於其每部末附論另諧他部者，亦往往無確切憑證即予轉諧，

---

[2] 說詳龍宇純師：〈上古音芻議〉，《歷史語言研究所集刊》，第 2 本第 2 分（1998 年），頁 332-394。有關「畐」、「昌」二字古韻歸部討論見頁 370-371。

[3] 見段玉裁：〈古諧聲說〉，《說文解字注》（臺北：黎明文化事業公司，1974 年），頁 825 下。

[4] 戴震〈答段若膺論韵書〉中語，見《音韻學叢書本》（臺北：廣文書局，1966 年影刊渭南嚴氏本），第 6 本，《聲類表·卷首》，頁 14；其後段氏為其弟子江沅《說文解字音均表》作〈序〉又引及。

鮮有說解，如同一「而」聲云：「而聲之腜入歌類」、「而聲之陾入蒸類」及「而聲之耎入元類」，結論為：「之、蒸對轉，合為一類，故之可通蒸；之、支、脂、歌合為一類。」按「之、蒸」固可以孔氏「陰、陽對轉」詮解；然云同為陰聲韻部之「之、支、脂、歌」可「合為一類」，明為誤說[5]；而朱氏〔轉音〕之未合音理處與嚴氏略同，嚴、朱二氏「轉音」說之可議處已有學者明確析論[6]。

（二）各家《說文》諧聲之古韻歸部內容不盡相同，
研究結果應再統整

前輩既同取《說文》九千餘字為研究材料，亦皆以《詩經》韻語為古韻分部依據，則所得研究結果應一致，實則不然。蓋前賢所取材料雖同，然《說文》諸字之古韻歸部及諸家古韻部數卻多寡各異；甚至同一研究者亦往往自相矛盾，如段氏之〈諧聲表〉與《說文解字注》並〈詩經韵分十七部表〉歸部標準不一即是[7]，段氏之著作已堪稱其中極詳贍者，然亦不免此病。歸納造成諸家上述二項缺失之原因，主要由下列三點：

5　說詳下文「之部」字表正文舌音註❼有關「陾」字討論。

6　嚴氏《說文聲類》可說是第一個把段氏「同諧聲者必同部」之公式，以《說文》全書為材料切實系聯的人。嚴氏不僅完全相信許慎對每個字之說解，且恪遵段氏「同諧聲者必同部」說，將《說文》從同一聲者全部系聯，完全不管《詩》韻如何。如之部從「而」聲之字如「耏、腝、……洏、鯬、輀、需……騽、耐」等共四十字全敘列在「而」聲下。嚴氏這種只認《說文》諧聲而不把《詩》韻統合考量的態度是很特立獨行的。但他並非不知其中之問題，於是便以「轉音」這個新創名詞來解釋云：「凡從本類諧聲而轉入他類者規識之，後放此。」後起朱駿聲書中諸多「轉音」之體例或即源自此。方孝岳於其〈論諧聲音系的研究和「之」部韻讀〉（1957 年）文中，針對嚴氏批評云：「他可以不顧押韻的事實，別無其他可以說是『正音』的例子，而硬把現有的事實當作『轉音』。」（頁 86）指出了嚴氏可批評處。

7　實例詳見下文龍師論證「舟」字例，或本文「之部」字表喉音註壨有關「裘」字討論。

1.對「諧聲」之認知未盡週延

前賢對文字「諧聲」所持觀點未盡週延可分二方面言之：其一爲深信段氏「同聲必同部」之說[8]，把諧聲之行爲單一化，以爲執「視其偏旁以何字爲聲，而知其音在某部」之公式[9]，即可以解決所有《說文》諸字古韻歸部問題，如段氏弟子江沅及其後作諧聲表（譜）諸家均是，江有誥之〈二十一部諧聲表〉只收最初聲符，即同據此研究觀點。其二爲忽略諧聲應聲、韻俱同之大原則，以致處理《說文》歸系古韻時，於許說諧聲可疑處往往不察，如《說文》云「歸」從「𠂤」聲、「微」從「豈」省聲（而「豈」又從「微」省聲）及「𩰲」從「畁」聲等例，因古韻同部固不以爲疑；然如「札」從「乙」聲、「毒」從「毐」聲及「𢁕」從「肉」聲等例，非徒聲母未合，古韻亦不同部，諸家類皆仍依許說係屬，而形成被諧字與諧聲偏旁古韻異部情形[10]，前輩或不以爲疑，今人應視作重要研究課題，設法疏通。

2.在詩韻與諧聲間矛盾而難兩全

段氏、孔氏、朱氏等，他們爲合理解決《詩》韻與《說文》諧聲歸韻不一致之問題皆各有其說，如「合韵」說（段氏）[11]、「轉音」說（嚴氏、朱氏）[12]，「對轉」說（戴

8　段玉裁：〈古諧聲說〉，《說文解字注》，頁 825。

9　見段氏《六書音均表二・古十七部諧聲表》，《說文解字注》，頁 827。

10　「歸」、「微」二字古韻歸部之誤，說詳龍師〈有關古韻分部內容的兩點意見〉（1978），頁 5。

11　段氏之「合韵」說見其《六書音均表三・古十七部合用類分表》，《說文解字注》，頁 840。段氏云：「不知有合韵，則或以爲無韵」，段氏之「合韵」指的是古韻甲部某字與乙部某些字之偶然叶韻現象，該字在段氏古韻系統中仍各歸於甲部或乙部，只有個別字之異部通押。

12　朱氏之「轉音」卻是爲說明異部通押之叶韻現象，先標明其「本音」在此部，而以叶韻韻例「轉音」另歸他部，不僅量變且示其質變，這個學說顯示朱氏尊重《詩》韻及權衡諧聲音系之變通觀點；然朱氏遇《說文》諧聲與《詩》韻有矛盾，或因難以兼顧，致使某些「轉音」予人有可議處，如「侮」字見於《詩》韻四次，朱氏於「侮」下[轉音]注

氏、孔氏）[13]，這些學說固然可消釋一部份問題，但同時又製造了另一些問題。近人王力（1900-1986）以「散字」處理云：「表示這些字已經從諧聲偏旁所屬的韵部轉到這個韵部來了。」（王力 1963:190）。其意似認為「散字」原與所諧聲符古韻同部，至《詩》韻時已音變為他部，其法與朱氏「轉音」說之取意略同，均為調和《詩》韻與諧聲矛盾，於面對語言與文字之不平行現象時，以《詩》韻為尊之研究觀點。

　　本文以為王力「散字」說較之清儒諸解合理，因為它兼顧及語言與文字表記本質。我們認為此說若再從四個方向以思考其成因將更週延：其一為例外諧聲，次為方言殊語，三為文字誤解，四則同形異字或其它不明原因；若單以個別「散字」視之，可能忽略重要相關訊息[14]。

云：「左傳廿四傳：『外禦其侮』，詩〈常棣〉作『務』，叶『戎』。按『侮』、『務』皆讀如『蒙』也。又詩〈緜〉叶『附、後、奏、侮』，〈皇矣〉叶『禡、附、侮』，〈正月〉叶『瘵、後、口、愈、侮』，〈行葦〉叶『句、鍭、樹、侮』，左昭七叶『僂、傴、俯、走、侮、口』，按讀如『睦』也。」按朱氏因說文云「侮」字從「每」聲，故收在頤部，可見他認為「侮」之「本音」在之部；但「侮」字所叶韻者大部份屬侯部，或屬其陽聲韻東部，則「侮」之本音應屬侯部，段氏即歸侯部；若以韻例為尊，當如段氏歸「侮」字於侯部，朱氏則云「侮」字既可讀如侯部陽聲韵「蒙」音，亦可讀如幽部入聲音「睦」，讀如「蒙」固可視為侯、東陰陽對轉，於音理可解，而讀如幽部入聲「睦」則是侯、幽間之「旁轉」，已屬牽強，則同一頤部「侮」字既可轉讀如「蒙」，亦可轉音若「睦」，一為之部與東部之「轉音」，一為之部與覺部之「轉音」，而廣韻「侮」字只麌韻文甫切一讀，朱氏如此多部並存之「轉音」恐難信人。

[13] 孔廣森（1752-1786）分古韻為陰聲韻九部及陽聲韻九部，合計十八部；並主張：「各以陰陽相配，而可以對轉。」見《詩聲類》（臺北：廣文書局，1966 年影刊渭南嚴氏《音韻學叢書本》），卷1，頁2。

[14] 實則王力所舉二十三個「散字」各有其因。如之部「裘」字即可從龍師說改訂（詳下文「之部」表註）；又侯部「飫」字、緝部「軜」字等，本文以為應視作例外諧聲，依《詩》韻歸之部；無《詩》韻者即依大徐音從《說文》諧聲系屬；至於月部「怛」字從元部「旦」聲；可視為月、元二部之陽、入「對轉」；其餘有《詩》韻為證而與諧聲不合者，本文以為仍應從古今音變及方言殊語，或其它可能（如文、白異讀）再探討，絕非段氏「合韵」或戴氏以降所云「旁轉」即可詮解（另詳謝美齡：〈合韵、旁轉說及例外諧聲檢討〉，《聲韻論叢》〔臺北：臺灣學生書局，1999 年〕，第 8 輯，頁 123-162。）蓋今時有方言殊語，古人何獨不然？

3.研究資源不備及研究方法受限

　　從傳統語文學研究觀點，及相關文獻資料論證《說文》歸系古韻之研究方法，本為前輩熟習援用，然亦各有所蔽：如孔氏之漠視異文，嚴氏之太相信《說文》，江氏之過於簡要，甚而改訂今音以叶古音等均是。其中段氏、朱氏之全面研究《說文》而仍有矛盾誤差，則非前賢之過，實因當時之研究資料（尤其是古文字）有限及相關說解缺略不豐所致；民國以後之學者，因研究所資較前賢完備及取用方便，應有較大之突破，上文所云前賢因研究觀點未盡正確（如「一聲可諧萬字」）；或所持觀點雖不誤（如以《詩》韻為彝，取與諧聲同證古韻歸部），而實際歸部仍自相矛盾乃至彼此結論不同；及因資料不足所造成之種種研究缺失，皆予後學留存再研究空間，因有感於前輩學者之研究成果不相統合，後人可再訂補辨正，此即本文研究目的，我們認為從這些前輩學者辛苦累積的研究成果為基礎再出發，若能兼採其它研究觀點與方法，及利用較前賢豐備方便之研究資料，對《說文》之諧聲體系按《詩經》韻部之具體歸字內容，應有再檢討空間。

三、結合古文字學及音韻學的統整研究

　　龍宇純師在〈有關古韻分部內容的兩點意見〉（1978）一文中，對前賢各種研究缺失具體析論，文中所提示兩種研究觀點與方法，適可補足、調停《說文》諧聲和《詩經》韻語的矛盾。

（一）從（古）文字學觀點輔證《說文》古韻研究

龍師指出完全信任許氏《說文》可能導致古韻誤歸結果：

　　許慎可能把非諧聲字說成諧聲，而又剛好牽涉到韻部的不同，則根據說文，韻

部是有了歸屬，真相卻不若是；或且不免把本有韻語可證的字，也因其誤說而致歸錯了韻部。(1978：5)

龍師文中列舉「朝」、「舟」；「帥」、「𠂤」；「裘」、「求」等三組例字，一一援引小篆前之古文字論證許慎受限材料不足所導致之錯誤說解，合理地化解《詩》韻和諧聲間之矛盾。例如「朝」字，《說文》云：「朝，旦也。從倝，舟聲。」但從《詩》韻看，與「朝」字叶韻的無一不是宵部字，而「舟」字則專與幽部字相叶[15]，面臨這樣的矛盾，古韻學家各有不同的處置，段氏〈諧聲表〉無「朝」字，第三部「舟」聲下注云「偏旁石經作月」，似乎包在「舟」聲之中；而〈詩經韻分十七部表〉則於其第二部見「朝」字，兩表收字標準竟至不同；而江氏「朝」、「舟」二字分見宵、幽二部，全與《詩》韻相合，諧聲的問題則缺而不言；朱駿聲以「朝」字隨「舟」聲入孚部，則無視於二字《詩》韻上之分歧。龍師援引古文字資料，證據確鑿疏通許慎說解，指出「朝」字原不從「舟」得聲，「朝」與「舟」聲本無瓜葛，其一屬宵，一屬幽，諧聲與《詩》韻本無矛盾[16]；其它二組字例「帥」與「𠂤」[17]、「裘」與「求」，也同樣經龍師利用金

---

[15] 「舟」字〈柏舟〉叶「舟、流、憂、游」，〈谷風〉叶「舟、游、求、救」，〈竹竿〉叶「淲、舟、游、憂」，〈菁菁者莪〉叶「舟、浮、休」，所與為韻者，無一而非幽部字，「舟」字古韻當屬幽部。而「朝」字則〈碩人〉叶「敖、郊、驕、鑣、朝、勞」，〈氓〉叶「勞、朝、暴、笑、悼」，〈河廣〉叶「刀、朝」，〈羔裘〉叶「遙、朝、忉」，〈白駒〉叶「苗、朝、遙」，〈漸漸之石〉叶「高、勞、朝」，所與為韻者無一不是宵部字，據此，「朝」應是個宵部字。

[16] 龍師云說文「朝」從舟聲，從音韻條件上講，「舟」屬照三，「朝」屬知母，知與照三上古出於一源；幽宵兩部音又相近，未發現有何不妥之處。但從金文看，「舟」字作𠂤（舟簋）、「朝」字作𦥛、𦥚或𦥷，顯示「朝」字固不以「舟」字為聲符，亦並不以「倝」字為意符，金文「倝」字作𦥔可證。分析「朝」字，以上引三形為例：如第一形左半所從雖不敢遽指為何字；但第二形右半所從於說為川字，第三形所從說文為《《字，《《與澮同，並水之稱；又說文云：「潮，水朝宗於海也。從水，朝省。」則朝本是潮字，從川、從川、從《《或從水表意，而以𦥛為聲。𦥛疑是朝旦之朝的本字，從日，艸聲。然則，在真實的文字考訂上，朝與舟本無瓜葛，其一屬宵，一屬幽，《詩》韻與諧聲之矛盾即自然消解（龍宇純1978：7）。

[17] 說文「帥」字從「𠂤」為聲。但金文「帥」字作「𢄷」（史頌簋）、「𢄸」（虢弔鐘）或「𢄸」（毛公鼎），左側所從與金文「𠂤」字作「𠂤」之形本自不同。而另一方面，金文中確然從「𠂤」的字如「官」、「遣」、「師」等，又不見有如「帥」字左側之形者，則所謂「帥」

文爲證，推原各字本有之形、音、義，化解許慎因研究材料受限而導致《詩》韻與諧聲間的不相容，以見龍師此法可訂補清儒面臨諧聲與《詩》韻間之矛盾及不足，龍師述評清儒云：

> 依我看，江氏純任詩韻的態度是對的。因為文字的形體隨時可能發生𡖖變，說文的解說亦未必字字皆如初意；而詩經的韻語卻可以十足代表當時的語音，所以諧聲字只能在不與詩韻相觸牴的情況下取作參考、取作證明；一旦發現其與詩韻背道而馳，自然要捨諧聲以就詩韻，這是極淺顯的道理。只是我不能同意江氏對諧聲不予理會的消極態度，因為那不啻是為自己基本上的信任諧聲製造矛盾，而必須是要積極的從文字學觀點去試探清除障礙的可能途徑。（龍宇純1978:6）

龍師所以有此研究觀點，是因爲他已從根本上指出古韻的研究發展從顧炎武到段玉裁，可以說是從純任語言發展到兼取文字，因此他又指出古韻的研究應兼從文字學觀點思辨：這不再是單純的聲韻學者的工作，必須有文字學者的參與；當然最理想的是，一個聲韻學者又同時是一個文字學者，在問題的發現和處理上都要較爲方便（龍宇純1978:6）。這是龍師旁參古文字資料，清除古韻分部障礙後鄭重揭示的「以古文字檢討分部內容」的研究方向。

字從「自」聲之說乃是一妄。根據《禮記・內則》古時生女子「設帨於門右」的記載可知「帥」字本從巾在門右會意。「𣃟」就是二戶相向的門字，因為求方正美觀等原因，改寫成如此。小篆從「自」是後世的譌變，當然不足據以定其韻部。「帥」字不見於《詩》韻，其古韻在何部無法從本身考察，但是說文說「帥」的或體作「帨」，以「兌」為聲。「兌」字兩見於《詩》韻，〈絲〉叶「拔、兌、駾、喙」，〈皇矣〉叶「拔、兌」，顯然是個祭部字。又從「兌」得聲的「說」、「脫」、「駾」、「閱」四字，在《詩經》裏也都是和祭部叶韻，無一例外。不僅如此，「帨」字本身就曾以佩巾的意義在〈野有死麕〉中與祭部字「脫、吠」叶韻，這是「帥」字應歸祭部最有力的證據。（說詳龍師1978:5-6）。

（二）一字可以隸屬一個以上的韻部

龍師的第二個意見是認為：「一字可以隸屬一個以上的韻部。」（1978:9）。因為語言與文字經古今音變及方言因素之交叉影響，往往形成一字多音，且今人之語有方言異音，何獨古時不然？故主張一字可兼入二個古韻部云：

過去古韻學者，從他們的分部內容看來，明顯的抱持一個相同的觀念：一個字只能承認他在一個韻部中的當然地位，外乎此者，則為詩文作者的勉強通用。籠統一點的，或謂之合韻，或謂之轉音；仔細一點的，還按自己所了解的韻部間關係的疏密，由近及遠的區分為通韻、合韻和借韻幾種不同。但依我看來，其為委曲古人的語音，直是古韻學家久已揚棄的唐宋叶韻說的復活。試想，古時並沒有韻書，詩文押韻全任天然。才情學力不足，容或有因音近而「通韻」者；若「合韻」、「借韻」之所指，其音已遠，安得與為趁韻之資？此其不可通者一。詩經是一部文學價值最高的古詩總集，不一定是曾經聖人刪取的菁華；部分出於士大夫，即來自民間者也當經過王官的潤飾，不應有太多才情學力的問題不難想見。何況其中多的是朝會、宴饗之歌，甚至於廟堂美德的頌，更那裏容得各式各樣的通轉借用？然而依古韻學家之說，全詩之出韻者，竟更僕難數！此其不可通者二。以後世韻書論之，一個字可以同時屬於幾個元音不同的韻中。其主因有二，一是古今音變，一是方言音異，經過長時期的積累統合，於是一字多音，司空慣見。詩經的時代當然較隋唐為古，但亦只是較古而已，西周以前漢語的歷史應遠比周至隋唐為悠久，豈得獨無其時的「古今音變」？且漢語通行的地域幅員遼闊，又豈得獨無古代的「方言音異」？則當詩經時代，必然已有一字異音的現象，只是不如隋唐之於後為烈而已。然則古韻學家視一切詩經中不合自己韻部的叶韻現象為勉強通用，又是一個不可通解的看法（龍宇純 1978:9）。

龍師此說合於語言生態共性，與後世音義書等文獻之體例及內容亦吻合。故本文據《詩》韻將《說文》文字歸系古韻各部時，對《詩》韻及諧聲與大徐並《廣韻》音讀不合等情形，即考慮這些現象可能具不同背景：或為古今音變、或因方言殊語，或為文字通假及其它原因，則歷來之古韻學家認為一字只能歸屬一個古韻部之看法顯然應予調整，亦即一字可兼入二個以上之古韻部。

龍師之所以不同意古韻學家所持的此一主張，除了上引三個理由外，實際是先由觀察上古材料有此認識，然後才想到三方面俱不可通。龍師舉了「帥」；「陶」、「翿」、「滔」、「繇」及「䚮」三組字例來論證「一字可以隸屬一個以上的韻部」。以「帥」字而言，其本音應根據其或體「帨」字及「兌」聲字出現於《詩經》韻腳的現象歸於祭部，但「帥」字除其本音讀舒芮切和此芮切外，相傳還有所類、所律兩音，音義並與率字相同。率字於詩〈采芑〉與「位」聲之「茷」字叶韻，古韻在微部；又說文「膟」字或體作「𦙡」，可見「帥」字確有一讀與「率」字同部，應於微部入聲物部再收「帥」字。同理，「陶」、「翿」、「滔」、「繇」及「䚮」等字亦當從《詩》韻及後世反切（主要是《廣韻》）歸於二個古韻部[18]，龍師之結語說：

> 綜上所述，可見過去古韻學家只承認一個字在一個韻部的當然地位，顯然是有悖乎情實的。（同上，頁 10）

這個研究觀點前人未曾慮及，於漢語上古音之研究並《說文》學兩皆獨所創發。

四、本文所據古韻分部及古韻歸系原則

上古無韻書，所據以建構古韻分部之主要憑據為《詩經》韻語與《說文》諧聲。古韻分部自清至今，由顧氏十部迄今之二十二部或二十八部，乃至三十一、三十二部或更多，其大別在入聲韻之獨立與否。大部份學者因見《詩》韻並諧聲皆陰、入關系

---

[18] 說詳龍師上引〈有關古韻分部內容兩點意見〉（1978 年），頁 9-10。

較陽、入往來爲密切，故視陰、入同部，以爲無獨立必要；亦有不以爲然者，蓋入聲收尾既與陰、陽各異，應予分立。清儒除江永、戴震外，皆陰、入不分，此派分部學者以董同龢先生《上古音韵表稿》（1944）二十二部最爲完善；入聲獨立者始自江永，戴震繼之，黃侃及羅常培、周祖謨、王力並陳新雄諸先生並皆主張入聲韻部應予獨立，從羅、周二氏三十一部之說者頗眾，可爲代表。

　　本文擬據董先生之二十二部爲基礎，將《說文》文字依《詩》韻歸系敘列爲各韻部字表，若仿朱氏附入聲分部，則二十二部再加九部入聲分部爲三十一部，實則同羅常培、周祖謨之三十一部。本文於清儒古音研究各家並非輕視，蓋前修未密，後出轉精。顧氏十部或江永十三部，但據《廣韻》求分合，固未盡古音全貌；段氏十七部創獲實多，仍有未密；故孔氏、王氏（念孫）、朱氏皆據以增損，至江有誥二十一部可爲古韻分部定論，董先生二十二部與江有誥二十一部惟脂、微分部有異，脂、微分部由王力確立[19]，古音學者咸從其說；至於三十一部或三十二部甚或更多部者，主要在入聲韻部是否獨立。董先生對這個問題的看法是：

　　　　古韻分部，近年又有黃侃二十八部之說，實在並無新奇之處，他所以比別人多
　　　　幾部，是把些入聲字從陰聲各部中抽出獨立的緣故。就古韻諧聲而論，那是不
　　　　能成立的，因為諧聲字與入聲字押韻或諧聲的例子很多，如可分，清儒早就分
　　　　了（董先生自註：清儒朱駿聲著《通訓定聲》，在陰聲韻部之內立了所謂「分
　　　　部」，專收一些入聲字。黃氏的意向，他早已有了，不過到底比黃氏謹慎，只
　　　　稱「分部」而已。）[20]

本文從董先生說，以爲陰、陽、入三分與《說文》諧聲及《詩》韻皆不合，學者已從諧聲及《詩》韻之合調、合韻證得陰、入關係密切[21]，並見入聲有其自主性，董先生

---

[19] 說詳王力〈上古韵母系統研究〉，1937 年，原刊於《清華學報》12 卷第 3 期；此文又收入《王力文集》第十七卷，頁 182-189。。

[20] 見董先生《中國語音史》（1954 年），頁 144，或《漢語音韻學》（1968 年），頁 260-261。

[21] 據李添富之統計，入聲韻與陰聲韻通叶 76 次，而與陽聲韻只有 5 次往來。見「古韻三十二部詩經例外押韻合韻韻例統計表」，〈詩經例外押韻現象之分析〉，《輔仁學誌》第

分部二十二及各部附列入聲分部之作法，可十足照應古韻本質。

本文於研判《說文》之古韻歸部以《詩》韻為第一理據。因上古未有韻書，而《詩》韻出於天籟，其可十足代表當時語音無疑；至於具體之論證原則，龍師有所提示：

> 那麼如何來決定何者為本音，何者為通用？我想暫時可採如下的原則：凡詩經押韻而廣韻並不同韻的，如一屬脂，一屬微，或一屬之，一屬咍，則假定其為通用；若其詩經押韻而廣韻完全同韻或有同韻者，前者如陶、翿、敖，後者如滔、儦、敖，即定其為本音。我的意思，為展示古韻分部內容，簡單的古韻諧聲表是不夠的；必須根據可靠的詩韻，下參廣韻，切實的把各字應有的各韻部的讀音一一填列，變古韻諧聲表為「上古韻書」。（1978:10）

限於篇幅，下文僅以「之部」為例展示據《詩》韻歸系排比《說文》諧聲內容，之部入聲職部暫略；援引（古）文字學觀點以訂補前賢之相關論證則隨表附註。

五、詩經韻部說文字表「凡例」

一、本字表之歸字主要根據《詩經》押韻及《說文》諧聲。為照應古今音變關係，每字附注大徐唐韻音切，其切語可疑（如之部「娸」字）或無切語（如「吕」字，大、小徐均無反切）者，另據《廣韻》或相關資料斟酌審訂並加註說明。每部之中再依唇、舌、牙、齒、喉五音之次第敘列各字；為便檢尋，五音中再依三十六字母次序敘列，照二、照三歸齒音，唯日母改歸舌音；喻三、喻四俱按喉音排比。

二、形聲字據各字所從之聲符為主，如「䢈」（与之切）從「巳」（祥里切）得聲，則系「䢈」字於之部齒音「巳」聲下，不因「熙」‘与之切’而置於喉音；諧聲相同者依見於《說文》之先後次列，每系最初級聲符左方阿拉伯數字

爲段氏《說文解字注》頁碼（本表所據爲臺灣黎明文化事業公司影印段氏「經韵樓藏版」本）。若某字從甲聲卻又爲乙字、丙字之聲符，則甲聲下不列其字，另起一行置其字爲聲首而敍列乙、丙等字於後，自爲起迄，層層隸屬。如「台」、「矣」俱從「以」聲而爲「詒眙」、「俟涘」等字之聲符，則置「台」、「矣」爲二級聲首而分系「詒眙」、「俟涘」於其後；「治」從「台」聲而又爲「菭」之聲符，亦另起一行以「治」爲三級聲首而系「菭」字於「治」後。非形聲字之敍列，一律各居一行。

三、許說形聲（包括「亦聲」、「省聲」）而誤，或《詩》韻與《說文》諧聲之矛盾；或各家歸部措置不同（包括形聲字及非形聲字），凡有所討論，於各該字右方加註碼說明。註碼依五音自爲起訖，注文即列各音之後。其有字之生僻，既不見於《詩》韻，又形聲會意不明，或本不爲字者，前者如「𡕢」、「号」，後者如「厈」、「爪」、「䰙」，則歸入文末之「存疑」部份而略加說明。

四、凡字讀涉及陰、陽、入聲之不同宜異部重見者，加註阿拉伯數字表明，如「等1」（之部）、「等2」（蒸部），「陶1」（幽部）、「陶2」（宵部），「作1」（魚部）、「作2」（鐸部）。

五、《說文》之重文或古或籀、或省或俗，其與正文同聲符者，逐附於正文之後而以（古）、（籀）、（俗）、（或）、（篆）註明；其不同者各從其聲符歸屬，而於字右下方以（某字古文）、（某字籀文）、（某字或體）識之。如「楳」爲「梅」重文，「梅」從「每」聲而「楳」隨「某」聲；「噍」之或體作「嚼」，「噍」在宵部「焦」聲下而「嚼」在藥部「爵」聲下。

六、凡字見於《詩經》押韻之次數，於其音切後附記阿拉伯數字標明。如「否4」表示「否」字於《詩經》中四爲韻字。其押韻次數之認定，主要根據王力《詩經韵讀·詩經入韻字音表》（1986），旁參江舉謙師《詩經韻譜》

（1964），並斟酌韻例而定。《詩經》入韻字爲《說文》所無者，於該字附記（補）字以識之，如「狸」、「澺」等，並加註說明。

七、爲省篇幅，文中凡援引各家說法一律稱姓不名。如段玉裁、朱駿聲但稱段氏、朱氏，唯王力因別於王氏念孫，稱名爲特異。凡偶一徵引之論著，附加書名號，如《古韵通曉》等，其餘一概不加。文中常引用之學者簡稱及其專著如下：

顧氏（顧炎武）詩本音。

戴氏（戴震）聲類表。

段氏（段氏）六書音均表。說文解字注。

王氏（王念孫）古韻譜。

孔氏（孔廣森）詩聲類。

嚴氏（嚴可均）說文聲類。

江氏（江有誥）二十一部諧聲表。詩經韻讀。

朱氏（朱駿聲）說文通訓定聲。

張氏（張成孫）說文諧聲譜。

黃氏（黃侃）黃氏古韻二十八部諧聲表。

周氏（周祖謨）詩經韻字表。

陸氏（陸志韋）詩韻譜。

董先生（董同龢）上古音韵表稿。

王力（王力）詩經韵讀

八、稱引諸說，授業者稱師，具其它關係者稱先生，自餘但稱姓名，或簡稱某氏。

六、詩經韻部說文字表——「之部」

（一）脣音

233 啚（方美）㽞（古）	鄙（兵美）				
343 富（方副）①	䘵（方布）②				
590 不（方久）	芣（縛牟）	肧（匹桮）	伾（芳杯）	碩（薄回）	坏（芳桮）
	柸（籀文桮）				
001 丕（敷悲）	邳（敷悲）	秠（敷悲）	伾（敷悲）	駓（敷悲）	魾（敷悲）
061 否（方久）③	菩（步乃）	倍（薄亥）	培（蒲回）	陪（薄回）	醅（匹回）
	蓓（匹鄙）	桮（布回）	痞（符鄙）	罘（縛牟）	醅（敷悲）
	姟（匹才）				
370 佩（蒲妹）					
283 負（房九）	蕡（房久）				
620 婦（房九）					
620 母（莫后）毐（古）毒（古）	苺（母辠）	䳾（茂后）	侮（古文侮）	拇（莫厚）
022 毐（同每）（武罪）	誨（荒內）	敏（眉殞）④	每（荒內）	腜（莫桮）
	梅（莫桮）	晦（荒內）	羃（莫模）	悔（荒內）	海（呼改）
	姆（莫后）	晦（莫后）崣（或）		鋂（莫桮）
250 某（莫厚）梅（古）	禖（莫桮）	謀（莫浮）	腜（莫桮）	楳（梅或體）	惎（亡甫）
	媒（莫桮）				

①：「富」、「䘵」二字从職部「畐」（房六切）聲。

②：「䘵」字《廣韻》宥韻方副切（大徐方布切）、屋韻芳福切二讀，義同說文。董先
　　生於之部去、入聲兩屬，本表兼入之、職二部。

③：說文「音」字：「相與語，唾而不受也。从▲从否，▲亦聲。歆，音或从豆欠。」
（五篇上▲部）。按大、小徐本均作「否亦聲」而非「▲亦聲」，段注不僅改「否
亦聲」爲「▲亦聲」，且對「音」之重文「歆」注云：「或字从豆聲，豆與▲同部，
周易『蔀、斗、主』爲韵，『蔀』正『音』聲也。天口切，四部。」段氏「音」
聲入其〈諧聲表〉第一部（又於「棓」字下注云：「按音聲在四部。」彼此矛盾），
「▲」聲、「豆」聲、「部」聲見於第四部；然段氏《說文》注中从「音」聲各字
之歸部，往往參差不一，別之爲如下五種：

之部[22]： 菩（步乃）赾（朋北）踣（蒲北）倍（薄亥）掊（蒲侯）培（蒲回）

侯部： 音（天口）腤（薄口）剖（浦后）箁（薄侯）錇（蒲侯）部（蒲口）
　　　 髻（步矛）瓿（蒲口）綊（芳武）憈（薄口）

幽部： 涪（縛牟）

東部： 棓（步項）（段注：按「音」聲在四部，合韵也）。

不定： 陪（薄回）（段注：古音在一部、四部之間）。

　　　 醅（匹回）（段注：古音在一部、四部間）。

以上含「音」共二十字，歸部竟參差若此，其中除「倍」字一見於詩〈瞻卬〉四
章叶「忒、背、極、慝、識、事、織」爲韻，可確定應歸「之」部外，其他十九
字俱非《詩》韻字。嚴氏、朱氏將二十字全收於之部，但朱氏在「音」聲下注云：
「按此字據或體从欠豆聲，則小篆當从否▲聲，然音讀如丕，今蘇俗尙有此語詞。
疑从否，▲象出气，指事，非有所絕止之▲字也。或體亦疑从欠从唈省會意，憈，
小怒也，字亦作愊。」則朱氏與段氏在「从否，▲聲」及對或體「从欠，豆聲」
的意見雖一致，具體歸部結果仍有出入。江氏侯部只收「▲」聲、「豆」聲而無
「音」聲，故不知江氏對「音」聲及其諧聲字之具體歸部情形；近人王力、董同
龢先生全歸之部，與朱氏同；周氏則將「音」聲兼入之部與侯部云：「音字集韻

---

[22] 含其入聲職部如「赾」、「踣」二字。

厚韻，音普後切。倍字從此。音聲兼入侯部。」（《詩經韻字》頁 222），龍師認為應從文字及歷史音韻兩方面解決「音」等二十字之歸部問題：「音字本音屬侯部滂母，故从音爲聲者，中古都讀流攝唇音。音字音轉爲天口切，猶魄字有滂母、透母二音，故其或體以豆爲聲作𣪘。至於菩、倍、培、陪、醅、𧺆諸字，廣韻陰聲入止攝、蟹攝及入聲入蒸攝者，實从否爲聲，因丕字古或作𠀗（如洹子孟姜壺作𠀗、者汈鐘作𠀗），否字書作𠀝，與音字形近，於是譌爲音聲。說文中篆文，本多出於許書之「篆定」[23]，其中或且有許君據隸書誤寫者。」[24]本表從龍師之說，據《廣韻》音切，將从「否」聲「菩」等字歸之部或其入聲職部；从音聲「培」諸字則入侯部或其入聲屋部。

④：說文云「敏」从「每」聲，「每」从「母」聲，「母」聲、「每」聲並在本部。按「敏」字見於《詩》韻二次，〈甫田〉叶「止、子、畝、喜、右、否、畝、有、敏」，〈生民〉叶「祀、敏、止」，所與叶韻者皆之部字，段氏、孔氏、嚴氏[25]、朱氏、張氏、董先生均歸「敏」字於之部，本表從之。

（二）舌音

193 等 ι（多改）①		
379 代（徒耐）②	貸（他代）	岱（徒耐）
093 試（式吏）	弒（式吏）	
360 置（陟吏）③	𣛓（植或體）	

---

[23] 「篆定」一詞由龍師創發，意指《說文》中「小篆」，小部份或竟是大部份，乃許君據其字說，將隸書迻寫爲篆書形式，像這樣由隸書改寫爲小篆之舉，龍師稱之爲「篆定」，說詳龍師：《中國文字學》（臺北：五四出版社，1994 年）・第四章，頁 407-408。

[24] 本文論證所資有關訂補《說文》誤說等意見，主要引自龍師〈說文讀記之一〉（1982）及修業期間筆記龍師「說文研究」授課內容，經徵得龍師同意於本文披露，特於此誌謝及申明龍師著作權。

[25] 孔氏、嚴氏云《廣韻》「敏」字乃「誤入軫」（《廣韻》轉音軫韻眉殞切）。

205 乃（奴亥）≥³⑤④	鼐（奴代）				
484 能₁（奴代）⑤	螚（奴代）	態（他代）儓⑥			
233 來（洛哀）	崍（落哀）	萊（落哀）	麳（洛哀）庲⑬	睞（洛代）	賚（洛帶）
	秾（洛哀）	睞（洛代）	騋（洛哀）	淶（洛哀）	勑（洛代）
701 里（良止）	理（良止）	㪏（里之）	起（戶來）	郮（良止）	俚（良止）
	裏（良止）	悝（苦回）	鯉（良止）	狸（里之）（補）⑥	
	梩（枏或體）				
462 貍（里之）	䴬（莫皆）	霾（莫皆）			
452 而（如之）	耏（如之）	脼（如之）	栭（如之）	胹（如之）（奴代）耐⑭	
	洏（如之）	鮞（如之）	輀（如之）		
743 陾₁（如之）⑦					
597 耳（而止）	珥（仍吏）	駬（仍吏）餌⑭		刵（仍吏）	佴（仍吏）
	姌（仍吏）	恥（敕里）			

① 說文「等」字：「齊簡也。从竹寺，寺官曹之等平也。」段注：「古音在一部，止韻變入海韻，音轉入等韻，多肯切。」按「等」字《廣韻》海韻多改切及等韻多肯切二讀，義同。「等」字不見用於《詩》韻，《廣韻》既入海韻多改切，「等」字古音亦應有「之」部一讀。嚴氏、朱氏、張氏「之」部皆收「等」字，嚴氏注云：「均謂『寺』亦聲，古讀多改反，之、蒸對轉，故今為蒸類部首。」朱氏亦云：「寺亦聲」並引《管子‧侈靡》叶「使、等」證明。嚴氏、朱氏「亦聲」之說雖未必成立，然「使、等」叶韻可佐證「等」字應兼歸於之部，董先生即之、蒸二屬，本表從其歸部。

② 「代」、「貸」、「岱」三字从職部「弋」（與職切）聲。「代」、「岱」二字《廣韻》在代韻徒耐切，「貸」字他代切；次行「試」、「弒」二字則从「式」（賞職切）聲，《廣韻》同在志韻式吏切下。

③ 「置」、「植」二字从本部入聲職部「直」（除力切）聲。

④：段氏將「乃」聲歸之部，而把从「乃」得聲諸字，除「鼐」字歸之部外，將「芳、
䍤、扨、仍、扔、孕」六字歸「蒸」部。孔氏未收，嚴氏「乃」聲歸之類，从「乃」
聲等七字以「○」識之，表示「從本類得聲而轉入他類。」江氏歸蒸部，於「乃」
聲下注云：「奴亥切，古音仍。」朱氏則自「乃」至「孕」等字皆收在蒸部，張
成孫同。按「乃」字《廣韻》只海韻奴亥切一讀，海韻多來自古韻之部，故「乃」
字古音應在之部，而從「乃」聲諸字，則應如段氏視後世反切，分歸之部或其陽
聲韻蒸部，段注於「芳」字下注云：「乃在一部，仍、芳在六部者，合韻取近也。」
按之部、蒸部主要元音既同，陰、陽固可對轉，不必以「合韻」作解。

⑤：「能」字於《詩.賓之初筵》五章叶「能、又、時」，段、嚴、朱三氏歸「能」字於
之部，董先生於之、蒸二屬。按「能」字《廣韻》四讀：咍韻奴來切（三足鱉也）、
登韻奴登切（工善也，又獸名）、拯韻奴等切（夷人語）及代韻奴代切（技能）。
依《詩·賓之初筵》「其湛曰樂，各奏爾能」句意，應取代韻奴代切「技能」一
義較切合《詩》意。今據《詩》韻及《廣韻》有相應音切，從嚴、段、朱三氏於
之部收「能₁」字爲聲首，系「態」字於其下；「能₂」歸蒸部，「能」聲應兼入
之、蒸二部，與董〈表〉同。

⑥：說文無「貍」字，《詩經·七月》叶「貍、裘」，今據《詩》韻附系「里」聲下。
《廣韻》在之韻里之切下，爲「貍」字俗體。

⑦：說文「陾」字：「从𨸏，耎聲。」段注：「如乘切，六部。」按段氏「而」聲在一
部，段氏懷疑許慎「耎聲」之說云：「其篆从耎聲，則與如乘切相去甚遠。依玉
篇手部作『捄之陑陑』，則之韻而聲可轉入蒸韻，如『耳孫』之即『仍孫』也。
蓋其字从𨸏，故許必云築牆以傅合之；而聲則或譌爲耎聲。」按段氏「耎」聲在
十四部，故有此疑。孔氏收「陾」字於蒸部，註云：「兼入之韻」並引「釋文『陾』，
耳升反或如之反。」及詩〈大雅·緜〉韻語爲證；嚴氏收「而」聲及「陾」字於
之部「而」聲下，然以○識之，諧聲表後註云：「而聲之『陾』入蒸類。」江氏

281

之部收「而」聲，不知其「叒」聲及「陾」字具體歸部；朱氏「陾」字隨「叒」聲在乾部；因他懷疑「『陾』與『頌』同字，讀如『仍』者，聲之轉也。」卻未列〈大雅・緜〉之韻語為「古韻」，頗不合朱氏常例；周氏「叒」聲在元部，未見「陾」字；王力〈諧聲表〉中列「陾」字於蒸部為「散字」，〈詩經入韻字音表〉則歸蒸部；董先生歸蒸部，加註同段氏。按「陾」字，若據詩〈大雅・緜〉叶「陾、薨、登、馮、興、勝」韻語，應歸蒸部；然《廣韻》之韻如之切、登韻如乘切及厚韻乃后切三讀，如孔氏之部、蒸部二收亦可，本表從之，「陾」字兼入之、蒸二部。

（三）牙音

105 戒（居拜）①	祴（古哀）	誡（古拜）	械（胡戒）	悈（居薤）	
116 己（居擬）正⒂	芑（驅里）	記（居吏）	杞（墟里）	屺（墟里）	𦞦（非尾）
	改（古亥）	改（居擬）	紀（居擬）	玘（符鄙）	忌（渠記）
	跽（渠几）	誋（渠記）			
201 兀（居之）	迊（居吏）	☒（期古文）②			
201 𠀉（同其）	箕（居之）⒂⒂⒂⒂⒂③		祺（渠之）	娸（去其）	
	其（渠之）	䃺（渠記）	諆（去其）	綦（渠之）	旗（渠之）
	期（渠之）	稘（居之）	頎（去其）	騏（渠之）	𧘇（暨已）
	麒（渠之）	惎（渠記）	淇（渠之）	鯕（渠之）	
418	欺（去其）	僛（去其）			
658	綦（絲或體）	璂（渠之）	蟣（渠）		
691	基（居之）	祺（籀文祺）	璂（璂或體）		
239 久₁（舉友）④	玖（舉友）	羑₁（與久）⑤	欠（居又）	灸（舉友）	𠖊（舉友）
	匛（巨救）柩		疚（居祐）		

265 梅（古悔）⑥			
514 恠（苦懷）⑦	叵（古回）⑧		
685 龜（居追）𪚩（古）	鬮（古侯）		
065 起（墟里）起（古）⑨			
390 丘（去鳩）坓（古）	邱（去鳩）		
687 亟１（去吏）⑩			
104 㠯（渠之）⑪	絑（渠之）		
146 舊１（巨救）⑫	匭（匚或體）		
051 牛（語求）			
388 疑（語其）	嶷（魚己）嶷１（魚記）⑬	譺（五介）	癡（丑之）
	儗（魚己）疑１（語其）⑭	礙（五漑）	凝（魚陵）（冰俗體）⑮
	懝（五漑）	擬（魚己）	

①：「戒」聲各家（孔氏、嚴氏、江氏、朱氏、董先生及周氏）均歸之部或其入聲職部（王力），唯段注《說文》歸其十五部。按「戒」五見於《詩》韻，所與叶韻者皆之部字[26]，本表據《詩》韻，從眾歸之部。

②：「叵」爲「期」字古文重文，疑「从日，丌聲。」故系於此。

③：說文無「其」字，段注「箕」字籀文或體「𠸜」云：「依大徐作籀。按經籍通用此字爲語詞。渠之切或居之切。」嚴氏云：「按偏旁皆作『其』，若非省文，定脫一或體。」張成孫於「箕」字下補「其」云：「今補，經典作『其』。」按「箕（其）」字金文多作象形之「⿷」，後作「𠸜」（金文編 0723 字號），《說文》「箕」字籀文或體「匧」所从即「𠸜」字，今以《說文》多从「其」聲之字，暫仿張氏補「其」字爲聲首以系「祺」等二十四字。

---

[26] 「戒」字五見於《詩》韻：〈采薇〉叶「翼、服、戒、棘」，〈六月〉叶「飾、服、熾、戒、國」，〈楚茨〉叶「備、戒、告」，〈大田〉叶「戒、事、耝、畝」及〈常武〉叶「戒、國」。

④：說文云「久」字：「从後灸之也。」各家均歸之部。龍師以爲《說文》「久」字本義不見用爲《詩》韻字，但「久」聲之「羑」用爲「羑里」字，或書作「牖」；「羑」又與「誘」同字，其或體从「秀」聲作「䛻」，亦與「牖」通，是其古韻屬幽部之證；然「久遠」字習見於《詩經》韻腳，所與叶韻皆之部字，又知「久」字古有之部一讀，應依本義、借義分屬幽與之部。而「玖」與「㳙」从之部「久」爲聲（有《詩》韻可證），「羑」與「灸」則从幽部「久」爲聲，本表從龍師說：「今依本義、借義，分屬幽與之部。」[27]

⑤：說文「羑」字：「進善也。从羊，久聲。」段注：「與久切，三部。」按段氏三部未收「久」聲，「久」聲各家均歸「之」部；「羑」不見於《詩》韻，「久」字上文已依龍師說，據其本義及假借義兼入「之」、「幽」二部，「羑」字亦從師說分系本部「久」聲下及从幽部「久$_2$」[28]。

⑥：「棫」从職部「國」（古惑切）聲，大徐古悔切，《廣韻》未收。董先生歸之部去聲，本表據大徐音從其歸部。

⑦：說文「怪」字云「从心，圣聲。」段注歸一部，朱氏於其履之日分部另錄「轉音」云：「楚詞懷沙叶怪、態，遠遊叶怪、來。」董先生歸之部去聲。按「圣」聲（苦骨切）應屬物部，「怪」从「圣」聲，廣韻怪韻苦壞切（大徐音同），據朱氏「轉」音，因其所叶韻者皆之部字，本表從段氏、董先生歸之部。

⑧：說文「䆉」字：「大也。从多，圣聲。」云从物部「圣」（苦骨切）聲。段氏以爲：「與恢音義皆同。」及注云：「古回切，古音在一部。」董先生歸微部上聲。按《廣韻》灰韻古韻來源非只微部，亦有來自之部者；「䆉」字許云从物部「圣」聲，然之部「怪」从其得聲，董先生將「怪」字歸之部，則「䆉」亦應隨屬之部爲宜，本表從段氏歸之部。

⑨：說文「起」字：「从走，巳聲。」段注：「五經文字从辰巳之巳，是；字鑑从戊己

---

[27] 「久」字說詳龍師〈上古音芻議〉，1998：367。
[28] 另參謝美齡〈詩經韻部說文字表〉幽部喉音，1998：49-52。

之己，非也。墟里切，十五部。」朱氏在頤部，然改「起」爲「起」，云從「己」聲。龍師認爲：「起、巳古韻同部，今說文从巳，故段以爲是。然巳、起聲母相遠，疑本以己爲聲，惜不得古文字之印證耳。」[29]龍師因據桂氏義證所引「物起於巳」之先民思想資料，疑當從「巳」會意。本表從龍師說，別立「起」字於「巳」聲外，改系牙音下。段注歸「起」字於十五部，未當。「起」字一見於〈楚茨〉與「止」叶韻，應在本部。

⑩：「亟」字《廣韻》志韻去吏切及職韻紀力切二讀，義同《說文》；大徐二音全同《廣韻》。董先生於之部去、入兩屬，本表從之，亦兼歸之、職二部。

⑪：說文「𢍉」字：「舉也。从廾，由聲。」段注：「各本作由聲，誤。或从鬼頭之甶，亦非也。此从東楚名缶之甾。故左傳作𢍉，今左作基，糸部綥從𢍉聲，或字作綦，甾聲、其聲皆在一部也。」按「由」聲在幽部，段說「甾」（側詞切）聲與「𢍉」之聲母亦不合，龍師以爲：「𢍉，說文云舉也，蓋从𠬞甾會意；甾，東楚名缶曰甾。」[30]本表從龍師說，不系「𢍉」字於「由」聲並「甾」聲下。

⑫：說文：「舊，鴟舊，舊留也。从萑，臼聲。鵂，舊或从鳥休聲。」段注：「按毛詩舊在一部，音轉入三部，乃別製鵂字，音許流切矣。角部但云鵋舊。」按「舊」字於詩〈蕩〉叶「時、舊」，義爲「故（舊）」，與《廣韻》宥韻巨救切所收「舊，故也。」音義同，然與《說文》本義「鴟舊」異詞。龍師指出「臼」聲在幽部，「舊」从「臼」聲，其「鴟舊」的本義音許流切，古韻當在幽部，故其重文作「鵂」，以「休」爲聲；《詩經》與「時」字叶韻的「舊」字是借作「故舊」字，其音爲巨救切，古韻別屬之部，段說誤。「舊」應據《說文》本義及假借音義，分系幽部或之部[31]。

⑬：說文「嶷」字：「小兒有知也。从口，疑聲。詩曰克岐克嶷。」《廣韻》志韻魚志

[29] 同註 24。
[30] 同註 24。
[31] 說詳龍師〈有關古書假借的幾點意見〉，《第一屆國際訓詁學研討會論文集》，1997：13。

切（唭嶷，無聞見也）、職韻魚力切（大徐此音）二讀，職韻引《說文》義訓。董先生於之部去、入兩屬，本表兼入之、職二部。

⑭：說文「嶷」字：「九嶷山也，舜所葬也。在零陵營道。从山，疑聲。」《廣韻》之韻語其切（九嶷山名）、職韻魚力切（岐嶷）二讀，大徐語其切。按「嶷」字見於詩〈生民〉叶「匐、嶷、食」，為職部字甚明，然《說文》之本音本義則在之部，董先生於之部平、入二屬，本表據《廣韻》兼入之、職二部。

⑮：段注「冰」字：「會意。魚陵切，六部。」又注其俗體「凝」：「以雙聲為聲。」今從段說系「凝」於「疑」聲下。

（四）齒音

039 茲（子之）	嗞（子之）	鶿（疾之）	慈（疾之）	滋（子之）	孳（子之）
	鎡（𦊆俗體）				
160 再（作代）	洅（作代）				
343 宰（作亥）	崒（阻史）①	梓（即里）榟⑭		滓（阻史）	睭（作亥）
574 巛（祖才）	災（籀文裁）				
042	䐉（側詞）甾⑭緇（側詞）		錙（側詞）	輜（側詞）	
749 子（即里）学㈠巤⑭		芓（疾吏）	孜（子之）	李（良止）杍㈠	
	秄（即里）	仔（子之）	字（疾置）	籽（即里）②	
270 采（倉宰）	茶（蒼代）	悆（倉宰）			
274 才（昨哉）	赴（倉才）	鼒⑭（作代）	材（昨哉）	材（昨哉）	財（昨哉）
	豺（士皆）	扚（古文裁）	𢽾（子之）		
637 𢦏（祖才）	哉（將來）	戴（都代）戴⑭③			裁（側吏）
	栽（昨代）	𢦏（作代）	裁（昨哉）	裁（祖才）𢦏⑭	
	淺（祖才）④	截（千志）	載（作代）	截（昨代）⑤	
	在（昨代）	茬（仕甾）			

434 司（息慈）	祠（似茲）	嗣（祥吏）孠(古)			笥（相吏）	詞（似茲）⑥
	嗣（籀文辭）⑦					
506 思（息茲）	諰（胥里）	鰓（穌來）	偲（倉才）	緦（息茲）𠢤(古)		
669 絲（息茲）	𢇁（籀文𡄡）					
696 塞₁（先代）⑧	𡨄（先代）					
222 㑗（祥吏）⑨						
749 辝（似茲）						
749 辭（似茲）						
752 巳（祥里）	祀（祥里）	改（余止）	妃（殺或體）	汜（詳里）	圯（與之）	
599 㠱（與之）𢀇(古)	熙（許其）	娭（其許）	餫（饎或體）			
643 㠯（側詞）㠯(古)						
448 廁（初吏）⑩						
020 士（鉏里）	仕（鉏里）					
117 史（疏士）	事（鉏史）叓(古)⑪		吏（力置）	使（疏士）	倳（疏吏）	
068 止（諸市）	祉（敕里）	齒（昌里）𠚒(古)	沚（諸市）	阯(諸市)址(或)	趾（諸市）⑫	
275 之（止而）	芝（止而）	㞢（侍之）	𣊫（許其）⑬	詩（詩古文）	岀（時古文）⑭	
	志（職吏）⑮					
	122 寺（祥吏）	詩（書之）	邿（書之）	痔（直理）	侍（時吏）	
	庤（直里）	恃（時止）	痔（直理）	持（直之）	時（周市）	
	077 待（徒在）	偫（直里）⑯				
	305 時（市之）	蒔（時吏）	塒（市之）			
	591 臺（徒哀）	孃（徒哀）				
	674 蚩（赤之）	嗤（豬几）	淈（直几）			
092 識₁（職吏）⑰	熾（昌志）戠(古)		織₁（職吏）⑱			

①：說文「茡」字段注：「阻史、子亥二切。」大徐及《廣韻》均只止韻阻史切一讀。

②：說文無「秄」字。詩經〈甫田〉一章叶「秄、蓺、止、士」，今據《詩》韻補系「子」聲下。

③：說文「戴」字：「分物得增益曰戴。从異，𢦏聲。戴，籀文戴。」段注：「弋聲、𢦏聲同在一部，蓋非从戈也。」龍師云：「籀文戴作戴，本作戴，從職部弋為聲，篆文據戴字加才聲而為戴，隸書簡化為戴字，故此字聲母與其餘从𢦏聲者不類。」[32]

④：「沫」字今本《說文》作「渼」云：「从水，我聲。」大徐五何切，小徐偶和反。段注：「各本篆作渼，解作我聲，音五何切，字之誤也，今更正。按作渼則與漢志不合。」段注又據漢志、玉篇、廣韻、集韻、類篇等書，論證「渼」為誤字，改「渼」為「沫」云「从水，𢦏聲。」朱氏同。按「我」聲與「沫」音祖才切之聲、韵俱違，《廣韻》咍韻祖才切下收「渼」字云：「水名，出蜀。」與《說文》「渼」字義「沫水，出蜀。」同，今從段改。

⑤：「戴」字《廣韻》代韻徒耐切（大徐徒奈切）、昨代切二讀，義同《說文》。按「戴」字从「𢦏」聲，「𢦏」音祖才切，大徐徒奈切與「𢦏」聲母不合，本表據《廣韻》訂改為昨代切。

⑥：許慎視「詞」為會意字：「意內而言外也，从司言。」大徐無說，小徐改為「从言司聲。」朱氏亦云：「說文隸司部，非。今字作左形右聲，按言以足志，文以足言，皆謂之詞。」段注引李文仲《字鑑》以為應作「詞」云：「上司下言者，內外之意也。」龍師云：「按詞字說文收在司部，大徐本從司言，小徐本從言司聲，蓋本作從司言，司亦聲。[33]」按「詞」字通行作左形右聲，不必如段氏改作「詞」；且「詞」音似茲切，與「司」之聲、韻俱合，今從小徐及龍師之說系「司」聲下。

---

[32] 同註 24。

[33] 同註 24。

⑦：「嗣」爲「辭」字籀文，朱氏：「籀文辭，从司會意，司亦聲。」本表從朱說系「司」聲下。

⑧：說文「塞」字：「隔也。从土，𡫳聲。」《廣韻》代韻先代切、德韻蘇則切二讀。段注：「大徐作从土从𡫳，先代切，一部。按此切音蓋因俗通用此字，故以此切別於蘇則切也，舊音本無不同。」按「塞」字於詩〈常武〉叶「塞、來」，應歸本部；「𡫳」聲在之部入聲職部，董先生於之部去、入二屬，本表據《廣韻》兼入之、職二部。

⑨：說文「飤」字：「糧也，从人食。」朱氏云「食亦聲」，其說是。《廣韻》志韻祥吏切，大徐同音。董先生歸之部去聲，本表從其歸部。

⑩：「廁」从職部「則」（子德切）聲。《廣韻》志韻初吏切，大徐音同。董先生歸之部去聲，本表從之。

⑪：說文：「事」字：「職也。从史，屮省聲。」龍師認爲：「金文事字作𢔮、𢔮、或𢔮，甲骨文作𢔮，下端並與史字作𢔮同形，其字从史無可疑，屮省之說則不合。史本記事者之稱，史、事二字又復韻同聲近，史當是事的孳生語，其始必同書一字，表現於甲骨文金文，事與史的不同形象既無可解，當是爲別嫌所採取的約定寫法。」則「史」字後起，與「吏」字同自「事」字分化，三字古皆同屬之部齒音。說文「吏」字：「治人者也。从一从史，史亦聲。」龍師認爲「吏」之語當出於「事」，不必出於「史」，許君「亦聲」之說，由古文字證之終不可取。因金文「吏」、「事」二字形，作𢔮、𢔮或𢔮，疑本讀 sl-複聲母，後從 s-或 l-分其音，小篆又強改上端爲橫者作「吏」字以別形，本不以從一爲義也。總結言之，即「事」、「吏」、「史」三者蓋本同一語，「吏」與「史」乃從「事」出，但其分化有先有後，由前引金文「事」、「吏」共一字而「史」別爲一字，可知「史」之分化在先，「吏」之分化在後，疑其字原作「𢔮」，含「事」、「吏」、「史」三義，因「吏」

與「史」並給事官，「史」即「吏」之一種，「史」可以稱「吏」，「吏」則不必爲「史」；「吏」爲治事之官，「史」爲記事之官，「事」、「吏」、「史」彼此語義相因，其古韻同屬之部，至於聲母之不同，顯然可以複聲母 sl-說解，即分化後，「事」、「史」爲 s-而「吏」爲 l-[34]。本表從龍師說，不系「屮」聲下。

⑫：說文無「趾」字，段注「止」字：「古文止爲趾。」按「趾」字二見於《詩》韻，〈麟之趾〉叶「趾、子」，〈七月〉叶「、趾、子、畝、喜」。今據《詩》韻補系「止」聲下。

⑬：說文：「欪」字：「戲笑皃。从欠屮聲。」段注以「嗤」、「歡」（廣韻赤之切）同爲「欪」之俗字，云：「許其切，按當赤之切，一部。」本表從之。

⑭：「旹」爲「時」字古文，許云：「古文時从日屮作。」段注：「之聲也。小篆从寺，寺亦之聲也。」本表從之。

⑮：說文無「志」字，而古籍恆見，今據小徐〈疑義篇〉及大徐新修十九文補列。

⑯：說文「侍」字：「待也。从人待。」段注：「此舉會意包形聲也。」小徐云「从人待聲，直里切。」朱氏亦云：「待亦聲，按實與待同字𡥦也。」本表從小徐說系「待」聲下。

⑰：「識」、「熾」、「織」三字从職部「戠」（之弋切）聲。「識」字《廣韻》志韻職吏切、職韻賞職切二讀，義同《說文》。董先生於之部去、入二屬，本表兼入之、職二部。

⑱：「織」字《廣韻》志韻職吏切、職韻之翼切二讀，義同《說文》。董先生於之部去、入兩屬，本表據《廣韻》兼入之、職二部。

---

[34] 說詳龍師《中國文字學》三章六節，1994：210，322，347。

（五）喉音

506 意（於記1）	①噫（於介）				
632 毐（遏在）②					
757 醫（於其）					
127 嫠（許其）	嫠（里之）	嫠（里之）	嫠（里之）	嫠（里之）	嫠（力至）
	嫠（俟甾）	釐（里之）			
207 喜（虛里）歖(古)	禧（許其）	譆（火衣）	曦（許其）	憙（許記）	饎(昌志)糦或
	僖（許其）	歖（許其）③	熹（許其）		
486 灰（呼恢）	恢（苦回）				
758 醢（呼改）醯醢					
286 郵（羽求）					
115 又（于救）	疛（于救）	裘（巨鳩）④			
317 有（云九）	趙（于救）	賄（呼罪）	郁（於六）	宥（于救）	
	痏（榮美）	洧（榮美）	鮪（榮美）	姷(于救)侑或	
	絠（弋宰）	蛕（戶恢）	蔧（呼畢）	珛(許救)(許六)	
	囿（于救）	直（于救）			
280 圙（籀文囿）	蕕（于救）				
747 尤（羽求）	訧（羽求）	肬（羽求）默醢		頄(于救)頄或	
	忧（于救）	沈（羽求）			
115 右（于救）	祐（于救）	盉（盉或體）			
117 友（云久）屮(古)醫(古)					
759 亥（胡改）亞(古)	荄（古哀）	咳（戶來）孩(古)		該（古哀）	殼（古哀）
	骸（皆戶）	胲（古哀）	刻（苦得）刻(古)		核（古哀）
	郂（古哀）	晐（古哀）	痎（古諧）	侅（古哀）	欪（苦蓋）

	額（戶來）	駴（侯楷）	侅（胡槩）	閡（五漑）	垓（古哀）
	劾（胡槩）	陔（古哀）			
105 異（羊吏）	襈（祀或體）	冀（羊吏）	廙（羊吏）⑤	潩（羊吏）⑥	翼（几利）
	驥（几利）				
599 臣（與之）	頤（與之）	珥（與之）	茝（昌改）	苢（居之）	宧（與之）
	獄（息茲）	洈（詳里）	姬（居之）		
753 目（羊止）⑦	苡（羊止）	昇（羊吏）	柤（詳里）	侣（詳里）	粗（詳里）⑧
058	台（與之）	鮐（丑之）	詒（與之）	眙（丑吏）	殆（徒亥）
	胎（土來）	笞（丑之）	飴（與之）	邰（土來）	
	佁（夷在）	駘（徒哀）	炱（徒哀）	怡（與之）	
	鮧（徒哀）	始（詩止）	瓵（與之）	給（徒亥）	
	枱（弋之）	貽（與之）⑨			
339	枲（胥里）	䎩（徒耐）			
514	怠（徒亥）	薏（徒哀）			
545	治（直之）	菭（徒哀）			
749	辤（籒文聲）	辝（籒文枱）	𤳊（籒文枲）⑩		
230	矣（于己）	唉（烏開）	誒（許其）	欸（烏戒）	挨（於駭）
	娭（遏在）（許其）⑪		埃（烏開）	騃（牀史）俟	
	俟（牀史）	駭（鉏史）	竢（牀史）	涘（牀史）	

①：「意」字《廣韻》只去聲志韻於記切一讀。段注：「於記切，一部。古音入聲於力切。」（十篇下心部）。按「意」字一見於《詩》韻，〈正月〉十章叶「輻、載、意」。因「輻」字有去、入二讀（宥韻「方副切」、屋韻「方六切」，義訓同），故各家對此章韻例看法紛歧，大致有三種：江有誥全歸入聲（江氏於「輻」字下注「方逼反」，「載」字下注：「音稷」，「意」字下注：「之部入聲」）；陸志韋、王力同認爲「職、之通韻」，董先生歸之部去聲，江舉謙師《詩經韻譜》同；段氏改

「於記切」為「於力切」，蓋視全章為入聲押韻，與江氏同；朱氏於「意」字下所列「古韻」，除〈正月〉外，另有《韓非・主道》叶「能、意」，〈外儲〉叶「匿、意」，《文子・自然》叶「意、備、得」，《素問方、盛衰論》叶「意、能」，《楚辭・天問》叶「意、極」，《呂覽・重言》叶「意、翼、則」，《管子・內業》叶「意、嗇」，秦之罘刻石銘叶「德、服、極、則、意、式」，史游《急就章》叶「異、字、廁、意」，合《詩經》共十組押韻，所與叶韻者非之部字即其入聲職部字，其中只有三組未叶入聲韻，按《詩經》去、入押韻之情形至為常見[35]，若依董同龢先生「四聲三調」之說法，去、入聲之調值「似近」，只收尾有異，故可彼此押韻[36]。本表對上古聲調之看法，贊同董先生意見，故不取段氏、江氏、陸氏及王力入聲叶韻之見，據《廣韻》從董先生歸「意」字於陰聲韻之部。

②：說文云「毒」字「讀若娭」，《廣韻》咍韻烏開切及上聲於改切二讀，大徐遏在切。段注：「依許，許其切；今遏在切，廣韻又音哀，音之變也。一部。」本表從之。

③：說文「歆」字：「卒喜也。從欠，從喜。」朱氏云：「從欠從喜會意，喜亦聲。」本表從朱說系「喜」聲下。

④：說文：「裘」字：「皮衣也。從衣，象形。求，古文裘。」（八篇上裘部）。按大、小徐本均作「從衣，求聲。」段氏發現「裘」、「求」於《詩經》押韻實區隔明顯（「裘」字專和之部字押韻，而「求」字則專叶幽部字）故改「裘」為「從衣，象形。」按「裘」字三見於《詩》韻：〈終南〉叶「梅、裘、哉」，〈七月〉叶「貍、裘」，〈大東〉叶「來、服、裘、試」；「求」字八見於《詩》韻：〈關睢〉叶「流、求」，〈漢廣〉叶「休、求」，〈谷風〉叶「舟、游、求、救」，〈黍離〉叶「憂、求」，〈常棣〉叶「裒、求」，〈桑扈〉叶「觩、柔、求」，〈下武〉叶「求、孚」，〈江漢〉叶「浮、遊、求」，「裘」、「求」叶韻現象，之部、幽部分明，無一例外。段氏〈諧

---

[35] 同註21。
[36] 見董先生《漢語音韻學》，1965：312。

293

聲表〉第一部雖無「裘」字,〈詩經韻分十七部表〉第一部收「裘」字而以爲「古本音」,「求」字則收在第三部。嚴氏「求」聲見於幽部,但於部後注云:「求聲之裘」應「入之類」。江氏「裘」、「求」二字分見之、幽二部,全據《詩》韻。朱氏雖也將「裘」、「求」分隸於其頤、孚二部,卻別有主見,因見鄭玄注詩〈大東〉:「熊羆是裘」云:「裘當作求,聲相近故也。」朱氏乃據此注云:「是鄭君不以裘、求爲一字,今從之。別分求爲正篆。按从又从尾省會意,與隶同意,以手索取物也。」按段、嚴、江、朱將「裘」、「求」分歸之、幽二部,雖然合理,卻未對許慎「从衣,求聲。」及「求」、「裘」同字之說,徹底交代清楚。龍師據金文「裘」字作𧚍,从衣加毛象形,又聲,本與幽部「求」字無涉。後人或誤書毛形於「又」字兩側作𧚍,於是誤以爲从衣从求。實則「求」便是「蟲」之象形,於是證得「求」、「裘」古音不同部,真相乃得以大白[37]。本表從師說,「裘」字歸之部「又」聲下,與幽部「求」各爲字。

⑤:「㥯」、「㥯」二字《廣韻》同具志韻羊吏切、職韻與職切二韻,義同《說文》。本表兼入之、職二部,大徐二字均音與職切。

⑥:同上「㥯」字註。

⑦:「㠯」字今隸定作「以」。

⑧:《說文》無「耛」字,據《詩》韻補。

⑨:《說文》無「貽」字。據詩〈靜女〉三章叶「異、貽」補。

⑩:《說文》:「櫟」字:「籀文橐从林从辭。」段注:「辭聲也」,本表據段說系此。

⑪:《說文》:「娭」字:「戲也。从女,矣聲。一曰卑賤名也。」(十二篇下)段注「遏在切」:「此音非也。篇韵皆許其切,一部。」按《經典釋文》無「娭」字音義資料,《廣韻》之韻許其切一讀,訓「婦人賤稱,出蒼頡篇」;《集韻》三讀:之韻虛其切「婦人賤稱,或从熙」,咍韻於開切「婢也」,海韻倚亥切訓「戲也,婢也」,

---

《說文》「娭」字既有二義，據「義別音殊」通則，「娭」字未必無二讀；而《說文》「毒」字云「讀若娭」（十二篇下「毋」部），「毒」字《廣韻》咍韻烏開切及上聲於改切二讀，大徐遏在切，及大、小徐「娭」音遏在切一讀，非無所本，段注改「娭」字爲許其切，本於《廣韻》。本表據許云「毒」字「讀若娭」及段所本《廣韻》，並注遏在、許其二音於「娭」字後。

七、結語

段氏囑其弟子江沅作《說文解字音韻表》並爲作序云：

> 略以弟二表之列某聲者爲綱而件系之，聲復生聲，則依其次弟，三代音均之書不可見，讀是可識其梗槩焉。[38]

依段氏理想，只要江沅據其〈六書音均表二·古十七部諧聲表〉，將《說文》所有文字皆依許說系屬，即可成就一上古韻書，實則不然。今觀江沅譜系《說文》諧聲內容，實未超越段氏眼界，即以之部「音（㕻）」與「否」之糾葛爲例，江沅將從「否」聲所有字（含「㕻（音）」字）皆歸之部，而段氏則據《詩》韻及後世音切等參同研判，以致得出注文與〈諧聲表〉不一之五種歸部情形[39]，兩相權量，段氏之矛盾，毋寧可視作更審慎研究使然。又如「企」字，江沅亦從許說系「止」聲下並注云：「段氏別支之二韻不得相通而刪聲字，今以爲合音，故仍之。」按《說文》云「企」字：「舉踵也。从人，止聲。」段注：「按此下本無聲字，有聲非也，今正。……企、跂字自古皆在十六部寘韻用，止在一部，非聲也。去智切。」而「企」字除段氏歸其十六部外，朱氏在其解部，董先生於其佳部上、去聲兩見，惟嚴氏從「止」聲歸之部。「企」字未見用於《詩》韻，除嚴氏外，諸家均不從《說文》云「止」聲歸之部，所疑於許說者，因「止」、「企」二字聲母不合外；又見古文獻或用「跂」爲「企」，而「跂」

---

[38] 段氏此〈序〉作於清仁宗嘉慶己巳三月，1809 年。

[39] 參閱上文「五·字表」脣音註㕻「否」字討論。

屬支部無疑，故可據以論斷「企」字應歸支部，不該從許說「止」聲系於之部。按段氏尙能統觀訓詁與文字形構作出合理歸部，江沅則一仍許說系之部「止」聲下，凡此皆可見出段氏較江沅論證詳實有據。

上述二例若從龍宇純師所教示之研究方法——援引（古）文字學資料以輔證《說文》之古韻分部——即可更有理據解決此類難題：「否」、「音」二字已知因形近而譌；而「企」字《說文》古文作「𠈮」，段注：「足止同物」，今按其甲骨文作「𠃊」（前五‧二七‧六），其形構應从人从止會意，故後世用「跂」爲「企」，乃知「企」從「止」聲說之不可信，段注訂改可從。本文雖僅以之部字表爲展示內容，其中許多實證已可見出結合音韻學與（古）文字學參同研究《說文》古韻分部之效驗，此爲本文所欲特別強調者；而一字可兼屬二個以上古韻部之體例雖非本文獨創[40]，研究者於系屬之理據皆力求符合《詩》韻、諧聲，並照應及古今音變或方言殊語，因爲本文期望呈現可供學者參閱之上古韻書，而非一紙簡單諧聲表。

---

[40] 董同龢先生《上古音韵表稿》（1944）早有此體例。

引用書目

I．《說文解字》及諧聲研究專書[41]

王念孫　　《古韻譜》（177?），臺北：廣文書局 1966 年影印渭南嚴氏《音韻學
　　　　　　叢書》本。

段玉裁　　《說文解字注·附六書音均表》（1775），臺北：黎明文化事業公司
　　　　　　1974 年影印《經韵樓藏版》本。

戴　震　　《聲類表》（1777），臺北：廣文書局 1966 年影印渭南嚴氏《音韻學
　　　　　　叢書》本。

孔廣森　　《詩聲類》（1792），臺北：廣文書局 1966 年影印渭南嚴氏《音韻學
　　　　　　叢書》本。

嚴可均　　《說文聲類》（1802），臺北：廣文書局 1966 年影印渭南嚴氏《音韻
　　　　　　學叢書》本。

姚文田　　《說文聲系》（1804），臺北：華文書局影印粵雅堂叢書咸豐三年刻本。

江　沅　　《說文解字音均表》（1809），臺北：文海出版社 1974 年影印《清代
　　　　　　稿本百種彙刊》本。

朱駿聲　　《說文通訓定聲》（1833 成書，1848 初刊），臺北：藝文印書館影印
　　　　　　本。

張成孫　　《說文諧聲譜》（1836 成書），臺北：復興書局 1972 年影印皇清經解
　　　　　　續編本。

陳　立　　《說文諧聲孳生述》（1837），徐氏積學齋線裝校刊本。

苗　夔　　《說文聲訂》（1841），臺北：復興書局 1972 影印皇清經解續編本。

─────　《說文聲讀表》（年代未詳），臺北：復興書局 1972 影印皇清經解續
　　　　　　編本。

---

[41]　括弧內公元紀年為其原刊年次，參見《中國傳統語言學要籍述論》及《中國學術名著提
　　　要·語言文字卷》二書。

江有誥　《二十一部諧聲表》（?-1851，成書年代未詳），臺北：廣文書局 1966 年影印渭南嚴氏音韻學叢書》本。

陳　澧　《說文聲表》（1853），臺北：文海出版社 1971 年據陳氏手稿影印本。

丁履恆　《說文諧聲》（1889），臺北：文海出版社 1974 年影印《清代稿本百種彙刊》本。

丁　顯　《諧聲譜》（1900），臺北：文海出版社 1974 年影印《清代稿本百種彙刊》本。

丁福保　《說文解字詁林正補合編》（1932），臺北：鼎文書局，1994 年。

Ⅱ‧期刊論文及研究專著

王　力　：1937b〈古韻分部異同考〉，《語言與文學》，頁 51-77。

─────：1963《漢語音韵》，北京：中華書局。

─────：1980《詩經韵讀》，上海：古籍出版社。

─────：1986《詩經韵讀》，又收於《王力文集‧第六卷》，山東：教育出版社。

江　永　：1771《古韻標準》，臺北：廣文書局 1966 年影印渭南嚴氏《音韻學叢書》本。

江有誥　：《音學十書》，臺北：廣文書局 1966 年影印渭南嚴氏《音韻學叢書》本。

江舉謙　：1964《詩經韻譜》，台中：東海大學出版。

─────：1967〈詩經例外押韻現象論析〉，《東海學報》第 8 卷第 1 期，頁 1-15。

李孝定　：1965《甲骨文字集釋》，中央研究院歷史語言研究所專刊之五十，1982 年。

─────：　　《金文詁林讀後記》，中央研究院歷史語言研究所專刊之八十。

李添富　：1979〈詩經例外押韻現象之分析〉，《輔仁學誌》13 期，頁 727-768。

周法高　　：1970〈論上古音和切韻音〉、〈詩經韻字音韻表〉。

────　　：1984《中國音韻學論文集》：95-154，155-218，臺北：學生書局。

────　　：1972 張日昇、林潔明編《周法高上古音韻表》，臺北：三民書局。

────　　：　　張日昇、林潔明、徐芷儀編纂《金文詁林》。香港：中文大學出版。

────　　：1975《中國語言學論文集》，臺北：聯經出版社。

────　　：1984《中國音韻學論文集》，香港：中文大學出版社。

周祖謨　　：1966《問學集·詩經韻字表》：218-270，臺北：河洛圖書出版社。

容　庚　　：1934〈說文解字古文疏證序〉，收於《頌齋文稿》，頁 107-113。

────　　：1938《金文編》，北京：中華書局，1989 年。

陸志韋　　：1948《詩韻譜》，北京：哈佛燕京學社。

陳新雄　　：1991〈毛詩韻三十部諧聲表〉，又收於 1994 年《文字聲韻論叢》：135-151 臺北：東大圖書公司。

陳復華、何九盈　　：1987《古韻通曉》，北京：中國社會科學出版社。

董同龢　　：1944《上古音韵表稿》，《中央研究院歷史語言研究所集刊》第 8 本第 1 分冊：1-249。

────　　：1953《中國語音史》，臺北：華岡出版社，1978 年 2 月。

────　　：1965《漢語音韻學》，臺北：文史哲出版社，1981 年 9 月。

賴惟勤　　：1994《江沅說文解字音均表攷正》，日本「說文學會」自印本。

龍宇純　　：1968《中國文字學》，臺北：五四出版社，1994 年。

────　　：1978〈有關古韻分部內容的兩點意見〉，中華文化復興月刊 11 卷 4 期，頁 5-10。

────　　：1988〈廣同形異字〉，臺大：《文史哲學報》第 36 期，頁 1-22。

────　　：1992〈說文讀記之一〉，東海學報第 33 期，頁 39-52。

————　　：1997〈有關古書假借的幾點淺見〉，第一屆國際訓詁學研討會論文，頁 7-19。

————　　：1998〈上古音芻議〉，《中央研究院歷史語言研究所集刊》第 69 本，第 2 分，頁 331-397。

權少文　　：1981《說文古韻二十八部聲系》，甘肅人民出版社。

《中國大百科全書——語言文字》分冊，1988 年中國大百科全書出版社。

《中國語言學大辭典》，江西教育出版社，1991 年 3 月。

龍宇純先生七秩晉五壽慶論文集
2002 年 11 月　　頁 301～382

唐代方音分區考略

馮　蒸[*]

---

[*]　首都師範大學文學院教授。

一、引言

　　本文擬根據能夠反映唐代語音的若干資料，主要是音切資料，及部分韻語資料。研究唐代方音的分區問題。從普通語言學的角度來說，由於方音是與標準音相對立而存在的，所以很自然地涉及到唐代方言的標準音問題。而唐代的標準音與其前的標準音有無承繼關係，亦不得不加以考察。唐代與南北朝隋代相接，所以唐代的音韻問題，不可避免地又需追溯到與其時代相接的隋代甚至南北朝時期的語音。恰恰南北朝隋代

現存有較豐富和有代表性的韵書和音切資料，而這方面又已有了較爲可信的研究結果，所以我們就從南北朝隋代的標準音談起。

從理論上來說，本文雖然是對唐代方音的一個共時性描述，但不少學者認爲現代各大方言實可溯源于此（鄭張尙芳 1998b），所以對歷時研究亦有重要意義。

研究唐代方言可用的音韵資料，據我所知，主要有下列四種：

1.韵書資料

2.韵語資料

3.音切資料

4.對音譯音資料

此外，唐人筆記裏面也有一些零星資料可供參考（趙振鐸 2000）。由於撰寫時間和篇幅的限制，本文基本上僅使用此四項資料中的 3、4 兩種，即音切資料和對音譯音資料，偶爾使用到第 2 項韵語資料。而且由於目前唐代音韵研究成果的現狀，對每類資料中各項具體材料使用的多寡頗不一致，即很不平均。反映在不同的方言區上，則表現爲有的方言區資料多，成果相對也多，有的方言區資料少，成果也相對少。值得注意的是，反映某一區的方言音韵資料，有的雖然成果較多，但各項資料的研究成果之間，有的結論卻明顯不一致，我們在此有意列出較有代表性的幾家學說，而不是簡單地統一或僅取某一家學說，目的在於提供給學者們更大的思考空間以促進進一步的研究。

總而言之，唐代的方言問題即使利用目前現有的研究成果，也可以寫成一部大書，本文暫以一篇論文的形式提出，不少資料和有關的比較研究，只能割愛，拋磚引玉，以便爲進一步的後續研究打下一個初步的基礎。

二、南北朝隋代漢語北南兩大標準音：洛陽音與金陵音

南北朝時期，南朝（420-589）有宋齊梁陳四代，均定都于建康（今江蘇南京）；

此時的北朝（386-581 年），含北魏（386-534，都洛陽〔449 年遷都於此〕）、東魏（534-550，都鄴〔今河北臨漳〕）、西魏（535-557，都長安〔今陝西西安〕）、北齊（550-577，都鄴）、北周（577-581，都長安）五個朝代。史家概稱爲六朝時期。可見南朝的都城只有建康一地，而北朝的都城則有洛陽、鄴、長安三個。到了隋代（581-618），統一全國，定都長安。

反映這一時期的重要的代表性語音資料是唐陸德明的《經典釋文》（583）和陸法言的《切韵》（601）。

（一）《切韵》音系（601）

關於《切韵》音系的現代本體性研究，自瑞典高本漢（B.Karlgren）的《中國音韵學研究》（1915-1926）出版以來，已有了近一個世紀的歷史和豐碩的成果，這裏無須贅述。就本文而言，我們認爲最關鍵的問題弄清楚《切韵》音系的性質或者說它的音系基礎是什麼。關於這個問題，目前也有多種意見，我們基本上同意邵榮芬教授的意見（邵榮芬 1961、1982），即認爲《切韵》音系大體上是一個活方言音系，但也多少吸收了一些別的方音的特點。具體地說，它的基礎音系是洛陽音系，它所吸收的方音特點主要是金陵話的特點。《切韵》音系反映了當時漢語北方話的標準音。

關於《切韵》音系的構擬，目前也已有了多家研究成果，這裏也無需列出。我們假定讀者對《切韵》音系的音類和音值均已非常熟悉，讀者如欲知其詳，檢尋自高本漢以來任何一家的構擬體系均可，如高本漢 1915-26、李榮 1956、周法高 1969，1970、邵榮芬 1982 等。雖然關於《切韵》音系的構擬問題，我們也有自己的意見（馮蒸 1998），亦無煩贅述。

（二）《經典釋文》音系（583）

　　根據邵榮芬先生 1995 的研究，邵先生認爲陸德明的反切音系是當時南方的標準音系，也就是當時的金陵音系。它與當時以洛陽語音爲基礎的北方標準音系，也就是《切韻》的音系是南北並立的二大標準音系。陸氏音系的這一地位就確定了它與《切韻》音系具有差不多同樣的重要性。

　　關於陸德明《經典釋文》音系的性質，邵先生說：「陸氏是蘇州人，在《釋文》成書之前，他沒有到過北方，因而他的音系的語音基礎不可能是北方的任何一個地點方言，而只能是南方話。這個南方話究竟是他的家鄉話──蘇州話，還是金陵話呢？林燾先生認爲是金陵話，我們同意這一看法。陸氏年輕時就在金陵求學，會說金陵話大概沒有問題。他撰寫《釋文》是在任國子助教期間。太學裏一般要求以標準漢語教學，國子助教負有正音，正字的責任。……由此可知，陸氏在改訂舊音時必定以當時南方的標準語金陵話作爲定音的標準，而決不會拿蘇州話作依據的。」（邵榮芬 1995：245）

　　邵書討論了陸氏反切的聲、韵、調類別，考得聲母三十個，韵母（不計重紐）舒聲七十九個，入聲四十四個，聲調四個，並參照歷史資料和現代方言，假定出聲、韵母的音值。該書根據考求出來的陸氏音系，把陸氏的音切按同音關系列成一個《同音反切字表》。這個表也可以說是一部《南切韻》。

　　根據邵榮芬的考證，陸德明音系與《切韻》音系在聲、韵母方面的主要差異如下：

		《切韻》	《釋文》
聲母	（1）端知	分立	不分
	（2）從邪	分立	不分
	（3）崇俟	分立	不分

	（4）常船	分立	不分
韵母	（1）東三等明母	三等	一等
	（2）尤韵明母	三等	一等
	（3）支脂之	分立	不分
	（4）齊韵開口三等	有	無
	（5）真殷	分立	不分
	（6）黠合口	分立	不分
	（7）耕庚二等開口	分立	不分
	（8）庚三等清	分立	不分
	（9）咸銜	分立	不分
	（10）臻真	分立	不分
	（11）嚴凡	分立	不分

以上聲母差異 4 條，韵母差異 11 條，向我們展示了當時南北語音的一些重要特點，同時這些差異也十分明確地告訴我們，《切韵》音系並不是當時的金陵音系。這對確定《切韵》音系的語音基礎和語音性質都具有極其重要的意義。

邵先生還認爲：「對比南北兩個音系，我們還可以看出南北語音演變的一些不同的進程和軌跡來，比如端、知兩組的分化，北方較早，而南方較晚。而崇與俟，常與船的合併則恰恰相反，南方較早，而北方較晚。對於從、邪兩母來說，南北演變則顯然具有不同的軌跡，陸氏的從、邪不分，爲現代吳語所繼承，而《切韵》的從、邪分立，則爲現代官話所延續。這一類南北語音早期演變上的差異，對弄清漢語語音發展的階段性和時代特徵，對弄清漢語語音發展的主流和支流，對弄清現代方言形成的歷史，都具有極其重要的價值。」（邵榮芬 1995：254）

本文接受邵先生的這些結論。

（三）《原本玉篇》／《篆隸萬象名義》音系（543）

我們同意多數學者認爲《原本玉篇》／《篆隸萬象名義》音系同于陸德明的《經典釋文》音系，記錄反映的是當時的金陵音。

關於《萬象名義》所反映的原本《玉篇》音系，據周祖謨 1966 的研究，在韵母方面，有下列 1-6 項特點，邵榮芬 1982 又補充了 7-8 兩組：

1.咍和灰不分

2.脂和之不分

3.真和臻和殷不分

4.尤和幽不分

5.嚴和凡不分

6.庚三和清不分

7.刪和山不分

8.宵和蕭不分

聲母方面，根據周祖謨 1966a 和邵榮芬 1982 的比較歸納，發現《名義》反切聲母系統共有下列幾點和《切韵》不同：

1.幫、滂、並分化爲幫和非，滂和敷，並和奉

2.從、邪不分

3.禪、船不分

4.崇、俟不分

5.以（喻四）和匣部分相混

6.日和泥部分相混

7.泥、娘不分

後來，邵榮芬 1995 又確認上面的第一條不妥，他說：「周祖謨先生認爲《名義》

反切不僅端、知六母已經分化，而且且幫、非八母除明、微以外，其他六母也都已經分化。根據這一看法，《名義》幫母跟陸氏的當然就有很大的差別。過去我們曾對周先生關於端、知的結論進行過檢查，結果發現《名義》端、知六母和泥、娘兩母都有大量的混切例子。當時爲了慎重，沒有改動周先生的結論，並且爲了他的結論一致起見，把泥、娘也分開了。現在跟陸氏反切比較以後，我們認爲這個結論不太站得住腳，有加以改變的必要。根據那一次的檢查，《名義》端、知八母混切的共有 132 個字，149 切次，切次雖然較陸氏的爲少，但字數卻比陸氏的多，陸氏涉及的只有 121 個字。我們知道，一字重出，往往同用一切語，因而字數比切次數具有更大的證明價值。其實就是不跟陸氏比較，我們也不能假定 149 切次都是出於《名義》的誤切。要是那樣的話，既無法解釋《名義》那些沒有混切的聲母，同時也無法相信其他因混切而合併的聲母了。由此可見，《名義》，或者說《玉篇》，端、知八母並沒有分化，情況和陸氏的一樣。

關於《名義》幫、非八母的情況，邵榮芬 1995 加以統計後說：「幫、非混切 35 字，36 切次；滂、敷混切 42 字，43 切次；並、奉混切 29 字，29 切次；明、微混切 98 字，213 切次。八母混切合共 204 字，321 切次。這比上述端、知兩組的混切差不多多了一倍。與陸氏相比，也跟端、知的情況一樣，切次雖然較少，但字數卻超過了陸氏，陸氏只有 172 個字。由此可見，《名義》幫、非八母也跟端、知八母一樣，並沒有分化。當然分別來看，幫、非六母的混切是不及明、微兩母的多，不過它們也達到了 106 字，108 切次之多，跟端、知六母 120 字，137 切次的情況很相近。既然端、知六母的混切不容否定，幫、非六母的也同樣不容否定。如果我們以上對《名義》幫、非，端、知等組聲母的看法不錯的話，《名義》的聲母系統跟隨陸氏的就沒有什麼不一致的地方了。……因此我們可以說，在幫、非和端、知的問題上，《釋文》跟《名義》的一致，也就是跟顧氏《玉篇》的一致。」

在本節中，我們的主要目的是指出六朝時期的兩大標準音及其聲、韵差異。但金陵音方面增加了「《原本玉篇》／《篆隸萬象名義》音系」，這一方面是想指出當時金

陵音系的巨大影響，另一方面是爲下文與有關唐代方言的比較提供一份可資利用的參考資料。

（四）日本吳音

日本吳音是研究漢語中古音的重要資料。根據日本學者沼本克明（1986）的說法，吳音形成于西元四至六世紀左右，但一般的看法認爲從奈良時代到西元七世紀左右。吳音的方音背景，通常認爲它是根據中國南方即長江下游流域周邊的漢字音經過朝鮮傳入日本的。吳音的形成時期雖然可能略早于唐代，但由於它是一種"譯音"，音值音表都非常清楚，對於瞭解六朝時期南方漢語的標準音和唐代的方音分區特點，有著其他資料無可替代的重要價值，所以本文亦在這裏列出，以供參考。

日本吳音的研究成果不少，但由於吳音情況的複雜，實仍有待做進一步的深入研究。這裏僅根據王吉堯、石定果 1986 的研究成果，把日本吳音的音系特點簡述如下。

（一）聲母：

中古漢語與吳音聲類對照表

中古漢語聲類及其音值	吳音聲類及其音值
幫[p]滂[p']非[f]敷[f]	—— 八行[ø]
並[b']奉[v]	—— バ行[b]
明[m]微[m]	—— マ行[m]
端[t]透[t']知[ȶ]徹[ȶ']	—— 夕行[t]
定[d']澄[ɖ]	—— ダ行[d]
泥[n]娘[ȵ]日[nz]	—— ナ行[n]
精[ts]清[ts']心[s]	
莊[tʃ]初[tʃ']生[ʃ]	—— サ行[s]
章[tɕ]昌[tɕ']書[ɕ]	

從[dz]邪[z]崇[ʤʻ]船[ʣʻ]禪[ʑ]　　——　ザ行[z]

見[k]溪[kʻ]曉[x]（部份）　　——　カ行[k]

群[g]疑[ŋ]匣[ɣ]（部份）　　——　ガ行[g]

來[l]　　——　ラ行[r]

影[ʔ]云[ɣ]⑨以[j]⑩匣[ɣ]（部份）　　——　ア行ワ（零聲母）

　　根據上表，可以看出吳音聲母有如下音韵特點：

　　（1）中古漢語清濁系統在吳音中基本完整地保存著，所不同者，半濁音喻母字吳音爲零聲母。

　　（2）中古漢語中相對應的輕重唇音在吳音漢音中發音分別相同，與漢語音韵學中「古無輕重唇音」之說相符。

　　（3）中古漢語端組和知組字，吳音漢音均屬タ行，讀作[t]（濁音爲ダ行，讀作[d]），與漢語音韵學中「古無舌上音」之說相符。

　　（4）吳音中部分匣母合口字和喻三（云母）字同爲零聲母，並以[w]爲介音，與漢語音韵學中「喻三歸匣」之說相符。

　　（5）吳音中泥娘日三母字同屬ナ行，讀作[n]，與漢語音韵學中「娘日歸泥」之說相符。

　　（6）古日語無塞擦音，故中古漢語塞擦音在吳音中均成爲同部位的擦音。

　　（7）中古漢語聲母送氣不送氣之分在吳音中完全消失。

　　（二）韵母：吳音韵母系統總計 49 個，如下表：

吳音韵母系統

陰聲韵　　[a][i][u][e][o]
　　　　　[ja][ju][jo]
　　　　　[wa][wi][we][wo]
　　　　　[ai][ei]
　　　　　[au]ou][eu][wau][wou][jau][jou]　　共二十一

陽聲韵　[an][in][un][en][on]

　　　　[wan][win][won]

　　　　[jun]　　　　　　　　　　　共九

入聲韵　[aku][oku][iku]

　　　　[waku][woku][wiku]

　　　　[jaku][joku][juku]

　　　　[oki][iki][eki][wiki][joki]

　　　　[ati][iti][uti][eti][oti]

　　　　[wati][woti][juti]

　　　　[aɸu][iɸu][eɸu][oɸu]　　　共十九

這個韵母系統與《切韵》音系的關係如下表：

中古漢語與吳音韵母對照表

韵等次	-o			-i			-u			-ŋ			-n		
	韵部	中古漢語	吳音	韵部	中古漢語	吳音	韵部	中古漢語	吳音	韵部	中古漢語	吳音	韵部	中古漢語	吳音
一等	歌(開)	ɑ	a	泰(開)	ɑi	ai	豪(開)	ou	au	唐(開)	ɑŋ	au	寒(開)	ɑn	an
	戈(合)	uɑ	wa / a	泰(合)	uɑi	we / e	侯	əu	uo / ju	唐(合)	uɑŋ	wau	桓(合)	uɑn	wan / an
	模(合)	u	o / u	哈(開)	əi	ai				東(合)	uŋ	u / o / wo	痕(開)	ən	on
				灰(合)	uəi	e / we				冬(合)	uoŋ	u	魂(合)	uən	on / won
										登(開)	əŋ	ou			
										登(合)	uəŋ	u / ou			

等	韻				韻				韻			韻			韻		
二等	麻開	a	e a ja		夬開	æi	e		肴開	au	eu	庚開	ɐŋ	jau	刪開	an	an en
	麻合	wa	e		夬合	wæi	e we					庚合	wɐŋ	wau	刪合	wan	an wan en
					皆開	ei	ai					耕開	æŋ	jau	山開	æn	en
					皆合	wei	e we					耕合	wæŋ	wau	山合	wæn	an wan en
					佳開	ai	ei					江	aŋ	au			
					佳合	uai	e we										
三等	脂開	i	wi		廢開	ǐɐi	e		幽開	iau	u ju	蒸開	ǐəŋ	ou jou	欣開	iən	on
	脂合	wi	i wi		廢合	ǐwɐi	e we		尤開	ǐau	u ju	陽開	ǐaŋ	au jau	元開	ien	on
	支開	ǐe	i		祭開	ǐɛi	ai ei		宵	ǐɛu	eu	陽合	ǐwaŋ	au wau	元合	iwan	on won an wan
	支合	ǐwe	wi		祭合	ǐwɛi	e we					東合	iuŋ	u ju	文	ǐuən	on un
	之開	ǐə	i		微開	iəi	e					鍾合	ǐwoŋ	u ju	仙開	iɛn	en
	魚合	ǐwo	o jo		微合	iwəi	iwi					庚開	ǐɐŋ	jau	仙合	iwɛn	en
	虞合	ǐu	u ju									庚合	iwɐŋ	jau	真開	ien	in
	麻開	ia	ja									清開	ǐɛŋ	jau	真合	ǐwen	on win iun
												清合	ǐwɛŋ	jau	臻開	ǐen	in
															諄合	iuěn	in jun
四等					齊開	iei	ei ai		蕭	ieu	eu	青開	ieŋ	jau	先開	ien	en
					齊合	iwei	e we					青合	iweŋ	jau	先合	iwen	en

（續上表）

韵等次	-m 韵部	-m 中古漢語	-m 吳音	-k 韵部	-k 中古漢語	-k 吳音	-t 韵部	-t 中古漢語	-t 吳音	-p 韵部	-p 中古漢語	-p 吳音
一等	談	ɑm	an	鐸開	ak	aku	曷開	ɑt	ati	盍開	ɑp	aɸu
	覃	ɒm	on / an	鐸合	wak	waku	末合	uɑt	wati / ati	合	ɒp	oɸu / aɸu
				屋合	uk	waku	沒合	uət	oti			
				德開	ək	oku						
				德合	uək	oku / waku						
				沃合	uok	oku / woku						
二等	銜	am	an / en	陌開	ek	jaku	鎋開	at	eti	狎	ap	aɸu
	咸	em	an	陌合	wek	waku	鎋合	wat	ati / eti	洽	ep	aɸu / eɸu
				麥開	æk	jaku	黠開	æt	ati / eti			
				麥合	wæk	waku / jaku	黠合	wæt	wati / ati / eti			
				覺	ak	aku						
三等	侵	ĭem	in / on	職開	ĭək	oki / joki / iki / eki / wiki	迄開	ĭət	oti	緝開	ĭĕp	iɸu / oɸu
	凡	iuɐm	on	職合	wək		月開	ĭet	eti / oti	乏合	iwap	oɸu / eɸu
	嚴	ĭɐm	on / en	藥開	ĭak	jaku / aku	月合	ĭwet	oti / wati / woti	業開	ĭɐp	oɸu / eɸu
				藥合	ĭwak	aku / waku	物合	ĭuət	uti / oti			
				屋合	ĭuk	oku / iku / wiku / uku						

	鹽	ĭɛm	en	合	燭	ĭwok	juku / oku / joku	薛 開		ĭɛt	eti	葉 開	iɛp	oɸu / eɸu
								合		ĭwɛt	eti			
				開	陌	ĭek	jaku	質 開		ĭĕt	iti / iti			
				合		iwek	waku	合		ĭwĕt	iti / juti			
				開	昔	ĭɛk	jaku	櫛 開		ĭɛt	iti			
				合		ĭwɛk	jaku							
								術 合		ĭuĕt	iti / juti			
四等	添	iem	en	開	錫	iek	jaku	開 屑		et	eti	怗	iep	eɸu
				合		iwek	jaku	合		wet	eti			

根據上表，可以看出吳音韵母有如下特點：

（1）吳音中嚴整地保存著上古漢語的陰、陽、入三類韵母的特徵和界限。陰聲韵中，中古漢語以[i]爲韵尾的蟹攝韵，吳音裏部分開口二等韵的也以[i]結尾，其餘韵中的[i]則與前面的主要母音連讀而變爲別的母音；中古漢語以[u]爲韵尾的效攝流攝等，吳音漢音仍以[u]結尾。陽聲韵中，中古漢語以[ŋ]結尾的宕通江曾四攝，吳音均以[u]結尾，至於梗攝，吳音仍以[u]結尾，[n]尾[m]尾同時以[n]對譯。入聲韵中，[-p][-t][-k]三系完全嚴整地再現于吳音漢音中，[-p]韵尾吳音漢音均爲[u]對譯，[-t]韵尾吳音以[ti]對譯，[-k]韵尾吳音一般以[ku]對譯，職韵以[ki]對譯。

（2）中古漢語中同攝的一二等韵，吳音主要母音有別。

（3）由於日語音位較少，母音只有[a][i][u][e][o]五音位，故漢語的幾個發音位置相近的母音，吳音往往只用同一個母音對譯。下面就是吳音對中古漢語各韵的單母音的對譯大致情況（複合元音詳見下文）。

中古漢語	吳 音
ɑ ɐ ɐ ɛ ɒ æ	多數爲 a，少數爲 e、o
i	i
u	u

eɜ	多數爲 e，少數爲 a
uoɜ	多數爲 o，少數爲 u、i

（4）由於日語音系本身的特點，中古漢語的複合元音在吳音中變化較大，漢語的複合元音在日語中的對音，就出現幾種情況：甲）轉化爲單母音；乙）某一母音脫落；丙）上述兩種情況造成古漢語中許多韵的介音[i][u]不復存在于吳音中，只是在部分拗音節中才得以保留。漢語複合元音的介音在吳音中再現與否是由日語語音系統本身特點所制約的。

（5）中古漢語中的部分重紐字在韵圖中分入三等四等。在某些韵的吳音韵讀中仍保留著重紐兩類的語音差別。如：

真開三	真開四	質合三	質合四
巾[kon]	緊[kin]	屈[goti]	繘[giti]
銀[gon]			
僅[kon]			

這些都爲我們研究中古漢語重紐現象提供了寶貴的資料。

三、唐代中原方音區：洛陽音

（一）玄奘音（600-664）

玄奘（西元 600-664）出生在洛陽附近的緱氏，青年時期在洛陽度過。他的方音是中原方言。他一生翻譯梵文經論七十五部，在他所著的《大唐西域記》中對許多舊譯作了批評，並寫出了符合唐音的新譯。通過這些材料的譯音和梵文的對比，可以研究初唐時中原方音的音韵系統。

根據施向東 1983，玄奘梵漢對音所反映的當時長安音 37 聲母表如下：

傳統名稱	不送氣清音	送氣清音	濁音	鼻音	擦音，邊音，半元音
牙音	見 k[k]	溪 kh[k']	群 g[g]	疑 ñ[ŋ]	
正齒音三	照三 c[tɕ]	穿三 ch[tɕ']	禪 j[dʑ]	日 ñ[ɲ]	審三 ś[ɕ]（神）[ʑ]
正齒音二	（照二）[tʂ]	穿二 kʂ[tʂ']	？		審二 ş[ʂ]？
齒頭音	（精）[ts]	清 ts[ts']	（從）[dz]		心 s[s]？
舌上音	知 t[t]	徹 th[t']	澄 d[d]	娘 n[ɳ]	
舌頭音	端 t[t]	透 th[t']	定 d[d]	泥 n[n]	來 l[l]
重唇音	幫 p[p]	滂 ph[p']	並 b[b]	明 m[m]	
輕唇音	（非）	（敷）	奉 v[v]	（微）	
喉音	影[ʔ]				曉、匣 h[h] 喻四 y[j]） （喻三）

根據上表可知，唐初中原方言中輕重唇音已經開始分化，匣紐清化；神禪分立；泥娘分立；濁塞音聲母不送氣；禪紐是塞擦音；影紐非零聲母。

韵母表如下：

元音 尾音	ɒ		a		e	i	u，o，ə	
	歌[ɒ]戈 [wɒ]	歌[jɒ] （戈 [jwɒ]）	麻佳[a] （[wa]）	麻[ja]	齊[e] （[we]）	支脂之[i]、支 脂微[ɹi]（支脂 [wi]）、（支脂微 [ɹwi]	模[u]	虞[ju] 魚[jo]
n	寒[ɒn] 桓[wɒn]	元[ɹɒn] （[ɹwɒn]）	（山）刪 [an] （[wan]）	仙[jan] [ɹan] （[jwan] [ɹwan]）	先[en] [wen]	真[in]真（臻）殷 [ɹin] （諄[win]、 [ɹwin]）	魂 un 痕[on]	文 [ɹun]
ŋ	唐[ɒŋ] （[wɒŋ]）	陽[jɒŋ] （[jwɒŋ]）	庚耕 [aŋ] （[waŋ]）	清[jaŋ]、 庚[ɹaŋ] （[jwaŋ] 、[ɹwaŋ]）	青[eŋ] （[weŋ]）		東[uŋ] （冬 [oŋ]）	東[juŋ] 鍾[joŋ]

m	談覃 [ɒm]	嚴凡 [ɹɒm]	咸銜[am]	鹽 [jam]、[ɹam]	添[em]	侵[in]、[ɹim]		
u	豪[ɒu]		(肴[au])	宵[jau] [ɹau]	蕭[eu]		侯[ou]	尤[jou] (幽[jəu])
i	咍泰 [ɒi] 灰泰 [wɒi]	廢[ɹɒi] [ɹwɒi]	(夬)皆 [ai] ([wai])	祭[jai] [ɹai]、 ([jwai]、 [ɹwai])				
ŋ			江[ɔŋ]			登[əŋ]([wəŋ])蒸[jəŋ]		

根據上表可知，韵母系統比《切韵》音系簡單，《切韵》中同等重韵的許多韵，如山刪、庚耕、覃談、咸銜、嚴凡、咍（灰）泰、真臻殷、支脂之微都已混而不分；入聲尾音弱化；三等音有 j、r 兩種齶介音。但值得注意的是，一等魂痕兩韵的主母音不同。

聲調方面，玄奘對音中沒有四聲各分陰陽的證據，因此唐初中原方音只有四個聲調。平聲是高長調，去聲是低長調，上聲是中升短調，入聲是中降短調。某些學者提出的四聲三調說顯然是沒有立足之地的。唐初中原方音的四聲可圖示如下：

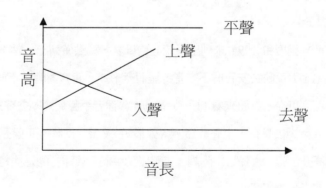

317

（二）義淨音（635-713）

唐代高僧義淨（635-713）形成個人語音習慣的時期生活在今天的北京西南郊和山東泰山一帶，對音材料說明，義淨音跟玄奘音（通常認爲是初唐洛陽音）一致。

劉廣和 1994 得出了義淨音的音系概貌。其聲母表共有 37 個（表中加括弧的聲母是因材料欠缺，而據其他材料推定的），如下：

幫 p	滂 ph	並奉 b	明微 m	非（敷）pf
端 t	透 th	定 d	泥 n	來 l
知 t	徹 th	澄 d	娘 n	
（精）ts	清 tsh	從 dz	心 s	（邪）z
（莊）ts	初 tsh	（床）dz	山 s	
章 ts	昌 tsh	禪 dz	書 s	（船） 日 n
見 k	溪 kh	群 g	疑 ŋ	
影 ʔ	（喻三）	喻四 y	曉匣 h	

以上聲母表說明義淨音有如下特點：

1.奉微與並明不同。

2.全濁聲母並、定、澄、從、群等不送氣。

3.日紐是 n。

韵母方面，劉廣和 1994 未列出系統的韵母表，特點僅列出一點：即義淨音清青二韵保持 ŋ 尾，與反映長安音的不空音-ŋ 尾脫落形成「青齊對轉」不同。

聲調方面，可從三方面來看：（一）音高：義淨音平聲最高，去聲最低。（二）音長：義淨音平聲、去聲長，上聲較短，入聲最短。（三）升降：平聲是高降調，上聲是高平（或高升）調，入聲是中降調，去聲是低平調。義淨音的這些特點與反映唐代長安音的不空音頗爲不同。

（三）李善《文選注》音系（658）

李善是隋末唐初的揚州江都人，從小師從曹憲學習《文選》。根據張潔 1998，《文選注》六十卷中的李善音，經過鑒別和校勘，可得反切 728 條，直音 2225 條，總計音切 2953 條。該文運用反切比較法，對李善音系進行了歸納整理。

李善音共有 35 個聲母，如下表：

唇音	幫（非）	滂（敷）	並（奉）				明（微）
舌音	端	透	定				泥（娘） 來
齒音	精	清	從	心	邪		
	莊	初	崇（俟）	生			
	章	昌	禪	書	船	日	
牙喉音	見	溪	群				疑
	曉	匣（云）					
	影						以

此聲母表的特點是：輕唇音不分、泥娘不分、崇俟合一。但從邪分立，船禪不混。

韵母方面，李善音的特點是：唇音不分開合、尤幽合併、臻真殷合併、魚虞不混。尤其值得注意的是：庚三清不混，重紐不混。

聲調方面，李善音與《廣韵》一致，仍是平上去入四聲。

李善音系曾有學者認為是唐代的南方音系，但張潔以為，根據以上特點，李善音靠近以《切韵》為代表的北方音系。當是當時洛陽音的反映。本文從張潔之說。

（四）《晉書音義》音系（747）

《晉書音義》為何超所著。楊齊宣《晉書音義》序稱何超為「東都處士」，說明

何超是洛陽人。《音義》成書于唐代天寶六年，即西元 747 年。雖然比《切韻》晚了一個世紀，但究竟是目前我們所知道的距《切韻》時間最近的一個反映洛陽音系的有系統的材料。我們如果把《音義》的反切系統和《切韻》的比較一下，就不難在一定程度上看出《切韻》音系和洛陽音系之間的關係。根據邵榮芬 1981，《晉書音義》的音韻系統如下。

1.《晉書音義》（下簡稱《音義》）的聲母系統是 37 個，與《廣韵》相同：

雙唇音	幫	滂	並	明
牙音	見	溪	群	疑
舌音	端	透	定	泥
	知	徹	澄	娘

齒音	莊	初	崇	生	俟
	章	昌	船	書	禪
	精	清	從	心	邪

喉音	影	曉	匣	喻
半舌音	來			
半齒音	日			

2·《音義》的韵母系統共有 55 個韵部（舉平以賅上去入），包括去聲 4 個，跟《廣韵》相比，相混的韵部有：

通攝　（1）東（一等與冬合併）

止攝　（2）支（開口及唇音）脂（開口及唇音）之

遇攝　（3）魚虞

蟹攝　（4）皆（去聲與夬開口合併）

　　　（5）咍（去聲與泰開口合併）

臻攝　（6）真臻

山攝　（7）刪山

咸攝 （8）覃談

（9）嚴凡

3・《音義》的聲調系統

有平、上、去、入四聲，與《廣韵》相同。

按：以上四個反映唐代洛陽音的材料，由於材料本身的性質不同（有對音資料，有音切資料），各家的研究成果也有所不同。但值得注意的是，這四家所列出的聲母表基本上都是 37 個（《文選》音是 35 個，另外有的聲母梵漢對音材料缺），當非偶然。輕重唇音尚未分化，這是與長安音的大不同之處。日紐純粹是鼻音，全濁聲母不送氣，這些都是值得注意之點。韵母方面，對音材料由於受到梵文音系結構的限制，對於《切韵》的 13-14 個母音系統（馮蒸 1998），未能準確反映，簡化太多，《晉書音義》的韵部系統更值得重視。與《廣韵》相比較，《晉書音義》一共才合併了大約 10 個韵部，而且有的僅限於開口和唇音，韵母的變化實在是很有限。這也反證了《切韵》的音系基礎是洛陽音。

四、唐代西北方音區（一）：長安音

（一）顏師古《漢書注》音系（645）

顏師古《漢書注》音切的研究，目下已有多家研究成果發表，大陸方面計有鍾兆華 1982、謝紀鋒 1990、1992、歐陽宗書 1988、1990 諸家，臺灣方面則有董忠司教授 1978 的研究。董書未見，茲不論。鍾兆華的研究大體上可以信據，但聲母方面誤合泥娘二母爲一，對此邵榮芬 1982 業已指出。歐陽宗書的論文對鍾文有所修正。現綜合鍾、邵、謝、歐陽四家的研究，把顏師古《漢書注》音系的聲母、韵母、聲調列出如下。

　　根據歐陽宗書 1990，顏師古音系共有 41 個聲類，唇音有輕重唇兩組。舌音有端、知兩組，牙音有見組，齒音有精、照兩組，喉音有曉匣影喻等母，舌齒音有來日等母。照組分照二、照三，沒有禪二；知組娘母獨立；喻母分喻三、喻四。如下表：

幫布・必	滂普・匹	並步・頻	明莫・彌	
非方	敷方	奉扶	微武	
端都	透吐	定徒	泥乃	
知竹	徹醜	澄直	娘女	
精子	清千	從才	心蘇	邪似
照二・側	穿二・初	床二・仕	審二・所	
照三・之	穿三・昌	床三・食	審三・式	禪上
見工・居	溪口・丘	群其	疑五・牛	
曉呼・許	匣胡	影烏・於	喻三・于	喻四・弋
來來・力	日人			

　　可以認為顏師古反切的聲母系統中輕重唇基本分化清楚了，但是明微母的關係還較多，說明這兩個聲母的分化完成得晚些。謝紀鋒 1990 就認為顏氏音明微不分，如此，則是 40 聲類。

　　韻母方面，顏師古音系與《切韻》音系相差不多，根據歐陽宗書 1988，區別似乎只在如下三點：

　　1.夬開口併入怪

　　2.臻併入真

　　3.銜併入咸

但是，周法高 1984 說：「根據董忠司的研究，玄應和顏師古韻類分合不同的地方有：

　　1.顏氏支、脂、之合併，玄應脂、之合併，與支分列。

　　2.顏氏談、覃合併，玄應分列。

　　3.顏氏真韻合口與諄合併，玄應分列。

4.顏氏庚≡與清合併，玄應分列。

此外，凡是《廣韵》分列而玄應合併的諸韵，顏師古也合併了。從上面我們可以看出玄應和顏師古韵類的差異並不很大，這可能由於顏氏受當時長安白話的影響較大的緣故吧。」這四條似可補歐陽宗書文之不足。

聲調方面，和《切韵》一樣，都只有平、上、去、入四個聲調。

至於顏師古音系的性質，學者們多認爲反映的是唐代長安音，雖然歐陽宗書對此有不同的看法。這裏我們暫從多數學者的意見，認定顏師古音系反映的是早期唐代長安音。

（二）玄應《一切經音義》音系（638-649）

這裏主要根據周法高 1948、1984 和王力 1982 三文，將玄應音系概述如下。

聲母方面，將玄應音與《切韵》音系的 37 聲母相比較，王力 1982 與周法高 1948 在舌音和唇音二類上有分歧。在舌音部分，王力認爲玄應音知系和端系不分，即舌上音尚未從舌頭音中分出；而周法高則認爲玄應音端系和知系大體分立，僅小有混淆，於是在舌音中分列出端系與知系。在唇音部分，王力認爲玄應音輕唇還沒有從重唇分出，即幫系和非系不分，與《切韵》是一致的。而周法高則認爲輕唇音已有獨立的趨勢，於是將重唇與輕唇分列，並認爲在玄應時，輕唇音可能已經讀作 pf，pf，bv，mv 了。此外，喉音方面，周法高 1948 認爲玄應音匣、於混同，此點王力 1982 沒有論及。

韵母方面，根據周法高 1984，與《切韵》相比較，有下列特點：

舒聲：

1.山攝二等刪和山合併。

2.咸攝二等銜和咸合併。

3.咸攝三等嚴和凡合併。

4.蟹攝二等皆和夬合併。

5.梗攝二等耕和庚二合併。

6.臻攝三等真韵開口和二等臻的合併。

7.通攝一等東一和冬合併。

8.止攝三等脂韵開口和之韵合併。

9.流攝三等尤和幽合併。

入聲：

1.山攝二等鎋和黠合併。

2.咸攝二等狎和洽合併。

3.梗攝二等麥和陌合併。

4.臻攝三等質韵開口和櫛合併。

5.通攝一等屋和沃合併。

以上共舒聲合併了十一類，入聲合併了七類，總共合併了十八類，約占高本漢廣韵韵母表一三六類百分之十三強。我們可以說，玄應音的韵類約有百分之八十七和切韵相合。

聲調方面，玄應音仍是平上去入四聲，與《切韵》一致。

王力認爲，玄應既是長安的和尚，他的反切必能反映唐初首都長安的語音系統。周法高先生對玄應音的認識有反復。他說：「我在該文（引者按：指〈玄應反切考〉一文）中考訂玄應的音系和切韵非常接近。聲母方面，和切韵大體相同；韵母方面，約有百分之八、九十和切韵相同。此外，我又說明玄應音並不是抄切韵的，因此假定它們大體上代表當時實際的語音（詳見拙著〈讀切韵研究〉所引，《大陸雜誌》69卷第2期）。不過我在那篇文章中認爲『陸法言和玄應所根據的……最大的可能當然是七世紀上半首都所在地的長安方音』（頁376），附和高本漢的說法，那未免是一種錯誤。所以我在看見了陳寅恪先生在1948年發表的〈從史實論切韵〉（《嶺南學報》9卷第2期，頁1-18），我就在1952年修正爲『我們不妨說切韵音代表隋唐首都長安士大夫階級所公認的標準音，此標準音可能淵源於《洛陽舊音》之系統。』（見拙著〈三

等韻重唇音反切上字研究〉,《歷史語言研究所集刊》第 23 本,頁 407;論文集,頁 261)」

我們基本上贊同王力先生的意見。

日本太田齋教授 1998 一文,對玄應音的性質提出了新的看法。該文對玄應音系與原本《玉篇》音系的關係做了深入的考察。他說:根據周法高 1948,1984 二文可知,玄應音系的特點主要有下列七條:

1.匣/於的混同

2.舌頭音/舌上音的混同

3.有輕唇音分化的傾向

4.尤/幽的混同

5.嚴/凡的混同(但入聲業/乏有區別)

6.真/臻無別

7.脂/之的混同

他認為:

1.玄應反切的這七條特點也同樣見於原本《玉篇》音系,根據日本河野六郎 1937 的研究,原本《玉篇》音系的特點共有 9 點,其中前 7 點與上文所列玄應音系的特點完全相當,剩餘的兩條:第 8 條是「船母/常母的混同」,第 9 條是「從母/邪母的混同」。

2.玄應反切與原本《玉篇》的反切用字也頗為一致。

3.玄應音不一定反映的是北方的長安音,也可能是南方音。至於為什麼會造成這種情況,大概是因為玄應反切襲用《玉篇》反切的結果。

看來玄應音的性質尚有必要做進一步的研究。

（三）顏元孫《干祿字書》的韵部（710-720）

這裏所述基本上根據王顯 1964 一文。該文的研究僅限於韵部，不涉及聲母問題。顏元孫生於唐高宗時，約在七世紀六十年代。京兆長安人。所著《干祿字書》是一部字書，成書於八世紀一二十年代間。所收之字按《切韵》系韵書排列，大韵順序不同於《廣韵》，而跟《王三》基本相同。但是並沒有說該書分了多少韵，經統計，其書平聲是四十三韵，上聲是三十六韵，去聲是三十七韵，入聲是二十五韵，共一百四十一韵。經考察後發現韵部數目少於《王三》，尤其少於《廣韵》。韵部減少的原因，就在於它把《王三》和《廣韵》中好些不同的韵部都混而爲一了。顏書所混同的韵，都屬於同一韵攝，沒有一個例外。細分起來，又分兩類：一是同等的韵的混合（如一等咍灰覃談混），一是不同等的韵的混合（如四等除青外都與三等混）。

具體情況如下：

蟹攝：（1）灰咍混

（2）祭霽混

臻攝：（3）混很混

（4）軫隱混

山攝：（5）仙先混

效攝：（6）宵蕭混

梗攝：（7）庚清混

咸攝：（8）覃談混

（9）琰葉‧忝怗混

顏書的這種混並，有若干特別之處。把顏書混合的各個韵跟《王三》所記的呂靜、夏侯詠、陽休之、杜台卿、李季節等五家韵進行比較，發現有同有不同。由此可知，顏書的混合不是根據五家韵進行的。再把顏書混合的韵部跟《廣韵》所注的同用進行比較，也發現有同有不同。顯而易見，顏書的混合跟《廣韵》的附注不會是同一個來

源。

　　由於顏元孫是在幾輩子都從事於語言研究工作的家庭裏生長出來的。他的混合決不會是無知妄作，而一定是有所依准的。那麼，他所依准的是什麼呢？王顯說：「是實際的語音麼？看來不像。我們知道，顏元孫是長安人，當時的首都又在長安。如果他以實際語音作爲依準的話，那末最可能的就是當時的長安音系。但是時代稍前的玄應，他所記錄的長安語音，已把《切韻》的咸和銜，庚二和耕，各自合爲一韻。跟顏書的界限劃然絕不相同。很難想像，同一個韻，在它的發展過程中，前後不過一百年光景，竟會由分而合，又由合而分，迴圈反復，老在原地轉圈子。也許這是玄應的一時疏誤，不足爲爲憑。可是我們同樣地看到時代稍後的張參所記錄的長安音系，其中灰和咍，以及軫、隱和混、很之類，又是各自爲韻，同于陸法言而不同于顏元孫的。如果承認顏書混合的韻就是實際音值已不同於《切韻》時代，那末，我們又將陷到迴圈發展論的泥潭中，而不能自拔了。又祭和霽，仙和先，宵和蕭，以及琰葉和忝怗之類，張參只有部分字相混，倒是清和青大雜亂，看不出兩者的界限。這個現象正跟顏書背道而馳。不可能設想，同是一個長安語音，四五十年間，竟會出現這麼一個顛之倒之、互相徑庭的離奇現象。假定混合的韻就是語音變成相同的了，那末，灰和咍以及『混、很』兩韻的混合又成了一個不可思議的問題。所有這種種的困難，使得我們有理由作出判斷說：顏書的混合不像是依據當時的實際語音。」王顯進一步推論，顏書的韻部範圍一定不能跟當時科場的規定脫節。這就是說，顏書所混合的韻部，一定是當時科場所許可通用的。但是，顏書所混合的韻部就是當時規定容許通用的，又明明跟封演所記和《廣韻》所注不完全符合，怎麼說得通呢？王顯認爲：「顏書所混合的是根據早期的規定，也許就是許敬宗等所議定的那些規定；封演所記的和《廣韻》所注的是根據後來的規定，時代比顏元孫晚。所以，它們內容上的不同是時代早晚的不同決定的，並不是實際上存在什麼矛盾。」

　　我們認爲，《干祿字書》的韻部情況，王顯的解釋只能作爲一說，肯定還可以找

到別的解釋。這裏只想提出兩點：第一，語音的回頭演變並非絕不可能；第二，從社會語言學的角度看，一個語音系統內部允許存在著變異，當時的長安音，應該也會存在著變異，在全面深入發掘全部唐代長安音資料後，這個問題可能會有更好的解釋。

（四）不空音（705-77）

天竺和尚不空（西元 705-774 年）在中國生活了近半個世紀，時值盛唐。他在京都長安一帶從事譯經四十餘年，梵咒漢譯採取了嚴密的對音體系，形成「不空學派」（H.Maspero 語）。用他的梵漢對音材料可以考察當時的長安音。根據劉廣和 1984、1987、1991、1994 四文，不空音系的特點如下：

1.聲母：

共有 39 個，莊床邪敷四紐無字，船（神）喻三（雲）二紐不能確證，這六紐音值是推論，加（）標明。

見 k	溪 kh	群 gh	疑 ŋg	
端 t	透 th	定 dh	泥 nd	來 l
知 t	徹 th	澄 dh	娘 nd	
精 ts	清 tsh	從 dz		心 s	（邪 z）
（莊 ts）	初 tsh	（床 dz）		山 s	
章 ts	昌 tsh	禪 dz	日 ndz	書 s	（船 z）
幫 p	滂 ph	並 bh	明 mb	
非 pf	（敷 pf）	奉微 bv		
影 ʔ	（喻三）	喻四 j	曉匣 x	

2.韵母：

（1）果　　　歌　　　　　ɑ

（2）假　　　麻　　　　　a　　ua　ja

（3）止　　脂　　　　ji　jui

　　　　　　支

　　　　　　之

　　　　　　微

（4）蟹　　咍 ⎫

　　　　　　灰 ⎬　　　ɑi　uɑi

　　　　　　泰 ⎭

　　　　　　皆 ⎫

　　　　　　佳 ⎬　　　ai　uai

　　　　　　夬 ⎭

　　　　　　祭 ⎫

　　　　　　廢 ⎬　　　jei　juei

　　　　　　齊 ⎭

（5）遇　　模　　　　u

　　　　　　虞　　　　ju

　　　　　　魚　　　　jʉ

（6）流　　侯　　　　əu

　　　　　　尤 ⎫

　　　　　　幽 ⎬　　　jəu

（7）效　　豪　　　　ɑu

　　　　　　肴　　　　au

　　　　　　宵　　　　jæu

　　　　　　蕭

（8）深　　侵緝　　　im　um　ip

329

（9）咸	覃合 談盍	ɑm	ɑp
	咸洽 銜狎 *凡乏	am	ap
	鹽葉 嚴業 添怗	jæm	jæp
（10）臻	真質 欣迄	jin	jit
	諄術	juin	juit
	文物	jun	jut
	痕沒	ən	ət
	魂沒	uən	uət
（11）山	寒曷	ɑn	ɑt
	桓末	uɑn	uɑt
	刪黠	an	at
	山鎋	uan	uat
	仙薛 元月 先屑	jæn juæn	jæt juæt
（12）江	江覺	ʌŋ	ʌk
		uʌŋ	uʌk
（13）宕	唐鐸	ɑɣ	ɑk
		uɑɣ	uɑk

	陽藥	jaɣ	jak
		juaɣ	juak
（14）梗	庚₂陌₂ 耕 麥	æŋ	æk
	庚₂陌₃	jæŋ	jæk
		juæŋ	juæk
	清昔 青錫	jei juei	~jeik ~jueik
（15）曾	登德	əŋ	ək
	蒸職	uəŋ	uək
（16）通	東₁屋₁ 冬 沃	uŋ	uk
	東₃屋₃ 鍾 燭	juŋ	juk

3.聲調：

不空譯音反映當時的長安音，有陰平、陽平、上、去、入五個聲調。調形和音高音長如下圖：

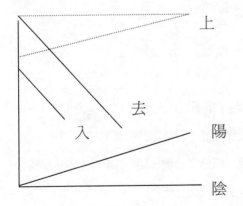

按：不空的梵漢對音，所反映的當時長安音韵母情況，合併的韵部的確不少，但我們認為不能簡單地僅從表面上看待這個問題。此中有些恐怕是因為梵文母音系統太簡單，從而導致出現用一個母音對譯漢語一個以上相近韵部的情況。所以，梵漢對音雖然對推定唐代長安音的音值很有用處，但其實際情況恐怕還需參照其他音切資料綜合考慮後才可得出接近事實的結論。

（五）張參《五經文字》的音系（775-776）

唐代張參《五經文字》成書於775-776年，是那些距離《切韵》時代較近的音系之一。它反映的是八世紀的長安音。

根據邵榮芬1964的研究，《五經文字》的語音系統如下：

1.聲母方面，共有41聲母：

幫	滂	並	明	
非	敷	奉	微	
端	透	定	泥	來
知	徹	澄	娘	
精	清	從	心	邪
莊	初	崇	生	俟
章	昌	船	日 書	禪
見	溪	群	疑 曉	匣
影		喻		

2.韵母方面，主要有下列諸條特點（舉平以賅上去入）：

1.通攝　　（1）東／冬入聲已並，舒聲限於一部分字。

2.止攝　　（1）支脂之微一部分字合併，另一部分字仍保持差別。

3.蟹攝　　（1）齊祭部分字混。

（2）皆佳夬混。但佳夬合口只有一部分字。

（3）佳夬麻=合口混。佳皆合口只有一部分字。

4.山攝　（1）山刪混。但合口情況不明。

（2）仙先混。仙多爲重紐四等。

（3）仙元混。仙多爲重紐三等。

5.效攝　（1）蕭宵混。宵多爲重紐唇音四等。

6.梗攝　（1）庚=耕混。

（2）清青混。

7.流攝　（1）尤幽混。

8.咸攝　（1）覃談混。

（2）咸銜混。

（3）鹽添混。但限於一部分字。

（4）嚴（凡）鹽混。但限於一部分字。

3.聲調方面仍是平上去入四聲。

（六）慧琳《一切經音義》音系（789）

唐釋慧琳音義中的反切反映的是唐代關中音，即長安音。黃淬伯《慧琳一切經音義反切考》（1931）認爲慧琳反切據唐天寶元廷堅《韵英》音所作，考得 36 聲類、173 韵類，跟《切韵》音系頗有出入。1970 年他在舊作基礎上寫成了《唐代關中方言音系》（黃淬伯 1998），他爲這個音系作了構擬，重在突出音系結構，沒有採用舊作的全部反切。另外，謝美齡 1990 討論慧琳反切中的重紐問題。日本上田正《慧琳反切總覽》（汲古書院 1987）更爲研究慧琳音提供了方便。

根據黃淬伯 1998 和該書前鮑明煒 1998 的概述，其音系特點如下：

1.聲母：

慧琳反切上字共分 67 聲類，與《切韵》比較，一二等爲一類，三等爲一類，四等又爲一類。四等切上字獨成一系，爲慧琳反切的特點。但聲類不等於聲母。黃先生說：「反切上字系類的區分，完全決定於韵母的第一母音。」又說：「聲母是輔音音位，聲類是反映聲母和韵母的結合形式。聲母的職能在於區別字義，聲類的作用在於描寫。」黃先生運用「三系」說，聲類和聲母分開，一個聲母與下字結合的關係不同，可以分出幾個聲類，反過來說，幾個聲類雖結合的關係不同，但實際上是一個聲母。這樣，慧琳反切的六十七聲類，實爲 30 個聲母。

唐代關中方言聲母總表

零聲母	喉	舌根	舌頭	舌面	舌尖	雙唇	唇齒
φ（喻）	ʔ（影）	k（見）	t（端知）	tɕ（照）	ts（精莊）	p（幫）	f（非敷）
		k'（溪）	t'（透徹）	tɕ'（穿）	ts'（清初）	p'（滂）	
		g（群）	d（定澄）	dʑ（床禪）	dz（從崇）	b（並）	v（奉）
		ŋ（疑）	n（泥娘）	n（日）		m（明）	ɱ（微）
		x（曉）		ɕ（審）	s（心疏）		
		ɣ（匣）					
			l（來）		z（邪）		

按：此聲母表與其舊作黃淬伯 1931 相比，喉音方面，舊作喻三與匣分立，新作合而爲一，喻三併入匣。舌頭音方面，舊作端透定泥與知徹澄娘分立，而新作合而爲一，知組併入端組。舌尖音方面，舊作精清從心邪與莊初床疏分立，新作亦合而爲一，即莊組併入精組。我們認爲：黃氏新作的上述處理，未必妥當。其舊作的結果似乎更值得重視。

2、韵母：

黃淬伯 1998 的韵母系統來自其 1931 一書，但因處理方法不同，略有改變。黃先

生取《慧琳反切考》的韵類，看它和哪一系類的反切上字相結合，參考域外譯音和其他材料，定其韵值。如在《慧琳反切考》中「柯、嘉」（即歌麻）兩韵開口因等的不同各分二類，在《關中音系》合爲一類，黃先生不承認當時有等的分別，認爲分等是後來的事。又如基部（即羈部），按反切下字分開合兩類，多數與上字 B 系結合，韵值定爲[ɪi][ɪui]，但上字中也有 C 系，在音節表中又有[i][iui]。這就有了四個韵母。類此情形，還有干、兼、侵、麻等韵部。除以上情況外，現兩書韵類就沒有什麽不同了。

　　爲表明《關中音系》韵母系統的來歷，以平賅上去入，列比較表如下（鮑明煒1998）：

		《關中音系》	《慧琳反切考》	《切韵》	鮑明煒説明
（1）	歌	ɑ uɑ	柯	歌戈	
	麻	ɒ ɪuɒ	嘉	麻	
（2）	咍	ai uai	咍灰泰		
	皆	ɐi uɐi	皆	佳皆夬	
（3）	豪	ɑu	膏	豪	
	看	ɪɒu		看	
（4）	驍	iou ɪou	驍	蕭宵	驍韵 C 系多，B 系少，原擬爲 iou，與 uɑ ɪɒu 相配爲一部，因下字與看有明顯區別，改爲 iou。
（5）	侯	əu iəu	鈎樛	侯尤幽	侯 əu 尤幽 iəu
（6）	模	o ɪo	觚椐	模魚	模 o 魚 ɪo
（7）	虞	ɪu	拘	虞	
（8）	齊	iei iuei	稽	齊祭廢	
（9）	基	ɪi ɪu i iui	羈	支脂之 微	羈韵包括微韵，見《慧琳反微切考》。基韵未指明，舉例亦不見微韵之字。

（10）	唐	ɑŋ	uɑŋ	綱	唐	
（11）	陽	ɪɑŋ	ɪuɑŋ		陽	
（12）	更	ɪeŋ	ɪueŋ	羹	庚耕	
	京	ɪŋ	ɪuŋ	羹	庚	京韵是羹韵之一類，即切韵庚三等字。
（13）	江	ɪɔŋ		扛	江	
（14）	洪	uŋ	ɪuŋ	弓	東冬	
		ɪuŋ			鍾	
（15）	登	əŋ	uəŋ	矜	登	
		ɪəŋ	ɪuəŋ		蒸	
（16）	磬	ieŋ	iueŋ	磬	青	
		ɪeŋ	ɪueŋ		清	
（17）	寒	ɑn	ɪuɑn	干	寒桓	
	間	ɑn	ɪuɑn		刪山	
（18）	乾	ɪen	ɪuen	姦	元仙	仙之三等在乾，四等在肩。按兩韵只韵頭不同，似應定爲一韵，列一表中。
（19）	肩	ien	iuen	肩	先仙	
（20）	痕魂	ən	uən	跟昆	痕魂	
	殷文	ɪən	ɪuən	筋軍	殷文臻	真部分和和臻並于殷。
					真	
（21）	真	ɪn	ɪun	湮鈞	真諄	
（22）	堪	ɑm		堪	覃談	
	緘	ɪɑm		緘	咸銜凡	
（23）	兼	iem	ɪem	縑	鹽添嚴	
（24）	侵	ɪm	im	襟	侵	

　　按：黃氏的上述韵母類別與構擬，均不無可商，特別是完全沒有考慮到重紐的問題（謝美齡 1990），更是不妥。這裏是把其說作爲主要的一家之言來加以引述的。

3.聲調方面，基本上定慧琳音有平、上、去、入四聲。但在舊作《慧琳一切經音義反切考·反切四聲表》中，曾經指出慧琳反切字有「上去相涉」的現象。從語音發展的傾向言，這是濁上變去的先河。

（七）日本漢音

日本漢音所反映的是唐代長安音，這一點音韻學界已取得共識。根據王吉堯1987，日本漢音所反映的唐代長安方音聲母系統如下：

k 見群仄	k′ 溪群平	ŋ 疑		
t 端定仄	t′ 透定平	ⁿd 泥陰入	n 泥陽	l 來
ʈ 知澄仄	ʈ′ 徹澄平	ⁿɖ 娘		
p 幫並仄	p′ 滂並平	ᵐb 明陰入	m 明陽	
pf′ 非敷奉	ᵐbv 微			
ts 精從仄	ts′ 清從平	s 心邪		
tɕ 章莊船仄崇仄	tɕ′ 昌初船平崇平	ɕ 書生禪	ʑ 日	
ʔ 影	x 曉匣	w 云合	j 云開以	

日本漢音共有 55 個韵母，如下表：

陰聲韵	[a][i][u][o]	
	[ja][ju][jo]	
	[wa][wi][wo]	
	[ai][ei][wai][wei]	
	[au][ou][eu][uu][wau][wou][jau][jou][juu]	共二十三
陽聲韵	[an][in][iu][un][en][on]	
	[wan][win][wen][won]	
	[jun]	共十一

入聲韵	[aku][oku][waku][woku][juku][joku][jaku][iku][wiku]	
	[eki]	
	[atu][itu][utu][etu][otu]	
	[watu][wetu][jutu]	
	[aɸu][eɸu][oɸu]	共二十一

日本漢音所反映的唐代長安音韵母系統如下表：

		果	假	蟹	效	山	咸	宕	江	止	臻
開口	一	ɑ歌		ɑi 咍 泰	ɑu 豪	ɑu 寒 ɑt 曷	ɑm 覃 談 ɑt 盍 合	ɑŋ 唐 ɑk 鐸			ən 痕
	二		a 麻	ai 皆 佳 夬	au 肴	an 山 刪 at 鎋 黠	am 咸 銜 ap 洽 狎		iaŋ 江 aŋ iak 覺 ak		
	三			iɐi 廢 iɐi 祭	iæu 宵	iæn 仙 元 iæt 薛 月	iæm 鹽 嚴 iæp 葉 業	iaŋ 陽 iak 藥		i 支 脂 之 微	iən 真 欣 臻 it 質 迄
	四			iei 齊	ieu 蕭	ien 先 iet 屑	iem 添 iep 帖				
合口	一	uɑ 戈		uɑi 灰 泰		uɑn 桓 uɑt 末		uɑŋ 唐 uɑk 鐸			uən 魂 uət 沒
	二		ua 麻	uai 皆 佳 夬		uan 山 刪 uat 鎋 黠			uaŋ 江 uak 覺		
	三			yɐi 廢 yæi 祭		yæn 仙 元 yæt 薛 月	yæm 凡 yæp 乏	yaŋ 陽 yak 藥		ui 支 脂 微	yn 真 諄 文 質 術 物 yt
	四			yei 齊		yen 先 yet 屑					

338

（續上表）

		深	曾	梗	遇	流	通
開口	一		ən 登 ək 德			əu 侯	
	二			æn 庚 耕 æ͂ɣ 庚 æk 陌 麥			
	三	iəm 侵 iəp 緝	iəŋ 蒸 iek 職	Iæŋ 庚 清 iæk 陌 昔		iɐu 尤	
	四			ieɣ 青 iek 錫		iu 幽	
合口	一		uəŋ 登 uək 德		o 模		oŋ 東 冬 ok 屋 沃
	二			uæŋ 庚 耕 uæk 陌 麥			
	三		yək 職	yæ͂ɣ 庚 清 yæk 陌 昔	jo 魚 y 虞		yŋ 東 yoŋ 鍾 yk 屋 yok 沃
	四				yeɣ 青 yek 錫		

（八）朝鮮漢字音

　　朝鮮漢字音是一個複雜的統一體（鄭仁甲 1998）。根據目前占主流的看法，即認爲朝鮮漢字音有上古、中古和近代三個語音層次。其主要層次是中古音系，上限是上古晚期，下限是近代中期。這種情況與漢語南方各方言的情況很相似，漢語南方方言一般都是多個歷史層次的疊加，但主體層次則是中古層。

　　朝鮮漢字音的中古層所代表的具體時間和區域，學者們的意見也不一致。主要有

兩派意見。一派以法國的馬伯樂（Henri Maspero）爲代表，他認爲朝鮮漢字音是以 5 世紀的南方吳音爲基礎而形成的。另一派以瑞典的高本漢和日本的河野六郎爲代表，他們認爲朝鮮漢字音來自 7-8 世紀的中國北方音，主要是長安音。

高本漢（1915-1926）認爲朝鮮漢字來自 7 世紀前後隋、初唐的北方中原音，並把高麗譯音爲構擬《切韵》音系的重要材料。河野六郎（1979）從漢字音音系的音類關係入手，發現神（書）禪混同、一、二等重韵合流、四等韵與重紐四等合併、三等韵中重紐兩類對立等音變事實，認爲朝鮮漢字音正好跟唐慧琳《一切經音義》（737-820）所代表的 8 世紀中葉唐代長安音契合。河野六郎認爲朝鮮漢字音內部的語音層次不是單一的，是可以劃分爲不同音系層次的語音系統。朝鮮漢字音的主體系統與慧琳的《一切經音義》相同，都反映了唐代的長安音；部分的更早的音系層次則是江東音。

除此二說外，日本的有阪秀世認爲朝鮮漢字音反映的是十世紀的宋代開封音。

我們贊成河野六郎先生的意見，認爲朝鮮漢字音主要反映的是唐代長安音。

關於朝鮮漢字音音系的研究，有陳植藩 1964，河野六郎 1979，鄭仁甲 1998，張輝女 2002 諸家。這裏主要根據張輝女的研究把朝鮮漢字音的音系特點簡述如下。

（一）聲母

朝鮮漢字音的輔音聲母只有 15 個，如下表：

發音部位／發音方法	雙唇音		舌尖前音	舌尖中音		舌面前音	舌根音
	清音	濁音	清音	清音	濁音	清音	清音
塞音	/p/ㅂ			/t/ㄷ			/k/ㄱ
	/ph/ㅍ			/th/ㅌ			/kh/ㅋ
塞擦音						/tɕ/ㅈ	
						/tɕh/ㅊ	

擦　音		/s/ㅅ			/h/ㅎ
鼻　音	/m/ㅁ		/n/ㄴ		
邊　音			/l/ㄹ		
半元音				/j/	/w/

漢語中古音與朝鮮漢字音的聲類對應關係張輝女 2002 歸納如下：

漢語古音聲類及其音值　　　　　　　　　　韓語漢字音及其音值

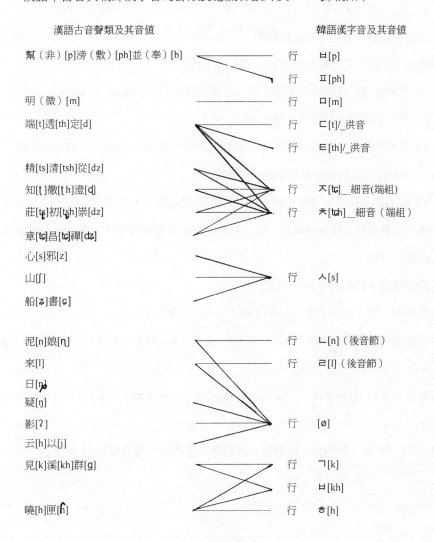

鄭仁甲 1998 歸納如下：

幫滂並非敷奉　p　　p'　　　　明微　m

精清從照穿床　ts　　ts'　　　　心邪床審禪　s

端透定知徹澄　t（ts'）t'（ts'）

見溪群　k　　曉匣　h　　　　影喻疑　ø

尼　n　　日　z　　來　l

此二表可互參。鄭仁甲的比較簡明。

根據上表，可以看出朝鮮漢字音聲母有如下特點：

（1）中古漢語的塞擦音與擦音三分，在漢字音中只有一套/tɕ/、/ tɕh/、/s/。

（2）非組字保留重唇讀法，讀/p/。

（3）從整體上看，端組和知組分爲兩類，前者洪音讀/t/、/th/行，細音跟知組一樣讀/ tɕ/、/ tɕh/行。但知組也有不少讀/t/、/th/行。

（4）漢字音各類塞音塞擦音都有送氣和不送氣兩套，但跟漢語分佈不同。漢語中古音是不送氣的有可能是送氣的，反之亦然。在古全濁聲母字上，漢字音沒有與漢語平仄有關的分別。

關於朝鮮漢字音的韵母共有 74 個：

其中有介 3 個。即-j-（이）、-w-（우）、-ɯ-（으）；

主元音 10 個，即 y（외）、a（아）、o（오）、æ（애）、ə（어）、e（에）、ø（외）、i（이）、u（우）、ɯ（으）；

韵尾有 6 個，即-m（ㅁ）、-n（ㄴ）、-ŋ（ㅇ）、-p（ㅂ）、-ɹ（ㄹ）、-k（ㄱ）。

構成 74 個韵母（單韵母、複韵母、鼻韵母、塞韵母、邊音尾韵），見下表：

朝鮮漢字音韵母系統表

元音 韵　　　母 結構 分類	主元音	介音		
單 韵 母	/y/위	/i/（w-）이	u（w-）우	（ɯ）으
	/a/아	/ja/야	/wa/와	
	/o/오	/jo/요		
	/æ/애		/wæ/왜	
	/ə/어	/jə/여		
	/e/에	/je/예	/we/웨	
	/ø/외	/ju/유	/wø/왜	
複韵母				/ɰi/의
鼻 韵 母	/an/안		/wan/완	
	/ən/언	/jən/연	/wən/원	
	/on/온		/un/운	
		/in/인		/um/은
		/jun/윤		
	/am/암			
	/əm/엄	/jəm/염		
			/um/움	
		/im/잉		/ɯm/음
	/aŋ/앙	/jaŋ/앙	/waŋ/왕	
	/æŋ/앵			
	/əŋ/엉	/jəŋ/영		
	/øŋ/욍			
	/oŋ/옹	/joŋ/용		
	/uŋ/웅	/juŋ/융		
		/iŋ/잉		/ɯŋ/응

塞尾韻	/ap/암			
	/əp/엄	/jəp/염		
		/ip/임		/ɯp/음
	/ak/악	/jak/약	/wak/왁	
	/æk/액			
	/ək/억	/jək/역		
	/øk/읙			
	/ok/옥	/jok/욕		
		/juk/육	/uk/욱	
		/ik/익		/ɯk/윽
邊音尾韻	/al/알		/wal/왈	
	/əl/얼	/jəl/열	/wəl/월	
	/il/일			/ɯl/을
	/ol/올			
		/jul/율	/ul/울	

漢語中古音與朝鮮漢字音的韻類對應關係可歸納如下：

舒聲韻

韻等	-o			-i			-u		
	韻部	中古音	漢字音	韻部	中古音	漢字音	韻部	中古音	漢字音
一等	果歌開	ɒ	a、æ、wa	蟹泰開	*uɑi	æ、ø、a	效豪開	*ɑu	u、ø jo、o
	果戈合	*ʷɒ	wa、a	蟹泰合	*ʷɑi	wæ、ø	流侯開	*əu	o、u
	遇模合	*o	u/o、ø、a、jo、jə	蟹咍開	*əi	æ、ø、i			
				蟹灰合	*ʷoi	wæ、ø、æ			

344

等									
二等	假麻開	*ɯa	a、æ	蟹夬開	ɯai	æ	效肴開	*ɯau	o、jo
	假麻合	*ʷɯa	wa、o、a	蟹夬合	*ʷɯai	wæ、wa			
				蟹皆開	*ɯæi	æ、e、je、i			
				蟹皆合	*ʷɯɛi	ø			
				蟹佳開	*ɯæ	a、æ、i、wæ			
				蟹佳合	*ʷɯæi	wæ			
三等	果戈開	*iɑ	a	蟹廢開	*iɐi	ə、jə、e、je	流幽開	*iu	ju、jo
	果戈合	*ʷiɑ	wa、i、wəl	蟹廢合	*ʷiɐi	je、we	流尤開	*iu	u、y、o、ju
	止脂開	*ɯi	i、a、æ、ɯi	蟹祭開	*ʷwiɐi	ə、jə、e、je	效宵開	*ɯiɐu	jo、y、ø、ja、o
	止脂合	*ʷɯi	ju、u、ø、y、ɯe、je	蟹祭合	*ʷwiɛi	e、we			
	止支開	ɯie	a、æ、ɯi、i	止微開	*ɨi	i、ɯi、we			
	止支合	*ʷɯie	y、u、we:wø、je、ju	止微合	*ʷɨi	i、y、ø、we、wø			
	止之開	*ɨ	ɯi、i、a						
	遇魚合	*iɔ	o、e、a、jə						
	遇虞合	*iu	o、u、e、jə、je、ju、y						
	假麻開	*ia	a、æ、ja、jə						
四等				蟹齊開	*ei	jə、je、i、ə、e、æ	效蕭開	*eu	jo、o、ju、u
				蟹齊合	*ʷei	ju、je			

陽聲韻

韻等	-ŋ			-n			-m		
	韻部	中古音	漢字音	韻部	中古音	漢字音	韻部	中古音	漢字音
一等	宕唐開	*ɑŋ	u、ɑŋ	山寒開	*ɑn	on、nɛ、an	咸談開	*ɑm	am
	宕唐合	*ʷɑŋ	wan	山桓合	*ʷɑn	jən、an、wan	咸覃開	*əm	am
	通東合	*uŋ	u、oŋ	臻痕開	*ən	an、ɯn			
	通冬合	*ʷoŋ	oŋ	臻魂合	*ʷon	in、un、on			
	曾登開	*əŋ	ɯŋ、uŋ、ɯɑŋ						
	曾登合	*ʷəŋ	oŋ:、øŋ						
二等	梗庚開	*waŋ	a、ən、uŋ、ɯɑŋ、æŋ、jəŋ	山刪開	*wan	an	咸銜開	*wam	am
	梗庚合	*ʷwaŋ	waŋ、øŋ	山刪合	*ʷwan	an、wan	咸咸開	*wam	ɯp、ap
	梗耕開	*wæŋ	jəŋ	山山開	*wæn	an			
	梗耕合	*ʷwæŋ	øŋ、voŋ	山山合	*ʷwæn	wan			
	江江開	*ɯɔŋ	aŋ、voŋ						
三等	曾蒸開	*ɨŋ	ɯŋ、iŋ、ɯɛ	臻殷開	*in	ɯm	深侵開	*wim	im、um、um、am、am
	宕陽開	iɐŋ	aŋ、jaŋ	山元開	*ien	e、ɯn、ən	咸凡合	*ʷiem	əm
	宕陽合	*ʷiɐŋ	wan、aŋ	山元合	*ʷien	an:n、nɛ、wan:wən	咸嚴開	*iem	əm
	通東合	*iuŋ	uŋ、juŋ	臻文合	*iun	un、on	咸鹽開	*ʷiɛm	əm、um、jəm
	通鍾合	*ioŋ	oŋ、uŋ、joŋ、juŋ	山仙開	*ʷiɛn	an、ɯɛ、jəŋ			

等	韻部	中古音	漢字音	韻部	中古音	漢字音	韻部	中古音	漢字音
	梗庚開	*ɯiaŋ	ɯi、jəŋ	山仙合	*ʷɯiɛn	wəŋ:wan、jəl、ɥe			
	梗庚合	*ʷɯiaŋ	jəŋ	臻真開	*ɯin	əŋ、jəŋ、in、ɯn			
	梗清開	*iɛŋ	jəŋ、əŋ、iŋ、ɥe	臻臻開	*in / *ɯn	in、ɯn			
	梗清合	*ʷiɛŋ	jəŋ	臻諄合	*ʷin	jəŋ、jun、un			
四等	梗青開	*eŋ	ɥe、jəŋ	山先開	*en	əŋ、jəŋ、in、an	咸添開	*em	mei、me
	梗青合	*ʷeŋ	jəŋ	山先合	*ʷen	jəŋ			

入聲韻

韵\等	-p			-t			-k		
	韵部	中古音	漢字音	韵部	中古音	漢字音	韵部	中古音	漢字音
一等	咸盍開	*ɑp	ap	山曷開	*ɑt	al	宕鐸開	*ɑk	ak
	咸合開	*əp	ap	山末合	*ʷɑt	wal	宕鐸合	*ʷɑk	wak
				臻沒合	*ʷot	ul、ol、al	通屋合	*uk	ak、ok
							曾德開	*ək	uk、uk、ak、ək、ik、æk
							曾德合	*ʷək	ok、uk
							通沃合	*ʷok	ok
二等	咸狎開	*ɯap	ap	山鎋開	*ɯat	al	梗陌開	*ɯak	ak、æk
	咸洽開	*ɯæp	ap、ɯp、jəp	山鎋合	*ʷɯat	ol	梗陌合	*ʷɯak	øk 貌
				山黠開	*ɯæt	al	梗麥開	*ʷɯæk	jək
				山黠合	*ʷɯæt	wal	梗麥合	*ʷɯæk	øk、uk
							江覺開	*ɯɔk	ak、ok、wak

347

等	韵	音	韓	韵	音	韓	韵	音	韓
三等	深緝開	*ɯip	ap、ip、ɯp	臻迄開	*it	ɯl	曾職開	*ik	ɯk、ik、ək、jək、jak、ip 逼、æk
	咸乏合	*wiep	əp、ip	山月開	*iet	al、əl	曾職合	*wik	jək
	咸業開	*iep	əp	山月合	*wiet	əl、wəl	宕藥開	*iek	ak、jak
	咸葉開	*wiɛp	ɯp、jəp、əp	臻物合	*iut	ul	宕藥合	*wiek	wak、ak
				山薛開	*wɯiɛt	əl、jəl	通屋合	*iuk	uk、juk
				山薛合	*wiɛt	əl、jəl、ol、ul	通燭合	*iok	ok、uk、jok
				臻質開	*wit	il、ɯl、ul	陌開	*ɯiak	jək
				臻術合	*wɯit	jul、un	梗昔開	*iɛk	jək、ək、ik、ju
							梗昔合	*iuɛk	jək
四等	咸帖開	*ep	əp、jəp	山屑開	*et	əl、jəl、il、al	梗錫開	*ek	ək、jək、ik 吃
				山屑合	*wet	jəl、jul:ju			

根據上表，可知朝鮮漢字音的韵母系有如下特點：

（1）保留了漢語中古音的重紐兩類的分別。在韓語漢字音中，支、脂、真、祭、仙、侵、鹽等七韵的介音（或主母音）與其他諸韵有很大不同，開口介音（或主母音）是 j-和ɯ-（i 和ɯ、ə）合口是 j-和 w-，形成了比較嚴整的對立。

（2）漢字音的輔音韵尾保持了和漢語中古音較為一致的對應。漢字音的輔音韵尾有-p –l –k，跟漢語中古音的-p –t –k 完全對應。

（3）魚韵和虞韵分立，跟漢語中古音一致，魚韵主元音讀ə，沒有跟虞韵合併，這正好與漢語中古音吻合。虞韵字除非母以母和邪母字以外，主母音是 u。

（4）東三和鍾韵分立，跟漢語中古音一致。東韵的主母音是 u,鍾韵的主母音是 o。

（5）介音的狀況反映了漢語的兩個時代層次。漢字音的介音有-j-和-w-，ɯ雖然是主母音，但在支、脂、真、祭、仙、侵、鹽等七韵中跟漢語重紐三等相對應，從跟漢語的關係來看也是介音，ɯ-反映的是中古前期的層次。在端組細音中，聲母一般齶

化，這是由於四等介音造成的，但是在漢語漢字詞中，端組四等聲母齶化後，介音反而脫落。脫落的零介音是很晚層次才出現的。

（九）藏漢對音資料音系（**9-10** 世紀）

音韻學界一致認爲敦煌發現的藏漢對音資料反映的是唐五代西北方音。但此中實又可分爲兩個層次，一個是當時的標準音長安音，它應是唐代西北方音的主要代表。另一個是日本高田時雄教授所稱的「河西方言」。我們認爲「河西方言」應是唐代西北方音的一個次方言，與長安音的地位不同，這裏只論及反映長安音的藏漢對音資料。「河西方言」的問題在下節加以討論。這兩部分所述基本上根據羅常培 1933，邵榮芬 1963，高田時雄 1988，蔣紹愚 1994 等論著。

根據羅常培 1933，唐五代西北方音的聲母可分爲六組二十九類（下表中的「千」表示《千字文》，「大」表示《大乘中宗見解》）：

（一）聲母

p	p'		b	'b	m	
幫	滂，非，敷，奉		並，奉，幫	明，微	明	
	（千，大），並（大）	（千，大），微（大）			明（在-n，-ŋ前）	
t	t'		d	'd	n	l
端	透，定（大）		定，端，（千，大）	泥	泥（在-ŋ，-m前）	來
c	c'		j		ż	'j
照	穿，澈，澄（大）		澄照，（千，大）	審，禪，牀	日	娘
知	牀（千一個字）		知（千，大）			
ts	ts'		dz		s	
精	清，從（大）		從，精（千，大）	心，邪		
k	k'		g		'g	
見	溪，群（大）		群，見，（千，大）	疑		
·	h		y		'w	
影	曉，匣		喻三開，喻四開合	喻三合，喻四合，（千兩個字）		

羅常培認爲，其聲母系統有如下特點：

1.舌上音混入正齒音，正齒音二三等不分。

2.床（包括船、崇）與禪不分，然後由禪入審（即濁擦音清化）。而澄母成爲照母的全濁。

邵榮芬認爲：在敦煌俗文學中，知章兩組聲母代用之例甚多，可見這兩組聲母已經合併。但莊知代用僅一例，莊章代用絕大部分是止攝崇母字和常母代用，其他例子很少。所以，似乎只能肯定止攝崇母和常母不分，而不能認爲知莊章三組全同。高田時雄認爲，邵榮芬的意見是對的。

3.濁擦音禪、邪、匣變爲清母審、心、曉。

塞音與塞擦音的全濁聲母的演變則有兩種情況：（1）在《阿彌陀經》、《金剛經》、《千字文》中不變，在《大乘中宗見解》中除十一個字外都變爲次清。（2）在《開蒙要訓》中全濁與全清（不送氣）相混。同時，在《千字文》、《大乘中宗見解》中有51個全清的字用藏文濁聲母注音。對此，羅常培的分析是：

《千字文》、《大乘中宗見解》和《開蒙要訓》中的濁音清化是兩種趨勢。現代北方話中濁聲母平變送氣，仄變不送氣是由《千字文》、《大乘中宗見解》發展而來的。《大乘中宗見解》中保持濁音本讀的十一個字，其中有兩個上聲，六個去聲。「上去兩聲所以不完全變成次清一定是送氣的成素受聲調的影響漸漸變弱了的緣故。」證以現代方言，在現代三水、平陽等方言中一部分濁聲母仄聲字是變次清的。「可見全濁仄聲之變全清是受聲調影響逐漸嬗蛻而成的。」在《千字文》、《大乘中宗見解》中全清混入全濁的51個字，其中有27個是上聲，22個是去聲，2個是入聲。唐代西北方音中的上去聲大概是低調。而在藏語中，以b、d、g、j、dz等爲聲母的字均讀低調。

4.輕唇音非敷奉母字大多數與滂母同音（即讀p'），已露出分化的痕跡。

5.明泥兩母音後面的聲隨的不同個分化爲兩類，即：明母在-n、-ŋ前面讀m，其餘讀'b。泥母在-m、-ŋ前面讀n，其餘多數讀'd（'表示鼻音成素）。唐五代西北方音中的'b、'd可能是鼻冠音mb、nd。

6.y化的聲母並不專以三等爲限。如喻三爲'w，喻四爲y。

　　邵榮芬認爲在敦煌俗文學中喻三和喻四已不能分辨。從漢藏對音來看，也不同意羅常培的結論。邵氏認爲不論喻三喻四，開口或獨韵的字都讀作 y-，合口的字都讀作'w-。

　　（二）韵母

　　羅常培 1933 根據《千字文》的對音把它所代表的方音韵系分成二十三攝五十五韵，現轉錄如下（後附《切韵》韵目）：

a 攝第一

（1）a 韵_{歌，戈唇音，麻開二，佳}　　　（2）ya 韵_{麻開三}　　　（3）wa 韵_{戈，麻合二}

o 攝第二

（4）o 韵_{模，唐陽（千）}　　　（5）yo 韵_{陽（千）}　　　（6）uo 韵_{模（千）}

e 攝第三

（7）e 韵_{皆祭齊開（大阿），庚清青開（千）}　　（8）ye 韵_{齊庚清清青開（千）}　　（9）we 韵_{齊合，庚青合（千）}

i 攝第四

（10）i 韵_{脂之支開，微，魚半}　　　（11）wi 韵_{脂支微合}

u 攝第五

（12）u 韵_{虞，魚半，模侯尤唇音，脂支微合}　　（13）yu 韵_{尤，侯（大金）}

ai 攝第六

（14）ai 韵_{咍泰開（千），灰唇音（千）}　　（15）wai 韵_{灰泰合（千）}

ei 攝第七

（16）ei 韵_{皆祭開（千金），咍泰開（金）}　　（17）wei 韵_{皆祭合（千·金），灰泰合（金）}

au 攝第八

（18）au 韵_{豪肴宵半（千），侯上（千）}　　（19）yau 韵_{宵蕭（千）}.

eu 攝第九

（20）eu 韵_{豪肴宵蕭，侯尤（千）}　　　（21）yeu 韵_{宵（千）}.

am 攝第十

（22）am 韻覃談咸銜凡 　　　　　　（23）yam 韻鹽添*嚴

im 攝第十一

（24）im 韻侵

an 攝第十二

（25）an 韻寒山刪開，桓元唇音，仙正齒音 　　（26）yan 韻仙，先開 　　（27）wan 韻桓刪元先合

in 攝第十三

（28）in 韻痕真欣 　　　　　　（29）on 韻魂諄半 　　　．（30）un 韻魂諄半，文．

aŋ 攝第十四

（31）aŋ 韻江（千），唐陽（阿金）　　（32）yaŋ 韻陽（大阿金）　　（33）waŋ 韻江唐陽（阿金）

eŋ 攝第十五

（34）eŋ 韻登蒸（除千字文外皆變 iŋ），庚清青（大阿金）　　　　（35）yeŋ 韻清青（大金）

oŋ 攝第十六

（36）oŋ 韻東一，冬，陽（大）　（37）yoŋ 韻陽（大）　（38）woŋ 韻唐合（大）　　（39）uŋ 韻東三，鍾．

ab 攝第十七

（40）ab 韻合狎乏 　　（41）yab 韻葉帖業

ib 攝第十八

（42）ib 韻緝

ar 攝第十九

（43）ar 韻曷末，黠薛開，月合唇音 　　（44）yar 韻薛屑開 　　（45）war 韻末，月薛合．

ir 攝第二十

（46）ir 韻質 　　　　　　（47）ur 韻沒物術

ag 攝第二十一

（48）ag 韻鐸藥覺 　　（49）yag 韻藥覺 　　（50）wag 韻燭（千）．

eg 攝第二十二

（51）eg 韵德陌麥開（千）　　（52）ig 韵職昔錫開，德陌開（大阿金）　（53）weg 韵陌合（千）

og 攝第二十三

（54）og 韵屋一，沃，德合，燭（大）　　（55）ug 韵屋三，德開唇音，燭（千一個字）

羅常培認爲，以上藏漢對音所表現的唐五代西北方音的韵母系統比《切韵》的韵母系統已經大大簡化，而和《四聲等子》的韵母系統比較接近。與《四聲等子》的十六攝相比較，所不同的在於：上表的 a 攝，《四聲等子》分爲果、假兩攝；上表的 ai 攝、ei 攝，《四聲等子》合爲蟹攝；《四聲等子》的效、流兩攝，在上表中牽混；《四聲等子》中的遇攝，在上表中分爲 o、u、i 三攝；《四聲等子》中的宕攝和梗攝，在《千字文》中分別歸入 o 攝和 e 攝。此外，上表中舒入聲分列，而《四聲等子》的十六攝中入聲不單列。其他特點不再贅述。

在這裏我們要指出的是：羅常培先生上述研究藏漢對音聲、韵母的方法，是以藏文的音系爲綱來看對應於漢語的哪些音類。這種方法固然有其優點，因爲藏文是拼音文字。音值音類都很清楚。但是應該考慮到這樣一種情況，即藏文的寫法雖然很保守，但在當時說藏話人的嘴裏實際上已經不是照藏文字母的寫法那樣念了。舉一個例子來說，藏文音系的 -ad, -ag 等所謂入聲韵母，韵尾在藏文寫法中區分劃然，但在現代拉薩話的實際讀音中，-d, -g 尾已經均讀爲喉塞音 -? 了。這雖然是現代藏語的情況，但是不能排除當時的藏話未必就是照藏文字母那樣念，而沒有任何變異，即不受藏文寫法的迷惑了。所以我們認爲，比較妥當的辦法應當是以漢語的中古音爲綱，例如韵母方面，可以十六攝爲綱看對應於藏文的哪些音類，這樣似乎更能展示出當時漢語西北方音的實情。

聲調方面，羅常培認爲，在《開蒙要訓》中不同聲調互注的甚多，規律不明晰，但濁上與去聲互注很多，證以李涪《切韵刊誤》中的話，可確定在晚唐五代時，濁上已經變去。邵榮芬和高田時雄都同意這個看法。

（十）日本安然《悉曇藏》和《唐俗樂譜》
所反映的唐代長安音聲調和調值

反映唐代長安話的聲調主要有兩項資料，一個是《悉曇藏》，一個是《唐俗樂譜》。這兩項資料都曾有學者加以研究，對研究唐代方音的分區很有價值，現分別簡述如下。

（一）根據周祖謨 1958，日本《大正新修大藏經》內沙門安然《悉曇藏》卷五《定異音》條有一段話：

> 我日本國元傳二音，表則平聲直低，有輕有重，上聲直昂，有輕無重，去聲稍引，無輕無重，入聲徑止，無內無外。平中怒聲與重無別，上中重音與去不分。金則聲勢低昂與表不殊，但以上聲之重稍似相合，平聲輕重，始重終輕，呼之為異。唇舌之間亦有差升。

> 承和之末，正法師來，初習洛陽，中聽太原，終學長安，聲勢大奇。四聲之中，各有輕重。平有輕重，輕亦輕重，輕之重者，金怒聲也。上有輕重，輕似相合金聲平輕，上輕始平終上呼之，重似金聲上重，不突呼之。去有輕重，重長輕短。入有輕重，重低輕昂。元慶之初，聰法師來，久住長安，委搜進士，亦游南北，熟知風音。四聲皆有輕重。著力平入輕重同正和上。上聲之輕似正和上上聲之重，上聲之重似正和上平輕之重。平輕之重，金怒聲也，但呼著力為今別也。去之輕重，似自上重，但以角引為去聲也。音響之終，妙有輕重，直止為輕，稍昂為重。此中著力，亦怒聲也。（參周祖謨 1958）

周祖謨先生解釋說：安然《悉曇藏》作于日本元慶四年（西元 880 年），相當於唐僖宗廣明元年。承和之末就是唐宣宗大中元年（西元 847 年）。文中所說的：「表金兩家」，指的是表信公和金禮信。表信公傳到日本的漢字讀音是「漢音」，金禮信傳到日本的是「吳音」。「怒聲」指的是濁聲母，「輕重」是兩種不同的聲調。按：此中金法師的「吳音」，與此處所論的長安音無關，可勿論，今附以備參。表法師所傳的「漢音」，可視為是一種早期長安音，是五個聲調。正、聰二法師所記的已是唐代中晚期

長安音聲調了，均是四聲八調。至於正、聰二法師所記的都是長安音，何以調值會略有差異，我們認爲不妨這樣解釋，即聰法師是「久住長安」，當是較標準純粹的長安音，而正法師由於是「初曶洛陽，中聽太原，終學長安」，他的長安話可能不太純粹標準，大概是受到了洛陽等地方言的影響。不過總得來說仍是大同小異。

鄭張尙芳 2001 根據《悉曇藏》描述，將表、金、正、聰四位法師這四種日傳唐代四聲調值構擬如下（怒聲表次濁平），表中附注爲筆者所加：

	平		上		去		入		附
	輕（陰）	重（陽）	輕（陰）	重（陽）	輕（陰）	重（陽）	輕（陰）	重（陽）	注
表	33	11	?45		53		4		漢音
金	33	11	?45	?223	53		4		吳音
正	44(怒33)	22	?335	224	53	41	4	2	長安音
聰	44(怒33)	22	225	?34	341	342	4	2	長安音

學者們可能對鄭張尙芳先生的上述調值擬測容或有不同意見（參尉遲治平 1986，金德平 1989），但我認爲此擬測大體上已離事實不遠。

（二）除了上述《悉曇藏》的資料外，二十世紀六十年代新發現的《唐俗樂譜》對擬測唐代長安音聲調調值實有重要價值。吳宗濟 1998 認爲：了尊等記錄了調首到調身的走勢和高低，已具有二維時空的分析觀點，但還不能說明調值，唐段安節《樂府雜錄》中記有：「胡部，用宮、商、角、羽，並分平、上、去、入四聲」，又分述「平聲羽、上聲角、去聲商、入聲宮」，各有七調。1962 年在陝西周至發現秘傳的《唐俗樂譜》有二十八調，與段說相符。經專家譯譜，並分析此四音用「呂旋」法來換算，就相當今日五線譜的：平爲 A；上爲 F；去爲 D；入爲 C。上與平的調域寬達五度，規正後恰可用五度制的調符代入；這樣，八聲的調值可以構擬如下（括弧中爲調首段）：

陰平：（3）11 陰上：（5）55 陰去：（4）35 陰入：4

陽平：（1）11 陽上：（3）55 陽去：（2）35 陽入：2

中古長安八調的起首段：濁聲母都低升，清聲母都高降，現代中西學者對吳語及少數民族語聲調的分析也無例外，此規律已公認爲世界諸語的共性，調首段雖短，卻會因順同化而使調身移位，成爲歷時音變調類分化的契機。八調中陽上和陽去調型相近，在唐時已漸有合併，說明現代漢語多數方言原有陽上都變陽去，是「事有必至，理有固然」。

按：以上鄭張尚芳和吳宗濟二先生由於根據的資料不同，對某些音理的理解和處理也有所不同，所以對唐代長安話四聲八調調值的擬測頗有差異，這裏也無須加以統一，均有待進一步的研究。

在本節中我們列出了反映唐代長安音的九項資料，並把它們獨立爲一區稱爲唐代西北方音區，是有著充分的理由的。此中，除了第九項資料是專門關於聲調的論述外，其餘八項都在不同程度上反映了當時長安音聲母和韵母的情況（唐顏元孫《干祿字書》未涉及聲母問題）。應該從事的一項工作就是根據這八項資料（或者再加上其他一些資料）來擬定唐代長安音的音類和音值。就本文所列的八項資料而言，由於各項資料的性質不一樣，各家的觀點和處理方法也有差異，所以雖然都認爲各自的資料反映的是唐代長安音，但是得出的結果卻並不完全一致。

聲母方面，請看下表：

唐代長安音各家聲母數量比較表

一	二	三	四	五	六	七
顏師古音	玄應音	不空音	張參音	慧琳音	日本漢音	藏漢對音
40 或 41	37 或 29	39	41	30	28	29

唐代長安音的聲母數量絕不會有如此大的差異，限於篇幅和內容，這裏不可能逐項加以討論。韵母方面，由於資料本身上的若干缺失，不少學者的研究沒有給出完整的韵母表，這裏也不便於比較評說。聲調方面，調類的數目則有 5-8 個不等，調值方面的擬測也是頗多差異。雖然如此，我們認爲發掘現有的全部資料進行唐代長安音的

音系擬測，實在是漢語語音史研究者應該從事的一項工作。當然，這已不是本文的任務了。

唐代的長安音所以獨立爲一區，而不同於以洛陽音爲代表的中原方音區，是有著它本身的若干特點。這些特點，在梵漢對音上表現得最爲明顯。從梵漢對音看，代表中原方音的洛陽音（以義淨音爲代表）與代表西北方音的長安音（以不空音爲代表）至少有如下 6 點差異（劉廣和 1994；尉遲治平 1982、1984、1985）：

（1）聲母方面，洛陽音（義淨音）奉微與並明不分，長安音（不空音）輕重唇已徹底分化。

（2）洛陽音（義淨音）全濁聲母並、定、澄、從、群等不送氣，長安音（不空音）全都送氣。

（3）洛陽音（義淨音）次濁聲母明、泥、娘、疑等是單純鼻輔音，長安音（不空音）是鼻輔音後隨有同部位的濁塞音，即是鼻冠音。

（4）洛陽音（義淨音）日紐是鼻音 n，長安音（不空音）是帶有鼻冠音的塞擦音 ndz。

（5）韵母方面，洛陽音（義淨音）清青二韵保持 ŋ 尾，長安音（不空音）ŋ 尾脫落形成「青齊對轉」。

（6）聲調方面，洛陽音（義淨音）平聲是高調，去聲是低調，長安音（不空音）平聲是低調，去聲是高調。

有著如此多的差異，以長安音爲代表的西北方音在唐代獨立爲一區，或者說當時的北方話分爲兩大方音區，當是無可置疑的。

五、唐代西北方音區（二）：河西方言

（一）《南天竺國菩提達摩禪師觀門》等藏漢對音資料（9-10 世紀）

　　明確提出「河西方言」這一概念的是日本的高田時雄教授，這一看法對漢語語音史的深入研究有著重要的意義。從唐代方音分區的角度來看，我們認為它雖然與長安音同屬於所謂西北方音區，但二者的地位並不相等。長安是唐代的首都，長安音是一種標準音的地位，其影響是「河西方言」所難以企及的。但有關資料表明，「河西方言」確有其特點，雖然在總的方面與長安音是大同小異。從方音分區的角度來看，我們認為「河西方言」僅能算是西北方音區內的一個次方言，這一點必須加以明確。下面把反映河西方言的藏漢對音資料和主要特點簡述如下。

　　反映晚唐至五代的「河西方言」的音韻資料，據日本高田時雄 1988 一書，有下列一些資料：

　　（1）南天竺國菩提達摩禪師觀門（NT.P.Tib.1228）。

　　（2）道安法師念佛贊（DA.P.Tib.1253）。

　　（3）般若波羅蜜多心經（P.P.Tib.448）。

　　（4）法華經普門品（觀音經）（FPa.P.Tib.1262）。

　　與唐代的標準音長安音相比，「河西方言」主要有如下特點：

　　1．聲母方面，在《大乘中宗見解》中濁聲母清化後全變成送氣，這在漢語方言中有這種類型（如客家話）。儘管現代西北方言中沒有這種類型，但在唐五代河西方言中有這種類型決不是不可能的。在于田文轉寫的《金剛經》（Kbr）中也有同樣的現象。因此，它們所代表的是河西方言中的一種特殊類型。

　　2．韻母方面，在《千字文》中《切韻》梗攝的庚、清、青韻除了「更、孟、驚、盟、楹」五個字韻母為 eŋ 外，其餘字的韻母均變為 e，與《切韻》齊韻字的韻母相同。

在《開蒙要訓》中，也有以庚注齊，以清注齊，青、齊互注諸例。《切韻》宕攝的陽、唐、韻除「糠、康」的韻母爲 aŋ，「帳」的韻母爲 oŋ 外，其餘字的韻母變爲 o，與《切韻》模韻字的韻母相同。

如何理解《千字文》、《開蒙要訓》中梗、宕兩攝鼻音韻尾的情況呢？學界對此有不同意見。伯希和（Pilliot）認爲是-ŋ 消失了，高體越（R.Gauthiot）認爲是母音鼻化，馬伯樂（H.Maspero）認爲-ŋ 變成了鼻摩擦音 ɣ。羅常培同意馬伯樂的意見。

高田時雄認爲：關於宕攝字-ŋ 韻尾的處理，對音材料可分爲兩組：第一組《金剛經》、《阿彌陀經》、《天地八陽神呪經》（TD），韻母寫作 aŋ，保留-ŋ 韻尾。第二組其他資料，如《千字文》、《法華經普門品（觀音經）》（FP）、《南天竺國菩提達摩禪師觀門》（NT）、《道安法師念佛贊》（DA）、《般若波羅蜜多心經》（P）等寫作 o，-ŋ 尾消失。大概第一組是以當時的標準音爲基礎的，第二組是以河西方言爲基礎的。《大乘中宗見解》中保留-ŋ 韻尾，但韻母寫作 oŋ，這與其說是從第一組到第二組的過渡，還不如說基本上根據河西方言，但受標準音的影響加上了-ŋ。此外，高田認爲：在十世紀的資料中有許多例子支援宕攝的韻尾-ŋ 脫落。比如于田文轉寫的《金剛經》（Kbr）中的宕攝字韻母作-ā 或 au。宕攝的明母字和泥母字聲母依然是 m-、n-這一事實，不一定需要解釋爲韻尾是ɣ ，而完全可以用母音的鼻化來解釋。

梗攝韻尾-ŋ 脫落的傾向比宕攝更甚。在第一組資料《金剛經》、《阿彌陀經》、《天地八陽神呪經》（TD）和《大乘中宗見解》中宕攝沒有-ŋ 尾脫落的例子，而梗攝卻有-ŋ 尾脫落的。在于田文轉寫的《金剛經》（Kbr）中，梗攝的-ŋ 尾也全都脫落。但是，梗攝的-ŋ 韻尾脫落後仍然留下了鼻化母音的痕跡。在注音材料中，注音字常常是梗攝字，被注音字常常是齊韻字，如以「令」注「犁」，以「聽」注「梯」，爲一例外的是以「至」注「清」。如果梗攝的-ŋ 尾是消失得無影無蹤的話，就應該有相反的注音。現在情況並非如此，就說明梗攝字和齊韻字的韻母還不完全一樣，其不同就在於它的鼻音化。

3．高田時雄認爲：《切韵》的模韵字在《金剛經》、《阿彌陀經》、《大乘中宗見解》
和《天地八陽神呪經》（TD）、《法華經普門品（觀音經）》（FP）中或作 o，或作 u（在
唇音字中），在《南天竺國菩提達摩禪師觀門》（NT）、《道安法師念佛贊》（DA）、《般
若波羅蜜多心經》（P）中幾乎無例外地作 u。這是由於這兩組資料的基礎方言不同。
羅常培沒有見到《南天竺國菩提達摩禪師觀門》（NT）以下的資料，所以沒有覺察由
於資料不同而轉寫不同。

由此看來，「河西方言」在聲母、韵母的某些方面更具有唐五代西北方音的特點，
而與標準音長安音的音系仍有所不同。

六、唐代江淮方音區：揚州音（附金陵音）

（一）《博雅音》音系（605-618）

曹憲的《博雅音》，據丁鋒 1995 的研究，作者是江都（今揚州）人，《博雅音》
寫作年代爲隋 605-618 年間，其撰作年代雖然在唐前十來年，但曹憲本人進入唐初以
後才亡故，所以其書我們認爲亦可作爲唐代江都音的代表。此音系黃典誠 1986 曾作
過探討，而丁鋒的研究實爲「後出轉精」之作。本文所述即據丁書。關於《博雅音》
的音系，丁鋒認爲《博雅音》共有 39 個聲母：

幫[p]	滂[p′]	並[b]	明[m]
非[pf]	敷[pf′]	奉[bv]	
端[t]	透[t′]	定[d]	泥[n] 來[l]
知[t̠]	徹[t̠′]	澄[ɖ]	娘[ɳ]
精[ts]	清[ts′]	從[dz]	心[s] 邪[z]
莊[ʧ]	初[ʧ′]	崇[ʤ]	山[ʃ]

章[tɕ]　　昌[tɕ′]　　常[dʐ]　　書[ɕ]　　日[ɳ]

見[k]　　溪[k′]　　群[g]　　疑[ŋ]

曉[x]　　　　　　匣[ɣ]　　云[w]

影[ʔ]　　　　　　　　　　　　以[j]

　　韵母方面，情況比較複雜，丁鋒認爲《博雅音》有混、並兩個系統：「混系統反映韵類發展的趨向，並系統反映韵類穩定的面貌。混的方面包括重韵的十六類、三四等混並的全部共八類，並納入混切較顯著的通攝一三等，流攝一三等，共二十六項；並的方面包括重韵合併的九類，並納入臻與真開欣的合併組，共十項。這樣得出 49類韵母混系統（計舒促 78 類），78 類韵母並系統（計舒促 124 類）。以平眃上去入兩系統列如下。混系統韵連成一組，混合韵母寫在括弧裏；括弧破開，各歸一類，即是並系統。已合併的韵組並列，不加括弧。」（丁鋒 1995：90-92）

1 ❶東₋（❷冬）[❸東₌（❹鍾）]

2 ❺江

3 ❻支開脂開之微開（❼齊開）（❽祭開廢開）

4 ❾支合（❿脂合）（⓫微合）（⓬齊合）（⓭祭合廢合）

5 ⓮魚

6 ⓯虞

7 ⓰模

8 ⓱咍（⓲泰開）

9 ⓳灰（⓴泰合）

10 ㉑佳開夬開（㉒皆開）

11 ㉓佳合夬合（㉔皆合）

12 ㉕真臻欣

13 ㉖諄[㉗真合（㉘文）]

361

14 ㉙魂

15 ㉚痕

16 ㉛元開[㉜仙開（㉝先開）]

17 ㉞元合[㉟仙合（㊱先合）]

18 ㊲寒

19 ㊳桓

20 ㊴刪開（㊵山開）

21 ㊶刪合山合

22 ㊷豪

23 ㊸肴

24 ㊹宵（㊺蕭）

25 ㊻歌

26 ㊼戈合一

27 ㊽戈開三

28 ㊾戈合三

29 ㊿麻開二

30 (51)麻開三

31 (52)麻合三

32 (53)陽開

33 (54)陽合

34 (55)唐開

35 (56)唐合

36 (57)庚開二（(58)耕開）

37 (59)庚合二（(60)耕合）

38 (61)庚開三清開（(62)青開）

39 ⑥庚_{合三}清_合（⑥青_合）

40 ⑥蒸_開

41 ⑥蒸_合

42 ⑥登_開

43 ⑥登_合

44 ⑥尤幽（⑦侯）

45 ⑦侵

46 ⑦談（⑦覃）

47 ⑦咸銜

48 ⑦鹽[⑦嚴（⑦添）]

49 ⑦凡

廢_開、戈_{開三}、戈_{合三}、登_合四韵《博雅音》無字，依類添上。

《博雅音》混的方面還有一二等融合、佳麻混切、臻山二攝合口三等混切、止蟹二攝合口一三等混切、登耕混切、果假二攝混切，雖數量不大，都顯示出演變的興起。

聲調方面，《博雅音》仍是平、上、去、入四個調類。

關於《博雅音》的音系基礎，總的來看不論聲韵都具有當時南方方言的特點，與《經典釋文》、《原本玉篇》等音系相近。但全面考核曹憲的生活經歷，丁鋒認爲此音系反映了作者曹憲的方言母語揚州音是可能的。「《博雅音》應該在主體上，或全部記錄了曹憲自己數十年來慣用的江淮語音。」本文接受這個結論。這裏想附帶提一下金陵音的問題。上文說過，在南北朝甚至隋代，金陵音是漢語南方話的標準音，但是進入唐代，我們認爲金陵音應屬於江淮方音，與《博雅音》爲一類。

七、唐代的東南方音區：閩音區

（一）唐義存詩的用韻

（二）託名初唐陳元光（657-711）《龍湖集》的詩作用韻

我們把這兩項資料的研究放在一起來談。反映唐代閩語音韻的歷史資料甚少，音切和對音、譯音資料基本沒有，學者們似乎只能從唐代的韻語資料中尋得若干蛛絲馬跡。周長楫先生的研究成果值得重視。周長楫 1994、1996 二文，考察了《全唐詩補編·續拾》卷 47 所收晚唐詩僧義存的 42 首詩偈以及託名初唐陳元光（657-711 年）《龍湖集》的詩作用韻，揭示了若干閩南方音現象，對其中某些現象還作了充分的論證與說明。即根據此二文與劉曉南 1999，將其要點概述如下。

1.歌豪通押　　義存 4 例（按：原文全引詩句，此僅引通押韻字，下同）：

（1）《勸人》之 7 協「少_筱多歌」

（2）《勸人》之 9 協「條_豪歌_歌」

（3）《勸人》之 5 協「佗_歌好_皓」

（4）《放牛》協「草_皓好_皓歌_歌」

周先生從兩個方面進行論證。其一，豪韻一等押歌韻，「在詩韻裏，豪皓號與歌哿個的韻母是不相同的，因而不能合用通押。唐詩裏也難於見到歌豪合用通押的詩例。但在今閩南方言裏，不論是廈門話，漳州話還是泉州話，古歌豪（平賅上去，下同）的讀音書（文讀音）韻母是相同的。如波=褒，跛=寶保，……等等。在閩南的歌謠、唱詩等韻文作品中，歌豪通押並不奇怪。義存的詩中，歌豪合用通押也有多例，是不是詩韻歌豪兩韻的字在唐代的閩南方言就是韻母相同因而合為一韻可以通押呢？魯國堯先生在《宋代福建詞人用韻考》……還列舉宋代福建詞人歌梭部與豪宵部合用的詞作十例。可以說，歌豪同韻早在宋代已是福建方音的一個重要特點。我們能不能從義存詩作裏出現歌豪通押的情況，把歌豪同韻的這一語音現象，往上推至唐代，換句話說，古歌豪兩韻早在唐代的閩南方言泉州話裏已經合為一韻了。」（1994）

這是文讀的通押。

其二，效攝三四等押歌戈部。「唐詩有肴蕭相通和肴豪相通之例，蕭豪相通已屬罕見（上去聲亦同），筱歌通押更難見到。義存《勸人》之七的四言詩後兩句用筱歌通押，可能是方音的表現。」（1994）「我們的舉例在於說明，從《彙音妙悟》到今泉州話，古歌豪兩韵的字都放在兩個韵裏，其中有的字『高』、『刀』韵重出。究竟同一字重出兩韵是《彙音妙悟》和今泉州話才有的現象呢，還是較早時期甚至在唐代就已經有的現象，這當然還需要進一步探索。不過有一點值得注意的是，無論是《彙音妙悟》的『高』韵還是今泉州話的韵，它包括著《廣韵》模歌豪三韵的字，而《彙音妙悟》的『刀』韵和今泉州話的 o 韵，只包括著《廣韵》的歌韵與豪韵。而宵蕭六韵在閩南方言三個點說話音都是 io，主要母音 o 更接近《彙音妙悟》的『刀』韵和今泉州話的 o 韵。義存詩歌以『少多』相叶，至少說明宵蕭六韵說話音的主要母音應與歌韵十分接近。至於『少』是上聲，『多』是平聲，這對突破當時押韵通例束縛的義存僧師來說自然是可以通押的。」（1994）

2.支魚通押[1]　　《龍湖集》3 個韵段：

（1）《忠烈操》第 2 韵段「語史」

（2）《旋師之什》第 2 韵段「雨旅死武」

（3）《語州縣諸公敏續》「儒途資虛魚舒都書孤」

義存 1 段

（4）《因讀寒詩》「子語舒」

「紙語通押，在唐詩裏也屬罕見。義存以『子』跟『語』通押，」（1994）《龍湖集》三例「支紙韵入魚語虞麌韵的字，是古支紙韵的精莊組字，並無其他聲組字混入」（1996）。「古止攝開口三等精組字和莊組字，在今閩南方言的讀書音系統裏，並不跟

---

[1]　此處之「支」係指《詩韵》，即將《廣韵》的「支脂之」合一稱「支」。實際所舉韵字為《廣韵》之脂韵字。

止攝開口三等其他聲組字同韻母，而是跑出來加入遇攝合口三等的行列裏。不過，廈門話，漳州和泉州話略有不同。大體上說，廈門話跟魚虞兩韻的大多數字（莊組除外）結合同韻，漳州話主要跟虞韻的章組字（其他組部分字）結合，《增注雅俗通十五音》亦同此。……《龍湖集》和義存的 4 例押韻，「正是詩韻支紙寘韻精莊組字和詩韻魚語禦同韻合用的表現。止攝精莊兩組字跟遇攝魚語禦韻的字同韻因而在詩作上通押的現象，明代的泉州人氏李贄的詩歌中也可以見到數例（見拙作《李贄用韻和明代泉州話拾微》一文）。我們能否把這種現象往上推至唐代，或者說這種通押在唐代閩南方言尤其是泉州話裏已露端倪，當可進一步研究。」（1994）

　　3.屋燭鐸德合韻　　2 例（原文標題用詩韻的韻目，本文從劉曉南 1999 統一改爲《廣韻》韻目'，韻腳字旁注小寫爲《廣韻》的韻目。下同）。

　　（1）《龍湖集・喜雨次曹泉州》之 2「福_屋獲_鐸博_鐸樸_屋作_鐸惑_德瘼_鐸落_鐸」

　　（2）義存《勸人》之 12 第 2 韻段「得_德曲_燭」

　　現代閩南話的「目錄韻——由屋沃燭韻和鐸藥韻組成，覺韻的知莊組字，德韻合口字和陌麥韻合口的一些字也加入此韻。」（1996）「《廣韻》職德陌麥昔和錫韻的讀書音韻母跟屋韻細音及燭韻的說話音韻母在今閩南方言的廈門話，漳州話（《增注雅俗通十五音》亦同）和泉州話（《彙音妙悟》亦同）是相同的。如即＝積隻＝績＝叔＝燭，棘＝格隔＝擊激＝菊，隙＝曲，所以『德克刻得（德韻）逼色力（職韻）百白澤格客（陌韻）麥責革核（麥韻）跡赤尺石適益譯（昔韻）的戚錫析擊（錫韻）竹肉熟（屋韻細音）綠粟燭曲局玉浴（燭韻）』是同韻字。義存僧師『得曲』相叶，在今閩南方言是通行無阻的。我們能否從義存詩作裏出現的這個事實把這種方言語音現象推說在唐代的閩南話裏就已經存在了呢？」（1994）

　　4.刪庚韻通押　　義存 1 例

　　《和雙峰偈》「關_刪橫_庚」

　　「在今閩南方言泉州話裏，……『關橫』兩字的說話音是同韻字。《彙音妙悟》『關』韻就把『關高（應爲懸——筆者注）縣每媒橫』等拉在一起放在同一個韻裏。很可能

在更早的時期甚至是唐宋年代，閩南方言泉州話的說話音裏就已存在著『關橫』同韻母的語音現象。如此，義存詩僧這首詩……『關橫』押一個韻，在今閩南方言叫『飛機』韻。」（1994）

5.鍾庚通押　　義存 1 例

《勸人》之 7 第 1 韻段「龍鍾驚庚」

「冬庚通押在唐詩裏實屬罕見。『龍』，《廣韻》屬鍾韻，古『鍾腫用』韻在今泉州話裏文讀音（讀書音）讀 ŋ（唇音字，如封峰奉俸）和 iŋ（從重鍾胸塚種勇誦共用），白讀音（說話音）讀 iŋ，跟《廣韻》庚韻細音（三等字）清青韻和蒸韻的文讀音（讀書音）同韻母。如『龍』跟『兵平明京驚卿迎英（庚韻細音）、名令精清情貞呈征聲城成輕嬰盈（清韻）、屏銘丁聽亭廷寧靈零青星經形刑（青韻）、陵凌（蒸韻）的韻母相同。龍=令=寧=零=陵。《彙音妙悟》『卿』韻裏收入上述例舉的庚清青韻字，但對，《廣韻》鍾腫用韻的白讀音（說話音）只收『重』（卿韻地母下平聲，與『廷庭』《廣韻》青韻字同音），『種』（卿韻爭母上上聲，與『井整』《廣韻》靜韻字同音）等字。『龍』跟『松鍾盅舂供胸』等的說話音讀法均未見收入『卿』韻。《彙集雅俗通十五音》『經』韻下平聲『柳』母裏，即將『龍』收入並作爲『令（《廣韻》庚韻）』和『寧靈陵』等字的同音字。古『冬』韻部分字的說話音韻母在今閩南方言裏跟古『庚（細音）清青蒸』韻的讀書音韻母相同的現象，會不會在唐代就已存在，義存詩僧這首『冬庚』通押的詩例爲我們的這種假設提供了一個根據，可爲我們進一步的探索考證提供重要線索。」（1994）

關於閩語的形成，或者說關於閩語與其他漢語方言的關係，目前語言學界大致有兩種意見：（一）一種意見是認爲閩語與客家話、粵語的關係密切，持此說的可以羅傑瑞（Jerry Norman）先生爲代表，他說：「南方方言指閩語、客家話、粵語。我覺得這三種方言很近。可以認爲來自同一祖先。我把它們的祖先叫做古代南方漢語」（羅傑瑞 1995）。（二）另一種意見是認爲閩語與吳語的關係密切，持此說的有丁邦新先生。

丁先生說：「現在吳語的底層具有閩語成分，可能南北朝時的吳語就是現在閩語的前身，而當時的北語則是現在吳語的祖先。」（丁邦新 1988）這些都是非常值得重視的意見。但是上述資料表明，在唐代，至少現代意義上的閩語已經形成。唐顧況《囝》詩中的「囝」、「郎罷（父）」等閩語詞與今音合（《集韵》獮韵「九件切」也說：「囝，閩人呼兒曰囝」），說明閩語已獨立成方言。上文從唐代韵語角度所表明的若干語音特點的確是閩語的特點。

而且我們知道，宋代的閩音獨立成區已成爲不爭之事實（劉曉南 1999）。宋代閩音的獨立成區絕非是無源之水，無本之木，由此上推到唐代，結合上述資料和研究，我們認爲唐代閩音已經具備了成爲一個獨立方音區的最基本條件。當然，歷史上留下來的可以反映唐代閩語的資料畢竟是太少了，聲母方面幾乎一無所知，韵母方面也是僅知輪廓，這方面的工作還有待大力發掘和深入研究。

八、唐代江南方音區：吳音區

（一）概說

關於唐代吳音區的歷史音韵資料，比之唐代閩音區，就目前的情況來說，不但材料更少，而且研究成果幾乎是零。所以我們雖然認爲唐代已存在獨立的吳音區，但幾乎沒有什麼可具體說的。至於利用現代吳語方言資料運用歷史比較法構擬出來的「原始吳語」（Proto-Wu）音系，與本文的主旨不類，自然不在本文論述之列。

在這裏我們尤其要聲明的一點就是，代表六朝時期南方標準音金陵音系的《經典釋文》音系，雖然時代上距離唐代很近，但不能作爲唐代吳語音系的代表。同理，日本的吳音也不能作爲唐代吳語音系的代表。我們認爲，根據有關的歷史文獻資料，六朝時期的南方語音，至少要分成兩個層次，一個是當時的讀書音，即標準音金陵話，

它是以金陵士族所說的話爲代表的通語讀音，一個是口語音，即金陵土話。其讀書音，在初唐時期似乎還可以用《經典釋文》音系所反映的六朝金陵話爲代表，但這個音系的本質正如陳寅恪先生（1936、1948）所說，是一種「洛陽舊音」，是一種由北方遷徙到南方的士大夫階層的移民語言，是一種當時的「官話」音。六朝時期它可以作爲南方標準音的代表，到了唐代（甚至隋代），其作爲南方標準音的地位已逐漸失去，雖然它仍是金陵音，但已降格爲一種方音，而不再是一種標準音。所以在唐代我們把金陵音劃歸爲江淮方音，與反映六朝時期揚州音的《博雅音》音系視爲同類。日本的吳音實際上也是此種南方讀書音的譯音，本質上亦與《經典釋文》音、《博雅音》同類。

而六朝時期及後來隋唐時期的南方口語音，才是真正的唐代吳音區（今天所說吳語的祖先）。由於目前尚無法找到反映唐代南方口語音即今吳語祖先的音切資料或譯音對音資料，我們只能寄希望於這一時期吳語區人的詩歌用韵，或者可以從中尋繹出唐代吳語的若干特點。這是一項值得從事的工作，但目前尚少有研究成果（鮑明煒1990）。

上文雖然言及了唐代的金陵音應屬江淮方音，但這種讀書音我認爲並非是純粹的北方移民音，而是深受當時的口語音——現代吳語祖先的影響，所以《經典釋文》也好，《博雅音》也好，在聲母、韵母上的某些特點，實際上也間接或部分反映了當時口語讀音即吳語讀音的一些特點，這也是完全可以理解的。只是如何離析唐代的江淮音與吳音，尚需進一步研究。由此看來，在這裏我們雖然把吳音區作爲唐代的一個獨立方言區，但是尚無法描繪出這個方音區系的面貌。今天吳語區的祖語在唐代已經形成，我們是深信不疑的。近年來有學者（丁邦新1988，李存智1999等）又提出吳語和閩語的有淵源關係，甚至是共同的祖先，但是我們認爲這種淵源關係可以從語言層次的角度和移民史的角度考慮加以解釋。在唐代，現代意義上的吳語和閩語已經各具自己的方言特點，即使有淵源關係，此時二者也早已分家，不能認爲唐代的吳語和閩

語是一區。

由於反映隋唐時期今吳語祖語的較爲系統、完整的音韵材料（如系統的韵書資料、音切資料、對音資料）的缺乏，所以《經典釋文》雖可以部分地表現出唐代江南吳音區的若干語音特徵，但畢竟是不系統的和不完整的，目前可見到的若干歷史文獻資料反映的唐代吳音都是個別的、零碎的，但也十分珍貴，對此，曾有一些學者加以搜集和探討（鄭張尚芳 1998a，趙振鐸 2000）。例如，我們知道，好些南方方言有文讀細音、白讀洪音現象，根據鄭張尚芳 1998a，這一現象在唐釋玄應《一切經音義》中有比較明顯的反映，有些字他兼記江南音，而常常是在北方讀三等，南方讀一二四等，如彗琳《一切經音義》卷數引：

1.卷9「曬，郭璞音霜智反，北土行此音；又所隘反，江南行此音。」

2.卷56「聲，而甘反，江南行此音；又如廉反，關中行此音。」

3.卷59「鞘，江南音嘯，中國者（音）笑。」

4.卷64「濽，又作濺唉二形，同子旦反，江南行此音；山東音湔，子見反。」（《廣韵》）

「湔濺」爲「子賤切」，線韵字。卷38 慧琳音「濺」爲：「煎線反，俗字也。……《說文》正體從贊作濽」，也讀爲三等線韵。）

5.卷45「氣唉宜作欬嗽。欬音苦代反，江南行此音；又丘既反，山東行此音。」

這些例子中所說的「江南音」，當即是唐代的吳音。不過由於系統的唐代吳音資料的缺乏，其詳情這裏亦只好暫付闕如了。

（二）越南漢字音

越南漢字音（高本漢 1915-26 稱作「安南譯音」，王力 1948 稱作「漢越語」，意同）也有幾個歷史層次，其主要的層次當是反映了漢語唐代的南方音，目前音韵學界多數學者持此看法。但越南漢字音究竟來自中古漢語南方音的什麼時間、什麼地點和

什麼方言，目前尚難以論定。法國的馬伯樂曾用越南漢字音研究唐代的長安方音。這裏我們暫時把它放在吳音區，以待進一步的研究。

　　對越南漢字音的研究及其與《切韵》音系的關係，本文均據王力 1948。但此文有明顯的不足之處，主要是沒有注意到重紐的問題。關於越南漢字音的重紐問題，參 Nagel 1941,王靜如 1948，潘悟雲、朱曉農 1982。但王力所歸納的越南漢字音音系概貌應大致不差。

　　根據王力 1948，越南語共有輔音 22 個，只有 r- 和 g-不見於越南漢字音。越南漢字音輔音與中古漢語聲母的對應關係如下表：

聲調＼輔音	3，5	1	4，6	2
b		幫		並
ph		滂，非，敷		奉
t		精，心，幫*		從，邪，並*
th		清，審，透，滂*		神，禪
d		端		定
x		穿		○
tr		知莊		澄
ch		照		○
s		徹，初，由		牀
gi		見開二		○
c，k，qu		見		群
kh		溪		○
h		曉		匣
○		影		○
m	○		明	○
v	○		微，喻三	○
n	○		泥，娘	○
z	○		喻四，明*	○
I	○		來	○
nh	○		日疑開二	○
ng，ngh	○		疑	○

*表示一小部分字。

　　王力說：「中古漢語裏聲母的清濁，在漢越語裏不復分別；但是清濁的遺迹可以從聲調上分辨出來。其分配如下：全清和次清：1，3，5；全濁：2，4，6；次濁：1，

4，6。最有趣的是次濁的聲調，它們不是 2，4，6，而是 1，4，6。次濁和全濁的　　域是那樣分明，令人佩服古人把它們分爲兩類。」關於越南漢字音的聲調詳後文。

其聲母系統的最大特點是：喻母三等和四等大有分別；喻三是 v-，喻四是 z-。另外，王力對越南漢字音重唇音的所謂「例外」：幫並讀作 t-，滂母讀作 th-，明母讀作 z- 的解釋未妥，其本質實是重紐的問題，正確的解釋見王靜如 1948 和潘悟雲、朱曉農 1982，茲不贅述。

越南語共有 140 個韵母，但漢越語只有 66 個，其餘 74 個韵母爲越語所獨有。中古 16 攝與越南漢字音的對應關係如下表：

果，假				止			遇			
a	ua				i	uy	o	U	u	y
蟹										
ai	oi	uai	ue							
效			流							
ao		ieu	əu		u	yu				
宕，江				曾			通			
ang	uang	əng	yeng	uong	Auŋ	uAŋ	yng		ong	ung
ac	uac	əc	yec		Ac	uAc	yc		oc	uc
梗										
anh	uanh	inh	uynh							
ach	uach	ich	uych							
山				臻						
an	uan	ien	yun	(An)	on	ən	uən			
at	uat	iet	Yet	(At)	ot	.ət	uət			
咸				深						
am		iem			əm					
ap		iep			əp					

越南漢字音的韵母特點是：1. 果假二攝合流；2. 宕江二攝合流；3. 梗曾二攝不混。不但主要母音不同，韵尾也不同。曾攝韵尾是-ng/-k，梗攝韵尾是-nh/-ch；4. 蟹攝一等咍灰主要母音不同（馮蒸1991）；5.臻攝一等痕魂主要母音不同（馮蒸1991）；6.唇音重紐分得很清楚（王靜如1948）。

越南語通常認爲有6個聲調：1.平聲（bAng）；2.弦聲（huyen）；3. 問聲（hoi）；4 跌聲（nga）；5. 銳聲（sAc）；6.重聲（nAng）。越南漢字音亦然。但從漢語音韵學的角度看，實應說是 8 個聲調。即銳聲和重聲各有兩種，另外兩種只見於-p、-t、-k收尾的音節，即所謂入聲字。和《切韵》音系對照，可知越南漢字音是四聲八調。

九、論唐代的兩大標準音：長安音和洛陽音

我們認爲唐代的標準音有兩個，它們是北方的長安音和洛陽音。而國外學者如法國的馬伯樂（H. Maspero）、日本的三根谷徹（1976）等都認爲唐代的標準音只有一個，即是長安音。與我們的看法不同。

先說長安音。關於唐代的長安音，上文已經列舉了比較豐富的資料，各種資料所反映的聲、韵、調之間，雖有若干差異，但大體上是一致的。由於長安是隋唐兩代的首都，根據有關歷史文獻，它不但是當時的政治中心，也是經濟和文化的中心，所以長安音在唐代成爲全國文士的標準音，應該說是沒有多大疑問的。

對唐代長安音最早進行系統探討的是法國馬伯樂（H. Maspero）的《唐代長安方言考》（Le dialecte de Tch'ang-ngan sous les T'ang，BEFEO 20，1920）一文。在此文中，作者把唐代的長安音分成了兩個階段，這兩個階段的區分點主要表現在聲母方面。第一階段是七世紀，根據的資料是《切韵》一書；第二階段是八、九世紀，根據的資料是不空（705-774）的陀羅尼梵漢對音、日本漢音、越南漢字音和漢藏對音《千字文》等。顯而易見，唐代長安音的這種階段劃分是由於作者錯認了《切韵》的性質。他認爲《切韵》代表的是當時的長安話，他說：「現存最早關於長安方言的文獻是陸法言

的《切韵》（601）」（H. Maspero 1920：11）。高本漢在《上古和中古漢語音韵綱要》（1954：212）一書中也持這種看法。但是我們知道，陳寅恪先生早在《從史實論切韵》（1948）一文中就已徹底地批評了《切韵》代表唐代長安音之論（陳寅恪 1948，梅祖麟 2000）。據此，馬伯樂的把上述唐代長安方言兩階段之論也就完全落空了。所以唐代的長安方言沒有劃分為兩個階段的必要。據我所知，馬伯樂以後，專門探討唐代的標準問題的似乎只有日本學者三根谷徹的《論唐代的標準音》（1976）一文。該文的結論就是確認長安音是唐代的標準音。我們認為說長安音是唐代的標準音並沒有什麼問題，但它不是唯一的，只是唐代的兩個標準音之一。

再說洛陽音。它是唐代的另一個標準音。如上文所述，魏晉南北朝時期甚至隋代，當時中國漢語有兩大標準音，一個是北方的標準音，即洛陽音，一個是南方的標準音，即金陵音。而到了唐代，由於國家的統一和政治、經濟、文化中心的轉移，原來南北兩地的標準音地位已發生變化，首先是北方標準音地位逐步被當時的長安音所取代。其次南方金陵音的標準音地位業已失去，已逐漸成為一種方音。這種不同時期的標準音的更替，實在是與當時的政治、經濟、文化密不可分的。唐代除了新的標準音首都長安音的崛起外，原來北方話洛陽音的標準音地位，我們認為在唐代並未消失，雖然在唐代，主要的首都是長安，洛陽只是其東都，但洛陽音的標準音地位，並沒有衰落。唐人李涪在《刊誤》中就說：「凡中華音切，莫過東都。」上文所引《悉曇藏》中所記正法師的學話過程是「初習洛陽，中聽太原，終學長安」，都說明洛陽音在當時士人中的標準音地位看來是無可動搖的。

劉廣和 1994 從梵漢對音的角度也提出了類似的看法，與本文舉證有所不同，也沒有提高到標準音的角度來談，這裏不再贅述。

十、結論

綜上所述，本文的結論可以歸納為如下幾點：

1.已知唐代漢語可分爲五大方音區，即：中原方音區、西北方音區、江淮方音區、閩方音區、吳方音區。現代漢語的七大方言（北方方言、吳方言、湘方言、贛方言、客家方言、閩方言、粵方言）或十大方言（加上晉方言、徽語、平話），晉、湘、贛、客、粵可能在當時也已有雛形，但無具體材料。主要方言當從這五大方音區逐步演化而來。譬如可注意客贛與江淮音即有一些共同點。

2.本文把唐代的北方方音分爲兩區，一個是中原方音區，以洛陽話爲代表，一個是西北方音區，以長安話爲代表。這兩個方音區之間有若干明顯不同。此外，在西北方音區內部劃分出一個次方言即河西方言，它與當時的長安音亦有明顯差異，但與長安音不在一個層面上，不能成爲一個獨立的方音區。

3.各方音區內部資料多寡不一，各資料的研究成果亦有差異，是資料本身的時間問題，還是語言的內部變異問題，抑或是研究者本人的觀點與方法問題，有待做進一步的研究和解釋。

4.南北朝隋代漢語北南兩方各有一個標準音，北方的標準音是洛陽話，可以《切韻》爲代表，南方的標準音是金陵話，可以《經典釋文》爲代表。進入唐代，長安音和洛陽音並爲當時的標準音，原來的金陵話已漸漸降格爲一種江淮方音。

參考文獻

鮑明煒　　1990：《唐代詩文韵部研究》，南京：江蘇古籍出版社。

──────　1998：〈從「慧琳一切經音義反切考」到「唐代關中方言音系」〉，《唐代關中方言音系》（黃淬伯著），頁 3-10。南京：江蘇古籍出版社，1998 年。

陳寅恪　　1936：〈東晉南朝之吳語〉，《中央研究院歷史語言研究所集刊》第 2 本第 1 分，頁 1-4。

──────　1948：〈從史實論切韵〉，《北京大學五十周年紀念論文集》單行本，又載《嶺南學報》9 卷 2 期（1949）：頁 1-18。

陳植藩　　1964：〈朝鮮語中的漢字詞〉，《中國語文》1964 年第 5 期，頁 392-406。

丁邦新　　1988：〈吳語中的閩語成分〉，《中央研究院歷史語言研究所集刊》59 本 1 分：頁 13-22。

──────　1995：〈重建漢語中古音系的一些想法〉，《中國語文》1995 年第 5 期，414-419 頁。

──────　1998：《丁邦新語言學論文集》，北京：商務印書館。

丁　鋒　　1995：《〈博雅音〉音系研究》，北京：北京大學出版社。

董忠司　　1978：《顏師古所作音切研究》博士論文。〔注：此文未見。〕

馮　蒸　　1991：〈「切韵」痕魂、欣文、咍灰非開合對立韵說〉，《隋唐五代漢語研究》（程湘清主編），山東教育出版社，頁 472-509。又見馮蒸 1997：150-183。

──────　1997：《漢語音韵學論文集》，北京：首都師範大學出版社。

──────　1998：〈論「切韵」的分韵原則：按主要母音分韵，不按介音分韵〉，《語言研究》1998 年增刊，頁 164-185。

葛毅卿　　1957：〈韵鏡音所代表的時間和區域〉，《學術月刊》1957 年第 8 期，頁 79-91。

何大安　1993：〈六朝吳語的層次〉，《中央研究院歷史語言研究所集刊》64 本 4 分，頁 867-875。（注：此文未見）

平田昌司　1995：〈唐宋科舉制度轉變的方言背景〉，《吳語和閩語的比較研究》，上海：上海教育出版社，頁 134-151。

黃淬伯　1931：〈慧琳一切經音義反切考〉，《中央研究院歷史語言研究所單刊甲種之十二》。

───　1998：《唐代關中方言音系》，南京：江蘇古籍出版社。

黃典誠　1986：〈曹憲《博雅音》研究〉，《音韵學研究》第 2 輯，頁 63-82。北京：中華書局。

〔韓國〕張輝女（Jang Hwi Yeo）2002：《韓漢關係詞研究》。上海師範大學博士學位論文。

蔣紹愚　1994：《近代漢語研究概論》，北京：北京大學出版社。

金德平　1988：〈唐長安話日母讀音考〉，《陝西師大學報（哲學社會科學版）》1988 年第 1 期，頁 40-45。

───　1989：〈唐代長安方音聲調狀況試探〉，《陝西師大學報（哲學社會科學版）》1989 年第 4 期，頁 75-79。

───　1994：〈從日語漢音試論唐長安話明母的音值〉，《音韵學研究》第 3 輯，頁 178-182。北京：中華書局。

沼本克明　1986：《日本漢字音の歷史》。東京堂。

河野六郎　1937：〈玉篇に現反切れたる音韵的研究〉，東京帝國大學文學部言語學科卒業論文。見《河野六郎著作集》（2），1979，頁 3-154。

───　1979：〈朝鮮漢字音の研究〉，《河野六郎著作集 2：中國音韵學論文集》，頁 295-512。東京：平凡社。

李存智　1999：〈從日本吳音的形成及其現象看閩語與吳語的關係〉，《文史哲學報》第 51 期，頁 197-222。

劉廣和　1984：〈唐代八世紀長安音聲紐〉，《語文研究》1984 年第 8 期。

———— 1987：〈試論唐代長安音重紐：不空譯音的討論〉，《中國人民大學學報》1987 年第 6 期。

———— 1991：〈唐代八世紀長安音的韵系和聲調〉，《河北大學學報》1991 年第 3 期。

———— 1994：〈「大孔雀明王經」咒語義淨跟不空譯音的比較研究：唐代中國北部方音分歧初探〉，《語言研究》1994 年增刊。

　　　　注：以上四文俱見中國人民大學《漢語論集》編委會 2000 的《漢語論集》一書。

劉曉南　1999：《宋代閩音考》，長沙：嶽麓書社。

羅常培　1931：〈切韵魚虞之音值及其所據方音考〉，《中央研究院歷史語言研究所集刊》第 2 本第 3 分，358-385 頁。

———— 1933：《唐五代西北方音》，《中央研究院歷史語言研究所單刊甲種之十二》，上海。

———— 1963：《羅常培語言學論文集》，北京：中華書局。

Maspero，Henri（馬伯樂）　1920:Le Dialect de Tch'ang-Ngan Sous les T'ang. BEFEO，20：1-124.

———— 1920：〈唐代長安方言的聲母系統〉，《音韵學研究通訊》1990 年第 14 期，頁 1-8。（姚彝銘譯）

梅祖麟　2000：〈中國語言學的傳統和創新〉，《學術史與方法學的省思：中央研究院歷史語言研究所七十周年研討會論文集》，頁 475-500，臺灣，臺北，中央研究院歷史語言研究所。

Nagel, Paul 1941：〈<Beiträge zur Rekonstruktion der 切韵 Ts'ieh-yun-Sprache auf Grund von 陳澧 Chen Li's 切韵考 Ts'ieh-yun-k'au>,T'oung Pao, vol.XXXVI, 1941, pp. 95-158.

羅傑瑞（Jerry Norman）　1995：《漢語概說》，張惠英譯。北京：語文出版社

太田齋　1998：〈玄應音義に見る玉篇の利用〉，《東洋學報》第 80 卷第 3 號，頁 01-023。

歐陽宗書　1988：〈「漢書‧音注」韵母系統及其語音基礎〉，《江西大學研究生學刊》第 3 卷 2 期頁 7-71 轉頁 21。

───　1990：〈「漢書‧音注」聲母系統〉，《江西大學學報》1990 年 4 期。

潘悟雲　1983：〈中古漢語方言中的魚和虞〉，《語文論叢》（二），上海：上海教育出版社，頁 78-85。

潘悟雲、朱曉農 1982：〈漢越語和「切韵」唇音字〉，《中華文史論叢增刊‧語言文字研究專輯（上）》，上海古籍出版社。

邵榮芬　1961：〈切韵音系的性質和它在漢語語音史上的地位〉，《中國語文》1961 年 4 期，頁 26-32。

───　1963：〈敦煌俗文學中的別字異義與唐代西北方音〉，《中國語文》1963 年第 3 期。

───　1964：〈五經文字的直音和反切〉，《中國語文》1964 年第 3 期，頁 214-230。

───　1981：〈「晉書音義」的直音和反切〉，《語言研究》1981 年第 1 期。

───　1982：《切韵研究》。北京：中國社會科學出版社。

───　1995：《經典釋文音系》，臺北：學海出版社。

───　1997：《邵榮芬音韵學論集》，北京，首都師範大學出版社。

施向東　1983：〈玄奘譯著中的梵漢對音和唐初中原方音〉，《語言研究》1983 年第 1 期。

高田時雄　1988：《敦煌資料による中國語史の研究》，東京：創文社。

三根谷徹　1976：〈唐代の標準語について〉，《東洋學報》第 60 卷 1、2 號，pp. 01-016.

───　1993：《中古漢語と越南漢字音》，東京，汲古書院。

王靜如　1948：〈論古漢語之齶介音〉，《燕京學報》35 期，頁 51-94。

王吉堯　1987：〈從日語漢音看八世紀長安方音〉，《語言研究》1987 年第 2 期頁 57-70。

王吉堯、石定果　1986：〈漢語中古音系與日語吳音、漢音音系對照〉，載《音韵學研究》第 2 輯，頁 187-219。

王　力　1948：〈漢越語研究>，《嶺南學報》第 9 卷第 1 期；又見《龍蟲並雕齋文集》（第 2 冊），北京：中華書局，頁 704-818 頁，1981。

────　1982：〈玄應「一切經音義」反切考〉，《龍蟲並雕齋文集》（第三冊）。北京：中華書局。

王　顯　1964：〈對「干祿字書」的一點認識〉，《中國語文》1964 年第 4 期，頁 304-318。

吳宗濟　1998：〈隋唐長安四聲調值試擬〉，北京市語言學會論文提要。

謝紀鋒　1990：〈「漢書」顏氏反切聲類系統研究〉，《學術之聲》第 3 輯。

────　1992：〈「漢書」顏氏音切韵母系統的特點〉，《語言研究》1992 年第 2 期。

姚彝銘　1984：〈日語吳音漢音和中古漢語語音〉，《古漢語研究論文集》（二），頁 49-74。北京：北京出版社。

尉遲治平　1982：〈周、隋長安方音初探〉，《語言研究》1982 年第 2 期，頁 18-33。

────　1984：〈周、隋長安方音再探〉，《語言研究》1984 年第 2 期，頁 105-114。

────　1985：〈論隋唐長安音和洛陽音的聲母系統：兼答劉廣和同志〉，《語言研究》1985 年第 2 期，頁 38-48。

────　1986：〈日本悉曇家所傳古漢語調值〉，《語言研究》1986 年第 2 期，頁 17-35。

張　潔　1998：〈「文選」李善注的直音和反切〉《語言研究》1998 年增刊，頁 214-238。

張　琨　1987：〈論中古音與「切韵」之關係〉，《漢語音韵史論文集》，頁 21-55。武漢：華中工學院出版社，1987。

趙振鐸　2000：《唐人筆記裏面的方俗讀音（一）》，《漢語是研究集刊》（第二輯），成都：巴蜀書社，頁 346-359。

鄭仁甲　1988：〈朝鮮漢字詞音系考〉，《語言研究》1998 年增刊，頁 475-486。

鄭張尚芳　1998a：〈緩氣急氣爲母音長短解〉，載《語言研究》1998 年增刊，頁
　　　　　　487-493。

─────　1998b：《吳越文化志：吳語》，上海：上海人民出版社，頁 285-335。

─────　2001：〈漢語方言聲韵調異常語音現象的歷史解釋〉，《語言》第二卷
　　　　　　頁 82-102。

中國人民大學《漢語論集》編委會　2000：《漢語論集》，北京：人民日報出版社。

鍾兆華　1982：〈顏師古反切考略〉，《古漢語研究論文集》，北京：北京人民出
　　　　　版社，頁 16-51。

周長楫　1994：〈從義存的用韵看唐代閩南方言的某些特點〉，《語言研究》1994
　　　　　年增刊，頁 269-275。

─────　1996：〈中古韵部在閩南話讀書音裏的分合──兼論陳元光唐詩詩作的
　　　　　　真僞〉，《語言研究》1996 年增刊，頁 466-471。

周法高　1948：〈玄應反切考〉，《中央研究院歷史語言研究所集刊》第 20 本上
　　　　　冊，商務印書館，頁 359-444。

─────　1984：〈玄應反切再論〉，《大陸雜誌》69 卷 5 期，頁 1-16。

周祖謨　1958：〈關於唐代方言中的四聲讀法的一些資料〉，《語言學論叢》（第
　　　　　二輯）；又見《問學集》，頁 494-500。

─────　1963：〈切韵的性質和它的音系基礎〉，《語言學論叢》（第五輯）；又
　　　　　　見《問學集》，頁 434-473。

─────　1966a：〈萬象名義中之原本玉篇音系〉，《問學集》，頁 270-404。

─────　1966b：《問學集》，北京：中華書局。

龍宇純先生七秩晉五壽慶論文集
2002 年 11 月　　頁 383～390

官話、晉語與平話性質的檢討

何大安[*]

一、前言

　　漢語方言中有關方言系屬與親疏關係的定性問題，值得深入思考。本文將結合所見資料與分群理論兩方面的觀點，對官話、晉語與平話的性質略作檢討。用介眉壽，兼請宇純師與各位方家指正。

二、官話性質的檢討

　　首先要澄清官話與近代音資料的關係。

　　「官話」一詞，現存的文獻之中，最早見於明代。明代的張位在所著《問奇集》中說：

　　　　大約江以北入聲多作平聲，常有音無字，不能具載；江南多患齒音不清。然此
　　　　亦官話中鄉音耳。若其各方土語，更未易通也。

這段話是「官話」這個名稱目前所見最早的記載。這段記載透露了這樣的一個訊息，那就是：當時的官話可以有不同的鄉音變體。共通語的「鄉音變體」，是一個值得注意的概念。根據今天的了解，十五到十八世紀的官話，是以當時江淮、南京一帶的方言為主的。然而，儘管有不同的鄉音變體，只要差別不大而又有對應的音韻規則可循，這個官話可以通行的範圍，事實上和今天的官話方言區相差無幾。在鄉音變體之中，

　　中央研究院語言學研究所籌備處研究員兼主任。

當時人常以含有文化優越意識的「中州音」、「中原音」或「中原雅音」來稱呼通行於黃河下游的一種變體。今天的普通話，也就是北京話，就是這種變體在河北北部的一支與漢化的滿州人交融演化的結果。北京話取代江淮話、南京話成為官話的標準，大約是在十九世紀之初。官話本來是官場所用的話，它的英譯 Mandarin，正好反映了這種標準的轉變。

　　明清所謂官話，大體通南北直隸而言。現存大部分的近代音資料，如趙蔭堂（1985:258）先生在《等韻源流》中所表列的，都可以當成明清官話的鄉音變體。當然，這裡所指的近代音，是趙先生歸入「化濁入清」（一般習稱「濁母清化」）的等韻資料，而不是歸入「存濁系統」的那些；因為官話無濁母，不待一一贅言。明代章黼編有《韻學集成》（成書於 1432-1460 年間）一書，主張保留濁聲母的「七音三十六母」和帶入聲的「平上去入」四種聲調，正是所謂的「存濁系統」，但是他在凡例中卻說：

　　　　中原雅音以濁音字更作清音、及無入聲。

等於明白表明：「存濁系統」並非時會所尚，當時的優勢語言的特徵就是「化濁入清」和無入聲。「化濁入清」的方言，聲母「多至二十四，少至十九」，「韻母，多則四十四，少則十二。有四十四之多者，因分四呼而致；少至十二者，亦有牽強。」（趙蔭堂 1985:258）；至於其中一些方言仍然「有入」，則為泥古的緣故。大體看來，差異實在有限。差異這麼有限的資料，很難跟張位所說的「更未易通」的「各方土語」聯繫在一起；把它們理解為官話的鄉音變體，比較自然合理。也就是說，在差異大到「更未易通」的各方土語之上，另有一層差異不那麼大的共通語的「鄉音變體」。大家所經常引為代表近代音的「化濁入清」的等韻資料，反映的只是明清共通語的「鄉音變體」的諸種樣態。方言特點在其中或有間接的顯現，但是絕非全貌。這種情形，一如黑人英語之為英語變體。若認為其中有黑人語音的影響，自無不可；若是果然以求黑人語音的原型，則不免鄰於虛造。同樣的，利用這些材料，我們或可綜合出官話的演變史或分化史；但是將之等同為近代音或近代方音的歷史，恐怕難以成立。

其次要說明官話與北方方言的關係。官話不等於鄉音、不等於各方土語，從而官話也不等於北方方言。但是北方方言卻明顯的趨同於官話。趨同（convergence），是官話方言形成的重要過程。儘管今天的國語或普通話可以作爲官話方言區的代表，但並不意味官話方言區的方言直接衍生自普通話、或與普通話同屬一群。今天的國語或普通話只是「官話」鄉音變體的一種，它的前身取得全國共通語的地位不超過兩百年。上文提到的官話的鄉音變體，正是官話在地化或土語化（localization）的結果。趨同與在地化，是語言互動與融合的兩輪，相伴而行。有的地方，即官話標準音之所在，官話變體與土語的差距小。有的地方，與官話標準音不屬同群的所在，官話變體與土語的差距大。大部分的方言都處在這兩種極端之間，也因此有了程度不同的層次之分。例如中古時期濁聲母清化之後，平聲調的字讀送氣音、仄聲調的字讀不送氣音，這是明清官話和普通話一致的變化。但是資料顯示，陝西的關中地區在唐末就有另一種變化：無論平仄都讀送氣；例如羅常培（1933）先生所舉《大乘中宗見解》所代表的方言。具有這種變化的方言，現在還見於關中地區，具體的事例請參看李如龍、辛世彪（1999）兩位先生的報導。只是這種變化只存在口語之中；在一般文讀的場合，它已被官話的特徵所取代。原先官話和土語的對立，轉爲語言層次的分別。

從音韻特徵來看，官話變體可以大致分成北方官話、西南官話、江淮官話等三個大支：

音韻特徵	普通話 （北方官話）	成都 （西南官話）	南京 （江淮官話）
入聲的發展	韻尾消失，派入三聲	韻尾消失，併入陽平	保留 尾，入聲獨立
捲舌音 tʂ、tʂh、ʂ 的有無	有	無，併入舌尖音	有
是否有舌尖鼻音 n 與舌尖邊音 l 的對立	有	無，併入 n	無，併入 l
是否有唇齒擦音 f 與合口舌根擦音 xu 的對立	有	無，元音 u 前的 x 讀成 f	有
是否有 əŋ、iŋ 與 ən、in 的對立	有	無，併入 ən、in	無，併入 əŋ、iŋ

不過這些特徵的地理分布，並不是截然可分的。以「入聲的發展」而論，北方官話和西南官話都有部份地區仍保留ʔ尾或入聲調。其他各項特點也都有或多或少的參差。在另一方面，官話方言分三個區是否恰當、各區之下又可以作何種程度的次分，也仍然是有爭議的。我們認為，現階段許多方言的基本資料還相當不足，對於這類分區、分群以及更精確的特徵標準的問題，還無法作成最後的定論。

四、晉語性質的檢討

有一些山西、陝西、內蒙地區的方言，有分音詞的現象。這些方言大部分集中在山西省，因此又稱為晉語。也可以說，分音詞是晉語方言的共同特徵之一。不過這項特徵能不能用來作為方言分群的依據，需要進一步思考。

分音詞是一種構詞手段。它的構詞方式是將「-ʌʔl-」插入一個音節的聲母（C）和韻母（V（E））之間，把原來一個音節的 CV（E）變成兩個音節的 Cʌʔ lV（E）。例如山西平遙方言從「桿 kaŋ」造出分音詞「格懶 kʌʔ laŋ」，從「拌 paŋ」造出分音詞「薄浪 pʌʔ laŋ」。任何單音節詞都可以用這種方式造出分音詞來代替原先的單音節本字詞，而事實上許多詞只通行分音詞，以致於原先的單音節詞罕見使用。侯精一（1999:331）先生曾經指出：

> 平遙方言的分音詞與南宋洪邁《容齋隨筆》記載的以『蓬』為『勃籠』、以『盤』為『勃闌』、以『團』為『突樂』的諸多切腳詞是一回事。其中，如：以『團』為『突樂』的說法，今天的平遙方言裡頭還說。平遙方言不說『把紙團[tuaŋ]住』，而說『把紙突樂[tuʌʔ luaŋ]住』。晉語地區多有分音詞，構造的方式大致相同，只是分音詞的數量多少各地不同。

侯先生的觀察，無疑是正確的。我們認為，切腳詞，或分音詞，在性質上就是一種秘密語，其形式有類於反語，也就是反切語。趙元任（1931）先生對反切語曾經有過詳細的討論，其中許多類型都和分音詞大同小異。分音詞之用於構詞，其實只是出

於語用上秘密通訊的需要。晉語社會中祕密語詞彙爲日常生活所用，顯示語言遊戲主流化，同時也提供了詞彙雙音節化的一種類化管道。沙家爾先生（Sagart 1994）以爲晉語分音詞所加的，是一種帶有「擴展」意義的中加成份（infix）-ʔəl-（即-ʌʔl-），而這種中加成份則是上古二等-r-介音的遺留。不過侯先生舉的「團」恰好不是二等字，「突欒」也沒有「擴展」的意味。以分音詞反映複聲母，顯然證據還不夠。另一方面，既然晉語裡分音詞往往替代了本字詞，可見分音詞與本字詞之間並沒有構詞學上的派生與分工關係。分音詞既然源於祕密語，屬於語用層次而非結構層次的現象，那麼無論以之爲分群（sub-grouping）或分區（classification）的條件，恐怕都難以成立。

五、平話性質的檢討

平話方言的資料，已往公布的還很有限，因此系屬難明。經過許多學者的努力（請參看張均如 1987，梁金榮 1998，梁敏、張均如 1999，曾曉渝 2000，李連進 2000），這種情況最近有了大幅的改善，也使比較的研究有了共同的基礎。

從現有的資料判斷，作爲一群方言的整體，平話類型上最重要的創新是：「濁母清化平仄都不送氣。」從大部分平話方言的特徵往上溯，這群方言最初形成時期的共同特徵至少有以下四項：（1）濁母清化平仄都不送氣；（2）效攝一二等有別；（3）有八個聲調；（4）有-m、-n、-ŋ、-p、-t、-k尾。李連進（2000: 7-9）先生也曾舉出：「（一）沒有舌尖後音聲母[tʂ-]、[tʂh-]、[ʂ-]；（二）中古濁塞音、濁塞擦音聲母今屬陽平調的，讀不送氣清音；（三）都保留入聲調。」作爲平話語音的共同特徵。李先生的（一）是一項語音性而非結構性的特徵，是否適用於早期，暫時保留；（二）、（三）和我們的（1）、（3）相當。（2）、（4）爲李先生所無，但爲解釋共同歷史所必需。例如桂北的融水現在還保留完整的-m、-n、-ŋ、-p、-t、-k尾；而效攝一等元音或後或高、二等元音或前或低的分別，還在桂北平話的臨桂、平樂，以及桂南平話的橫縣、鬱林、藤縣等地看得到。既然兩群都有所見，祖語中應即有別。

平話與湘語、湘南土話的關係，曾經引起討論（請參看王本瑛 1997）。從中古濁聲母的演變類型上看，平話與湘語似乎難以分別；請參看下表：

平話	湘語	閩語	官話	粵語	客語	贛語	吳語
濁母清化平仄都不送氣	部份濁母清化平仄不送氣，部份濁母存濁	濁母清化大部分不送氣，小部份送氣	濁母清化平仄送氣、仄不送氣	濁母清化平上聲送氣、去入聲不送氣	濁母清化平仄都送氣	濁母清化平仄都送氣	存濁

不過參考其他結構性條件，平話、湘語、湘南土話三者的親疏關係還是不容混淆：

	平話	湘南土話	湘語
精知莊章的分合	精≠知莊章	精=知莊章	精=知莊章
效攝一二等之分合	效一≠效二	效一=效二	效一=效二
陽上陽去之分合	陽上≠陽去	陽上=陽去，陽上≠陽去	陽上=陽去（老湘） 陽上≠陽去（新湘）
匣母失落	匣部份合口一二等=影	匣部份合口一二等≠影	匣部份合口一二等≠影

因此我們認為：湘南土話不是平話的一支，而是湘語的一支。

引用書目

王本瑛　　　1997：《湘南土話之比較研究》，新竹：清華大學語言學研究所博士論文。

李如龍、辛世彪　　1999：〈晉南、關中的“全濁送氣”與唐宋西北方音〉，《中國語文》3：197-203。

李連進　　　2000：《平話音韻研究》，南寧：廣西人民出版社。

侯精一　　　1986/99：〈晉語的分區（稿）〉，侯精一著《現代晉語的研究》：30-43．北京：商務印書館，1999．原載《方言》1986.4。

1997/99：〈晉語研究十題〉，侯精一著《現代晉語的研究》：14-29．北京：商務印書館，1999．原載《橋本萬太郎紀念．中國語學論集方言》，東京：內山書店，1997。

1999：〈論晉語的歸屬〉，侯精一著《現代晉語的研究》：1-13．北京：商務印書館。

袁家驊　　　1980：《漢語方言概要》，北京：文字改革出版社。

張均如　　　1987：〈記南寧心圩平話〉，《方言》4：241-250。

梁金榮　　　1998：〈桂北平話語音特徵的一致性與差異性〉，《語言研究》2：103-116。

梁敏、張均如　　1999：〈廣西平話概論〉，《方言》1：24-32。

曾曉渝　　　2000：〈桂北平話底層音系特點分析〉，《中國音韻學研究會第十一屆學術研討會．漢語音韻學第六屆國際學術研討會論文集》：334-339。香港：文化教育出版社有限公司．

趙元任　　　1931：〈反切語八種〉，《中央研究院歷史語言研究所集刊》2：320-354。

蔣紹愚　　　1994：《近代漢語研究概況》，北京：北京大學出版社。

羅常培　　1933：《唐五代西北方音》，中央研究院歷史語言研究所專刊之 12，
　　　　　　上海：商務印書館。

Sagart, Lauren　　1994：Proto-Austronesian and Old Chinese Evidence for
　　　　　　Sino-Austronesian. *Oceanic Linguistics* 33.2：271-308.

龍宇純先生七秩晉五壽慶論文集
2002 年 11 月　　頁 391～416

《讀書雜志》「聲近而義同」
訓詁術語探析

劉文清[*]

一、前言

　　「因聲求義」爲我國傳統訓詁學家常用之訓詁方法之一，尤至清代，古音之學昌明，「因聲求義」更躍爲研治訓詁最主要之原理與方法，學者皆極力鼓吹之，如戴震即云：

　　　　故訓、音聲，相爲表裏。[1]

段玉裁云：

　　　　聖人之制字，有義而後有音，有音而後有形；學者之考字，因形以得其音，因音以得其義。[2]

而王念孫更推衍其說曰：

　　　　竊以詁訓之旨，本於聲音。故有聲同字異，聲近義同，雖或類聚群分，實亦同條共貫。[3]

王引之亦云：

　　　　夫訓詁之旨，本於聲音。揆厥所由，實同條貫。如《周南・關雎篇》「左右芼

---

[*]　臺灣大學中國文學系助理教授。

[1]　戴震：《六書音均表・序》，見楊家駱主編：《說文解字詁林正補合編》（臺北：鼎文書局，1983 年），第 11 冊附編，頁 1337。

[2]　段玉裁：《廣雅疏證・序》，見陳雄根標點，劉殿爵審閱：《新式標點廣雅疏證》（香港：中文大學出版社，1978 年），第 1 冊，頁 17。

[3]　王念孫：《廣雅疏證・原序》，《新式標點廣雅疏證》，頁 22。

之」，《傳》訓「芼」爲擇，後人不從，而不知芼苗聲近義同。「左右芼之」之「芼」，《傳》以爲擇，猶「田苗蒐狩」之「苗」，《白虎通》以爲擇取。《爾雅》「芼，搴也」亦與擇取之義相近也。《召南・甘棠篇》「勿剪勿拜」，《箋》訓「拜」爲拔，後人不從，而不知「拜」與「拔」聲近而義同也。[4]

則王氏父子不僅揭示訓詁之第一要義在於聲音，更進一步提出「聲近（而）義同」之觀念與術語，而深受後世學者所推崇，以爲其說實已進入同源字之研究領域，如汪耀楠即云：

> （王引之《經籍纂詁・序》）這一段話和所列舉的字例是約略地表示著同源字的觀念的。[5]

孫雍長云：

> 到了清代，「聲近義同」或「聲近義通」的理論被提出，學者們對同源詞的認識突破了（右文說）文字形體的侷限，研究工作有了很大的進展。[6]

是皆以「聲近義同」兼論「聲近」及「義同」之雙重關係，已隱然具有同源字之觀念，甚至更從而因襲之，以爲指陳同源字之專門術語，如王力之《同源字典》提出判定同源字之標準爲：

> 凡音義皆近、音近義同、或義近音同的字，叫做同源字。[7]

張世祿亦云：

> 所謂的同源詞，是指音近義通或音同義近，可以認爲同一詞源，即表示相關意義的音素所派生出來的詞。[8]

陸宗達則云：

---

[4] 王引之：《經籍纂詁・序》，《經籍纂詁》（臺北：宏業書局，1980 年）。
[5] 汪耀楠：〈王念孫、王引之訓詁思想和方法的探討〉，《湖北大學學報》1985 年第 2 期，頁 23。
[6] 孫雍長：《訓詁原理》（北京：語文出版社，1997 年），頁 153。
[7] 王力：《同源字典》（臺北：文史哲出版社，1983 年），頁 3。
[8] 張世祿：〈漢語同源詞的萌乳〉，《揚州師院學報》1980 年 3 期。

「音近義通」現象是以同根詞為前提的。[9]

周大璞亦有近似之說：

「音近義通」是以同根詞為前提的。[10]

而王寧不僅以為：

傳統字源學的基本理論是「音近義通」說。[11]

更於倡言建立當代訓詁學之新術語時，援之以為例證：

新術語需要作出定義，〔中略〕定義應當是準確的，即合乎它所表示的現象的
實際情況並表現它的本質屬性。如「音近義通」，首先必須明確它是同根的派
生詞之間所表現出的音義關係，其次，必須說清這種狀況是因為同根詞的音義
都與詞根的音義發生可以追溯的淵源關係而形成的。這樣才能把「音近義通」
的本質說清。[12]

由此可見，「聲（音）近義同（通）」作為同源字之專用術語，以為近世多數學者所公
認。

然而，眾所周知，傳統訓詁學之一大弊病，即在於術語之含混不清，缺乏明確之
界說[13]，故若具體檢視清代學者之運用「聲（音）近義同（通）」術語，其實並不如上
文所言之一致，關於此，孟蓬生已曾指出：

「音近義通」既可以指文字假借現象，也可以指語詞孳乳現象。[14]

孫雍長亦言：

---

[9] 陸宗達、王寧：〈音與義的關係和「因聲求義」的作用〉，《訓詁與訓詁學》（太原：山
西教育出版社，1994 年），頁 64。

[10] 周大璞：《訓詁學》（臺北：洪葉文化事業有限公司，2000 年），頁 207。

[11] 王寧：〈漢語詞源的探求與闡釋〉，《訓詁學原理》（北京：中國國際廣播出版社，1996
年），頁 144 。

[12] 王寧：〈談訓詁學術語的定稱與定義〉，《訓詁學原理》，頁 27。

[13] 陸宗達、王寧：〈訓詁學的復生發展與訓詁方法的科學化〉，《訓詁與訓詁學》，頁 15。

[14] 孟蓬生：《上古漢語同源詞語音關係研究》（北京：北京師範大學出版社，2001 年），
頁 94。

清代學者對「聲近（同）義同（通）」的標準未曾作出更具體、更明確的解釋，
而且在具體運用這一標準時，又不免言人人殊。[15]

又云：

王氏言「聲近義同（通）」，並不限於「同源」，有時也可用來指音轉而用字假
借的現象。[16]

以此諸說觀之，則清儒對「聲（音）近義同（通）」術語之施用，固有逸出同源字之
範疇之外者，且不僅「言人人殊」，甚至同一人亦可有不同之用法，然而，如此現象
究爲清儒運用訓詁術語之混亂所致？抑或近人對其術語理解之誤差使然？亟須加以
辨析。有鑑於此，筆者曾探究俞樾《諸子平議》中「聲近（而）義通」術語，得知其
乃爲一「因果式之命題」，即聲近者義亦相通，僅著眼於讀音之片面關係，故可統攝
兼具音義（指本義、引申義）雙重關係之同源字、及但具聲音關係之假借而言[17]，
而與一般視其爲同源字專用術語之認知頗有出入，因擬更進一步對清代其他學者—尤
其王念孫父子之「聲近（而）義同」說詳加探討，以觀其實際涵義究爲何？是否果如
後世所謂之「同源字」？蓋現代學者欲解釋、甚至沿用傳統術語，首須將其歷史內容
（曾被訓詁家認定了的實有內容）和科學涵義（按道理應當明確的合理內容）劃分清
楚，方能建立真正科學之訓詁學[18]。

二、《讀書雜志》「聲近而義同」術語涵義之分析

王念孫之著作中，運用「聲近（而）義同」術語最多者爲《廣雅疏證》[19]；最晚

---

[15] 孫雍長：《訓詁原理》，頁154。
[16] 同前註，頁118。
[17] 劉文清：〈俞樾《墨子平議》訓詁術語析論〉，《王叔岷先生學術成就與薪傳研討會論文
集》（臺北：臺灣大學中文系，2001年），頁490-493。
[18] 王寧：〈論形訓與聲訓〉，《訓詁學原理》，頁100。
[19] 據張治樵之統計，《廣雅疏證》中言「聲近（而）義同」術語者共255組。張治樵：〈王
念孫訓詁述評〉，《四川師範大學學報》1992年第2期，頁94。

出者則爲《讀書雜志》。蓋《讀書雜志》（以下簡稱《雜志》）作於王氏之晚年，乃《廣雅疏證》（以下簡稱《疏證》）完成三十年後方編撰輯成，故往往根據《疏證》以指導《雜志》之撰寫；另一方面，《雜志》亦對《疏證》之一些說法加以補充修正[20]，故《雜志》實可視爲王氏一生學問之定論，而今日欲窺其「聲近（而）義同」說之涵義，亦先自《雜志》伊始。

　　《雜志》中言「聲近而義同」術語者凡十數則，而無一作「聲近義同」者（有連言「聲（相）近義（相）同而字亦相通」者，說詳下文。），然則其「聲近而義同」與「聲近義同」間之關係爲何？二者之涵義又爲何？針對前者，可與《疏證》比合而觀，《疏證》中「聲近而義同」與「聲近義同」術語並見，且用法似無不同，如：

　　〈釋詁一上〉：「徇，疾也。」《疏證》：「《說文》：『徇，疾也。』《史記·五帝紀》：『幼而徇齊。』《集解》云：『徇、疾、齊，速也。』言聖德幼而疾速也。《索隱》云：『《孔子家語》及《大戴禮》並作叡齊，《史記》舊本亦作濬齊。』並聲近而義同。《爾雅》：『迅，疾也。』『駿，速也。』郭璞《注》云：『駿猶迅也。』亦與徇聲近義同。」

一則中「聲近而義同」與「聲近義同」術語並出，可見其應無二致。又如：

　　〈釋詁一上〉：「讜，善也。」《疏證》：「讜者，《逸周書·祭公解》云：『王拜手稽首讜言。』漢〈張平子碑〉云：『讜言允諧。』《孟子·公孫丑篇》：『禹聞善言則拜。』趙岐《注》引《皋陶謨》：『禹拜讜言。』今本作昌言，《史記·夏紀》作美言。讜、讜、昌聲近義同。」

而於

　　《管子雜志·第五·霸形》「讜言」王云：「讜言，讜言也。讜言，直言也。蔡邕《注》典引曰：『讜，直言也。』《皋陶謨》『禹拜讜言』，《孟子·公孫丑篇·注》引作『禹拜讜言』。字亦作讜，《逸周書·祭公篇》曰：『王拜手稽首

---

[20] 趙振鐸：〈讀《廣雅疏證》〉，《中國語文》1979年第4期，頁299。

　　黨言。』《爾雅》：『昌，當也。』郭《注》曰：『《書》曰：禹拜昌言。』昌、
　　讜、黨、當並聲近而義同。」[21]

再如：

　　〈釋詁三下〉：「載、閣，歧也。」《疏證》：「《爾雅》：『支，載也。』支
　　與歧亦聲近義同。」

而於

　　《淮南內篇雜志·第十七·說林》「戴致之」王云：「『致』當為『歧』字之誤。
　　《廣韻》：『歧，歧戴物也。』歧亦戴也。〔中略〕歧之言歧閣也。《廣雅》曰：
　　『歧、閣，載也。』又曰：『載、閣，歧也。』載與戴古字通，《文子·上德
　　篇》作『冠則戴枝之』，《爾雅》曰：『支，載也。』支枝與歧亦聲近而義同。」

皆是同一組字例，而一言「聲近而義同」、一言「聲近義同」，益證二者之相通。唯何
以王氏於《疏證》中屢言「聲近義同」，至《雜志》則皆曰「聲近而義同」？恐須對
其術語之涵義作更深入了解後，方能有所解答。

　　「聲近義同」術語，就語法言，似為「聲近」與「義同」並列式之語法關係，一
般以其為指陳同源字者應皆持此說；然亦可為前因後果式之命題，即凡音近者義亦相
同[22]。至若「聲近而義同」，就字面觀之似屬前因後果式之命題；然亦可能為「聲近而
且義同」之並列關係，如王寧曾云：

　　同源通用是同源詞共形，所以音同而義通。[23]

殆即將「而」解作「而且」之義。《古書虛字集釋》：「『而』猶『且』也。」[24]是也。
故二者之實際涵義與關係，不能僅從字面判斷，而須由其條例逐一加以分析。

　　《雜志》中言「聲近而義同」術語者凡十五則，其他相關術語尚有「聲相近而義

---

[21] 王念孫：《讀書雜志》（南京：江蘇古籍出版社，2000 年影印王氏家刻本）。

[22] 孫雍長：《訓詁原理》，頁 119。

[23] 王寧：〈訓詁原理概說〉，《訓詁學原理》，頁 53。

[24] 裴學海：《古書虛字集釋》，《虛詞詁林》（哈爾濱：黑龍江人民出版社，1992 年），頁
183。

亦相通」、「（古）聲相近故義亦相通（同）」、「聲同義同而字亦相通」、「聲近而義同故
字亦相通」、「聲相近義相同而字亦相通」、「聲相近而義相通故字亦相通」、「義同而聲
亦相通」、「義同而聲相近故字亦相通」、「聲義並相近」、「聲義亦相近」、「聲義同」等
術語，因亦同時兼論「聲」與「義」之關係，與「聲近而義同」之形式頗爲近似，故
亦一併討論之。茲即先將此諸條例俱爲表列如下，以便省覽，凡三十四則。表中所列
頁碼係根據江蘇古籍出版社影印家刻本《讀書雜志》。所列上古音，據董同龢先生《上
古音韻表稿》，若《表稿》所無，則加說明之。又、「備註」一欄，註明筆者對其字組
實際關係之認定，說詳下文。

編號	篇名	頁碼	正文	字組	術語	聲	韻	備註
（1）	逸周書第一	5	明醜	恥醜	聲近而義同故古多通用	透昌	之幽	轉語
（2）	逸周書第一	5	祇人死	祇振	之言、聲近而義同故字亦相通	章章	脂文	假借
（3）	逸周書第三	18	仁義所在	王往	同聲而互訓、聲同義同而字亦相通	匣匣	陽陽	同源字
（4）	戰國策第一	44	不察其至實	實至	聲相近而義亦相通	船章	脂脂	聲誤
（5）	戰國策第二	50	兩虎相搏	㹁犴	聲近而義同	群見	魚魚	同源字
（6）	戰國策第三	66	位正	位涖	讀爲、義同而聲相近故字亦相通	匣來	緝緝	轉注字
（7）	史記第一	82	歷日縣長	縣彌	猶、聲近而義同、通作	明明	元脂	轉語
（8）	史記第五	135	不護	護獲	古聲義同	匣匣	魚魚	轉注字
（9）	史記第五	143	能	能乃	古聲相近故義亦相通	泥泥	之之	假借
（10）	史記第五	148	所	許所	猶、聲近而義同	曉心	魚魚	假借
（11）	史記第六	156	相如乃與馳歸，家居徒四壁立	家居	古聲義並相近	見見	魚魚	同源字
（12）	漢書第一	187	崇高	嵩崇	聲近而義同、同	心從	蒸中	轉語
（13）	漢書第五	236	穹閭	穹弓	聲近而義同故字亦相通	溪見	蒸蒸	轉注字
（14）	漢書第十	323	衍溢	潎溢	聲近而義同	並滂	元文	潎溢並《表稿》所無，潎據許慎「扶圜切」推之，溢據《字林》「匹寸切」推之。轉語
（15）	漢書第十一	334	逐遺風	從㝒從貴之字	聲義多相近	邪見	微微	假借

編號	篇名	頁碼	正文	字組	術語	聲	韻	備註
（16）	漢書第十三	360	能或滅之	能乃	聲相近故義亦相同、同義、通用	泥泥	之之	假借
（17）	漢書第三	369	豈或	或有	聲相近義相同而字亦相通	匣匣	之之	同源字
（18）	漢書第十四	381	見哀	哀愛	聲相近而義相通故字亦相通	影影	微微	同源字
（19）	漢書第十四	382	肉食	用以	猶、義同而聲亦相近、讀爲、通用	定定	東之	假借
（20）	漢書第十五	404	說難既詘	詘就	讀爲、聲近而義同故字亦相通	從從	幽幽	假借
（21）	管子第五	449	當言	昌讜 黨當	聲近而義同	昌端 端端	陽陽 陽陽	同源字、假借
（22）	管子第十一	506	掘闊	闊掘	假借、通、音義無異	溪群	祭祭	同源字
（23）	墨子第四	602	折金	折	聲近而義同	透章	祭祭	轉注字
（24）	荀子第一	648	麋之僄之	還儇	聲近而義同	匣曉	元元	假借
（25）	荀子第二	665	敦慕焉	莫慕	聲近而義同	明明	魚魚	假借
（26）	荀子第四	688	嘖	齰幘 柵冊	聲近而義同	清精 清清	佳佳 佳佳	齰字《表稿》所無，據《廣韻》「楚革切」推之。 轉注字、同源字
（27）	淮南內篇第一	770	不與物散	交殽	聲義亦相近	見匣	宵宵	同源字
（28）	淮南內篇第六	818	眄眄	于盱	聲近而義同	匣曉	魚魚	轉注字
（29）	淮南內篇第十二	874	不渝	渝愉 揄輸	聲近而義同	定定 定書	侯侯 侯侯	轉注字
（30）	淮南內篇第十三	883	矜於爲柔懦	爲於	聲近而義同故字亦相通	匣影	歌魚	轉語
（31）	淮南內篇第十七	914	戴致之	支枝妓	聲近而義同	章章	佳佳	妓字《表稿》、《廣韻》並無。 轉注字
（32）	淮南內篇第十九	939	帽憑	恁憑	聲近而義同	滂並	耕蒸	憑字《表稿》所無，據《廣韻》「扶冰切」推之。 轉語
（33）	淮南內篇第二一	960	說捍	裍困	聲近而義同	溪溪	文文	假借
（34）	餘編下楚辭	1038	又何芳之能祗	祗振	之言、聲近而義同故字或相通	章章	脂文	假借

上述術語看似頗爲繁複，其實可約略分爲四類：一爲「聲（相）近而義（相）同（通）」之基本形式；二爲「聲（同）近（而）（故）義同（通）」後連言「而（故）字亦相通」或「通（用）」、「同」等；三爲倒言作「義同而聲相近（故字亦相通）」；第四類則逕

作「聲義（並）（亦）同（近）」。以下即逐類探討之：

（一）「聲（相）近而義（相）同（通）」

此類可視爲其基本形式，即單言「聲（相）近而義（相）同（通）」者，共十四則，至其涵義，細繹之，又可包含以下數類：

1.同源字、或轉語

「聲近而義同」既被視爲同源字之專門術語，《雜志》用之，果有意指同源字者。而轉語亦爲二字間之親屬語言現象，唯其始爲一語，其後因受時空之影響，而音有殊異，或雙聲相轉，或疊韻相迻，遂爲異語，故謂之「轉語」[25]。故轉語與同源字，實如出一轍，過去學者亦多未加區別，今則再加以細分之[26]。而《雜志》以「聲近而義同」術語指陳同源字之例有如：

（5）《戰國策雜志・第二・楚策》「兩虎相搏」王云：「《說文》：『虢，鬥相乱不解也。從豕從卢，卢豕之鬥不相捨。』《玉篇》音『竭於』、『居御』二切。虢與乱聲近而義同。」

案：《說文》：「乱，持也。象手有所乱據也。」「虢，鬥相乱不解也。」[27]段注：「乱，持也。不言持言乱者，以疊韻爲訓也。」是許氏此說乃爲聲訓，而王氏既從之，殆亦

---

[25] 劉文清：《墨子閒詁訓詁研究》（臺北：臺灣大學中文研究所博士論文，1998 年），頁 201。

[26] 如孟蓬生即指出從清代以來習言「音近義同」，然從未有人對「音近」做出明確之界說，因此，或主雙聲說；或主疊韻說；即使主張聲韻兼顧之學者，如王力認定之同源字，亦有旁轉、旁對轉、通轉等稍嫌疏遠之關係。（孟蓬生：《上古漢語同源詞語音關係研究》，頁 20。）今則將此等較為疏遠之關係別視爲轉語。

[27] 許慎：《說文解字》，見楊家駱主編：《說文解字詁林正補合編》，以下引《說文》諸家之說皆出此書，不再一一註明。

以廥、扎同出一源，是爲同源字。

（26）《荀子雜志・第四・君道》「齰」王云：「《說文》：『逮，齊也。』逮
與齰通。又《說文》：『齰，齒相值也。』《釋名》曰：『幘，齎也。下齊眉
齎然也。』又曰：『柵，齎也。以木作之，上平齎然也。』又曰：『冊，齎也。
敕使整齎不犯法也。』並聲近而義同。」

案：王氏於此分別引《說文》及《釋名》爲說，殆以籤（段《注》：「謂上下齒整齊
相對。」）、幘、柵、冊諸字俱源於整齊義，讀音亦復相近，是爲同源字。今案：齰與
幘，冊與柵之形、音、義分別相近，是籤與幘、冊與柵不僅同出一源，且分別爲轉注
字[28]。

（28）《淮南內篇雜志・第六・覽冥》「眄眄」王云：「『眄眄』當爲『盰盰』。
〔中略〕《莊子・應帝王篇》：『其臥徐徐，其覺于于。』司馬彪曰：『于于，
無所知貌。』〔中略〕于與盰聲近而義同也。《說文》：『盰，張目也。』」

案：王氏〈釋大〉：「于，於也。氣之舒也。」「訏，大也。故驚語謂之吁；張口鳴
謂之訏；張目謂之盰。」[29]是王氏固以于、訏、吁、盰諸字皆有大義，爲同源字，而
於此云其「聲近而義同」。又案：于、訏、吁、盰之形、音、義俱近，今以爲轉注字。

　　由此諸例可知，王氏所謂「聲近而義同」果有意指同源字者。此外，尚有王氏未
嘗說明，而實亦爲同源字之例者：

（29）《淮南內篇雜志・第十二・道應》「不渝」王云：「《太玄・格次三》：
『裳格欿鉤，渝。』范望曰：『渝，解也。』字亦作愉。《呂氏春秋・勿躬篇》：
『百官慎職而莫敢愉綖。』高《注》曰：『愉，解也。』又《方言》：『揄、

---

[28] 關於「轉注字」之義，主要採龍師宇純之說，以爲乃是基於一字之引申義或假借義爲與
本義有所區別，遂分化出新字，而形成轉注專字；另一方面，有時其引申義或假借義盛
行，反奪其本義，致本義若無專字可用，亦產生轉注專字。故轉注字與其初文間之形、
音、義俱近。說詳龍師：《中國文字學》（臺北：學生書局，1982年），頁141、及拙著：
《墨子閒詁訓詁研究》，頁204-206。而王力之《同源字典》則將其名之爲「分別字」，
亦屬同源字之一類，參王力：《同源字典》，頁6。

[29] 王念孫：〈釋大〉，《高郵王氏遺書》（臺北：文海書局，1967年《國學集要初編8》）。

揄，脫也。解、輸，脫也。」郭璞曰：『挩猶脫耳。』《文選‧七發》：『揄
弃恬怠，輸寫淟濁。』李善《注》引《方言》：『揄，脫也。』脫亦解也。渝、
愉、揄、輸並聲近而義同。」

案：《說文》：「輸，委輸也。」朱駿聲《說文通訓定聲》曰：「以車遷賄之意。」
故或可引申有解脫義，《方言十二》：「輸，挩也。」是也。而「愉」字，《說文》：
「愉，樂也。」《廣雅‧釋詁三》：「愉，說也。」《疏證》引徐鍇《通論》云：「悅
猶說也，解脫也。人有鬱結能解釋之也。」《說文通訓定聲》：「愉之言輸也，中心
悅而誠服也。」是「愉」殆由「輸」而來，人有鬱結能解脫之故悅樂。又、解脫之則
有所更易，故輸、脫、稅（「稅」當爲「脫」之轉注字）諸字亦可引申有變更義，《爾
雅‧釋詁三》：「輸，更也。」《呂覽‧慎大》「稅牛於桃林」《注》：「稅，釋也。」
《禮記‧服問》「以有本爲稅」《注》：「稅亦變易也。」皆其例。而後或形成轉注專
字「渝」，《爾雅‧釋言》：「渝，變也。」是也。《說文》：「渝，變污也。」則又
其引申之義。至若「揄」字，《說文》：「揄，引也。」《淮南子‧主術》「揄策於廟
堂之上」《注》：「揄，出也。」因「脫」亦可引申有出義，《管子‧霸形》「言脫於
口」《注》：「脫，出也。」故「揄」殆亦由「輸」字轉注而來。由此可見，渝、愉、
揄諸字皆有解脫義，殆同出於「輸」。今更以此諸字之字形亦復相近，當並爲轉注字。

（31）《淮南內篇雜志‧第十七‧說林》「戴致之」王云：「『致』當為『歧』
字之誤。《廣韻》：『歧，歧戴物也。』歧亦戴也。〔中略〕歧之言歧閣也。《廣
雅》曰：『歧、閣，載也。』又曰：『載、閣，歧也。』載與戴古字通，《文
子‧上德篇》作『冠則戴枝之』，《爾雅》曰：『支，載也。』支枝與歧亦聲近
而義同。」

案：《說文》：「支，去竹之枝也。」「枝，木別生條也。」徐灝《說文解字注箋》
云：「支枝古今字，干支猶幹枝也。支以持物謂之枝柱。」說可從。後或又由支持、
支柱義引申而有載義，形成歧字，故支、枝、歧諸字當同出一源，王力即以支枝爲同

401

源字[30]。今更以其字形亦復相近，是爲轉注字。

以上皆王氏說爲「聲近而義同」，而實爲同源字之例者。此外，其「聲近而義同」亦有以言轉語者，此見於：

（14）《漢書雜志・第十・竇田灌韓傳》「衍溢」王云：「李善本《文選》『衍溢』作『溋溢』，《注》曰：『張揖曰：溋，溢也。《字林》：『匹寸切。』古《漢書》爲溋，今爲衍，非也。』〔中略〕《文選・江賦・注》引《淮南子》曰：『人莫鑒於流潎而鑒於澄水』許慎曰：『楚人謂水暴溢爲潎，扶圍切。』潎與溋聲近而義同。」

案：「潎」與「溋」並《說文》所無，而王氏於此既引「溋，溢也」、「匹寸切」之說，又引「楚人謂水暴溢爲潎，扶圍切」爲說，殆是以「溋」與「潎」之聲音相轉且意義相近，是爲轉語。

（32）《淮南內篇雜志・第十九・脩務》「帽憑」王云：「『帽』當爲『悎』，字之誤也。《廣雅》曰：『悎怦，忼慨也。』悎怦與悎（今案：「悎」字原誤作「帽」，今正之。）憑聲近而義同。悎憑而爲義，猶言忼慨而爲義耳。《楚辭・離騷・注》云：『楚人名滿曰憑。』故高《注》云：『悎憑，盈滿積思之貌。』」

案：《說文》：「馮，馬行疾也。」段《注》：「馮者，馬蹋箸地堅實之貌。因之引申其義爲盛也、大也、滿也、懣也。〔中略〕俗作憑。」是「憑」可引申有滿義。至若「怦」字，《說文》所無，《廣雅・釋訓》：「悎怦，忼慨也。」《疏證》引《玉篇》云：「怦，滿也。」則王氏亦以「怦」爲滿義，與「憑」音轉且義同，當爲轉語。

由此可見，清儒所謂之「聲近」範疇其實頗爲寬泛，可包含音同、及音轉而言，故其「聲近而義同」可用以言同源字及轉語。

---

[30] 王力：《同源字典》，頁111。

2、假借、或聲誤

唯王氏「聲近而義同」術語，固不限於指陳同源字、轉語，有時亦用以言假借、或聲誤，此如：

（4）《戰國策雜志·第一·齊策》「不察其至實」王云：「『至』即『實』字也。〈雜記〉『使其實』鄭《注》曰：『實當為至，此讀，周秦之人聲之誤也。』〔中略〕是實與至聲相近而義亦相通。」

案：《說文》：「實，富也。」「至，鳥飛從高下至地也。」而王氏既引鄭《注》「實當為至」、「聲之誤也」之說，又云「實與至聲相近而義亦相通」，則其「聲近而義通」固可用以意指聲誤，甚明矣。

（23）《墨子雜志·第四·耕柱》「折金」王云：「《說文》曰：『硩，上擿山巖空青珊瑚墮之。從石，折聲。』拼與折亦聲近而義同。」

案：《經義述聞·第九·周官下》「硩族氏」王引之引：「家大人曰：『硩或通作折。』〔中略〕折金者，擿金也，猶《說文》言『硩上擿山巖空青珊瑚墮之也。』硩即硩之借字。」是王氏既於此云「硩與折聲近而義同」，而於彼云二者為「假字」、「通作」，則其「聲近而義同」固可意指假借也。唯《說文》：「折，斷也。」《說文通訓定聲》：「硩，從石折會意，折亦聲。」徐《箋》：「覆巢之義從折為優，以聲求之亦復相近。」依其說，則折、硩之形、音、義俱近，當為轉注字。

此外，尚有王氏未加說明，而實亦屬假借之例：

（10）《史記雜志·第五·扁鵲倉公列傳》「所」王云：「一年所，猶言一年許也。許與所聲近而義同。《小雅·伐木篇》『伐木許許』，《說文》引作『伐木所所』。《漢書·疏廣傳》『數問其家金餘尚有幾所』顏師古曰：『幾所猶言幾許也。』是其證。」

案：《說文》：「許，聽也。」「所，伐木聲也。詩曰：『伐木所所。』」段《注》：

「《小雅‧伐木》文首章『伐木丁丁』，《傳》曰：『丁丁，伐木聲。』次章『伐木許許』，《傳》曰：『許許，柿貌。』此『許許』作『所所』者聲相近，不用『柿貌』之說用『伐木聲』之說者。」依其說，「許」與「所」聲相近，故可假借。

（24）《荀子雜志‧第一‧不苟》「靡之儇之」王引之云：「《方言》曰：『還，積也。』還與儇聲近而義同。」

案：《說文》：「還，復也。」故可引申有積義。至若「儇」字，《說文》云「慧也」，與「還」音近可得假借，朱珔《說文假借義證》：「《荀子‧禮論篇》『設掩面儇目』《注》：『儇與還同。』是以儇為還之假借。」即其證。

（25）《荀子雜志‧第二‧儒效》「敦慕焉」王引之云：「《說文》：『慔，勉也。』《爾雅》曰：『慔慔，勉也。』《釋文》：『慔音墓，亦作慕。』是慕為勉也。《方言》：『侔莫，強也。北燕之郊凡勞而相勉，若言努力者，謂之侔莫。』《淮南‧繆稱篇》『猶未之莫與』高《注》：『莫，勉之也。』莫與慕亦聲近而義同。」

案：《說文》：「慔，勉也。」「慕，習也。」《說文通訓定聲》：「習與勉同誼。」段《注》：「今《說文》『慔』『慕』分列，或恐出後人改竄。」是慔、慕殆為一字。而「莫」字，《說文》云「日且冥也」，與「慕」音近，故可假借。

（33）《淮南內篇雜志‧第二一‧要略》「說捍」王云：「說捍搏囷，〔中略〕搏囷者，卷束之名。〔中略〕《說文》：『稇，絭束也。』稇與囷聲近而義同。」

案：《說文》：「囷，廩之圓者。」與稇音近，故可假借。

由上述諸例觀之，王氏「聲近而義同」術語既可與「假借」或「聲誤」等並用，可證其說之範疇，固可涵括假借與聲誤，且與前項同源字及轉語之數量相若（同源字及轉語之例共七則、假借與聲誤共六則），應非一時之混淆、誤用，則其所謂「聲近而義同」當為因果式之結構，亦即「聲相近，故義亦相同」（見第（9）、及（16）則，說詳下文），而不論其「義同」究竟為本義、引申義之相同、抑或僅出於假借義之相通，因而舉凡同源字、轉語、及假借、聲誤等皆可在其畛域之列。

3、兼指同源字及假借

　　王氏之「聲近而義同」，不僅可兼指同源字、或假借，甚至有一則之中，同源字及假借並見，而王氏亦不加區分者，益可證其「聲近而義同」說之兼容並蓄：

　　　　(21)《管子雜志‧第五‧霸形》「當言」王云：「當言，讜言也。讜言，直言也。蔡邕《注》典引曰：『讜，直言也。』《皋陶謨》『禹拜讜言』，《孟子‧公孫丑篇‧注》引作『禹拜讜言』。字亦作黨，《逸周書‧祭公篇》曰：『王拜手稽首黨言。』《爾雅》：『昌，當也。』郭《注》曰：『《書》曰：禹拜昌言。』昌、讜、黨、當並聲近而義同。」

案：《說文》：「昌，美言也。」而「當，田相值也。」王筠《說文句讀》：「值當為直，《廣雅》：『當，直也。』」故「當」有直義，後或可引申為直言義，而假「黨」字為之（《說文》：「黨，不鮮也。」）。其後形成轉注專字「讜」，《說文》：「讜，直言也。」《文選‧東都賦‧注》引《字林》云：「讜，美言也。」〈景福殿賦‧注〉引《聲類》云：「讜言，善言也。」直言、美言、善言義本相因，故「昌」、「當」、「讜」皆有直、美之義，殆為同源字，至於「黨」則或為假借，而王氏一曰「聲近而義同」。

　　綜上所述，可見其「聲近而義同」說之兼容並蓄。

（二）「聲同（近）（而）（故）義同（通）」後連言「而（故）字亦相通」、或與「通（用）」、「同」等術語並用

　　「字通」、「通（用）」、「同」等為清代小學家習用之訓詁術語，表凡音近（含音同、音轉）者皆可通用，乃以讀音之同近為其唯一條件，而不論其意義關係[31]。而王氏之「聲近而義同」，後或連言「而（故）字亦相通」、或與「通（用）」、「同」等術

---

[31] 劉文清：《墨子閒詁訓詁研究》，頁165。

語並用，更足以證明其說之旨乃在闡明通用關係，而非語源關係，故可包含同源字、轉語、及假借等一併言之：

1、同源字、或轉語

（3）《逸周書雜志・第三》「仁義所在」王云：「古者王往同聲而互訓。《莊三年穀梁傳》：『其曰王者，民之所歸往也。』《呂氏春秋・下賢篇》：『王也者，天下之往也。』〔中略〕是王與往聲同義同而字亦相通。」

案：《穀梁》、《呂覽》「王，往也」之說，是為聲訓，而王氏既因其說，又云「同聲而互訓」、「聲同義同而字亦相通」，則其術語固可涵括同源字也。

（13）《漢書雜志・第五・天文志》「穹閭」王云：「車蓋弓，《說文》謂之『穹隆』，〈考工記〉謂之『弓』，《釋名》云：『弓，穹也。張之穹隆然也。』穹弓聲近而義同，故字亦相通。」

案：《說文》：「弓，以近窮遠也。」「穹，窮也。」《釋名》因謂「弓，穹也」，以「穹」為「弓」得名之源，王氏既從其說，殆亦隱然有以二者同源之意，而名之曰「聲近而義同，故字亦相通」。今則以二字形、音、義俱近，殆為轉注字。

（18）《漢書雜志・第十四・游俠傳》「見哀」王云：「哀者，愛也。〔中略〕《呂氏春秋・報更篇》：『人主胡可以不務哀士。』〔中略〕高《注》並曰：『哀，愛也。』哀與愛聲相近而義相通，故字亦相通。」

案：《廣雅・釋詁一》：「憮、憐，哀也。」《疏證》：「哀與愛聲義相近，故憮憐既訓為愛，而又訓為哀。《呂氏春秋・報更篇》：『人主胡可以不務哀士。』高誘《注》云：『哀，愛也。』〔中略〕愛猶哀也。」殆已隱然有以「哀」、「愛」為同源字之意。《釋名》云：「哀，愛也。愛乃思念之也。」亦以「哀」、「愛」同出一源。

其他亦屬同源字、或轉語之例尚有：

（1）《逸周書雜志・第一・游俠傳》「五虞，〔中略〕二曰明醜」王云：「明醜

即明恥，故《僖二十年左傳》曰：『明恥教戰，求殺敵也。』〈祭公篇〉『厚顏

忍醜』即『忍恥』，高注《呂覽‧節喪篇》及〈秦策〉並云：『醜，恥也。』

又注《呂覽‧不侵篇》云：『醜或作恥。』醜恥聲近而義同，故古多通用。」

案：《說文》：「醜，可惡也。」《說文通訓定聲》以爲可引申爲愧也、慚也、恥也

（《說文通訓定聲》所謂之「轉注」即爲引申。）。故與「恥」字意義相同且聲音相轉，

是爲轉語。

（7）《史記雜志‧第一‧孝文本紀》「歷日縣長」王云：「『縣』當爲『絲』，

字之誤也。《漢書》作『歷日彌長』，『彌』亦『絲』也。〔中略〕絲與彌聲近

而義同。故『絲』或作『彌』，〈賈生傳〉『彌融爐』，故《漢書》作『价幬獺』，

价絲古同聲，『彌』之通作『价』，猶『彌』之通作『絲』也。」

案：《說文》：「絲，聯微也。」徐《箋》：「紡絮成縷謂之絲，聯微者言其微眇相

續也。引申爲絲長之稱。」至若「彌」字，《說文》所無，雷浚《說文外編》：「𨻶，

久長也。此彌之正字。」是「絲」與「彌」之意義相近且聲音相轉，是爲轉語。而王

氏既云其「聲近而義同」、又言「彌通作絲」。

（12）《漢書雜志‧第一‧武紀》「崇高」王云：「古無『嵩』字，以『崇』爲

之。故《說文》有崇無嵩，經傳或作『嵩』、或作『崧』，皆是『崇』之異文。

〔中略〕《爾雅》：『嵩、崇，高也。』嵩崇聲近而義同，故『崇』或作『嵩』。

〔中略〕漢〈桐柏淮源廟碑〉：『宮廟嵩峻。』〈三公山碑〉：『厥體嵩厚，

峻極于天。』〔中略〕『嵩』字並與『崇』同。」

案：《說文新附》：「嵩，中岳嵩，高山也。」《說文》：「崇，嵬高也。」《國

語‧周語上》「融降於崇山」《注》：「崇，崇高山也。」是「崇」、「嵩」意義相近，

王力因以爲同源字[32]。今則以其韻母旁轉，視爲轉語。而王氏既云二字「聲近而義同」、

又言其「同」。

---

[32] 王力：《同源字典》，頁 386。

（17）《漢書雜志・第三・楊雄傳》「豈或」王云：「『或』者，有也。或與有
聲相近義相同而字亦相通，說見《釋詞》。」

案：《經傳釋詞》：「『有』與『或』古同聲而義亦相通。」[33]可證「聲近而義同」後
或連言「而字亦相通」，或否，而用法無殊。又、《說文》：「有，不宜有也。《春秋
傳》曰：『日月有食之。』從月，又聲。凡有之屬皆從有。」然考甲骨文字本作又，
後演化孳乳而爲「有」，從又持肉，當爲「侑」之初文，義爲勸食，故有無之有乃爲
假借義[34]。至若「或」字，《說文》「邦也」，故其有語詞義殆亦爲假借，而或與「有」
字同出一源。

（30）《淮南內篇雜志・第十三・氾論》：「矜爲剛毅，矜於爲柔懦。」王云：
「『於』下本無『爲』字，『於』亦『爲』也，『爲』亦『於』也。『務爲剛毅』，
『務於剛毅』也。『務於柔懦』，『務爲柔懦』也。《僖二十年穀梁傳》曰：『謂
之新宮，則近爲禰宮。』言近於禰宮也。〔中略〕蓋爲於聲近而義同，故字亦
相通也。」

案：《說文》：「爲，母猴也。」「烏，孝鳥也。〔中略〕於，象古文鳥省。」二者皆
可假借爲語助詞，乃一語之轉，是爲轉語。

2、假借

王氏「聲近（而）義同而（故）字亦相通」等術語亦有意指假借者，例如：

（20）《漢書雜志・第十五・敍傳》「說難既酋」王云：「『酋』讀爲『就』，就，
成也。〔中略〕《太玄・元文》曰：『酋，西方也，秋也。物皆成象而就也。』
〔中略〕就與酋聲近而義同，故字亦相通也。」

---

[33] 王引之：《經傳釋詞》，《虛詞詁林》，頁 329。
[34] 參于省吾：《甲骨文字詁林》（北京：中華書局，1996 年），第 1 冊，頁 876-882、及龍師：《中國文字學》，頁 104。

案：《說文》：「就，就高也。」段《注》：「《廣韻》曰：『就，成也。』〔中略〕其引申之義也。」而「酋」字，《說文》云「繹酒也」，與「就」音近，可得假借。而王氏既云其「聲近而義同，故字亦相通」，又謂「酋讀爲就」，因「讀爲」亦屬表達假借之術語[35]，足徵其「聲近而義同」固可用於假借也。

（9）《史記雜志·第五·淮陰侯列傳》「能」王云：「『能』猶『乃』也。」〔中略〕能與乃古聲相近，故義亦相通。」

（16）《漢書雜志·第十三·谷永杜鄴傳》「能或滅之」王云：「『能』字古讀若『耐』，聲與『乃』相近，故義亦相同。〔中略〕能與乃同義，故又可以通用。」

案：由前說已知王氏「聲近而義同」術語應爲因果式之結構，而此二則即逕作「聲相近故義亦相（通）同」，闡明其因果關係，適足以證成其說。又、《說文》：「乃，曳詞之難也。」「能，熊屬，足似鹿。」故「能」當爲「乃」之假借，而王氏既云「聲相近故義亦相（通）同」，又以其爲「通用」。

（2）《逸周書雜志·第一》「祗人死，祗民之死」王云：「『祗』之言『振』也，振救也。〔中略〕《楚辭·離騷》：『既干進而務入兮，又何芳之能祗。』『祗』，振也，言干進務入之人，委蛇從俗，必不能自振其芬芳也。〔中略〕祗與振聲近而義同，故字亦相通。」

（34）《雜志餘編下·楚辭》「又何芳之能祗」王引之云：「『祗』之言『振』也，中略）祗與振聲近而義同，故字或相通。」

案：《說文》：「振，舉救也。」「祗，敬也。」《假借義證》：「王氏懷祖《讀書志餘》：云《逸周書·文政篇》『祗民之死』，謂振民之死也。〈離騷〉『又何芳之能祗』，『祗』之言『振』也，王逸注釋『祗』爲敬，非。」則又以『祗』爲『振』之假借矣，

---

[35] 劉文清：《墨子閒詁訓詁研究》，頁 153。又、王引之《經義述聞·通說》「經文假借」條亦云：「是以漢世經師作注，有讀爲之例、有當作之條，皆由聲同聲近者。」《經義述聞》（南京：江蘇古籍出版社，2000 年影印道光本），頁 756。

『祇』『振』一聲之轉。」謂王氏乃以「祇」為「振」之假借，說可從。

綜上所述，王氏「聲近（而）義同，而字亦相通」術語，乃將「聲近而義同」之基本形式略作變換，而涵義無殊，亦指音近者義即相同，且更進一步闡明其術語之主旨是為「字通」、「通用」也。

（三）義同而聲相近

《雜志》中又偶有言「義同而聲相近」者，凡二則，與「聲近而義同」術語之語序適為相反，則其涵義為何？二者之關係又為何？茲亦加以探析。

假借

（6）《戰國策雜志・第三・秦策》「位正」王云：「『位』讀為『涖』。〔中略〕《僖三年穀梁傳》曰：『涖者，位也。』位與涖義同而聲相近，故字亦相通。《周禮・肆師》『用牲於社宗則為位』，故書『位』為『涖』是也。」

案：王氏於此既云「位讀為涖」，又云二者「義同而聲相近，故字亦相通」，可知其「義同而聲相近」乃用以指稱假借也。又案：《說文》：「立，住也。」徐《箋》：「人所立處謂之位，故立位同字。立之聲轉為涖。」如其說，則涖當為立（位）之轉注專字也。

（19）《漢書雜志・第十四・匈奴傳》「肉食」王云：「『用』猶『以』也。〔中略〕《一切經音義七》引《倉頡篇》曰：『用，以也。』用與以義同而聲亦相近，故『用』亦可讀為『以』，〔中略〕故與『以』字通用。」

案：王氏既云「用與以義同而聲亦相近」，又謂「用讀為以」、用以二字「通用」，則其「義同而聲相近」亦即假借、通用之義也。考《說文》：「用，可施行也。」甲骨文字作𤰃，楊樹達以為「蓋桶之初文。〔中略〕桶可以受一切之物，故引申為器用之

用，又由質而玄，引申爲施用行用之用。」于省吾之說亦略同[36]。至若「以」字，《說文》以爲「用也」，金文字作㠯，或從口作㠯，阮元、強運開、陳夢家等因謂「古文『台』『以』爲一字」，而其本義不明[37]，故《說文》「用也」之訓殆以假借義爲本義也。

由以上二例可知，王氏偶言「義同而聲相近」，而一如「聲近而義同」之用法，仍爲因果式之關係，唯前後語序偶爾互調耳。

（四）「聲（音）義（並）（亦）同（近）」

「聲（音）義同（近）」亦清儒常用之訓詁術語，王氏亦屢用之，如於上文所舉之第（18）例中，王氏云「哀與愛聲相近而義相通，故字亦相通」，而於《疏證》則謂「哀與愛聲義相近」，然則其「聲義同（近）」與「聲近而義同」之涵義似亦相仿，以下即逐條分析之：

1、同源字

（11）《史記雜志‧第六‧司馬相如列傳》：「相如乃與馳歸，家居徒四壁立。」

王云：「『居』即『家』也。『家』、『居』二字，古聲義並相近，故《說文》曰：『家，居也。』《周官‧典命‧注》曰：『國家，國之所居也。』」

案：王氏於此既引《說文》「家」字本義爲說，似已隱然有以「家」、「居」爲同源字之義。王力亦視二者爲同源字[38]。

（27）《淮南內篇雜志‧第一‧原道》「不與物散」王引之云：「『散』皆當為『殽』。〔中略〕《莊子‧刻意篇》作『不與物交』，交與殽聲義亦相近。」

案：《說文》：「殽，相雜錯也」「交，交脛也。」徐《箋》：「引申之凡相併、相合、相錯、相接皆曰交。」故「殽」與「交」聲、義俱近，當爲同源字。

---

[36] 參《古文字詁林》（上海：上海教育出版社，1999 年），第 3 冊，頁 748。
[37] 參《古文字詁林》，第 2 冊，頁 62。
[38] 王力：《同源字典》，頁 127。

2、假借

　　（8）《史記雜志‧第五‧屈原賈生列傳》「不獲」王云：「《廣雅》曰：『獲，

　　辱也。』又曰：『濩、辱，污也。』濩亦獲也，古聲義同耳。」

案：《廣雅‧釋詁三》：「獲，辱也。」《疏證》：「《史記‧屈原傳》云：『不獲世

之滋垢，皭然泥而不滓者也。』『獲』猶『辱』也。〔中略〕上文云：『濩、辱，污也。』

濩與獲古亦同聲。」是王氏一曰濩與獲「古聲義同」、一曰「古同聲」，則其「聲義同」

與「古同聲」之用法應同然，皆僅著眼於聲音之片面關係也。又案：《說文》：「獲，

獵所獲也。」爲所獵獲則受辱之，故「獲」亦可引申有辱義，後或形成轉注「濩」字，

《廣雅》：「濩、辱，污也。」是也，而《說文》「雨流霤下」，殆其引申之義也。

　　（15）《漢書雜志‧第十一‧嚴朱吾邱主父徐嚴終王賈傳》「逐遺風」王云：

　　「『遺』讀曰『隤』，隤風，疾風也。《大雅‧桑柔篇》曰『大風有隧』，有隧狀

　　其疾也。〔中略〕隤與遺古同聲而通用。《小雅‧角弓篇》『莫肯下遺』，《荀子‧

　　非相篇》『遺』作『隤』，〔中略〕皆其證也。凡從㒸從貴之字，聲義多相近。《說

　　文》：『隤，下隊也。』〔中略〕皆其例也。」

案：王氏既曰「遺讀曰隤」、「隤與遺古同聲而通用」，又云「從㒸從貴之字，聲義多

相近」，則此「聲義相近」當即假借、通用之義也。又案：《說文》：「貴，物不賤

也。」「㒸，從意也。」二者疊韻，或可假借。

　　（22）《管子雜志‧第十一‧山權數》「掘闕」王引之云：「『闕』即『掘』字

　　之假借。《玉篇》、《廣韻》『掘』音『其勿』、『其月』二切，『其月』與『求月』

　　同，是『掘』字本有『求月反』之音，故『闕』與『掘』通，亦音『求月反』。

　　『掘』『闕』二字，音義無異也。蓋《管子》本作『闕』，校書者因其音義與『掘』

　　同，而旁記『掘』字，傳寫者遂誤入正文耳。」

案：王引之既曰「闕即掘字之假借」、二字「通」，又言其「音義無異」，則其「音義

同」亦即指假借、通用也。唯《說文》：「掘，捾也。」《廣雅‧釋詁三》：「掘，

穿也。」《國語‧吳語》「闕爲石郭」《注》：「闕，穿也。」二字之音、義俱近，王

力因視爲同源字[39]。

由此觀之，其「聲（音）義（並）（亦）同（近）」術語仍僅著重於聲音同近之片面關係，而所謂「義同」可泛指本義、引申義、或假借義之相同，故與「聲近而義同」之用法實無二致，可相提並論也。

綜合以上四類而言之，《雜志》習言「聲近而義同」術語，而無一作「聲近義同」者，乃爲一因果式之命題，即凡音近者義亦相同，故可涵括兼具音義（指本義、引申義）雙重關係之同源字、轉語；及僅具聲音關係之假借、聲誤等。關於此，由其術語時或又與「而（故）字亦相通」、及「通（用）」、「同」等詞連言或並用，益可得其徵驗。蓋其說之主旨本在闡明通用關係，音近者即可通用，而不論其意義關係。其術語偶或倒作「義同而聲近」，而用法仍同。此外，《雜志》又有「聲義（並）同（近）」等術語，其「義同」亦可泛指本義、引申義、或假借義之相同，故與「聲近而義同」之涵義實無二致。再就數量而言，上述三十四例中，經由本文之蠡測，王氏可能隱含同源字（指廣義之同源字，即包括同源字、及轉語。）之意者殆十七則（計第一類之七則、第二類八則、及第四類二則）、可視爲假借或聲誤者殆十六則（第一類六則、第二類五則、第三類二則、及第四類三則）、兼有二義者一則，可見其中同源字與假借二者之數量相若，應本無主從之別，而皆隸屬於「聲近而義同」之畛域。

三、「聲近而義同」術語音韻條件之分析

《雜志》「聲近而義同」等術語，既皆以讀音之同近爲其唯一條件，則對其音同音近之標準，茲亦略作探討。歸納上述三十四例之音韻條件，可析之爲以下數類：

---

[39] 王力：《同源字典》，頁 455。

（一）聲韻母並近

此類居其大宗，達二十四則，細繹之，又可分爲：

1、聲韻母並同近

所謂聲韻母並同近，乃指其聲母皆屬相同、或相近之發音部位，韻母皆在同一韻部。此類共二十二則。

2、聲母相關，韻母相同

此類之聲母雖非屬相同、或相近之發音部位，然其關係密切，亦可接觸。包括第（6）、（10）則，其中第（6）則之「位」與「涖」屬匣母與來母之接觸，然此二類上古偶有接觸，董同龢等先生即擬有 kl-複聲母。第（10）則之「許」與「所」則屬曉母、心母之接觸，李方桂先生曾擬有 sk-複聲母。

（二）雙聲

此類凡九則，又可細分爲：

1、一般雙聲

包括第（2）、（7）、（19）、（30）、（32）、（34）諸則。

2、雙聲旁轉

有第（1）則「恥」、「醜」之「之」、「幽」旁轉；（12）則「嵩」、「崇」之「蒸」、「中」旁轉；及（14）則「濼」、「溢」之「元」、「文」旁轉。

3、疊韻

僅一則，爲第（15）則之「豙」與「貴」。

綜上所述，王氏言音同音近之條件有三：主要乃指聲韻母並近；其次爲雙聲者；偶亦有疊韻者處乎其間，則殆屬例外。故王氏對音韻條件之要求可謂嚴謹矣。

四、「聲近而義同」術語觀念之分析

「聲近（而）義同」爲清儒所發明之訓詁術語，過去學者多將其解讀爲並列式之語法結構，以爲其說同時並重「聲近」與「義同」之雙重關係，而已進入語源學之研究領域。然而，本文藉由對王念孫《讀書雜志》相關術語之分析，得知其「聲近而義同」等術語實僅爲因果式之命題，即凡音近者義即相通，而「並未對各詞之本義、引申義、或假借義加以說明，而此恰爲探討語源所必要者。」[40]由此可見，其術語之主旨並非爲探討語源關係，而係採行訓詁學用字之觀點，亦即劉師培所謂之「用字之法，音近義通」[41]是也。其實，如此之觀點與其書之性質亦正相吻合，蓋《雜志》本即爲一部訓詁、校勘之著作。

不容否認地，王氏已然具有語源學之概念，觀其於《雜志》條例中不乏有同時論及音、義雙重關係者，即爲明證。唯此乃其「聲近而義同」說之一端耳，因同源字本即隸屬其說之領域，然非主要目的，即以數量而言，《雜志》「聲近而義同」諸例中同源字與假借之比例相當，亦可見其說之兼容並蓄，並無主從之別。故舊說或以其說主論同源字而混淆假借，不知其「本無『同源』意，而以『同源』量之，誤在量者。」[42]

其實王氏自有其語源學之專著，其〈釋大〉一文將古籍中含有「大」義之喉牙音字系聯類聚，專從語源角度研究同源字[43]，足徵王氏不僅深具語源學之觀念，且付諸於實踐。然則其於《雜志》中不採語言學觀點，而持訓詁學之觀念，殆因其書之性質、

---

[40] 林開甲：〈《廣雅疏證》語義研究札記〉，《古籍整理研究論叢》第二輯（濟南：山東文藝出版社，1993 年），頁 316。唯林氏此說乃針對王氏於《廣雅疏證》中運用類比法論證語義關係而作之評論，今則借用於此。

[41] 劉師培：〈漢宋學術異同論〉，《劉申叔遺書》（南京：江蘇古籍出版社，1997 年），頁 547。

[42] 張治樵：〈王念孫訓詁述評〉，頁 92。唯張氏此說乃在批判一般以爲《雜志》混淆同音借用及同源通用之錯誤，今則借用於此。

[43] 孟蓬生：《上古漢語同源詞語音關係研究》，頁 93。

體例使然。另一方面，在〈釋大〉八卷之內容中，竟無一言及「聲近（而）義同」術語，僅「義相近聲亦相近」、「聲相近義亦相近」、及「聲義相近」各一見，不啻更足以證明王氏探討語源自有其他之方式，而非運用「聲近（而）義同」術語。

　　當然，《雜志》中「聲近而義同」術語之數量其實並不為多，不足以概括王氏對此一術語之運用情形，筆者因擬另撰專文對《廣雅疏證》之「聲近（而）義同」術語再作考察，唯由上文之敘述中，已可對其略窺一二：如於《疏證》中或言「聲近而義同」、或言「聲近義同」，而用法無殊，且與《雜志》之「聲近而義同」似亦無不同；又如其於〈釋詁一上‧疏證〉曰：「黨、讜、昌聲近義同。」其中包含同源字（昌、讜）及假借（黨），而一併言其「聲近義同」（參第（21）則）。再如：

　　　〈釋詁二上〉：「麼，小也。」《疏證》：「『麼』之言『靡』也。麼、靡古同聲。」

　　　〈釋詁四下〉：「麼，微也。」《疏證》：「麼與靡聲近而義同。」

　　是其「聲近而義同」與「古同聲」之意亦應相仿。凡此種種，皆可概見《疏證》之「聲近（而）義同」術語似與《雜志》如出一轍。亦唯有如此，方能較合理解釋何以《疏證》中「聲近義同」與「聲近而義同」術語並見，至《雜志》則一律言以「聲近而義同」，蓋多一「而」字則其因果關係更為顯著，而不致望文生義誤為並列式之結構矣。

　　由筆者分別對王念孫、及俞樾「聲近（而）義同」術語之探析中發現，二位乾嘉訓詁大師並非運用此一術語探索同源字，然則，近世學者以其說象徵清儒已進入同源字之研究領域，並欲沿用之作為今日判定同源字之專門術語之作法，實有重新加以檢討之必要，至少，須將其「歷史內容與科學涵義劃分清楚」，庶幾不致於治絲益棼！

龍宇純先生七秩晉五壽慶論文集
2002 年 11 月　　頁 417～444

從詞彙風格看廣告標語

張慧美[*]

一、前言

　　「語言風格學」是一門新興的學科，它是語言學和文學相結合的產物。也就是利用語言學的觀念與方法，來分析文學作品的一條新途徑。現代的語言風格學包含了三個方面：第一是音韻、第二是詞彙、第三是句法[1]。本文欲從詞彙風格的角度來探討廣告標語。

　　廣告的定義爲「廣告是廣告主基於誠信的原則，經過有系統的規劃與設計製作，將訊息於選定的時間，經由媒體對特定的訴求對象，所進行的告知遊說活動。」[2]由於現代人每日面對的傳播訊息量太大，爲了提高廣告的效力，因此有必要爲廣告做精心的設計，以吸引人們的注意。想要吸引人們的注意，就必須做創意設計，創意設計可分爲文案撰寫與美術設計兩類。廣告文案在一則廣告中，往往也佔有極重要的地位，因爲一個偉大的廣告創意，還是得靠富有視覺意象的文字來表達。一幅畫可以抵得過千言萬語，而文字更可深植人心與記憶，因此若用標語作爲視覺的延伸，則其威力又會大大的增加，甚至不久就能成爲時代的流行語。所以文案是吸引讀著的重要關鍵。本文欲從詞彙之角度來探討廣告標語。

---

[*]　國立中正大學中國文學系助理教授。
[1]　竺家寧：《語言風格與文學韻律》（臺北：五南出版公司，2001 年），頁 1、30。
[2]　管倖生：《廣告設計》（臺北：三民書局，1993 年），頁 3-4。

一般所謂「標語」是爲了將多數人的行爲引向一個目標，在宗教、政治、藝術、軍事或商業等各方面使用的短文。商業領域的標語則多用於廣告訴求，它是將企業體的目標、主張、政策，或商品的內容、特點、效能等以一兩句的完整短文表現的句子。也就是極端表現商品性質，或企業印像的短句。如中國石油公司的「加油留發票，福氣好運到」，可口可樂的「歡聚時刻，可口可樂」。在許多種類的廣告中，所謂「印象廣告」就是以標語爲文案主題而設計，在商業廣告設計中標語是重要且用法最多的文案。本文研究之材料，大部分是以商業廣告標語爲主。

廣告語言是廣告的生命，詞彙是語言的建築材料，也是語言風格賴以形成的重要物質材料因素。在漢語豐富的語彙寶庫中，有各式各樣的風格成分。廣告標語反映特定的社會生活內容，而這樣的詞語一般都有時代的色彩，是構成語言的時代風格的重要因素。廣告標語給人以新鮮之感，製造轟動效應，期能吸引消費者的注意力，激起其好奇心而購買其商品，因此使得廣告標語必須扮演著在特殊的語境中的一種語言突破的自然演變。本文收集 427 條的廣告標語，首先分類其次進行分析討論，期能一窺廣告標語強大無可抵擋的語言塑造功能與時代語言的風格。

二、從詞彙風格看廣告標語

本文以各類報紙、雜誌、看板、車廂、戶外、DM、夾報、傳單、電影院、POP（店頭廣告）、台灣的電話號碼簿、電視、廣播、世界棒球賽、各校社團文宣、選舉等傳播媒體之廣告標語爲語料，共收 427 條廣告標語。茲分（1）重疊詞（2）諧音雙關（3）方言（4）外來語（5）數量詞（6）數字詞的運用等六類來討論。

（一）重疊詞的運用

重疊詞可以分爲「疊音」和「疊義」兩大類。「疊音詞」是用兩個相同的字構詞，

以描摹聲音或形容一種狀態，和字的本義無關，只是一個聲音符號。「疊義詞」是所構成的兩個成分都是實詞，屬於兩個個別的詞素，「疊音詞」的兩個字則組成一個單一的詞素。「疊義詞」以動詞和形容詞重疊較常見，名詞重疊則較少見[3]。茲將收集來的廣告標語，屬於重疊詞的共 32 條臚列於下：

1‧噴射水流穿透衣物纖維，去除所有污垢，真正清潔「溜溜」（洗衣機廣告）

2‧創造一頭烏「溜溜」的美髮（養髮水廣告）

3‧包你長江三峽走「透透」（報紙廣告）

4‧主機板一閃一閃亮「晶晶」

5‧我的唇「水水嫩嫩」的——好柔軟（蜜絲佛陀脣膏）

6‧不只瞬間清新，更「水水」一整天（LOREAL 水清新保濕凝露）

7‧天然健康，肌膚水「噹噹」。（純蘆薈）

8‧ZEBRA 幸運星，當頭亮「晶晶」。（日本斑馬文具）

9‧把親朋好友都「拉拉……拉」進來（中華電信）

10‧熱情「衝衝衝」（沙士廣告）

11‧最佳女主角換人「做做」看

12‧再「等等」吧！會有你意想不到的答案

13‧去時「沖沖」，大家都輕鬆

14‧「好好」比一比，那個政黨能夠像#黨一樣（候選人廣告）

15‧「新新」生活實踐家，「洋洋灑灑」的將故事寫出來一定美麗動人

16‧鼻子「高高」，鬍子「翹翹」，手上拿著釣竿的人（波爾茶）

17‧「柔柔亮亮」，「閃閃」動人

18‧聯床話舊，好夢「連連」

19‧用「水水」的頰彩，讓雙頰增添自然的紅暈

---

[3]　竺家寧：《漢語詞彙學》（臺北：五南出版公司，1999 年），頁 280。

20‧統一企業提醒您,「好好」表達感恩情

21‧去也「匆匆」‧來也「匆匆」

22‧「小小」一口,「大大」享受(巧克力)

23‧喝了之後臉「紅紅」(酷而維他命 C 飲料)

24‧「靜靜」的冷,冷的「淨淨」(飛利浦冷氣)

25‧中秋窩心禮,「濃濃」表情義

26‧「滴滴」香濃,意猶未盡(咖啡廣告)

27‧「天天」都特價,「樣樣」都便宜(報紙廣告)

28‧領導未來,「字字」激勵,撼動人心

29‧喜形於色 LG 給您「天天」好心情

30‧「天天」感謝,今天表現

31‧品客一「口口」,片刻不離手

32‧金球一「粒粒」,健康又美麗(優酪乳)

「疊音詞」:例如上列之 1‧清潔「溜溜」2‧烏「溜溜」3‧走「透透」4‧亮「晶晶」及 5、6、7、8 句等皆是。廣告標語運用疊音詞,可以充分表現出語言自然生動的特性,感覺鮮活而使人聯想到商品進而去購買。

「疊義詞」:動詞重疊:例如上列之 9、10、11、12、13 等皆是。

形容詞重疊:形容詞重疊是各類疊義詞中最普遍的。例如上列 14 至 25 等皆是。

名詞重疊:例如上列之 26、27、28、29、30 等皆是。

單位詞重疊:例如上列之 31、32 皆是。

廣告標語運用疊義詞,是利用重複的字眼來加強語氣、製造韻律感,以達朗朗上口之目的,吸引大眾的注意。

（二）諧音雙關

諧音雙關是一種修辭手法，是利用詞語與詞語之間音同或音近的關係，使人們由這一詞語聯想到另一詞語的意義，這就是諧音雙關，也稱雙關諧音[4]。

漢字的同音字多，言語表達時利用字詞特點能收到特定的風格效果，這在文學創作中不乏佳例。相傳金聖歎臨刑時，曾作一對子給他兒子：「蓮子心中苦，梨兒骨裡酸。」以「蓮」雙關「憐」，以「梨」雙關「離」；南朝樂府民歌子夜歌：「始欲識郎時，兩心望如一。理絲入殘機，何悟不成匹。」以「絲」雙關「思」，「布匹」雙關「匹偶」；唐詩人李商隱《無題》「春蠶到死絲方盡，蠟炬成灰淚始乾」。以「絲」雙關「思」，「蠟淚」雙關「眼淚」；唐人劉禹錫〈竹枝詞〉：「楊柳青青江水平，聞郎將上唱歌聲。東邊日出西邊雨，道是無晴卻有晴」。以「晴」雙關「情」，細膩地描繪了有情人的微妙心理，千百年來傳爲修辭佳例。

如今一些聰明的廣告創意者，利用同樣的特點來設計廣告標語。以諧音雙關的方法來推介其產品與服務，達到宣傳的廣告效果。這樣的廣告標語給人以新鮮之感，造成轟動效應，吸引消費者的注意力，激起其好奇心兒購買其商品，接受其提供之服務[5]。茲將收集來的廣告標語，屬於諧音雙關的共 188 條臚列於下：

1・中華無「法」擋（世棒賽中華 10:0 大勝法國）。

2・打美樂，打了「美」（世棒賽用語）

3・「韓」恨九泉（世棒賽用語）

4・「荷」必找死（世棒賽用語）

5・中華發威，「荷抱蛋」打進四強（世棒賽用語）

6・驅「韓」（世棒賽）

---

[4] 常敬宇：《漢語詞彙與文化》（臺北：文橋出版社，2000 年），頁 101。

[5] 沈錫倫：《民俗文化中的語言奇趣》（臺北：臺灣商務印書館，2001 年），頁 241。

7・反「荷」（世棒賽）

8・「荷伊死」（世棒賽・中荷之戰加油標語）

9・「韓」淚離去（世棒賽・中韓之戰加油標語）

10・「美」下愈況（世棒賽・中美之戰加油標語）

11・「送美零」（世棒賽・中美之戰加油標語）

12・「美」戰必敗（世棒賽・中美之戰加油標語）

13・「日落」臺北城（世棒賽・中日之戰加油標語）

14・「日」薄西山（世棒賽・中日之戰加油標語）

15・「終」日大戰（世棒賽・中日之戰加油標語）

16・「鋒」芒畢露（世棒賽・中日之戰・媒體報導・打者：陳金鋒）

17・「誌」在必得（世棒賽・中日之戰・媒體報導・投手：張誌家）

18・「美」不勝收（世棒賽・中美之戰加油標語）

19・十分「完」美（世棒賽・中美之戰加油標語）

20・「美栽」中華（世棒賽・中美之戰加油標語）

21・「十拳死美」（世棒賽・中美之戰加油標語）

22・「完美」結局（世棒賽・中美之戰加油標語）

23・血流成「荷」（世棒賽・中荷之戰加油標語）

24・世界盃棒球賽，中華「鋒」靡全國（陳金鋒表現出色）

25・「鋒豐」相連（世棒賽・媒體報導・打者：陳金鋒、陳大豐）

26・「爵」對浪漫（爵士樂表演）

27・秋冬保濕，功「膚」下的深（保養品）

28・「泳」奪十金（體育）

29・「水」管你（礦泉水）

30・挑「tea」（飲料）

31・「晶」選輯（水晶唱片做的精選集）

32・德芙「榛」藏巧克力（加榛果的巧克力）

33・投進親民黨，「宋」進立法院（送宋楚瑜進立法院）

34・偶像劇火拼，使出「緋」常手段（緋聞）

35・網友一級「哈」（哈利波特）

36・「韓」流來襲（韓劇風靡）

37・比武招「親」（親臉頰……）

38・「舞」力犯台（舞蹈比賽）

39・香港一家化妝品公司的廣告是：「趁早下『斑』」（臉上的斑）

40・「星」人類報到（新新人類）

41・只要青春不要痘，請勿「痘」留（洗面乳廣告）

42・「榴槤」忘返（賣榴槤的）

43・順水推「粥」（賣廣東粥的）

44・耍「炸」一族（路邊攤賣炸雞的）

45・健康一「錠」（賣維他命的）

46・讓我心驚肉跳：「上我一次，終生難忘」（女性網站的廣告詞）

47・「做女人『挺』好」(胸罩廣告)

48・「毒」家新聞(很辛辣的新聞)

49・「晶」采你的生活(賣水晶的)

50・「雞」不可失(賣土雞的)

51・泰山好理「油」

52・「浩」大喜功（唱片製作周浩光）

53・「食」字路口（小吃店）

54・衝「瘋」飛車（劍湖山遊樂區）

55・「森」呼吸（電冰箱）

56・好個聰明「〇利」坐擁歐式設計（休旅車）

57・「歌」林頓（KTV）

58・新「巢」主義（房屋）

59・第一英「郡」（房屋）

60・村上春「墅」（房屋）

61・「薪」貴族（房屋）

62・書「鄉」特區（房屋）

63・喜「市」別墅（房屋）

64・東隆國「堡」（房屋）

65・加拿大「楓」情深度之旅（旅行社）

66・調「茶」局（茶坊）

67・「茶」戶口（飲料）

68・儀「泰」萬千（旅行社泰國之旅）

69・「岩」燒餐廳

70・「月」刷「月」有禮　送您千萬禮（匯通信用卡）

71・櫻花星座好禮「3」動女人心

72・返「普」歸真（普洱茶）

73・萬千「京」喜（京華城）

74・公然行「惠」（巨昌傢俱）

75・台灣大哥大手機搶「鮮」報

76・貴「足」屋（室內拖鞋）

77・大「橘」大利大集合（親民黨造勢晚會）

78・「在」怎麼「野」蠻，也不要阻礙學習的動力（執政黨選舉宣傳）

79・「冷靜」專家（開立冷氣）

80・我「福」了你（福樂西瓜牛奶）

81·新鮮的木瓜和牛奶「統一」了（統一木瓜牛奶）

82·果然是好「糖」（豐年果糖）

83·輕鬆血拼「卡」安心，輕鬆回饋「卡」有利，輕鬆享樂「卡」無憂（信用卡）

84·「烏溜溜」的秀髮您最愛（566 洗髮精）

85·安泰「卡」，「卡」安泰（安泰銀行發送手機簡訊，防止信用卡盜刷）

86·停車檢「茶」（茶坊）

87·統一糙米片，「糙」級好米（食品）

88·「工」成名就（本校資工系、成教系聯合迎新宿營）

89·偷「機」不著「食」把米（本校機械系、嘉大食科聯合迎新宿營）

90·八國「簾巾」（南市一布質家飾專賣店店名）

91·「布」說是非（一布袋戲網站名）

92·「屏」水相逢（本校屏友會）

93·哈利波特好「售」寵（報紙標題）

94·別讓創意後「技」無力（廣告教學）

95·這一季，妳想要與誰「香」戀？（香水）

96·春光乍現的低調性感，「腰」妳欣賞超低風潮（低腰褲）

97·蜜妮要妳「好看」，青春給我記住（化妝品）

98·閃彩電池，聞「機」起舞（手機電池）

99·「禮享」的夏天（麒麟一番搾）

100·好「星」有好報（報紙）

101·心有所「薯」（麥當勞）

102·玩美女人（女性內衣）

103·新年「錶」新意（鐘錶）

104·「十」破天驚，大地一新（大地頻道十點檔）

105·統一既出，誰與爭「蜂」（統一蜂膠雞精）

106·「物」理取鬧「中」（中文、物理系聯合迎新）

107·「景」茶局（紅茶店名）

108·放電「癮」展（全國大專院校電影首映）

109·「政政」有詞（全國政治相關科系研討會）

110·「妝」愛一生（保養品）

111·「癮」誘唇膏，引你上癮（唇膏）

112·健康一「錠」，一定健康（藥品）

113·匯豐銀行，大「降」之風（銀行降低利率）

114·「妹」力四射（張惠妹演唱會）

115·「妹」力無敵，撼動人心（張惠妹演唱會）

116·享「瘦」快感（瘦身中心）

117·灌「鈣」骨骼健康（奶粉）

118·「中」飽私囊（中正園遊會）

119·「機」不可「械」（中正園遊會）

120·花「顏」巧語（中正跨校送花傳情活動）

121·口蜜腹餞，「仁仁」有禮（報紙廣告「仁仁」指的不僅是贈品──薏仁粉、杏
仁粉，也有人人有禮的含意。）

122·中華兄弟們給我痛快的「打」（中華電信）

123·可口可樂發現「哈」魔力──可口可樂（用「哈」字的雙關語，來讓所有「哈」
「哈」利波特的影迷、書迷們，把焦點放在可口可樂的贈獎活動。）

124·安泰一把「照」，偽鈔無處逃（安泰人壽不只是「一把罩」，還送你驗鈔機，
讓偽鈔一「照」便原形畢露。）

125·台新銀行「貸」您高人一等（台新銀行）

126·玩得「泰」瘋五日遊（報紙廣告旅行社招團去「泰國」玩的標語。）

127‧NEW 強「視」登場（眼鏡公司的廣告）

128‧我就是「彰」小孩（網站上彰友會會版的版名）

129‧無與「輪」比（輪胎）

130‧「數」大就是美（數學系）

131‧天生「歷」質、「歷」不從心、「歷」大無窮、「史」心踏地、「史」終不渝（歷史系）

132‧「政」古鑠金（政治系）

133‧「企」勢凌人、「企」宇、非凡「企」象萬千（企管系）

134‧天「資」驕子、「資」人「資」面不「資」心（資工系）

135‧「成」風破浪，胸有「成」竹（成教系）

135‧莫失良「雞」（麥當勞炸雞）

136‧靜的讓你耳根清「靜」（冷氣機）

137‧什麼「丸意兒」（丸子）

138‧人人有「折」（打折）

139‧沒沒無「蚊」（蚊香）

140‧隨心所「浴」（熱水器）

141‧「騎」樂無窮（摩托車）

142‧別具一「革」（皮革製品）

143‧「盒」情「盒」理（月餅）

144‧默默無「炎」（消炎藥）

145‧「食」全「食」美（食品）

146‧「飲」以為榮（飲料）

147‧「淨」如人意（去污粉）

148‧終身無「汗」（冷氣機）

149・「閒」妻良母（洗衣機）

150・「酒」負盛名（酒類）

151・因「胃」有了你（胃藥）

152・「餓」勢力徹底瓦解（賣吃的店）

153・揚起你的「豐」帆（隆胸廣告）

154・「紙」有春風最溫柔（春風面紙）

155・「靴」頭十足（全家福鞋店）

156・「瞳顏」無忌（得恩堂彩色隱形眼鏡）

157・閃亮蜜粉，奔放一「夏」（蜜絲佛陀化妝品）

158・非「鑽」不可（FEMA 鑽錶）

159・「范」人告解（《范可欽廣告創意大公開》）

160・粉底今夏，「粉」美麗（化妝品）

161・感謝長春新世紀診所，讓我享「瘦」美麗人生（長春新世紀診所）

162・TVBS 周刊，讓你快樂「Fun」暑假（TVBS 周刊）

163・掌中科技，熱力「Fun」送（光泉產品）

164・騷貨，燒貨（寶島鐘錶）

165・「聲」得我心（Kiss Radio）

166・有「鯊」器的 Window XP 更自由了（微軟無線非輪鯊）

167・讓你的專業，自由展現，無「線」發揮（微軟無線非輪鯊）

168・讓每個人找到娛樂，也擁有無「線」發揮（微軟無線非輪鯊）

169・「疤」面玲瓏（抗疤能軟膏）

170・年輕不要「痘」留（抗痘能乳膏）

171・從此不再為「色」所苦！（法國碧芙沁藍美白保養系列）

172・向您「錶」心意（菲馬錶）

173・喝礦泉水，真享「瘦」

174‧天天都有好運「罩」我（奧黛莉 9 色開運胸罩）

175‧神「雕」俠旅（2002 花蓮石雕藝術季）

176‧好心有好「抱」（林心如抱枕）

177‧「瘋」館！買貴包退（台灣家具）

178‧誰最「照」得住？（柯達數位相機）

179‧讓你從頭部開始放輕鬆，趕快「從頭來過」！（藝思晨按摩精油）

180‧掌握「幸」福與舒服（威爾媚）

181‧絕代雙「雕」（藝思晨捲髮、直髮髮雕）

182‧怎麼照都沒「叉」（若碧絲洗髮露）

183‧甲火鍋「袋」贈品（小園迷你火鍋送休閒購物袋）

184‧做一個「潔身自愛」的女人（玫瑰沐浴露）

185‧給女性「波濤洶湧」的絕妙 BIOLOGIQUE RECHERCHE（法國碧妍專業化妝品）

186‧電影要開演了，生理痛卻困住了妳？普拿疼，不讓妳「痛」失良機（普拿疼）

187‧你猜我幾歲？美姿朵豐盈，讓你「美」一天享受好命小女人的好氣色（美姿朵纖體）

188‧傳唱美味新「義」術！（晶華酒店義大利歌劇式餐廳）

（三）方言

所謂「方言」（Dialect），是一種語言（Language）的地方變體。一個語言，由於人口的遷移，散布到不同的地方，逐漸產生差異，就形成了幾種不同的方言[6]。也就是

---

[6] 竺家寧：《中國的語言和文字》（臺北：臺灣書店，1998 年），頁 185。

指流行於某個地區而沒有在民族共同語裡普遍通行的詞語。

　　台灣本土原有三個族群，就是原住民、客家人與閩南人，他們都各有其族群的母語。由於工商業的發展，三個族群之中以閩南人佔絕大多數，使得原住民、客家人為了謀生必須學會閩南語，期能融入以閩南語為主的社會體系。因此，閩南語便成了台灣本土原有各族群通用的語言，所以一般人就稱閩南話為台灣話，也就是台語了。

　　方言的使用可貼近大眾增加親切感，更可引起共鳴，拉近彼此的距離。所以廣告標語也喜歡採用具有地方色彩的方言，彰顯鄉土情，以落實本土化的商業概念。吸收方言詞，可以豐富我們的詞彙，增強語言的表達能力。台灣地區國語受閩南語的影響較大，因此吸收其詞彙也最多，反映在廣告標語上亦是如此，可見閩南方言的強大影響力。茲將收集來的廣告標語，屬於方言詞的共 70 條臚列於下：

1．###和咱阿扁仔「同款」，攏是甲蕃薯簽大漢的艱苦囡仔（候選人廣告）

2．食物享受「森」呼吸，「青擱不走味」（冰箱廣告）

3．懂得如何洗臉，「不時嘛水噹噹」（洗面乳廣告）

4．肝哪不好，人生是黑白的；肝哪好，人生是彩色的（保肝丸廣告）

5．有青，才敢大聲（啤酒廣告）

6．呼乾啦！（啤酒廣告）

7．要喝就喝，別講那麼多（烏龍茶廣告）

8．「頭家」換人做，便宜大放送（家樂福家具）

9．誰人跟我比！（家具廣告）

10．好康ㄟ報乎你知（統一便利商店）

11．什麼「尚青」？台灣啤酒「尚青」（台灣啤酒）

12．各位鄉親要覺醒，不要「擱乎」某某某「烏魯木齊」「亂舞落去」（選舉）

13．全球大量進貨，世界品質「世界省」（報紙廣告）

14．攏ㄟ通（汽車行動電話免持聽筒系列）

15．有影的故事（電視節目名稱）

16‧小不點裝可愛,「大顆呆」給我小心點(食品)

17‧乎你雄大聲(音樂會‧南進)

18‧五光十色煞到你(手機電池)

19‧阿母麥進來,打造 My room 自己來

20‧無黨走無路,有黨大進步

21‧女人真水(女性內衣)

22‧天那麼大,人那麼小,人生苦短,爽就好

23‧你麥擱卡啊啦……

24‧無悶茶 is 沒問題(義美食品之飲料「無悶茶」)

25‧最近手機啊在流行拜天公(泛亞電信)

26‧心臟強,叼位攏好ㄙㄣˋ

27‧合味才會甲意

28‧一台車凸歸台灣

29‧啥米是正港的沙士

30‧黃維德死忠,周遊金疼愛

31‧你講台語嘛也通

32‧強強滾

33‧耐操,好檔,拼第一

34‧台灣尚讚,不輸阿度仔

35‧演唱會門票,賣得嚇嚇叫

36‧一度讚(速食麵)

37‧人民「沒頭路」,國家「沒法度」(新聞)

38‧「黑白」講,「黑白」切

39‧「擱再來」檳榔

40‧家電「俗俗賣」（量販店慶）

41‧偶像硬底「火車拼」

42‧火鍋「搶搶滾」

43‧斷線損失，玩家「凍未條」

44‧快來「逗鬧熱」

45‧「你要去叼？」「我去買 kid-o」（kid-o 餅乾）

46‧久久長長，照顧咱的胃腸（胃腸藥）

47‧愛麗散（瘦）（減肥藥）

48‧常介靈（專治攝護腺疾病的藥品）

49‧你講台語嘛也通（美國西北航空公司）

50‧鬱卒的時候來去悟智樂園（台南悟智樂園）

51‧嘉實多（確實多，氣、機車專用引擎機油的品牌名稱）

52‧合味才會甲意（鐘錶）

53‧看外表，知腹內（東元電冰箱）

54‧一步一腳印，大家愛台灣（TVBS）

55‧濕濕的感覺「巾」好（濕巾）

56‧ATO（想吐）

57‧ATOS（會吐死）

58‧LKK

59‧PDG（皮在癢）

60‧SPP（很俗氣）

61‧免草繁（免操煩除草劑）

62‧載卡多（福特車）

63‧血艾通（清血藥）

64‧呼妳散（減肥藥）

65·我愛「阿痘仔」（菲蘇德美洗面乳）

66·拼現金，中友抓狂俗到底（中友百貨公司）

67·騎鐵馬，趴趴走（美利達自行車）

68·員工「鬥陣」來試吃（Rivon 禮坊企業嚐鮮專案）

69·水誘光「晶鑽」唇膏

70·黑馬乎你，慶到底（台語）

（四）外來語

外來語指的是詞語的音和義借自外語的詞語。台灣和國外的接觸十分頻繁，尤其是美國和日本，因而帶入了大量的外來語詞。這些現象反映在人們各種日常休閒活動中，當然也在廣告標語中流行起來[7]。廣告標語一下子就扮演了時尚文化的代言人。茲將收集來的廣告標語，屬於外來語的共 51 條臚列於下：

1·「Famous」菲夢絲

2·陽光、空氣、「Yes」（悅氏礦泉水）

3·喝了再上，come best 康貝特

4·生活新花「Young」

5·秋冬新果汁，健康「c」引人

6·小氣「buy」金女

7·挑 tea

8·年輕人的 ALLPA 護照（youth card）

9·發燒熱賣 HOT 有理

10·不是做愛，見到你我就會 high

7　竺家寧：《漢語詞彙學》，頁 435。

11·黑輪（日式大鍋煮）

12·We are family

13·傑克，這真是太神奇了

14·Trust Me You can make it！

15·coffe，tea，or me?

16·Let's make things better

17·The Computer Inside

18·身體有美色，體驗 ARTOFSPA 物體美學

19·Just do it

20·Try it，統一純喫茶

21·快樂就是 call call call

22·盡情 fun 肆

23·快樂一夏，fun 暑假

24·High 到無止盡，show 到樂翻天

25·進入立德，你是 leader（學校招生）

26·謬思園（餐飲店，music）

27·緊急對策，肌膚 sos（洗面乳）

28·武夷山，人氣紅不讓〔日〕（旅遊）

29·奇檬子〔日〕（飲料）

30·阿里阿多〔日〕（壽司店）

31·柑芭茶

32·Just call me，be happy

33·卡哇伊

34·Conica Color 它抓得住我

35·快可立（quickly 冷飲站）

36・麥當勞（McDonald's 速食店）

37・可口可樂（Coca-Cola）

38・捷安特（Giant 腳踏車）

39・週末三寶「fun」

40・super 舒跑

41・免年費，「A」好禮，抽大獎—報紙廣告

42・血拼（shopping）

43・由你玩四年（university）

44・秀逗（short 腦筋有問題）

45・茶包（trouble）

46・運將（日語司機）

47・營養美味好 C 收（香吉士飲料）

48・泡 Men 一族（泡麵）

49・你愛他（LIATA）

50・喜歡 Lee，無往不利（Lee 牛仔褲）

51・Manhattan 美好挺襯衫

（五）數量詞

　　量詞是漢語的一項特色，別的語言很少用量詞。量詞又稱為單位詞。量詞分為兩類：即名量詞與動量詞。

　　名量詞：放在名詞前面，大部分量詞是屬於這一類。下列之廣告標語中之數量詞全部屬於名量詞。

　　動量詞：放在動詞的後面。數量很少，只有回、次、下、趟、遍、匝、敲等幾個而已。例如「走一回」、「唱兩遍」、「敲三下」。在所收集的廣告標語中尚未發現有用

動量詞的例子。

茲將蒐集來的廣告標語，屬於數量詞的 36 條臚列於下：

1‧平衡的極限是塞那河的第 38 座橋，溝通了左岸的人文與右岸的奢華

2‧兩種視野一種在井裡，另一種在井外的那片天

3‧重新出發，勇氣可嘉繞了一圈，又回到了原點，實在不容易

4‧我每天只睡一小時

5‧鑽石恒久遠，一顆永留傳

6‧要做好一罐好的雞精，先要有一隻好雞

7‧在克詩蘭每一位顧客都是獨一無二的

8‧網路開店，一手搞定:網路錢潮，一手抓盡

9‧在崗一分鐘，盡責六十秒

10‧草本精萃，千年傳承

11‧訊息傳遞永遠快人一步

12‧一人吃，兩人補

13‧一家烤肉萬家香

14‧成長只有一次（雀巢成長奶粉）

15‧均衡一下（波蜜果菜汁）

16‧.輕鬆一下（波爾茶）

17‧一年買兩件好衣服式道德的（中興百貨）

18‧台灣之子公益卡，一張為善最樂的公益卡(誠泰銀行《台灣之子公益卡》)

19‧我的第一張信用卡，中國信託信用卡(中國信託商業銀行)

20‧寶寶的第一個俱樂部，妙兒舒媽媽俱樂部(妙兒舒紙尿褲)

21‧金婆婆一百歲，銀婆婆也一百歲(選自聯合晚報)

22‧麥格黑啤酒，一杯敬自己，一杯乾未來

23‧好吃的麵，一客剛剛好，來一客（統一來一客碗麵）

24・第一次相遇，第一次擁抱，第一次難忘的情人節（心鑽）

25・滴可明酵素雙氧系統，2 小時一錠可明

26・這一個世紀，世界只看「世紀天璽」。唯有「世紀天璽」，超越「天璽」（世紀天璽房屋）

27・創造一頭烏溜溜的美髮（養髮水廣告）

28・一台車凸歸台灣

29・讓男人透不過氣，為女人爭一口氣（內衣）

30・一天牛奶，一天豆奶（義美公司）

31・鑽石恆久遠，一顆永流傳（鑽石）

32・購物是如此辛苦，你是否該擁有一台容量超大型的電冰箱？

33・三萬份好禮・盡在 PVA 裡

34・每年製造一個驚喜，明年我們再接再勵（汽車）

35・吃人一口，還人一斗（選自《選舉報紙》）

36・趁春光乍現，玩一趟彩妝冒險

（六）數字詞

由於 BB CALL 與手機的方便，台灣的青少年幾乎是人手一機。利用 call 機的數字來代表彼此溝通的信號，也跟著流行起來，並且形成了一套「數字語言」。這套數字語言延伸到青少年的日常生活當中，利用數字來表達中文的類似詞。數字原本是抽象、枯燥的，但聰明的中國人卻有一套辦法使他形象化、趣味化，成為遊戲娛樂的工具。李汝珍在《鏡花緣》第 66 與 74 回中，使得數字已經不再是單純的數字，而是能夠體現豐富的社會、時代、文化的色彩，這可以稱為「數字文化」[8]。廣告標語可視為

---

[8] 參見韓敬體、張朝炳、于根元編：《語言的故事》（臺北：洪葉文化公司，1996 年），〈數字遊戲〉，頁 69-71。

社會化過程中不可或缺的要角，它是一種集體式的社會及文化現象。因此廣告標語也採用了一些數字詞，目的不外乎是爲了好記、在語音上討吉利或是配合節日[9]。茲將收集來的廣告標語，屬於數字詞的共 50 條臚列於下：

1・一能靜，二強冷，三省電

2・投資一六八，賺錢一路發

3・28825252 餓爸爸餓我餓我餓

4・想變 9 變，想聽 9 聽，9 是中廣流行網

5・104 人力銀行

6・石破天驚，大地一新

7・泰宇 500，什麼都擺

8・3388（店名）

9・飢餓 30

10・搶鮮 999，999 搶先貨

11・悲情 921

12・911 恐怖攻擊

13・一親芳澤（口紅廣告）

14・1620 一路愛你（洪蕾專業美容）

15・巴結爸爸……禮盒 888 元（吉甫龍馬）

16・一、二、三、四，二、二、三、四，換個姿勢再來一次；三、二、三、四，
四、二、三、四，隨便煎煎就很好吃！（超群年糕）

17・第一，就是世界第一（TAIPEI TIME《報紙》）

18・餘額代償「○利」，刷卡更「○利」（美國 AIG 信用卡）

19・犀力一路發，有實力才能一路發（五十鈴汽車）

---

[9] 參見袁筱青：《現代漢語諧音研究──以華文廣告文案爲例》（臺北：國立臺灣師範大學華語文教學研究所碩士論文，1997 年），頁 37。

20‧一度鮮，一度眠（得意的一天橄欖油）

21‧可貝可幼兒成長奶粉，21世紀奶粉新標準（可貝可幼兒成長奶粉）

22‧第一人壽，人壽第一

23‧除了 No1，還是 No1（披頭四 CD）

24‧吸收十倍，效果十倍（小雅美容）

25‧十大配方，十全十美，營養十足（普而健營養奶粉）

26‧人生有三分之一的時間是在休息（寢具專櫃）

27‧我是宇宙世界超級第一大美女（司迪麥口香糖）

28‧玩得泰瘋五日遊（報紙廣告旅行社招團去泰國玩的標語）

29‧一度讚（速食麵）

30‧單寧2倍，健康加倍(美露香2倍單寧葡萄酒)

31‧誰是百萬房車 NO.1？事實證明--CEFIRO！

32‧三廂兩廂一廂，廂中還有廂？Matrix 裡到底藏了多少 RV 空間？（Matrix 汽車）

33‧21世紀，不想戴眼鏡？也行！（視保眼科 LASIK）

34‧統一 ，飛向健康快樂的21世紀(統一)

35‧光泉鮮乳新世紀，1克拉鑽戒天天送給你(光泉鮮乳)

36‧五戶變一戶，自動變大戶

37‧如意 Ez125，女生的125（機車）

38‧三百六十度，條條道路通安富（郵政安富增值還本終身壽險）

39‧強力抵制6萬8無危險成屋，精選高耐震安全房屋（完全社區順天建設《房子》）

40‧一二三四五，上網不孤獨

41‧吉利紅點888，快樂一路發（匯通銀行）

42・消費 99，愛心久久（全家便利商店）

43・1999，總統級國宴酒（酒）

44・桂冠湯圓，2001 圓（桂冠湯圓）

45・清香 30 天，合作一瞬間（滿庭香二重奏）

46・現刮送 50 萬，天天 call in 再送 100 萬

47・7—ELEVEN 御飯糰，18℃全程保鮮（7—ELEVEN 御飯糰）

48・98 用心・您吃的安心（98 清粥小菜）

49・R320，你的專屬精靈（易利信行動電話）

50・6 分鐘，護引擎（Nissan 感心服務）

三、結論

　　現代語言風格學包含了三個方面：第一是音韻、第二是詞彙、第三是句法。筆者曾從音韻角度來探討有押韻的 527 條廣告標語（2001・10），本文則是從詞彙風格之角度來分析所收集來的 427 條廣告標語，將其分成：（1）重疊詞（2）諧音雙關（3）方言（4）外來語（5）數量詞（6）數字詞的運用等六類來探討。經過分類，統計出327 條廣告標語出現在各類之數據，茲表列於下：

重疊詞	諧音雙關	方言	外來語	數量詞	數字詞
32 次	188 次	70 次	51 次	36 次	50 次

　　每個時代有每個時代的大眾語，它通行無阻於市井之間。廣告則是大眾傳播媒體的先行軍，而廣告標語又是廣告的生命，因此由廣告標語可透露出一些時下的流行語。

　　由上表可知，從所收集來的 427 條廣告標語中，以運用諧音雙關的 188 次為最多，使用方言的 70 次，使用外來語的 51 次，分居、二、三名。

　　外來語的使用共 51 次，約佔全部的 12%。由於台灣和國外的接觸十分頻繁，尤

其是美國和日本，因而帶入了大量的外來語詞。這些現象反映在人們各種日常休閒活動中，當然也在廣告標語中流行起來。因此這是可以理解的。

方言的使用共 70 次，約佔全部的 16.4%。近年來，由於台灣各大語言族群，對自己母語的肯定與自信大增，這樣的情形反映在廣告標語上尤其明顯。

諧音雙關的使用共 188 次，約佔全部的 44%。揚中芳《廣告的心理原理——探討廣告背後的心理歷程》一書中說：

> 企圖利用來將本來中性的商品塑造成一個象徵，是相當費時費力的事。比較省力的方法，是利用文化中已經具有的象徵，將它們與商品連起來，這樣可以達到事半功倍的效果。[10]

由上可知，揚先生似乎有意無意間將「諧音」和「廣告」的精神加以串聯。

我們曉得以諧音雙關的方法來推介其產品與服務，的確可以達到宣傳的廣告效果，因為這樣的廣告標語能使人有種耳目一新之感，造成流行的轟動效應，吸引住消費者的注意力，激起其好奇心去購買商品，接受其提供之服務。「諧音雙關」本來就蘊含了「撿現成」的特性，而廣告則是企圖在最短的時間內，以最大的效果打動人心。於是自然傾向於挪用現成的、大家都耳熟能詳的新舊詞彙。這也就可以說明為何諧音雙關的運用，在 427 條的廣告標語中被使用了 188 次，約佔了全部的 44%這樣大的比例。

然而在廣告標語中大量的使用諧音雙關，是否會給語言文字的應用帶來了混亂，也給語文規範化工作製造了困難？這個問題確實引起了廣告界、教育界、新聞界等各方面專家的重視。輿論認為，這樣的廣告標語對中小學語文教學帶來的負面影響，確實是不可忽視的。因為青少年模仿力強，辨別是非的能力差，容易接受外界的影響（包括不良的影響），所以久而久之，他們在造句作文時，就會犯一些「雞」不可失、花

---

[10] 揚中芳：《廣告的心理原理——探討廣告背後的心理歷程》（臺北：遠流出版社，1989年），頁 307。

「顏」巧、「酒」負盛名等錯誤。究其原因，始作俑者就是這些具有強大影響力的諧音雙關廣告標語。因此如果不思及早規範之法的話，將會誤導眾多的青年人，其惡劣的影響，也將在日後逐漸浮現出來，那麼未來勢必要花更多的心力來消除諧音雙關廣告標語所帶來的負面影響。但是，為了要達到凸顯某一個特定品牌的商品，而導致了原本詞彙之傳統意義的喪失，面對這種情形，則不知是幸抑或不幸？豈能不深思！

參考書目

1‧黃永武：《字句鍛鍊法》，臺北：洪範書店，1986 年

2‧黎運漢：《漢語風格探索》，北京：商務印書館，1990 年

3‧程祥徽：《語言風格初探》，臺北：書林公司，1991 年

4‧張德明：《語言風格學》，臺北：麗文文化公司，1995 年

5‧韓敬體、張朝炳、于根元編：《語言的故事》，臺北：洪葉文化公司，1996 年

6‧竺家寧：《中國的語言和文字》，臺北：臺灣書店，1998 年

　　　　　《漢語詞彙學》，臺北：五南出版公司，1999 年

　　　　　《語言風格與文學韻律》，臺北：五南出版公司，2001 年

7‧謝國平：《語言學概論》，臺北：三民書局，1998 年

8‧周荐：《漢語詞彙新講》，北京：語文出版社，2000 年

9‧許威漢、金甲：《詞彙語寫作》，北京：語文出版社，2000 年

10‧沈錫倫：《民俗文化中的語言奇趣》，臺北：臺灣商務印書館，2001 年

11‧揚中芳：《廣告的心理原理——探討廣告背後的心理歷程》，臺北：遠流出版
　　社，1989 年

12‧川勝久著、沈憶譯：《廣告策略指南》，臺北：世茂出版社，1991 年

13‧莊麗卿：《如何進行廣告》，臺北：遠流出版社，1991 年

14‧楊梨鶴：《文案自動販賣機》，臺北：商周文化公司，1992 年

15‧管倖生：《廣告設計》，臺北：三民書局，1993 年

16‧張靚菡：《廣告時間看廣告》，臺北：揚智文化出版社，1994 年

17‧曹銘宗：《台灣廣告發燒語》，臺北：聯經出版社，1995 年

18‧趙妍如：《非常廣告與生活》，臺北：探索文化出版社，1996 年

19‧羅斐文等著：《廣告發燒片》，臺北：探索文化出版社，1997 年

20‧袁筱青：《現代漢語諧音研究——以華文廣告文案爲例》，臺北‧臺灣師範大學華語文教學研究所碩士論文，1997 年

21‧林金龍：〈廣告語言初探〉，《商業設計學報》第 4 期，2000 年

22‧連德仁：〈台語廣告詞文字化的意義探討——兼論方案的選擇和範例的應用〉，《商業設計學報》第 4 期，2000 年

23‧張慧美：〈從音韻風格看押韻之廣告標語〉，《玄奘學報》（人文專刊）第 4 期，2001 年

龍宇純先生七秩晉五壽慶論文集
2002 年 11 月　　頁 445～458

柳宗元〈封建論〉讀後
——兼論中國皇帝制的生態

管東貴[*]

一、緒言

〈封建論〉[1]是一篇取材於歷史而論述封建制在政治上可不可行問題的文章。

封建制與郡縣制這兩種表面上看性質不同的政治體制[2]，在統治上的效果的評價，自秦始皇建立秦朝開始，二千餘年來就一直是困擾中國皇帝在政治佈局取捨上的問題。而這問題又要從它長遠的歷史背景說起，才能說得比較清楚。

西周政權的崩潰，表面上看是犬戎等入侵所造成的。但從歷史發展的深層涵義上看，卻是周人的封建統治漸趨解體所顯露的一個「症候」。因為「溥天之下，莫非王

---

[*] 中央研究院歷史語言研究所兼任研究員。

[1] 本文所據〈封建論〉，見〔唐〕柳宗元：《柳河東集》（臺北：世界書局，1986 年景印《四庫全書薈要》本），集部，〈別集類〉，第 14 冊，卷 3。

[2] 一般認為封建制是高度分權、郡縣制是中央集權的制度。其實這只是表面現象。從這兩種制度在古代的組織及運作機制上看，都是中央集權的；惟集權的方式不同。封建制是以宗法制為基礎，其集權的方式是透過宗法制中族人對大宗（周王是天下之大宗，《詩·大雅·板》〔臺北：藝文印書館景印《十三經注疏》本，下同〕：「大宗維翰」，《毛傳》：「王者，天下之大宗；翰，幹也」；諸侯是所在國國內的大宗，《禮記·大傳》：「別子為祖，繼別為宗」，即此之謂，如魯之周公。）「百世不遷」的下對上的自發向心力而達成。《詩·小雅·北山》：「溥天之大，莫非王土；率土之濱，莫非王臣」的詩句即反映出了由封建制的集權效果所達成的國家大一統的局面。郡縣制（如秦朝）的集權方式是透過官僚體系的法制以及上對下的人事、財經等權而達成。封建制演變為郡縣制，其集權性質並未變，變的只是集權的方式。

土；率土之濱，莫非王臣」的偌大中國，在周王的封建統治下竟不能發揮出國力來抵禦那些小小的西方部族！秦始皇即是在這樣的歷史發展背景下以一種新的政治體制（郡縣制）完成統一的。

秦國自穆公以來，已明顯地採開放政策，用人唯才，不論有無血緣關係，也不論來自何方。到孝公用商鞅變法後，則已漸漸穩定地走上了以縣制爲特色的建國之路。所以在秦始皇統一以前，關西的秦國實行的已是全國一體的郡縣制。而關東的韓、趙、魏、齊、楚、燕等國卻仍掙扎在日趨解體的封建制中；他們雖仍行封建制，但也出現愈來愈多的「縣」。由此可以看出，新興的縣制正是從封建社會的母體中孕育出來的；後來才出現郡[3]。所以，郡縣制的「長」跟封建制的「消」，正好有對應、瓜代的關係。

秦始皇剛統一時，丞相王綰爲政權安全計，建議在關東地區仍採行封建制，盡封皇子爲諸侯。在朝廷會議討論時，李斯極力反對，他認爲封建制有「後屬疏遠」的缺陷，到時候血緣的內聚力就會淡化到無法發揮保衛政權的作用，甚至諸侯互相攻擊，像周朝那樣諸侯不聽天子的掣御，而終至解體。秦始皇同意李斯的看法，裁決全國一體採行郡縣制[4]。但秦始皇去世後不過幾年，這個政權卻在關東蜂起的反秦復國運動中崩潰了。

劉邦建立漢朝，鑑於秦朝政權的脆弱，一推就倒，將之歸因於「內亡骨肉本根之輔，外亡尺土藩翼之衛」[5]。於是，遂「廣彊庶孽，以鎮撫四海，用承衛天子。」[6]可見劉邦仍相信「血緣」是保衛政權最可靠的力量；所以局部恢復了宗藩制。然而，劉邦、呂后相繼去世後，歷文、景、武三代，宗藩連連反叛，甚至邀結胡、越，幾危社

---

[3]　參看拙文：〈秦漢封建與郡縣由消長到統合過程中的血緣情結〉，《燕京學報》新 5 期（北京：北京大學出版社，1998 年 11 月），頁 16-17，註 5。

[4].　參《史記·秦始皇本紀》（據標點本，下同）。

[5]　見《漢書·諸侯王表序》（據標點本，下同）。

[6]　見《史記·漢興以來諸侯王年表序》。

稷。經祖孫三代數十年努力，才使「諸侯惟得衣食稅租，不與政事。」[7]不過，文、景、武三帝並沒有廢除封建制；而且每個皇帝（含以後的）只要有皇子都儘量封爲諸侯王。所以，自武帝以後漢朝在政治上探行的是封建郡縣雙軌一體而由皇帝專制的一種複合體制[8]。漢以後，這種複合體制的基本型態，隨皇帝制維持了千餘年，直到辛亥革命成功才被民主立憲制取代。惟雙軌中「封建」這一軌如何舖法，各個皇帝容有輕重不同的考量[9]。柳宗元撰〈封建論〉所著眼的唐朝即處在這一過程（漢至清）的中間。

漢、唐間，爲文稱讚封建制最力的人，主要有魏之曹元首及晉之陸機（士衡，年43 歲，公元 261-303 年）[10]；曹氏作〈六代論〉，陸氏作〈五等論〉。《通典·職官十三·王侯總敍》註謂：兩文「皆言封建之利」。下面略述陸氏撰〈五等論〉的背景。

曹魏末，司馬炎受禪，是爲晉武帝，建元太始（太始元年，公元 265 年）。隨即大封子弟宗室爲王[11]。終釀成八王之亂。先是武帝崩（公元 290 年），子衷嗣，是爲晉惠帝。帝庸弱無能；賈后專斷，弑太后，誅宗藩。惠帝永康元年（公元 300 年），趙王司馬倫矯詔誅賈后；又「自爲相國，都督中外諸軍」，旋引陸機爲中書郎，備奪位之謀。次年，倫稱帝，奉惠帝爲太上皇，囚之金墉城。不久，齊王司馬冏起兵討倫；成都王司馬穎等應之，誅倫。逐收陸機等，付廷尉；減死，徙邊，遇赦而止。嗣又得成都王穎之重用。「（陸機）既感全濟之恩，又見朝廷屢有變難，謂：穎必能康隆晉室，

7　見《漢書·諸侯王表序》。另參拙文：〈封建制與漢初宗藩問題〉，《中央研究院第二屆國際漢學會議論文集·歷史組》（臺北：中研院史語所，1989 年 6 月）。

8　「漢朝封建與郡縣統合而由皇帝專制的政治體制雖由高祖初創，但要到武帝時纔定型。」參拙文：〈秦漢封建與郡縣由消長到統合過程中的血緣情結〉，頁 10。

9　同前註，頁 22，註 54。

10　參姜亮夫：《歷代人物年里碑傳綜表》（臺北：華世出版社，1976 年）。另參《晉書·陸機傳》。

11　太始元年，大封宗室子弟為王；咸寧三年（公元 277 年），大事改封。見《晉書·武帝紀》。

遂委身焉。」[12]陸氏論封建之〈五等論〉一文（見《晉書·陸機傳》）應即撰於此段時期（即惠帝永康元年至太安元年間，300-302。也即司馬倫誅賈后至司馬穎以機爲河北大都督之前）。蓋此後，機即困於戰役，遭誣，被害（參看《晉書·陸機傳》）。〈五等論〉之主旨，在闡述「聖王經國，義在封建」（見《晉書·陸機傳》）。而柳宗元〈封建論〉之主旨「封建非聖人意也，勢也」（意即不可行，參下），恰與此相反。

高祖李淵建立唐朝政權，「疏屬畢王」（參下）。太宗貞觀五年（631），詔議封建：「始，唐興，疏屬畢王。至太宗，稍稍降封。時，天下已定，帝與名臣蕭瑀等喟然講封建事，欲與三代比隆。」[13]又，「帝（太宗）問瑀，朕欲長保社稷，奈何？瑀曰：『三代有天下，所以長久者，類封建諸侯以爲藩。秦置守、令，二世而絕。漢分王子弟，享國四百年。魏、晉廢之，亡不旋踵。此封建之有明效也。』帝納之，始議封建。」[14]當時，大臣魏徵、李百藥等人認爲封建在施政發展上有無可避免的嚴重流弊，而持反面的意見；顏師古則從施政技巧的觀點認爲：「不若分王諸子，勿令過大，間以州縣，雜錯而居，互相維持，使各守其境，協力同心，足扶京室」，而持調和折衷的正面意見。唐太宗對這場議論的裁決是：「皇家宗室及勳賢之臣，宜令作鎮藩部，貽厥子孫；非有大故，毋或黜免。所司明爲條例，定等級以聞。」[15]後來，杜佑（公元735-812年）撰《通典》，據魏、晉以來至唐初諸家所持意見總結謂：「法古者多封國之制，是今者賢郡縣之理。雖備徵利病，而終莫究詳。」[16]唐太宗之所以作那樣的裁決，也許正是由於「終莫究詳」的緣故。

---

[12] 見《晉書·陸機傳》。

[13] 見〈宗室列傳贊〉，《新唐書》，卷78。

[14] 見〈蕭禹傳〉，《新唐書》，卷101。按，《資治通鑑·唐紀》繫「詔議封建」於貞觀五年。

[15] 見《資治通鑑·唐紀》太宗貞觀五年。另參〈宗室列傳贊〉，《新唐書》，卷78。

[16] 見《通典·職官十三·王侯總敘》（卷31）。另，前引《新唐書·宗室列傳贊》也有類似意見：「觀諸儒之言（按，含杜佑、柳宗元等人意見），誠然；然建侯置守，如質文遞救，亦不可一概責也。救土崩之難，莫如建諸侯；削尾大之勢，莫如置守宰。唐有鎮帥，古諸侯比也。故王者視所救為之，勿及於敝則善矣。」

半世紀後，武則天篡唐（690-704）。於是封建之論復起[17]。再個把世紀後，有柳宗元（公元 773-819 年）的〈封建論〉[18]。

從上述發展情形及〈封建論〉的內容上看，柳宗元撰〈封建論〉是出於愛社會、愛蒼生的心意。但從整個封建制發展史的觀點看，他的見解是否正確？容有討論餘地。

二、我對〈封建論〉的看法

（一）〈封建論〉指要

柳氏首先依據當時對古代社會的理解，想像中建構了由原始社會漸漸發展出政治組織的一套理論。大意是：在原始社會時代，因發生爭奪生活資源的問題，須有人解決紛爭，「爭而不已，必就其能斷曲直者而聽命焉。其智而明者，所伏必眾。」這樣的人遂成為社會首領。小社會漸多漸大，紛爭隨之擴大。於是乃形成大小不同層級的首領；而「其德在人者，死必求其嗣而奉之。」於是乃形成有上下層級的封建制。所以柳氏歸結謂：「故封建非聖人意也，勢也」（參下）。

封建制的特性是世襲。所以柳氏認為，世襲在政治上人事僵化，其流弊往往使整個社會上下皆不能適才適任、人盡其才。因此，本質上它就不是一種好的制度。它的這種缺點，到秦朝建立郡縣制後才去除。柳氏從周朝夷王以後的史事說起，繼以秦、漢、唐三朝的例子，作為論述的依據。

---

[17] 同上《新唐書·宗室列傳贊》：「……由是罷不復議（按，指太宗詔議封建事）。至名儒劉秩，目武氏之禍，則建論以為：設爵無土，署官不職，非古之道。故權移外家，家廟絕而更存；存之理在取順而難逆，絕之之原在單弱而無所憚。至謂郡縣可以小寧，不可以久安，大抵與曹（元首）、陸（機）相上下。」

[18] 〈封建論〉撰於何時，無可考。惟由宗元年齡及當時史事推估，似當在「永貞內禪」（公元 805 年）王叔文遭黜之後；叔文之黨悉被貶，柳宗元貶為永州司馬。

　　所舉周朝史事：「（夷王）害禮傷尊，下堂而迎覲者。歷于宣王，挾中興復古之德，雄南征北伐之威，卒不能定魯侯之嗣。陵夷迄於幽、厲，王室東徙，而自列爲諸侯矣。厥後，問鼎之輕重者有之，射王中肩者有之，伐凡伯、誅萇弘者有之。天下乖盭，無君君之心，徒建空名於諸侯之上。得非諸侯之盛強、末大不掉之咎歟！」終至「威分於陪臣之邦，國殄於後封之秦。」因此，柳氏認爲周朝的滅亡是「失在於制，不在於政」。

　　秦朝雖行郡縣制，但敗在施政不當：「亟役萬人，暴其威刑，竭其貨賄。負鋤梃謫戍之徒，圜視而合從，大呼而成群。時則有叛人，而無叛吏。人怨於下，而吏畏於上。天下相合，殺守劫令而並起，咎在人怨，非郡邑之制失也……（秦）有理人之制，而不委郡邑是矣；有理人之臣，而不使守宰是矣。郡邑不得正其制，守宰不得行其理。酷刑苦役，而萬人側目。」所以柳氏歸結秦之亡是「失在於政，不在於制」。

　　漢朝兼行封建與郡縣之制。然而，柳氏認爲：「矯秦之枉，徇周之制，剖海內而立宗子、封功臣。數年之間奔命扶傷之不暇……然而，封建之始，郡邑居半。時則有叛國，而無叛郡。……天子之政行於郡，不行於國；制其守宰，不制其侯王。侯王雖亂，不可變也；國人雖病，不可除也。……」所以，柳氏認爲漢朝的問題全出在行封建的部分。

　　唐朝的情形，柳氏認爲：「制州邑、立守宰，此其所以爲宜也。然猶桀猾時起，虐害方域者，失不在於州，而在於兵。時則有叛將，而無叛州。州縣之設固不可革也。」然後，柳氏設想兩種反詰，來爲郡邑制辯護：其一，假設有人以「夏、商、周、漢封建而延，秦郡邑促」對照，認爲前者封建，國祚長，後者郡邑，國祚短，而主張封建優於郡縣制。柳氏辯解謂：「魏之承漢也，封爵猶建；晉之承魏也，因循不革，而兩姓陵替，不聞延祚。今（按，指唐朝當時的情形）矯而變之，垂兩百祀，大業彌固。何繫於諸侯哉。」其二，「或者又以爲，殷、周聖王也，而不革其制，固不當復議也。」柳氏辯解謂：「夫殷、周之不革者，是不得已也。蓋以諸侯歸殷者三千焉，資以黜夏，湯不得而廢；歸周者八百焉，資以勝殷，武王不得而易。徇之以爲安，仍之以爲俗。

湯、武之所不得已也，夫不得已，非公之大者也；私其力於己也，私其衛於子孫也。秦之所以革之者，其爲制公之大者也；其情私也，私其一己之威也，私其盡臣畜於我也。然公天下之端自秦始。」

最後，點出封建「世襲」制的弊病，並闡明封建非聖人之意；從這兩方面看，認爲封建皆不可行：「夫天下之道，理安斯得人者也。使賢者居上，不肖者居下，然後可以理安。今夫封建者，繼世而理；繼世而理者，上果賢乎？下果不肖乎？則生人之理亂未可知也。將欲利其社稷，以一其人之視聽，則又有士大夫世食祿邑，以盡其封略。聖賢生于其時，亦無以立於天下，封建者爲之也。豈聖人之制使至於是乎？吾固曰：非聖人之意也，勢也。」

（二）我對〈封建論〉的看法

一千餘年來，讀〈封建論〉的人甚多，其中稱讚柳文的人佔絕大多數，然也有少數人持批評態度。這在《柳文探微》卷三述〈封建論〉篇，有豐富收錄[19]。蘇東坡對柳文即稱讚備至：「昔之論封建者，曹元首、陸機、劉頌、及唐太宗時魏徵、李百藥、顏師古，其後有劉秩、杜佑、宗元。宗元之論出，而諸子之論廢矣；雖聖人復起，不能易也……。柳宗元之論當爲萬世法也。」[20]而《柳文探微》對宗元之論更是既稱讚又迴護。然持批評態度的人的論述，也有相當理由，如《義門讀書記》對柳文「封建非聖人意也」論說：「（柳氏）未必便得聖人意，如是則興滅國、繼絕世，皆聖人違心之事也」；又，對柳文所舉史事論說：「夫論事而但據其一偏，則孰不有利害之數可陳、

19　行嚴：《柳文探微》（臺北：華正書局，1981 年 3 月）。按，作者行嚴，是章士釗先生之號，原書名《柳文指要》（北京：中華書局，1971 年）。今據前者。

20　〔宋〕蘇軾《志林》，《東坡全集》（臺北：臺灣商務印書館，1983 年景印《文淵閣四庫全書》本），集部，第 85 冊，卷 105，頁 648；《柳文探微》頁 85-87 有引錄。

有成敗之軌可指？」[21]

　　以一千多年前的人對歷史的認識，而能提出像柳宗元那樣的論述，確能服人；蘇東坡的稱讚即是一例。但從現在對歷史，尤其是對封建制的基礎及其發展史有新認識（例如，對封建制與宗法制的密切關係的認識，柳文隻字未提）的人的觀點上看，則柳文頗有可議餘地。上面提到《義門讀書記》的兩點批評，是從理論與方法的觀點去評論的。本文則擬從「制度生態及其歷史發展」的觀點，提出個人的一些看法。

　　第一、柳文批評封建制問題的重點在它的「世襲制」上面。其實，秦始皇時李斯也有類似的批評，惟著眼點各不相同：李斯看到的是「後屬疏遠」的問題，而柳宗元看到的是人事僵化的問題。周人的封建制解體後，除皇帝仍為世襲外（自秦始皇始），其餘居郡守、縣令長等崗位上的人大體上說，都已變為「尚賢」[22]。從這一現象上看，問題似乎確是出在世襲制上面。不過，我們還須要進一步澄清的是，世襲制之成為封建制的致命傷，究竟是「與生俱來的（自周人推行封建制之初即有）」呢？抑或是因環境變遷而導致的？這是問題的關鍵所在。從李斯跟柳宗元所持的理由上看，他們兩人都認為是「與生俱來的」[23]。本文的看法卻屬後者。這須要從周人推行封建制之初的情形上看起，直到皇帝制解體的全盤歷史上去看，才能看出來。然而，李斯卻只注意到封建制已漸趨解體時的情形；柳宗元雖然看到唐代以前的情形，但也是只注意到它解體過程中及漢以後封建制在雙軌一體上的負面效應。

---

[21] 〔清〕何焯：《義門讀書記》（臺北：臺灣商務印書館，1983 年景印《文淵閣四庫全書》本），子部，〈雜家類〉，第 166 冊，卷 35，頁 477；《柳文探微》頁 78-79 有引錄。

[22] 自春秋以降，「世襲」與「尚賢」在發展上有消長對應的關係。可見後者之取代前者乃當時的發展趨勢。又，自漢高祖恢復宗藩制，到武帝時「諸侯惟得衣食稅租，不與政事」，形成為封建、郡縣雙軌一體而由皇帝專制的新體制以來，封建這一軌鋪設的輕重，各代容有不同，但封建制卻隨皇帝制直到清末辛亥革命才一併被清除。參拙文：〈秦漢封建與郡縣由消長到統合過程中的血緣情結〉。

[23] 《史記·秦始皇本紀》：「廷尉李斯議曰：『周文、武所封子弟，同姓甚眾，然後屬疏遠……。』」柳宗元的這種意見，可由〈封建論〉所持「封建非聖人意也」的論旨上看出，因湯、武皆為開國聖王。

　　姬姓之族在建立周朝前，爲避戎禍，在族人首領古公亶父的率領下自豳地遷於岐下時，還只是一個小小的部落。由於古公表現出了卓越的領導才能，所以遷岐下不久就吸引了許多鄰近部落來歸附。進而「貶戎狄之俗，而營築城廓室屋，而邑別居之；作五官有司。民皆歌樂之，頌其德。」[24]可見他們在古公的領導下，漸漸由小部落形成爲一個有設官分職的小國家。四代後，到武王時[25]，竟又擊敗了偌大的殷，一躍而成了整個中國的共主。再經歷成、康、昭、穆四代，國力大盛；這可由昭王南征、穆王西征等事跡上看出來。同時，也是靠周初幾代的經營，奠定了周朝八百餘年的基礎。他們靠的是什麼？顯然是靠「封建親戚以藩屏周」（參下註 33）。可見封建制在周初發生了良好的統治效果。何以周初的封建制能發生那樣良好的效果？這就要從「當時」封建制的內涵上去看，才能看出來。

　　在古公領導下初居岐下的姬姓之族還只是一個部落社會。這時他們自然是以「血緣組織」爲內聚力。從後代的情形來推測，當時他們的血緣組織跟後來的「宗法制度」應有一脈相承的關係。也就是說，後來的宗法制即是由這時的血緣組織發展出來的，甚至可以說那就是他們早期的宗法組織。這可以從當時權位繼位的繼承法上約略看出來。古公決定把權位傳給排行較小的季歷（文王的父親）後，季歷的兩個哥哥太伯、虞仲，乃「亡如荊蠻，以讓季歷。」[26]由這件事上可以看出，當時的繼承制是「世襲」，而且這時候的世襲是雙軌的：一是在正常情形下以長幼爲序的「子繼」，二是在特殊情形下父親仍保有「擇賢而立」的決定權。太伯、虞仲的「亡如荊蠻，以讓季歷」反映了這種雙軌的情形。這種雙軌制，後來仍然保留了下來。正常的「子繼」情形，後代很明顯，不必多作說明。「擇賢而立」的做法在《左傳》上還有記載。定公四年：「昔武王克商，成王定之。選建明德，以蕃屏周。」所謂「選建明德」即是。姬姓之族的

繼承制跟他們早期的宗法制原已有緊密的關係。《詩・大雅・公劉》:「食之飲之,君之宗之」,《毛傳》註「君之宗之」謂:「爲之君爲之大宗」[27]。又,《詩・大雅・板》:「大宗維翰」,《毛傳》:「王者天下之大宗;翰,榦也」。這顯示,繼承了權位的人就是大宗。周人推行封建制後,天子是天下的大宗,諸侯(國君)是國內的大宗(如魯國的周公、伯禽)。所以,古公立季歷,再傳文王後,這一支之居君位者都成了大宗。雖然他要有了政治首領的地位才能成爲大宗,但本質上他仍是以宗族長的地位領政的。古公由部落首領轉變爲國家首領的情形可以說明這一點。大宗在血緣團體內是中心、靈魂人物。這在後代的許多記載上還可以看出來。他有獨尊的地位及團結族人的職能[28];在宗教禮儀上是祭祀長[29];是宗族財產的支配者[30]。他的這種領導族人與領導政治的雙重地位又透過了祭拜祖先的宗教禮儀來強化[31];而且族人對大宗那種強固的向心力不管隔了多少代都不變。由這些現象可以看出,姬姓之族的宗法組織把他們團結成爲一個生命共同體;他們拿一顆大樹枝葉跟根幹的關係來比擬這個生命共同體[32]。同時也可看出周人即是以宗法制爲基礎來推行他們的封建制的。在他們早期的封

---

[27] 《鄭箋》:「君,尊也」,訓君爲尊,乃取其晚出之轉成義,非君字本義;鄭氏不信宗統君統合一,故作此說。今從《毛傳》。

[28] 《儀禮・喪服傳》:「大宗者,尊之統也;大宗者,收族者也。不可以絕。」

[29] 《禮記・曲禮》:「支子不祭,祭必告于宗子。」孔穎達疏:「支子,庶子也。」又,《禮記・大傳》:「庶子不祭,明其宗也。」

[30] 《儀禮・喪服傳》:「子不私其父則不成爲子。故有東宮、有西宮、有南宮、有北宮。異居而同財,有餘則歸之宗,不足則資之宗。」

[31] 《禮記・大傳》:「親親故尊祖,尊祖故敬宗,敬宗故收族,收族故宗廟嚴,宗廟嚴故重社稷。」

[32] 《詩・大雅・文王》:「文王孫子,本支百世。」屈萬里《詩經詮釋》:「其爲周初之詩,殆無可疑。」(臺北:聯經出版公司)《詩》所詠謂:文王以下宗子、支子,永爲一體,而以大樹之根、幹、枝、葉的關係爲喻。秦、漢時期的「族」刑,應即是這種生命共同體的意識的遺痕。又,《禮記・大傳》:「別子爲祖,繼別爲宗,繼禰者爲小宗。有百世不遷之宗,有五世則遷之宗。百世不遷者,別子之後也。宗其繼別子之所自出者,百世不遷者也。」引文最末一句「宗其繼別子之所自出者,百世不遷者也」,是指族人對同

建制中，天子、諸侯、大夫，層層級級都依循這種由枝葉到根幹一體的綴屬法。這就是所謂的「君統」與「宗統」的合一現象。周初封建制之所以能發生良好的效果，主要原因在此。再看，孔子是東夷之人，屬殷系民族，他曾讚嘆：「郁郁乎文哉，吾從周」（引語見《論語·八佾》；另參《史記·孔子世家》）。可見周初的封建統治除了有良好的政治效果外，還締造了連聖人都稱讚的精緻文化。

　　但到西周晚期，由於宗法制本身發生了重大的變化（原有組織漸趨解體），使封建制的基礎漸漸動搖而喪失了統治的效果。造成宗法制的解體有多方面的原因。除了人口膨脹等因素外，最明顯的就是周人分封到各地後，漸漸「地域化」（其中必含有利害關係分化的成分）。這可以從代表他們全族的符號（姬姓）漸由分封至各地的國名取代而成爲氏，進而又以「氏」爲姓的發展上看出來[33]。族內「五世則遷」的宗族新倫理[34]，可能即是隨這種發展而產生的。因此，世襲制會出現「後屬疏遠」的問題；它不是周人推行封建制之初就有的。而且李斯所說的「後屬疏遠」，有人人皆知的邏輯上的徵性，當初推行封建制的人，如周公，不應不知道。如果有又知道，他還會去推行封建制嗎？還會發生良好的統治效果嗎？這是說不通的。

　　天子與諸侯原都是以宗族長的地位領政的。所以宗族權是政治權的基礎。他手握

一根源而繼承了權位的大宗的尊崇向心力，不管隔了多少代都不變。另參拙文：〈秦漢封建與郡縣由消長到統合過程中的血緣情結〉，註68。

[33] 《左傳》僖公二十四年：「昔周公弔二叔之不咸，故封建親戚以藩屏周。管、蔡、郕、霍、魯、衛、毛、聃、郜、雍、曹、滕、畢、原、酆、郇，文之昭也（杜注：『十六國皆文王子。』）邘、晉、應、韓，武之穆也。凡、蔣、邢、茅、胙、祭，周公之胤也。」按，管、蔡、應、韓、凡、蔣等等，都是周初姬姓封的國名。這些國名即成為該國國人的「氏」（意謂：封建貴族移民落地生根之所在）。各國國人之間的來往或相遇時，都稱氏，以示來自何地。在當時，氏背後的姓大概都是自明的。因習用頻繁，久之遂以氏取代了姓。另參拙文：〈秦漢封建與郡縣由消長到統合過程中的血緣情結〉，註59。

[34] 即親屬之間的關係只計算到五代（如權利義務、喪服差等之類），五代（即同高祖者）以外的人謂之親盡（如不必服喪之類）。另參拙文：〈秦漢封建與郡縣由消長到統合過程中的血緣情結〉，註68。

的這兩股權力的輕重關係也漸漸發生了逆轉的變化。即政治權漸漸凌越宗族權之上，也即否定了它原有的基礎。西周晚期夷、厲、幽幾個王即是政治權惡性膨脹比較顯著的幾個例子[35]。政治權的惡性膨脹不但會腐蝕他在政治上的威望，同時也會影響到原先雙軌世襲制中「選建明德」這一軌的健康運作。春秋盟會中有時強調「毋易樹子」，即反映了這種情形[36]。「選建明德」的良性世襲制演變出這樣的流弊，是造成人事僵化問題的主要原因之一。

第二、封建制雖然已有許多明顯的弊病，何以秦以後兩千餘年來能一直附著於皇帝制並屢屢造成內政上的大麻煩，而又無法把它廢除？

我認爲這跟皇帝制本身的生態特性有密切的關係。皇帝制是從封建制解體後蛻變而來的，它雖然跟血緣團體的整體關係已經脫鉤，但皇帝本身的權位仍行世襲。換句話說，它仍含有家天下的性質。周人原先的宗法制雖已解體，但社會上仍有濃厚的血緣意識，這可以從秦、漢的「族」刑，以及數百年後五胡亂華時，華夏之集體南遷者仍多以宗族爲單位的情形上看出來。近代仍可看到的聚族而居、三代同堂，是其餘緒。皇帝制在這樣的生態環境下，政權的安全靠什麼力量來保障？顯然仍是只有靠濃於水的「血」。尤其在政權初建的脆弱階段，保障安全的須要尤爲迫切。所以藉分封宗室子弟來建立保護政權的鐵衛軍，是很自然的事。漢高祖如此，晉武帝、唐高祖、明太祖皆如此。然因在這些開國之君的時代，已沒有如周初的宗法組織和精神，而且又無法卻除「後屬疏遠」（父子關係以外的血緣內聚力，敵不過政治利害）的效應，所以漢有七國之難、晉有八王之亂；唐高祖「疏屬必王」，經太宗詔議封建未果，略予節制，免除了宗藩之禍，但卻發生武后篡唐、藩鎮割據等事；而明代則發生靖難之變。

總之，自劉邦局部恢復封建制，而演變成封建郡縣雙軌一體的皇帝制後，封建這一軌即成爲既不能不行，又不能行：不行，政權安全缺乏保障；行，又有行的後遺症。

---

[35] 另參拙文：〈秦漢封建與郡縣由消長到統合過程中的血緣情結〉，註71。
[36] 如僖公九年《穀梁傳》所記葵丘之會的盟辭。

唐杜佑已感到封建制在政治上有取捨兩難的問題，所以他說：「雖備徵利病，而終莫究詳。」（見前引《通典》）。千年之後撰《續通典》的人仍持各有利弊的看法：「救分離之難，莫若建諸侯；削尾大之勢，莫若置守宰。」[37]其所以如此，跟皇帝制的生態特性有密切關係。這是中國古代封建制解體後，沈澱在社會深層結構中的一個「血緣情結」。這個「結」要到辛亥革命廢除帝制後才一併清除[38]。柳宗元只看到封建制問題的表象，沒有看到它在深層結構上尚有（附隨在皇帝制上）無法徹底清除的根。

三、結論

柳宗元的〈封建論〉是一篇取材於歷史以論述封建制在政治上可不可行問題的文章。

以近代以前的人的歷史認知衡量，他的論述確有相當的說服力，惟仍有舉證偏頗之嫌。他的具體論證事例都只是取自封建制已漸趨崩潰的西周晚期以來的歷史。至於封建制在周初鞏固統治、積聚國力、奠定八百餘年政權基礎的功效，及其所以然的道理，他卻未予重視。

他論述封建制不可行的關鍵，問題在於封建制的「世襲」特性在政治上會造成人事僵化，往往使整個社會上下皆無法適才適任、人盡其才。本文認為，這並非封建制「生而有之」的內在缺陷。因為周人建立封建制之初，以良好的宗法制為基礎，無論是依常規的「子繼」，或由家長依「選建明德」方式特選的「繼承人」，族人對繼位而成為「大宗」的人都有「百世不遷」的堅強向心內聚力，所以能發揮良好的統治效果。

---

[37] 《續通典》，清乾隆三十二年敕撰。按，類似意見在《新唐書·宗室列傳贊》文末已出現（見前註 16 引）。

[38] 參拙文：〈秦漢封建與郡縣由消長到統合過程中的血緣情結〉。另參拙文：〈中國傳統社會的血緣解紐〉，《中國史研究》（北京：中國社會科學院歷史研究所）1995 年第 2 期（總第 66 期）。

但自西周晚期以來，由於環境變遷，宗法制內部發生變化；另外，以宗族長地位領政的政治首領，又漸漸使手握的政治權惡性膨脹，以至捨本逐末地壓過宗族權，遂使族人原有的向心內聚力漸漸崩潰，並使仍行「世襲」的封建制在新環境中流弊叢生。當封建制轉變為皇帝制後，因皇帝制仍有家天下世襲的特性，為了保障政權的安全，仍有依靠血緣團體的必要。這就是劉邦恢復局部封建子弟的根本原因。所以自漢以來封建制仍能附隨於皇帝制而存在。然因周人封建制解體後，宗法制已非周初面貌，宗族內原有的對大宗「百世不遷」的向心力已變為由「五世則遷」的新倫理所取代，除父子以外的血緣內聚力已不敵政治利害關係。所以在這種新環境下，世襲的封建制依血緣團體為保障安全的力量，必會有不良的後遺症。但因在皇帝制之下，天子為保障政權安全，除了血緣團體外，找不到更可靠的力量。（有時靠半血緣關係的外戚，有時靠宦官，但皆失敗）。所以封建制仍能附隨於皇帝制直到清末。

柳宗元沒有去探究古代封建制的社會基礎，以及它演變的歷史，不了解在皇帝職位仍行世襲的情形下，仍有依靠血緣團體為保障政權安全最可靠的力量的需要，所以會認為封建制必不可行。本文依據封建制演變的歷史及皇帝制的特性，認為在皇帝制時代尚有不能不行封建制的深層原因——宗法制解體後的中國社會沒有發展出一種超出血緣團體的保障政權安全最可靠的力量來。只有在產生了民主立憲的政黨政治後，由理想一致的政黨來保障政權安全，封建制才能同皇帝制一併被清除。

2002 年 4 月於臺北南港

龍宇純先生七秩晉五壽慶論文集
2002 年 11 月　　　頁 459～484

呂涇野《宋四子抄釋》研究

鍾彩鈞[*]

一、前言

　　呂柟，字仲木，號涇野，陝西高陵縣人，生於明成化十五年，卒於嘉靖二十一年
（1479-1542）。黃梨洲《明儒學案》將涇野列於河東學案[1]，劉戢山則將涇野列於關學，
並說：「當時陽明先生講良知之學，本以重躬行，而學者誤之，反遺行而言知。得先
生尚行之旨以救之，可謂一髮千鈞。時先生講席幾與陽明氏中分其盛，一時篤行自好
之士，多出先生之門。」[2]據此，整體言之，涇野承襲了程朱學統而與陽明新學相對抗。

　　涇野著作中，包含各時期講學語錄，能全面反映其思想的是《涇野子內篇》[3]。根
據該書，涇野關懷的是五經四書的儒學傳統，理學（主要是宋代理學）的意義在於對
此傳統的發揚[4]。涇野對宋代理學的見解，主要見於《宋四子抄釋》[5]，該書由周、二
程、張、朱四子抄釋合成，前三書皆於嘉靖五年（1526，涇野四十八歲），刻於解梁
書院[6]，至於《朱子抄釋》則於十年之後（嘉靖十五年，1536）編選，並前三子合刻於

---

[*]　中央研究院中國文哲研究所研究員。

[1]　其師傳譜系為薛敬軒（瑄）……段容思（堅）－周小泉（蕙）－薛思菴（敬之）－呂涇
　　野（柟）（虛線代表私淑，實線代表傳授）。參看〈河東學案一〉，《明儒學案》（臺北：
　　世界書局，1973 年 11 月），卷 7，總頁 46-52。

[2]　〈師說〉，同前註，卷首，總頁 6。

[3]　〔明〕呂柟：《涇野子內篇》（北京：中華書局，1992 年 12 月）。

[4]　參看拙著〈生活的儒學──呂涇野思想研究〉，「宋明理學中的關學學術研討會」論文，
　　政治大學哲學系主辦，2001 年 11 月 24 日，頁 9-13。

[5]　呂柟：《宋四子抄釋》（臺北：臺灣商務印書館，1965 年 12 月影印《叢書集成簡編》本）。

[6]　據〈周子抄釋序〉、〈二程子抄釋序〉、〈張子抄釋序〉及〈宋四子抄釋總序〉。

太學。由序文以及刊行情況，可知此書原來作爲書院教育的教材，涇野的抄釋則可視爲他研讀宋儒著作的成果。〈周子抄釋序〉稱周子書爲「入孔顏之門戶」，〈二程子抄釋序〉稱二程「言行多發孔孟之蘊」，〈張子抄釋序〉稱張子「論仁孝神化政教禮樂，蓋自孔孟後，未有能如是切者也」。據此，涇野的自我定位與其說是理學，不如說是儒學。在儒學的大傳統中，周、程、張對義理闡釋發揚，成爲孔孟的入門途徑。〈朱子抄釋序〉云：「予乃取朱子門人楊與立所編語略者，遺其重復，取其切近，抄出一帙，條釋其下，以便初學覽閱。……學者苟於是編少加意焉，然後以觀朱子之全書，自當知所從矣。且因是以窺周、程、張子之奧，上溯孔、顏、思、孟之道，亦可優入而不離也。」據此，朱子書浩博，編選不易，因此只能就存在的選集加工，以求與前三書合成完帙，以應初學的需求。但更重要的原因是，從涇野對朱子釋語，及其他評論來看，他對朱子思想並不如對三子的契合，但在具體工夫上又有推崇朱子之處，善加抉擇，則朱子近而爲北宋三子的入門，遠則爲孔孟之道的入門。

　　本文就《宋四子抄釋》所錄四子語的原意與涇野注釋的發明之意，作較詳細的比較，以明瞭涇野如何抉擇與吸收宋代理學，來構成自己的思想。但在全文伊始，宜先交待大致的結論，以清眉目。前引劉蕺山在《明儒學案・師說》中云，自從陽明提倡良知之後，學者有遺行言知之失，故涇野主張「尙行之旨以救之」。葛潤序《張子抄釋》云：「夫涇野子，亦古之儒也，是故有抄釋焉。推天以人，闔無以有，極內以外，驗古以今，質而味，簡而盡，橫渠子之蘊，其離離然乎！」這兩段文字同樣指出了涇野對形上的思維沒有興趣，而是注重下學的實踐。這判斷是符合實情的，也反映了思想史發展的一種現象。整體言之，宋代是理學的開創時期，他們秉持著儒學的熱情，面對著佛老的壓力，一生的努力主要環繞著究極理想的提出與追求，包括了作爲人生目的的聖人論、政治理想的王道論、與追尋途轍的工夫論等。雖然其學說整體言之是出於實踐的要求，但身爲理想的提倡者，在理論的創發上卻更爲醒目。相對於宋儒對道的探求，涇野則更像一位體道者。他在理論上對前人缺少突破，然而他的目的並不是理論創獲，他關心的是如何將所信仰的道，經過知行的工夫而自得於身，由之

而改進自己的生活以及政治社會。他是儒家之道的體驗者、實踐者。以下對宋儒與涇野思想所作的比較，將會反映出這種區別。

二、性理論

涇野對理氣心性的看法是一元的，而以氣為本，筆者已在他文中引述《涇野子內篇》的材料加以說明[7]，本文引用《宋四子抄釋》，繼續申述此一問題。

氣即理的說法，是涇野反對朱子理氣為二與以理為本時提出的，在《朱子抄釋》釋語中有清楚的陳述。朱子說：「太極生陰陽，理生氣也；陰陽既生，則太極在其中，理復在氣之內也」釋：「說氣有理是，說理生氣恐未穩。」（卷2，總頁361）朱子說：「未有天地之先畢竟也只是理，有理便有這天地，有理便有氣，流行發育萬物。」釋：「理在天地及氣流行之先，恐未然，畢竟是氣即理也。」（同上）理不生氣，不在氣先，則可能是同時並在，亦可能是氣生理。觀涇野釋文，後一解釋似更妥當，也就是氣為存有，理乃是氣的條理，而無獨立的存有。涇野以下的註釋不僅證明這點，且更為心性概念作出清楚的定義：

1.才說性，便已不是性也。蓋才說性時，便是兼氣質而言矣。人生而靜以上不容說，蓋只說得箇天道，下性字不得，所以子貢曰：「夫子之言性與天道，不可得而聞也。」釋：此可見性自氣稟而有，蓋氣即人之成形，其靈甚結聚處為心，心之所生者善處即性。（《朱子抄釋》卷2，總頁362-363）

2.心譬水也，性水之理也，性所以立乎水之靜，情所以行乎水之動，欲則水之流而至於汎濫也，才者水之氣力，所以能流者，然其流有急有緩，則是才之不同。釋：心譬如一池，水之中央澄湛處，其靈覺皆自心中起者，性也。（同上，總頁364）

---

7 〈生活的儒學〉頁2-3。

3.心能盡性，人能弘道也；性不知檢其心，非道弘人也。釋：心主氣血，性所

由生，才所由出也。(〈正蒙誠明第八〉,《張子抄釋》，總頁 251)

第一條，朱子謂性因人物之生而得名，故須與氣質連言，但這無礙於性就自身而言是
「人生而靜以上不容說」，是與天道同質的形而上本體。但涇野則扣緊性不離氣質的
事實，不說人以前，而從人之成形說起，以爲氣之靈爲心，心所生善處爲性。於是氣
——心——性成爲金字塔的三層，後者由前者所生，而爲前者之精粹。值得注意的是
如此定義的心性只是氣的精華，缺少形而上的意味。第二條，朱子從一個心實體中分
析出性、情、欲、才幾個層面，性是水之理，屬於形而上者，水靜時可以彰顯或涵養
性，所以說「性所以立乎水之靜」。但這實踐的、形著的講法，在涇野則轉成事實的、
定義的陳述，「水之中央澄湛處，其靈覺皆自心中起者，性也」，乃是以心之靜而明處
爲性。第三條爲對橫渠的註釋，橫渠原意中，心之於性，也是實踐與形著的關係；但
涇野則以爲屬於氣的心是性的來源，故心大於性而能盡性。以上從形而上下的觀點，
對朱子、橫渠與涇野在理氣心性觀上的差異作了比較，可以看出涇野如何變二元爲一
元，而歸本於心與氣。

　涇野的理氣心性說還有一處可與張橫渠之說比較。簡言之，橫渠心性觀有全體的
意義，涇野則否。橫渠說：「太和所謂道，中涵浮沈升降動靜相感之性，是生絪縕相
盪勝負屈伸之始。其來也幾微易簡，其究也廣大堅固。」(〈正蒙大和第三〉,《張子
抄釋》卷 1，總頁 240) 應指這宇宙整體過程以及每個部分都涵蘊著的「浮沈升降動
靜相感之性」，這是全體之性。性決定了氣的運行與物的生成，卻又受到所生成之物
的限制。橫渠說：「由太虛有天之名，由氣化有道之名，合虛與氣有性之名，合性與
知覺有心之名。」(同上，總頁 242) 虛言其貫通，氣爲性所帶來的「浮沈升降動靜相
感」的實質，形成了個體，也形成對性的限制。天、道固然是全體，但就個體而言，
性、心也是指個體中的全體性。其中，作爲原理的「性」，是「性者萬物之一源，非
有我之得私也」(〈正蒙誠明第八〉，總頁 250)；作爲主體的心，則是「大其心則能體
天下之物，物有未體，則心爲有外」(〈正蒙大心第九〉，總頁 252)。但涇野則沒有這

種全體的心性觀，對於橫渠言「天性在人，正猶水性之在冰，凝釋雖異，為物一也。受光有大小昏明，其照納不二也」，涇野釋云：「性無小大，氣有昏明，故變其氣之昏明則性存。」（〈正蒙誠明第八〉，總頁250）橫渠之意，「受光有大小昏明」指氣質之性（氣質本身的性[8]），而「天性在人」、「凝釋雖異」、「照納不二」則指天地之性，這性在天地與在人是一樣的，因此對性的體認應從全體處著手。但涇野卻以氣為主體，以為萬物之性雖同，而受制於氣的昏明，工夫須從變昏為明著手。從以上的分析，橫渠在其心性論的架構下，工夫偏重於對心性之全體性的體認；涇野的工夫則不僅著眼於個人心性，且偏重於變化氣質的實踐工夫。

橫渠教人以變化氣質為先，此處考察他如何描寫這個工夫。橫渠說：「湛一，氣之本；攻取，氣之欲，口腹於飲食，鼻舌於臭味，皆攻取之性也。知德者屬厭而已，不以嗜欲累其心，不以小害大，末喪本焉爾。」釋：「養性則氣清湛，道心為主也，徇氣則性鑿喪，人心（為）〔惟〕危也。」（同上）橫渠的湛一與攻取之分，即天地之性與氣質之性的區分，吾人工夫在存養全體大本。但在涇野釋中，卻出現「養性」與「人、道心」二詞。修養的次第是心為主，養心即養性，而後氣清湛。涇野之釋遺漏了心性的全體性，而且偏重於實踐。

三、修養論：誠、存心等

以上既說明了涇野對心氣的重視，應用在實踐上，便表現為重視具體處的工夫。他從周、程得到「誠」的觀念，從張、朱得到「存心」及其他心地工夫觀念。下引為濂溪語及注釋：

> 誠無為，幾善惡，德：愛曰仁、宜曰義、理曰禮、通曰智、守曰信。性焉安焉

8　橫渠說：「氣質猶人言性氣，氣有剛柔緩速清濁之氣也，質才也，氣質是一物……惟其能克己，則為能變化卻習俗之氣性。」（〈理窟學太原第七〉，《張子抄釋》卷4，總頁295）

之謂聖，復焉執焉之謂賢，發微不可見、充周不可窮之謂神。釋：誠其本也，幾其用也，德其目也。故賢其學也，聖其熟也，神其妙也，皆至于誠焉耳。(〈通書・誠幾德第三〉，《周子抄釋》卷1，總頁4)

據濂溪〈通書〉首二章「誠上」、「誠下」，誠來自天道化生，而爲五常百行之本源。因此澀野釋「誠幾德」章，以爲由誠至德，雖有分化，究竟是一誠的自我完成。較值得注意處，是賢、聖、神以生熟劃分，而同歸於一誠，也就是從客觀事業上看，賢、聖、神並無不同，只是在踐履上由「誠之」而「誠」，由「勉強」入「自然」而已。以下再引兩條明道著名的言論：

忠信所以進德，終日乾乾，君子當終日對越在天也。蓋上天之載，無聲無臭，其體則謂之易，其理則謂之道，其用則謂之神，其命於人則謂之性，率性則謂之道，修道則謂之教，孟子於其中又發揮出浩然之氣，可謂盡矣。故說神如在其上如在其左右，小事大事，而只曰誠之不可揜如此。夫徹上徹下不過如此，形而上爲道，形而下爲器，須著如此說，器亦道，道亦器。但得道在，不繫今與後，己與人。釋：此君子所以自強不息，以造至誠也。(〈李籲傳第一〉，《二程子抄釋》卷1，總頁47)

明道歷舉經書來點明天人不二或道器不二。其中「誠之不可揜」也是重點，澀野則特重於此，並以工夫說之，遂使聖人千言萬語皆在教人努力造於至誠。而明道原來突出的「天」概念，亦消解於「誠之」的工夫之中。

學只要鞭辟近裡，著己而已，故「切問而近思，則仁在其中矣」。「言忠信，行篤敬，雖蠻貊之邦行矣。言不忠信，行不篤敬，雖州里行乎哉？立則見其參於前，在輿則見其倚於衡，夫然後行。」只此是學。質美者明得盡，查滓便渾化，卻與天地同體，其次惟莊敬持養，及其至則一也。釋：切己處便是誠，誠便能通也。(〈劉絢錄第九〉，《二程子抄釋》卷3，總頁101)

此條中，明道兩引《論語》說明學須近裡著己，才可以上達。澀野之釋，則以爲近裡著己、切問近思、忠信篤敬言誠之工夫，而行於蠻貊言通達。惟誠而後通達，其極至

則與天地同體。因此涇野實是以誠來總括經書中的各種工夫。

涇野從橫渠、朱子處吸收存心的概念，且皆加以單純化：

1.心靜時常少，亂時常多。其清時即視明聽聰，四體不待羈束而自然恭謹，其亂時反是。如此者何也？蓋用心未熟，客慮多而常心少也；習俗之心未去，而實心未全也。有時如失者，只為心生，若熟後自不然。心不可勞，當存其大者，存之熟後小者可略。釋：存其大者是寧心要法。（〈理窟學太原第七〉，《張子抄釋》卷4，總頁296）

2.靜有言得大處有小處，如仁者靜，大也；靜而能慮，則小也。始學亦要靜以入德，至成德亦只是靜。釋：小大只爭生熟，靜而能虛，恐亦不小。（同上，總頁296-297）

以上，橫渠言心靜須存心工夫，心存而熟便自然能靜。然而橫渠有大心的觀念，指不囿於見聞而體天地萬物之心，此處則為與客慮習俗相對的常心實心。唯有大心存養而熟，而後能越過客慮習俗的障蔽。涇野之釋雖言「存其大者是寧心要法」，恐怕不能如橫渠之大，對照下條即可知。第二條中，橫渠明言靜有大小，始學之靜或未能大，成德之靜則必為大者；但涇野認識的只是同一個靜，而有生熟之分。

朱子提倡主敬，亦即存心工夫，但朱子的仍有自己的特色：

「學問之道無他，求其放心而已矣。」上有學問二字在，不只求放心便休。釋：求放心即是學問，求字儘有路徑。（《朱子抄釋》卷1，總頁342）

朱子謂「上有學問二字在，不只求放心便休」，不贊成孤單持守此心，而是說求放心後自能尋得學問之道，也就是存心後便可窮理。涇野釋則謂求放心便是學問，即在求中還可分析出各種途徑。就以上的比較而言，存心的工夫在涇野思想中變得更單純，也更重要了。

《朱子抄釋》一書僅只二卷，其內容安排亦有意義。上卷是學、心、涵養、⋯⋯讀書、六經、其他典籍、詩文等，下卷是理氣心性、制度、孔門、歷代諸儒、

本朝人物、佛老等。可見澀野之於朱子，看重其工夫論遠超過其理氣心性論。
上卷伊始，便有下列諸條：

凡學字便兼行字意思，如講明義理，學也；效人做事，亦學也。釋：知行兼進
是學。(《朱子抄釋》卷 1，總頁 341)

今人有多少病痛，一箇人是一樣，須是仔細自看，即克將去。釋：切己精實，
無如此學。(同上)

學者不於富貴貧賤上立得定，則入門便差了也。釋：此是人之生死關頭。(同
上，總頁 342)

這些平實而具體的工夫語亦皆澀野所常言[9]，無怪乎澀野對朱子感到親切，視他爲周程
張子的門戶了。

四、知行論

(一) 聞見之知與德性之知

上文既明澀野在心地工夫上每每略過宋儒對形上世界的探索，而專力在具體的心
意事爲上用功。本節進一步討論知識與實踐的問題。在知行問題上，澀野不求超越之
知，而關懷道德實踐。在知的方面他否定了超越之境，對於橫渠著名的德性之知與聞
見之知的區分，則加以連繫。橫渠的大心說主張「大其心則能體天下之物」，這是德
性之知，不囿於見聞的。正如天超越於人，德性之知也是超越於見聞之知的；但在澀
野，這些卻不是質上的不同，前者只是後者的調適上遂。橫渠說：「誠明所知乃天德
良知，非聞見小知而已。」釋：「此誠則明矣，然亦自聞見積來。」(〈正蒙誠明第八〉，
《張子抄釋》卷 1，總頁 249) 可見澀野在具體處下工夫的主張影響了他對知識性質

---

9 參考《澀野子內篇》，簡略的引文及申論，可參考拙著：〈生活的儒學〉。

的認知。橫渠又云：

> 聞見之善者謂之學則可，謂之道則不可。須是自求，己能尋見義理，則自有旨
> 趣，自得之則居之安矣。釋：因聞見有得，亦不可謂非道。（〈理窟義理第六〉，
> 《張子抄釋》卷3，總頁287-288）

聞見之知是從外得來的，因此只可謂之學，不可謂之道。道則是從自己內心反求而得
的，因此稱為「自得」、「居之安」。涇野之釋，卻將聞見與道相連繫，以聞見有得為
道。涇野所聞見的是經史乃至生活中的人文知識，而悟得其中之道。此言未為不是，
橫渠也有類似意見，見下引，但與橫渠此處所言畢竟有主從本末之別。

> 大中至正之極，文必能致其用，約必能感而通。未至於此，其視聖人，恍惚前
> 後，不可為之像。此顏子之歎乎！釋：博文約禮，聖學無餘事。（〈正蒙中正第
> 十〉，《張子抄釋》卷1，總頁255）

橫渠此處的工夫寧在盡性，造於大中至正之極，而後博文約禮有其功效，因此博文約
禮屬於果位，涇野之釋以為博文約禮是聖學全部工夫，似倒說了橫渠之意。然而橫渠
仍有不少重視聞見之知與博文窮理工夫者，以下試看橫渠對於二者的調和。

> 須知自誠明與明誠者有異。自誠明者，先盡性以至於窮理也，謂先自其性理會
> 來以至行理。自明誠者，先窮理以至於盡性也，謂先從學問理以推達於天性也。
> 某自是以仲尼為學而知者，某今亦竊希於明誠，所以勉勉安於不退。（〈語錄第
> 一〉，《張子抄釋》卷5，總頁318）

此條說明了橫渠亦重視聞見之知或博文窮理工夫的必要，然而這是非本質的。人如果
不為氣質之性所囿，生而大心盡性，則理不待於窮而自能行。然而這果位上的窮理畢
竟不可期之於常人，吾人應自處於第二層次的自明誠，亦即先窮理以至於盡性，不僅
吾人，連孔子亦同屬此層次。因此超越聞見之知畢竟是理想性的，就實地工夫而言，
由聞見之知契入仍有必要。這樣我們就可以理解橫渠關於窮理的言論了。

> 1.心之要只是欲平曠，熟後無心，如天簡易不已。……然而得博學於文以求義

理，則亦動其心乎？夫思慮不違是心而已，尺蠖之屈，以求伸也；龍蛇之蟄，以存身也。精義入神，以致用也；利用安身，以崇德也。此交相養之道，夫屈者所以求伸也，勤學所以脩身也，博文所以崇德也。惟博文則可以力致，人平居又不可以全無思慮，須是考前言往行，觀昔人制節如此，以行其事而已。故動焉而無不中理。釋：只是定後便能有進。（〈理窟氣質第五〉，《張子抄釋》卷3，總頁 284-285）

2.道理須從義理生，集義又須是博文，博文則利用。又集義則自是經典，已除去了多少掛意，精其義直至于入神。義則是一種義，只是尤精。雖曰義，然有意必固我，便是繫礙，動輒不可。須是無倚，百種病痛除盡，下頭有一不犯手勢自然道理，如此快活，方真是義也。釋：到不犯手便是義精且熟也。（〈理窟學太原第七〉，《張子抄釋》卷4，總頁 298）

第一段說的是博學求義理非是動心。顯然橫渠以爲存心（大心）是本質的工夫，但人不可閒居無事，因而有博文窮理的工夫。由於動靜交相養，故思慮不違心，即能促成養心工夫的完備。這就是博學窮理的積極意義所在。第二條則更從正面肯定博文的意義。橫渠區分了道理、義理、博文三層，道理如天德，當指整全的道理，義理則與博文、經典有關，當指人事的、具體的道理。道理由義理升進，而義理則是博文、經典乃至生活中所涵蘊的義，只要無意必固我的繫礙，即是精義，精義入神，即義理通於道理。此條的涇野釋語卻貼近橫渠之意，故知橫渠窮理說可以發展出涇野的天人一致之說。對於橫渠對存心與窮理的分合的問題，也許從下引一條可以得到折中的看法：

且滋養其明，明則求經義將自見矣。又不可徒養，須觀他前言往行，便畜得己德。若要成德，須是速行之。釋：明行一理。（〈理窟義理第六〉，《張子抄釋》卷3，總頁 289）

此條是橫渠知德關係重要材料，分成了養明、求經義（觀前言往行）、成德（實行）三個階段。所養之明，指「大其心則能體天下之物」的心明，近於德性之知而遠於聞見之知，因而是畜德成德的基礎、理解經義的條件。但徒然養明，則是立大本而無內

容，並不能建立德性，因此後兩階段是成德所必須，但這是本有德性的完成，而不可認爲是自外添入的。橫渠三階段說是朱子知行論的前驅，只是橫渠的養明比朱子的存心有更多的形而上意味。至於涇野解釋「明行一理」，則注意行後始有真知，而歸於一誠的完成。

（二）經與道

以上論橫渠對知識的看法，雖然德性之知超越於聞見之知，但就學者立場而言，仍應切實由博文約禮入手。博文約禮的對象，最主要的自然是前文已舉出的「求經義」。儒家以經爲道的載體，但這只是籠統言之，本小節將引用橫渠、二程之言，及涇野的注釋，作進一步的觀察。

1.當自立說以明性，不可以遺言附會解之。若孟子言不成章不達，及四體不言而喻，此非孔子曾言而孟子言之，此是心解也。釋：纔能立說，便是學過，不是襲取。（〈理窟義理第六〉，《張子抄釋》卷 3，總頁 289）又釋：言當自立說，亦恐未安，但心解後其言自別。（〈語錄第一〉，《張子抄釋》卷 5，總頁 313）

2.博大之心未明，觀書見一言大，一言小，不從博大中來，皆未識盡。既聞中道不易處，且休會歸諸經義。己未能盡天下之理，如何盡天下之言？……今既聞師言此理，是不易，雖掩卷守吾心可矣，凡經義不過取證明而已，故雖有不識字者，何害爲善？釋：明博大之心，亦只是會本窮源。（〈理窟義理第六〉，《張子抄釋》卷 3，總頁 290）

3.由學者至顏子一節，由顏子至仲尼一節，是至難進也。二節猶二關。然而得仲尼地位，亦少詩禮不得。孔子謂學詩學禮，以言以立，不止謂學者，聖人既到後，直知須要此不可闕。不學詩直是無可道，除是穿鑿任己。知詩禮易春秋書六經，直是少一不得。釋：六經如飲食衣服，人當於中盡所以耕耘織紝之方。（〈理窟義理第六〉，《張子抄釋》卷 3，總頁 291）

根據以上幾條，橫渠基本上是以義理來掌握經義，而不是讓經義束縛義理，因此求義理實先於求經義。如第一條以「自立說」與「遺言附會解之」相對，前者是心解而創論，後者則隨人言語，不是真的明性。第二條主張須先有博大之心而守之，未盡天下之理，則不能盡天下之言，得其理則經義只是旁證而已。涇野之釋則不同，第一條在《張子抄釋》中兩見，涇野各自作了註釋，第一解的「學過」指恰當地吸收前人成說，因而不能算是「襲取」，第二解則更是明白反對橫渠的「自立說」。顯然涇野更堅持以經為道之載體，主張由經義入道。第三條橫渠卻從義理落實處論六經不可闕。六經作為道的載體，得道者不僅可以取證，簡直是離開不得，這是從果位言六經中包含豐富的生活資料，故有自然的契合。橫渠就得道者而言，涇野之釋則仍就學習者而言，依據經中的事實（飲食衣服）而學習蘊含的方法（所以耕耘織紝之方）。

二程對經與道的關係的看法，似較橫渠更重視經書，但也不為經書所束縛。下引一著名的段落來討論：

> 蘇季明嘗以治經為傳道居業之實，居常講習，只是空言無益，質之兩先生。伯淳先生曰：「修辭立其誠，不可不仔細理會，言能修省言辭，便是要立誠。若只是修飾言辭為心，只是為偽也。若修其言辭，正為立己之誠意，乃是體當自家敬以直內義以方外之實事。道之浩浩，何處下手，惟立誠才有可居之處，有可居之處，則可以修業也。終日乾乾，小事大事，卻只是忠信所以進德，為實下手處，修辭立其誠，為實修業處。」正叔先生曰：「治經實學也，譬諸草木，區以別矣，道之在經，大小遠近，高下精粗，森列於其中，譬諸日月在上，有人不見者，一人指之，不如眾人指之自見也。如中庸一卷書，自至理便推之於事，如國家有九經，及歷代聖人之跡，莫非實學也。如登九層之臺，自下而上者為是。人患居常講習空言無實者，蓋不自得也。為學治經最好，苟不自得，則盡治五經，亦是空言。今有人心得識達，所得多矣。有雖好讀書，卻患在空虛者，未免此弊。」釋：伯淳謂講習以誠體經，非空言也；正叔謂治經而不自得，亦非空言也。（〈李籲傳第一〉，《二程子抄釋》卷1，總頁46）

蘇季明提出講習與治經的對比，欲以治經取代講習，明道與伊川則分別就講習與治經作了回答。涇野之釋則將講習與治經牽連說，而以為皆非空言。涇野之釋有相當的正確性，然而未盡。明道談講習，講習的確包含不少經的內容，但又不限於經，二程語錄包含各種各樣內容，就是最好的例子。伊川談治經，然而說「人患居常講習空言無實者，蓋不自得也」，排斥的是不自得而不是講習。二程與涇野對經的態度有細微的差別，二程求道時較能獨立於經，涇野則較依賴經。明道之論講習，講習以道為對象（經是其中重要部分），但明道關心的不全在對象上，而指出講習活動本身可以成為道的實踐。伊川則以為治經目的不在空談抽象的大道理，而在對經中精粗大小的具體內容能有所得，這是經由不斷地對道作具體地認識，而能有得於道。在這裡，經與道的關係在於經是道的重要參考，而非對道的壟斷。然而在涇野，獨立尋道的用心更不可見了，所見的是對經中之道的認知體驗與實行，因此其釋中言「以誠體經」、「治經自得」。

　　這種分別可以從明道對謝上蔡的教誨中見出：

　　1.學者先學文，鮮有能至道。至如博觀泛覽，亦自為害。故明道先生教余，嘗曰：「賢讀書，慎不要尋行數墨。」釋：纔展卷見字，便向躬行考求可。（〈謝良佐記第三〉，《二程子抄釋》卷2，總頁81）

　　2.昔錄五經語作一冊，伯淳見，謂曰：「玩物喪志。」釋：作一冊為稽行亦可。（同上）

明道之意是求道而不學文，告誡對言語文字的執著。涇野之釋也反對執著言語文字，但他不是超越言語文字來求道，而是將言語文字所載的道推之於躬行。這分別還可從伊川對養氣的看法得知：

　　孟子養氣一篇，諸君望潛心玩索，須是實識得方可。勿忘勿助長，只是養氣之法，如不識，怎生養？有物始言養，無物又養箇甚麼？浩然之氣須見是一箇物，如顏子言如有所立卓爾，孟子言躍如也，卓如躍如，分明見得方可。釋：只卓

> 爾躍如，是勿忘常接乎心目也。(〈劉安節手編第十一〉，《二程子抄釋》卷4，
>
> 總頁 127)

伊川欲門人玩索養氣說，實識得浩然之氣，卓爾躍如指浩然之氣的氣象，須實識得，
好下勿忘勿助工夫。然而細味涇野之釋，卻是工夫到後始識浩然之氣。勿忘是體驗的
工夫，涇野意謂唯有不斷體驗，而後見到卓爾躍如的浩然之氣。因此比較起來，二程
有更多獨立地從知解上求道的意味，而涇野關懷的是對於經書中既已存在的道，從事
體驗與實現的工夫。這種差別又可從知與信的討論中觀察：

> 周伯溫見先生，先生曰：「從來覺有所得否？學者要自得。六經浩眇，乍來難
>
> 盡曉。且見得路逕後，各自立得一箇門庭，歸而求之可矣。」伯溫問：「如何
>
> 可以自得？」曰：「思。思曰睿，睿作聖。須是於思慮開得之。大抵只是一箇
>
> 明理。」棣問：「學者見得這道理後，篤信力行時亦有見否？」曰：「見亦不一，
>
> 果有所見後，和信也不要矣。」又問：「莫是既見道理，皆是當然否？」曰：「然。
>
> 凡理之所在，東便是東，西便是西，凡言信只是為彼不信，故見此是信爾。孟
>
> 子於四端不言信，亦可見矣。」釋：信有二義，未得之先者，須信也；既得之
>
> 後者，能信也。(〈唐棣編第十五〉，《二程子抄釋》，總頁 159)

伊川認為對於道，須由思而見理，見理即自得。唐棣之問，其意蓋謂既見之後，篤信
力行可帶來深一層的見。伊川的答覆，以為見自有深淺，若真有見則不須言信，又申
述此意曰：「凡言信只是為彼不信，故見此是信爾。」這答覆與涇野之釋比較，涇野
以為道本來就有客觀的存在，未見之前先要有所信，才能不懈怠於前；得之也就是證
實了道的存在，因此而能信。伊川之言固然可以涵蘊涇野此意，但其正面主張實是重
知過於信，不以信來導引知，既知之後也不須再言信。涇野在道的面前，以信來引導
知，是對道的權威有更大的尊重，而自居於體認者與學習者的地位。

（三）窮理與自得

前文已論經與道的關係，大體言之，橫渠、二程較有獨尋義理的氣魄，涇野則謹守經書中的義理，而這和他們的或偏於求道、或偏於體道行道是相應的。本小節將超出窮究經書的範圍，而討論一般求道體道的問題。

伊川作爲求道者，格物窮理是他具體地求知於道的工夫，也是行道的條件。格物窮理必須從具體、部分的事物入手，卻以全體而超越的道理爲目的，因此他強調積累與貫通。涇野的主張如何呢？先看以下引文：

> 1.所務於窮理，非道須盡窮了天下萬物之理，又不道是窮得一理到，只是要積累多後，自然見去。釋：此亦存久自熟之意，但當自起處窮起。（〈李籲傳第一〉，《二程子抄釋》卷1，總頁64）

> 2.問：「格物是外物？是性分中物？」曰：「不拘，凡眼前無非是物。物皆有理，如火之所以熱，水之所以寒，至於君臣父子閒皆是理。」又問：「只窮一物，見此一物，還便見得諸理否？」曰：「須是遍求。雖顏子亦只能聞一知十。若到後來達理了，雖億萬亦可通。……」釋：物以身所臨處格為先，凡思慮籌畫講問皆是格。（〈楊迪第十二〉，《二程子抄釋》卷5，總頁141）

> 3. 學不貴博，貴於正而已矣。言不貴多，貴於當而已矣。政不貴詳，貴於順而已矣。釋：窮理為難。（〈暢大隱本第十八〉，《二程子抄釋》卷6，總頁165）

第一、二條，伊川主張積累多而至貫通，但涇野之意似不如此。涇野從「起處」、「身所臨處」格起，雖不避事，但也不主動求事。與伊川的多積理以達於一理相較，涇野關心的寧是遇事時正確處置的知識。第三條伊川所論是窮理中偏於實用的一部分，卻是涇野窮理的主力所在。這種差別足以反映出涇野學問的實用性格。

窮理是二程的求道工夫，窮理有得稱爲自得，自得者得於己，乃指對道認識之深，與我爲一而言，如前引文伊川謂治經自得。二程有時將自得與默識連言，至涇野

則更多言默識。這裡不僅是語辭習慣的不同，更涉及對於道的理解。以下列舉相關資料：

1.德者，得也。須是實到這裡須得。釋：要在默識，不言而信耳。(〈呂大臨東見錄第二〉，《二程子抄釋》卷1，總頁63)

2.大抵學不言而自得者，乃自得也；有安排布置者，皆非自得也。釋：自得者，立坐處皆可見。(〈劉絢錄第九〉，《二程子抄釋》卷3，總頁99)

3.或問如何學可謂之有得？曰：大凡學問，聞之知之皆不為得，得者須默識心通。學者欲有所得，須是篤志誠意燭理，上知則穎悟自別，其次須以義理涵養而得之。釋：誠便明。(〈說易第十〉，《二程子抄釋》卷3，總頁113)

4.學者須敬守此心，不可急迫。當栽培深厚，涵泳於其間，然後可以自得。但急迫求之，只是私己，終不足以達道。釋：栽培不深厚，只是不為己也。(〈呂大臨東見錄第二〉，《二程子抄釋》卷1，總頁51)

5.思慮不得至於苦。釋：苦則不能自得。(〈胡安國家本第二十四〉，《二程子抄釋》卷7，總頁170)

6 若不能存養，只是說話。釋：此非欲其自得之也。(〈李籲傳第一〉，《二程子抄釋》卷1，總頁47)

7.南方學者從伊川既久，有歸者。或問曰：「學者久從學於門，誰最是有得者？」伊川曰：「豈便敢道他有得處？且只是指與得簡歧徑，令他尋將去不錯了，已是忒大煞。若夫自得，猶難其人。謂之得者，便是己有也，豈不難哉！若論隨力量而有見處，則不無其人也。」釋：自得如此之難。(〈傳聞雜記第二十九〉，《二程子抄釋》卷8，總頁197)

8.只是論得規矩準繩，巧則在人。釋：默識難。(〈獵自謂第七〉，《二程子抄釋》卷2，總頁92)

9.默而識之，吾不得而見之矣，得見善問者斯可矣。釋：默識亦深，程子看似太淺，乃與善問對。(〈朱光庭錄第十九〉，《二程子抄釋》卷7，總頁167)

10.學者須識聖賢之體。聖人，化工也；賢人，巧工也。釋：化工天道，巧工人

為。(〈劉絢錄第九〉，《二程子抄釋》卷3，總頁100)

以上各條，先看二程論自得的部分。二程以為自得是得之於心，完全成為己物，「謂

之得者，便是己有也」，而「有安排布置者，皆非自得」。在二程，道的自得，是客觀

之道的主體化，其途徑有認識與涵養，而認識尤要。因此說：「學者欲有所得，須是

篤志誠意燭理，上知則穎悟自別，其次須以義理涵養而得之。」上知指燭理時即極透

徹，不待涵養；其次指雖知而不堅牢，須以義理涵養，久而後成為己物。因此所謂「當

栽培深厚，涵泳於其間，然後可以自得」；「若不能存養，只是說話」，皆指其次的以

義理涵養，而不是冥行的涵養。涇野對自得的重視與理解與二程同，他知道「自得如

此之難」，也認為自得是道的主體化，因此說「自得者，立坐處皆可見」，而思慮「苦

則不能自得」。默識與自得連用，也是二程開始的，如云：「學不言而自得」，「聞之知

之皆不為得，得者須默識心通」等。因為道的主體化須涵養於內心、表現於行為，超

過了言語知解的層次。但涇野對默識尤其看重，似乎以為還不止於對言語知解的超越

（第九條），而有力行以至於化境的意思（第八、十條）。默識在二程與涇野都指超越

言說，然而乃就道的主體化而言，不必牽連神秘主義立論。涇野比二程更強調默識，

則反映了他更從實行的角度來認識道，如第八、十條，遵循規矩準繩，至於巧，乃至

於化，其間增長的認識便是「默識」；又如第三條，涇野將「篤志誠意燭理」解為由

實行而認識，故謂「誠便明」，這也是一種「默識」。由此對比，涇野對儒家之道的態

度是偏於體驗與實行的。

（四）知識與實踐

理學傳統中，知行問題大別為先知後行與知行合一兩派，但雖有兩派的區分，知

識皆是為了實踐。然而知識與實踐的關係不能只看理論，還要看個人實際面對知識時

的態度。比較宋儒言論和涇野注釋，我們發現涇野是真正將實踐作為知識目的的，而

宋儒的態度其實是比較寬鬆。如橫渠說：

> 知之為用甚大，若知則以下來都了，只為知包著心性識。知者一知，心性之關
> 轄然也。今學者正惟知心性識不知如何，安可言知。知及仁守，只是心到處便
> 謂之知，守者，守其所知。知有所極，而人知則有限，故所謂知及，只言心到
> 處。釋：真知便能力行也。（〈語錄第一〉，《張子抄釋》卷5，總頁311）

本條涇野釋以「真知便能力行」解之，但橫渠原意似專言知。知只是一知，包心性識，
乃心性之關轄，但一般人皆難達到。真知是「知有所極」，一般只是「知及」，也就
是「心到」，仁守只是守其所到處。因此真知便到達極致，不必再說行說守，涇野之
釋其實未達橫渠之意。

> 1.知德斯知言，己嘗自知其德，然後能識言也。人雖言之，己未嘗知其德，豈
> 識其言？須是己知是德，然後能識是言，猶曰知孝之德，則知孝之言也。釋：
> 知德後已行過故識言。（〈理窟義理第六〉，《張子抄釋》卷3，總頁288）
>
> 2.而今看文字，古聖賢說底不差，近世文字惟程先生、張先生、康節說底不差，
> 至如門人之說便有病。釋：從行過處說便不差。（《朱子抄釋》卷2，總頁375）
>
> 3.《正蒙》是盡窮萬物之理。釋：須近取諸身好。（《朱子抄釋》卷1，總頁358）

第一條，橫渠自己不曾說「已行過」故知言。第二條，朱子論北宋五子與程門弟子，
也不以行過與否作為見解優劣的標準。第三條，《正蒙》一書除了言天道之外，如〈參
兩〉篇言天地日月等自然現象，〈動物〉篇言動、植、無生物的生理與物理現象，雖
然橫渠的論述是其神氣陰陽理論的伸展，但終究是一種向客觀世界探求的精神，這精
神朱子把握到了，但涇野卻必欲拉回自身之中，而成為惟重人事。這是涇野重行超過
重知的精神的另一種表現。涇野與朱子在知行關係上還有一項頗大的差異，朱子治學
興趣廣博，歷史上罕見其匹，但除了天生的興趣之外，他也給予知識與文章獨立的地
位，而涇野卻對此多所批評，欲以「行」來範圍朱子，使他不致於游騎無歸。

> 1.博文是致知，約禮乃是踐履之實。釋：博文專為約禮設。（《朱子抄釋》卷1，
> 總頁348）

2.讀書須是將本文熟讀，且咀嚼有味，若有理會不得處，然後將註解看，方是有益。釋：讀書若先從身心上照驗合否，後看注解，亦且能辨其是非矣。（《朱子抄釋》卷1，總頁349）

3.看書非止看一處便見道理，如服藥相似，一服豈能得病便好？須服了又服，服多後藥力自行。釋：對書便見己病乃益。（《朱子抄釋》卷1，總頁350）

第一條從字面看，朱子將博文約禮或致知踐履並列，但涇野則以前者爲手段，後者爲目的。第二條，朱子顯然單就讀書說，熟讀咀嚼，不但可以大體掌握文義，更能體會深層的涵義，未得處再看註解，好比有疑問後求師，更能得師之益。涇野之釋則將書視爲實踐課程，與身心相勘驗，這是以自身爲實踐的註釋者，然後檢討先前註解的是非。朱子與涇野分別偏於知行，彰然可見。第三條服藥之喻用在涇野注釋比用在朱子原文更恰當，朱子重積累後自悟，其服藥不是只服一種，亦不斤斤於對證，而是服多之後藥力自行，如讀書多後，心思明睿，自能見道理。但依涇野的解釋，則書籍是實踐的課程，書籍所載，乃是針對自身道德弱點的處方。因此在涇野，知行關係更爲緊密了。

1.熹自十六七時，便下工夫讀書。當時也喫了多少辛苦，多讀了書。今人卒乍便要讀熹這田地也是難，要須積累著力方可。釋：此恐記先生之言有誤，不然，是先生以讀書為多也。（《朱子抄釋》卷1，總頁351）

2.熹舊時亦要無所不學，禪道、文章、楚辭、詩、兵法，事事要學。一日忽思之曰：「且慢，我只箇一渾身，如何兼得許多？自此逐時去了。」釋：此等亦快，有根子斬不盡，便被他終身纏繞。（《朱子抄釋》卷2，總頁377）

3.方伯謨勸先生少著書，答曰：「在世間喫了飯後，全不做得些子事，無道理。」釋：伯謨意恐更別。（《朱子抄釋》卷1，總頁342）

這三條是朱子自述讀書著書工夫，在朱子是十分鄭重，但涇野卻或明或暗地表示反對。第一條涇野不以讀書積累爲貴，與朱子意相反。第二條，朱子所覺悟的是不可同

時兼讀各書，而應「逐時去了」，亦即須求專精，但專精久後亦將廣博。但涇野釋謂斬盡根子，乃是反對書冊的追求，似非朱子之意。第三條朱子表現了對著述工作的責任感，朱子謂人不當閒散渡日，既爲學者，便應爲著述付出心力。涇野謂「伯謨意恐更別」，是說方伯謨所以勸諫朱子，不是耽心朱子過於勞累，而是爲了著書無補於世，由此見得涇野亦不主多著書。

涇野以道德踐履爲考量，這時讀書、著書都成了爲道德踐履服務的手段，這時朱子有關讀書、著書興趣與方法的言論便受到批判。不止於此，朱子在大量的讀書、著書活動中發展出對文學的興趣，或文道不分的言論，也被涇野提出來檢討。以下選錄幾條爲例。

1.孟子、莊子，文章皆好。列子在前，便有迂僻處，左氏亦然，皆好高而少事實。釋：以孟子同莊列文字並論，恐失之雜。（《朱子抄釋》卷 2，總頁 372）

2.鄭康成也可謂大儒，他考禮名數大故有功，事事都理會得，如漢律令亦皆有註，儘有精力。東漢風俗，諸儒煞好，盧植也好。釋：以康成為大儒，恐非夫子所謂君子儒，若盧植又有得其大者意。（《朱子抄釋》卷 2，總頁 373）

3.先生方脩《韓文考異》，而學者至，因曰：「韓退之議論正，規模闊大，然不如柳子厚較精密。如辨鶡冠子、及說列子在莊子前、及非國語之類，辨得皆是。」釋：之二子皆恐陷于文，孔門四教之文恐不如是。（《朱子抄釋》卷 1，總頁 357）

4.歐公文雖平淡，其中卻自美麗有好處，有不可及處，卻不是闒冗無意思。釋：終是陷于詞章。（《朱子抄釋》卷 1，總頁 358）

5.文章到歐、曾、蘇，道理到二程，方是暢。釋：文章有道理方是暢。（《朱子抄釋》卷 2，總頁 358）

6.問：「東坡、韓公如何？」先生曰：「平正不及韓公，東坡說得高妙處，只是說佛，其他處又皆粗。」又問：「歐公如何？」先生曰：「淺。」久之又曰：「大概皆以文人自立。」釋：既是文人自立，良是，可勿論其粗淺矣。（《朱子抄釋》卷 2，總頁 374）

7.佛經中惟楞嚴咒說得最巧。釋：於異端但取其言，便遺害。(《朱子抄釋》卷
2，總頁 378)

以上朱子論孟子以下諸儒，二、七兩條之外，皆就文章而言，從這些引文，可見出朱子對文章本身的興趣與鑑賞力。朱子亦注意文人的議論，如第三條論韓柳，但涇野則自覺地區別文與道，如第三、六條涇野之釋，真有「一爲文人，便無足觀」的味道。第五條，朱子平列文章之暢與道理之暢，涇野則說「文章有道理方是暢」，以文章爲道理的附庸，而否定了文章自身的價值。這種「唯道理是視」的精神推擴到其他學術，則有如第二、七條之說。對於博通禮制的鄭康成，朱子推爲大儒，但涇野則以「小人儒」稱之。對於楞嚴經的稱贊，涇野則認爲將遺害，這就是純儒的立場了。

自然，就理學家的共法來說，學問仍應歸宿於道德實踐，朱子雖有以上較寬鬆的言論，但我們不可忽略他也有強調道德實踐的一面，舉例如下：

1.大凡看書，須是要自家日用躬行處著力，方可。釋：此便是知行並進之意。(《朱子抄釋》卷 1，總頁 351)

2.道間人多攜詩文求跋尾，熹以為人所以與天地日月相為久長者，元不在此。

釋：夫子此語極使人能立志。(《朱子抄釋》卷 1，總頁 357)

這兩條得到涇野的高度認同，換言之，也可說朱子表現了理學家的典型言論，而爲涇野所繼承。如果從這個角度來看涇野之學，在他選擇性地繼承之下，宋代理學單純化而成爲以明道、體道、行道爲目的的學問。

五、境界論

上文對知行論的討論中，可見出涇野的特色是偏重於道德踐履，而缺乏超越的知識。但他在具體事爲上努力時，所朝向的廣大精微的境界究竟是如何，亦是值得討論的。首先可提出的是修己治人一貫之論。

濂溪〈通書·志學第十〉有「志伊尹之所志，學顏子之所學」的名言，釋：「顏

亦尹之志，尹亦顏之學。」（《周子抄釋》卷1，總頁6）伊尹以天下爲志，而顏淵專力爲己，涇野之釋則以道的實現來貫通二者，重實用亦重立誠，誠與用相表裡。

明道有「有天德便可語王道，其要只在慎獨」[10]的名言，指出理想人格是理想政治的基礎，且以內心工夫爲門徑。這是重視修己與治人的儒家的共同主張，問題在修己與治人的關係密切到甚麼程度？比較二程之言與涇野注釋，似乎可以說，二程以修己爲治人之本，但還是兩個，至於涇野則二者竟是同一件事。涇野欲將他所信仰而力求自得的道，進一步來改造社會。從道的實現須兼人己而言，道是公共的、普遍的，只有實現而無人己之分，也就是體用合一。請看下引諸條。

1.人須學顏子，有顏子之德，則孟子之事功自有。孟子者，禹稷之事功也。釋：聖賢體用本同。（〈劉絢錄第九〉，《二程子抄釋》卷3，總頁100）

2.問：「古之學者為己，不知初設心時是要為己，是要為人？」曰：「須先為己，方能及人。初學只是為己。鄭宏中云：『學者先須要仁，仁所以愛人。』正是顛倒說卻。」釋：才為己便能及人，人己通。（〈楊迪錄第十二〉，《二程子抄釋》卷5，總頁141）

3.或問忠恕之別。曰：「猶形影也，無忠則不能為恕。」釋：言忠恕不可析，析則恕無所本，忠無所用。（〈時紫芝集微言第二十八〉，《二程子抄釋》卷7，總頁179）

4.王道與儒道同，皆貫通天地，學純則純王純儒也。釋：儒所學者王道耳，豈止言同！（同上）

5.伊川先生貶涪州，渡漢江，中流船幾覆，舟中人皆號哭，伊川獨正襟安坐如常。已而及岸，同舟有老父問曰：「當船危時，君正坐色甚莊，何也？」伊川曰：「心存誠敬。」老父曰：「心存誠敬固善，然不若無心。」伊川欲與之言而老父徑去。釋：世亦有如此老，但言無心亦不是，須設法求濟之之道可也。（〈傳

---

10 《二程全書·二程遺書》（臺北：臺灣中華書局，1969年5月），卷14，頁1下。《二程子抄釋》，卷3，總頁104。

聞雜記第二十九〉,《二程子抄釋》卷 8,總頁 188)

根據以上五條,二程與涇野對修己治人的關係,正有是一是二之別。第一條,孟子的事功在正人心、息邪說,仍屬於顏淵正己工夫的自然推擴,所謂與禹稷同功是就後代影響而言。涇野之釋則謂聖賢皆有同樣的體用,不僅禹稷有顏淵之體,顏、孟也有禹稷之用,因此事實上他比程子更強調顏、孟的致用。第二條,伊川之意恐是為學之初須有抉擇,先不為人。涇野之釋則謂人己相通,為己便能及人。第三條,伊川形影的譬喻,有形始有影,因此忠先於恕,似不如涇野的以忠恕為不可分的一體。第四條,伊川所用「儒道」一詞,恐可用「天德」代換。王道儒道同,皆貫通天地,由學純而到達,這是「有天德便可語王道,其要只在慎獨」的另一種說法。涇野則謂「儒所學者王道」,根本抹殺內外的區別,且強調了客觀的王道。第五條,伊川如何反應不可知,想來不外於在無心與誠敬之間作進一步討論。涇野釋謂「須設法求濟之之道」,則是尋求操舟知識以渡江的意思。

在天人關係方面,由於涇野缺少超越知識,以氣來定義心性,故他對天的觀念亦缺乏超越性。以下從他對橫渠的注釋來討論,橫渠多述天道天德與天人之別,而涇野更多從人見天,這與其氣本論是一致的。

1.凡氣清則通,昏則壅,清極則神。故聚而有閒,則風行而聲聞具達,清之驗與!不行而至,通之極與!釋:此學者當革其舊染之污也。不然,則血肉之軀,焉能學貫天人?(〈正蒙大和第三〉,《張子抄釋》卷 1,總頁 242)

2.上天之載,有感必通;聖人之為,得為而為之也。釋:惟至誠故天與聖人皆能妙應物之感。(〈正蒙天道第五〉,《張子抄釋》卷 1,總頁 245)

3.大人者,有容物,無去物;有愛物,無徇物;天之道然。天以直養萬物;代天而理物者,曲成而不害其直,斯盡道矣。釋:天道雖直養,然中閒洪纖高下,亦自有曲折,故聖人能盡其道似之。(〈正蒙至當第十一〉,《張子抄釋》卷 2,總頁 259)

第一條，橫渠論清極則神的效驗，而非言工夫，但在涇野則申論學者的工夫。第二條，橫渠言天人之別，以為天生萬物皆能感通，但聖人之於萬事，則有時勢難易之不同，只能盡力以為其可為而已，但涇野則以為天與聖人相同。第三條，橫渠以為天人有直養與曲成之別，但涇野將聖人彌縫天道之意改變了。總而言之，橫渠說天人之別，這是因為天的超越性，雖聖人亦有不能盡；涇野則說天人之同，在第一條中，學者工夫盡後亦與天同，第三條中，聖人的曲成亦法天。當然，橫渠亦有天人同一之論，這時他的講法是如何呢？可看下列引文：

1.天之知物，不以耳目心思，然知之之理過於耳目心思。天視聽以民，明威以民，故詩書所謂帝天之命，主於民心而已焉。釋：民外無天，天外無民。（〈正蒙天道第五〉，《張子抄釋》卷1，總頁246）

2.神而明之，存乎其人。不知上天之載當存，文王默而成之，存乎德行。學者常存德性，則自然默成而信矣。存文王則知天載之神，存眾人則知物性之神。釋：眾人文王與天一也，觀眾人於文王，觀文王於天，觀天於己。（〈正蒙天道第五〉，《張子抄釋》卷1，總頁246）

3.君子之道達諸天，故聖人有所不能；夫婦之智淆諸物，故大人有所不與。釋：卻恐分析太過。（〈正蒙至當第十一〉，《張子抄釋》卷1，總頁259）

4.匹夫匹婦，非天之聰明不成其為人。聖人，天聰明之盡者爾。釋：人聰明皆天也。（同上）

5.六爻擬議，各正性命，故曰乾德旁通，不失大和而利且貞也。顏氏求龍德正中而未見其止，故擇中庸，得一善則拳拳服膺，歎夫子之忽焉前後也。釋：顏子歎夫子之前後，即是歎天。（〈正蒙大易第十六〉，《張子抄釋》卷2，總頁265）

第一條，橫渠謂天視聽明威以民，是以民心視聽的意思，此處的民心猶言大心，指超越耳目心思的心，其重點在心中有天；涇野的由民見天則無深意可言。第二條，橫渠以為天載之神不可見，由文王而見；物性之神不可見，由眾人而見，涇野則以為己、眾人、文王同是一天。第三條，橫渠對夫婦之智有貶意，故涇野批評為分析太過。第

四條，夫婦與聖人雖同得天聰明，橫渠指出有盡與不盡之異，涇野則重聰明之同。第五條，橫渠涇野意思相同，但涇野之釋「顏子歎夫子之前後，即是歎天」，反映了他自己的「天非在外，從人見天」的立場。以上數條中，較清楚的差別是橫渠從聖人見天，而涇野從凡人見天。從凡人見天，才是真正的天人一致。這點與涇野性理、修養、知行諸論共同構成了一套以氣為本的、具體的、現存的可行之道。

六、結語

以上筆者就《宋四子抄釋》選擇幾個論題，對宋儒與涇野的思想加以比較。可以見出涇野在理學思想成熟的階段，對於道的體驗與實踐上的用心。宋儒處於思想活躍的時代，努力提出人生與政治的終極理想，以及達之之方。涇野是宋代理學忠實的繼承者，從他編選《宋四子抄釋》即可見之。但理學作為道德實踐的學問，發展到涇野的時代，思辨性已經退潮，不再著眼於道的追尋，而是努力去體驗之，以期實現於自身與社會。因此涇野注釋的特性是由天而至人、由知而至行，由形上而至形下。

如果從思想的開創性而言，涇野的貢獻不如陽明學。涇野走上實踐的道路，但思想的浪濤仍不斷向前奔流，理學思想繼續開拓的工作就不得不讓給王陽明了。王陽明勇於在理氣、心性觀上提出異見，在行為上加入狂狷之氣，在思想上容納佛道。王學的普及，告訴我們即便在道德實踐的學問中，仍不能忽視理論與想像的重要性。

對於涇野，我們不能完全從思想開創的角度評價。本文檢討的是他有關宋代理學的著述，在這部書中，我們看到他繼承宋代理學與培養敦篤學風的努力。從更大範圍而言，涇野的興趣已從理學轉向儒學，筆者已在另文指出他提出重氣的思想，以及對漢儒與經書的重視[11]，就學術史而言，這些都是大事。有志之士如能對涇野其他豐富的著作加以研究，則對涇野在學術史上的定位問題將有所貢獻。

---

11 參看拙著〈生活的儒學〉頁 11-12。

龍宇純先生七秩晉五壽慶論文集
2002 年 11 月　　　頁 485～514

阮元與王引之書九通考釋

陳鴻森[*]

一、引言

　　王念孫（1744-1832）、王引之（1766-1834）父子音聲訓詁之學，冠絕一世，所著《讀書雜志》、《經義述聞》、《經傳釋詞》諸書，凡經傳子史，漢晉以來疑文滯義，一經發正，所到冰釋理順；而《廣雅疏證》一書，論者比諸裴松之之注《三國志》、酈道元之注《水經》也，段玉裁稱其「尤能以古音得經義，蓋天下一人而已矣。」[1]章太炎亦曰：「高郵王氏，以其絕學釋姬漢古書，冰解壞分，無所凝滯。信哉千五百年未有其人也！」[2]焦循更許為「鄭、許之亞」[3]，其為當代名家碩學推重如此。

　　有關王氏學行資料，除《高郵王氏遺書》，閔爾昌、劉盼遂兩家《高郵王氏父子年譜》[4]外，另有羅振玉所輯《昭代經師手簡》二編[5]，為乾嘉群賢與王氏父子論學書札，書中多藝林故實，與乾嘉學術所關者甚夥。近臺灣師範大學賴貴三教授著《昭代

---

[*]　中央研究院歷史語言研究所研究員。
[1]　段玉裁：〈王懷祖廣雅注序〉，《經韻樓集》（道光元年，《經韻樓叢書》本），卷 8，頁 3。
[2]　章太炎：《訄書》〈訂文第二十五〉附〈正名雜議〉（臺北：世界書局影印本，1963 年），頁 92。
[3]　焦循：〈讀書三十二贊〉，《雕菰集》（臺北：臺灣商務印書館《叢書集成簡編》本，1966 年），卷 6，頁 88。
[4]　羅振玉輯：《高郵王氏遺書》（上虞羅氏排印本，1925 年）；閔爾昌：《高郵王氏父子年譜》（江都閔氏排印本，1934 年）；劉盼遂：《高郵王氏父子年譜》，收於劉氏《段王學五種》（北平來薰閣書店印行，1936 年）。
[5]　羅振玉輯：《昭代經師手簡》（上虞羅氏景印本，1918 年）。按此諸札原藏王氏後人王丹銘處，後歸于省吾氏。羅氏輯印是書始末，參王慶祥、蕭立文校注：《羅振玉王國維往來書信》（北京：東方出版社，2000 年），第 435、452、454、456、464、466、492、500、504、518、532、538、547 各函。

經師手簡箋釋》一書彰表之[6]，用意至善。惟賴君於清代學術所涉稍淺，故僅能就文面詞意略作詮解耳。其於諸家手簡相關故實，率多茫昧，罕能言之；偶或涉筆，則鮮有不誤者。

　　余近論次阮元（1764-1849）學行，於芸臺〈與王伯申書〉各函嘗三復之。芸臺自言：「元于〔石臞〕先生為鄉後學。乾隆丙午（五十一年）入京，謁先生。先生之學，精微廣博，語元，元略能知其意，先生遂樂以為教。元之稍知聲音文字訓詁者，得於先生也。」[7]而王伯申則芸臺嘉慶四年典會試時所得士也。芸臺與王氏喬梓五十年交好，蓋相契為尤深也。二○○一年九月十七日，納莉颱風侵臺，臺北大浸稽天，生民其魚矣。余汐止山居被災稍淺，然斷水停電者半月，暑溽燋心，爰取《昭代經師手簡》所收阮氏〈與王伯申書〉九通，重為考釋，藉以消日。閔氏《年譜》，於此九書俱未載入，蓋以其年月莫考故與。劉《譜》雖略及之，然各札繫年幾無一是者。今各詳其事實年月，以備討論阮、王學術者采擇焉。賴君《箋釋》違誤處，間加商訂，各隨文所及，不悉具也。

二、阮氏與王伯申書考釋

與王伯申書一

兩接手書，具蒙關愛，謝何可言。生治理葬事略畢，惟封樹、碑石之事，須俟來年次第料理。蒙示《經義述聞》，略為翻閱，並皆洽心，好在條條新奇，而無語不確耳。見索拙論曾子一貫之義，詳在《詁經精舍文集》內，今以一部奉寄；其言「郵表畷」，似亦有可採者。拙撰《曾子注釋》，出京後又有改動。因今年正月鳩工刻《雅頌集》，

6　賴貴三：《昭代經師手簡箋釋》（臺北：里仁書局，1999 年）。本文以下引用，簡稱《箋釋》。

7　阮元：〈王石臞先生基誌銘〉，《揅經室續集》（臺北：臺灣商務印書館《叢書集成簡編》本），卷2之下，頁93。按中華書局鄧經元點校本《揅經室集》缺此文。

工已集而書未校寫，不能罣工閒居，因即以此稿付刻，其實不能算定本。其中講博學、一貫等事，或可少挽禪悟之橫流；至于訓詁，多所未安。頃翻《經義述聞》「勿慮」等訓[8]，尚當采用尊府之說，將板挖改也。《注釋》一本呈覽，初印不過三十本，概未送人，乞秘之，勿示外人，緣將來改者尚多也。宅兆想已卜定？冬寒，嗽疾聞常舉發，尚望珍重。肅此，奉問孝履，不具。伯申宮庶年兄閣下，生制阮元稽首。

森按：此札言「生治理葬事略畢，惟封樹、碑石之事，須俟來年次第料理。」檢《雷塘庵主弟子記》卷二，阮父湘圃（名承信）嘉慶十年閏六月十五日卒於芸臺浙撫官署，年七十二。七月初三日，芸臺奉櫬返里；十二月，葬於揚州府城北雷塘祖塋之側，孫星衍為之銘[9]。據芸臺「治理葬事略畢，……須俟來年」之語，則此札當撰於嘉慶十年歲杪，時阮氏居墓廬在揚也。是時，王伯申亦丁母喪里居，王壽同等〈伯申府君行狀〉云：

> 乙丑（嘉慶十年）奉先大母喪，自山東濟寧旋里。時未卜葬地，府君親歷
>
> 山崗，凡數閱月，始卜地於安徽天長縣之南原。[10]

阮札言「宅兆想已卜定」，知其時猶未葬也。

札中言「蒙示《經義述聞》」云云，《箋釋》謂此書三十二卷，計六百九條[11]，其實此非芸臺當日所見之本。按《經義述聞》書凡三刻，初刻本刊於嘉慶二年，其書四冊，不分卷，無頁碼，蓋隨所得增刻補入也[12]。二刻本嘉慶二十二年刊於

---

8 《箋釋》此文讀「頃翻《經義述聞》『勿』、『慮』等訓」（頁 224），誤。按「勿慮」二字當連讀，說見今本《述聞》卷 11 及卷 31「無慮」條。

9 張鑑等纂：《阮元年譜》（北京：中華書局，1995 年），頁 63-64。按《雷塘庵主弟子記》八卷，阮元門人張鑑及芸臺諸子常生、福、孔厚所編；其道光十八年以下，則柳興恩續編也。其書蓋倣宋劉敞《公是先生弟子記》之名，實譜記芸臺平生行實也。1995 年中華書局黃愛平點校本，改題《阮元年譜》。本文引據，正文仍用《弟子記》原名，註則用黃君點校之本，以此本傳行較廣，易得也。

10 王壽同等：〈伯申府君行狀〉，《王氏六葉傳狀碑誌集》（《高郵王氏遺書》本），卷 5，頁 4。

11 賴貴三：《箋釋》，頁 224。

12 葉德輝《郋園讀書志》卷 2「《經義述聞》四冊不分卷」條，云：「高郵王文簡引之所著

江西，蓋盧宣旬於校刻《十三經注疏》之暇並以付刻者，其書凡《周易》、《尚書》各一卷、《毛詩》二卷，《周官》、《儀禮》、《大戴禮》各一卷，《禮記》、《左傳》各二卷、《國語》、《公羊傳》、《穀梁傳》、〈通說〉各一卷，計十五卷[13]，芸臺為之序。三刻本則道光七年十二月刊於京師壽藤書屋者，道光十年全書刻成，今通行三十二卷本即從此本出[14]。賴君不知此書先後諸刻不同，故《箋釋》於各家手簡凡言及《述聞》者，不問其撰年，悉以為三十二卷，殊誤。

札言「見索拙論曾子一貫之義。……其言『郵表畷』，似亦有可採者。」前者指〈論語一貫說〉，後者即〈釋郵表畷〉，《箋釋》誤釋。二文見《詁經精舍文集》卷八，蓋為諸生程作也，今分別收入《揅經室一集》卷二及卷一。芸臺謂《論語》「貫」字凡三見，曾子之「一貫」也，子貢之「一貫」也，閔子之言「仍舊貫」也，此三「貫」字皆當訓為行事。孔子語曾子曰「吾道一以貫之」者，言孔子之道壹皆於行事見之也[15]。此阮氏極得意之說，其《曾子注釋》及〈論語解〉、〈孟子論仁論〉諸文，俱有此說[16]。而方東樹輩排擊漢學之失，尤極斥斯說為禍道害教[17]。〈釋郵表畷〉一文，謂《禮記‧郊特牲》所謂「郵表畷」者，「郵乃為井田上道里可以傳書之舍也；表乃井田間分界之木也；畷乃田兩陌之間道也，凡此皆古人饗祭之處也。而『郵表畷』之古義，皆以立木綴毛裘之物垂之，

《經義述聞》一書，久為經神學海，然不知其竭一生之心力，凡數易稿而始寫定刊行。此其初次刻也，書分四冊，共四百十七葉，不分卷，不記葉號，孫星衍《祠堂書目》內編經部載之。」（長沙葉氏澂園排印本，1928 年，頁 30），孫殿起《販書偶記》卷 3 著錄（北京：中華書局，1959 年，頁 65）。友人李宗焜君亦藏一部，荷承惠借，書此志謝。

[13] 周中孚《鄭堂讀書記》卷 2、孫殿起《販書偶記》卷 3 著錄。葉德輝云：「嘉慶丙子（21年）刻于江西，有阮文達〈序〉者，分為二十八卷。」（同上註）按此刻凡十五卷，葉氏誤記耳，同書卷 2《周秦名字解詁》條（頁 4）所言不誤。

[14] 參拙作〈清代學術史叢考〉「《經義述聞》諸版」條，《大陸雜誌》第 87 卷第 3 期（1993年）。

[15] 阮元：〈論語一貫說〉，《揅經室集》，頁 45-46。

[16] 阮元：《曾子注釋》（道光 25 年，阮氏揅經室刊本），卷 2，頁 3；又《揅經室集》，頁43，又頁 186。

[17] 方東樹：《漢學商兌》（臺北：廣文書局影印本，1963 年），卷中之上，頁 40-44。

分間界行列遠近，使人可準視望、止行步而命名者也。」[18]此義爲前人不發之祕，侯外廬氏亟稱其說，以爲「其內容暗示些古代國家起源的說明」；近年楊向奎、李中清二氏，更論「郵表畷」即兩漢郵亭制度之前驅，其說即由芸臺此文導出也[19]。

芸臺所注《曾子十篇》，原序末記嘉慶三年六月，蓋書稿即成於是時。道光二十五年重刊本卷首劉文淇識語云：「嘉慶戊午（三年），儀徵相國注釋是書，刊於浙江使院。板藏揚州福壽庭，燬於火。乙巳（道光二十五年）冬，以初印本重刊」云云[20]，似其書嘉慶三年嘗刻之。然據此札「即以此稿付刻」、「初印不過三十本」云云之語，知是書初刻當在嘉慶十年，劉說未核。阮亨《瀛舟筆談》卷七言：芸臺「入官以後，編纂之書較多，而沈精殫思、獨發古誼之作爲少，不能似經生時之專力矣。然所作《曾子十篇注釋》，則時時自隨，凡三易稿。此中發明孔、曾博學、難易、忠恕、一貫等事，實昔儒所未及闕言，故所撰之書當以此五卷爲最重。」[21]此札言「頃翻《經義述聞》『勿慮』等訓，尙當采用尊府之說」云云，檢〈曾子立事篇〉：「居由仕也，備則未爲備也，而勿慮存焉。」阮注：「王給事云：勿慮，都凡也，猶言大凡。」[22]是已改從王懷祖之說矣。余檢阮書引王懷祖、王伯申之說各六事，蓋皆後來所增改者。

札中言「今年正月鳩工刻《雅頌集》」者，《箋釋》以《詩》六義說之[23]，殊非其旨。按鐵保纂《八旗通志》，甄錄清開國以來百數十年間八旗之詩，爲書百

---

[18] 阮元：〈釋郵表畷〉，《揅經室集》，頁 14-15。按《大戴禮記·曾子制言中》：「言爲文章，行爲表綴於天下。」阮氏《曾子注釋》云：「凡樹梟以著望曰表，復繫物於表曰綴，皆所以正疆土及人行立者。」（卷3，頁12）亦用此說作解。

[19] 侯外廬：《中國思想通史》第5卷（北京：人民出版社，1980年），頁 587；楊向奎、李中清：〈論「郵表畷」與「街彈」〉，收於《紀念顧頡剛學術論文集》（成都：巴蜀書社，1990年），頁 219-227。

[20] 阮元：《曾子注釋》，卷首，頁 10。

[21] 阮亨：《瀛舟筆談》（嘉慶25年原刊本），卷7，頁1。

[22] 阮元：《曾子注釋》，卷1，頁 19。

[23] 賴貴三：《箋釋》，頁 226。

三十四卷，嘉慶九年進呈，賜名《熙朝雅頌集》，即此。鐵保奏請由芸臺刊刻其書，《揅經室二集》卷八〈奉敕撰熙朝雅頌集跋〉云：「是書於嘉慶九年九月開雕，四閱月而工竣。」[24]《弟子記》「刻《熙朝雅頌集》成」在十年四月[25]。今據此札言「今年正月鳩工刻《雅頌集》，工已集而書未校寫」，則當以後者近是。

與王伯申書二

《古韻廿一部》刻字之事，若元在粵，十日即成，而至今杳然。吳蘭修辦事有名疲緩，亦不催之矣。堂中《經解》，若非夏道與厚民緊緊催辦，必致中輟（夏升去，即無人可出力，巧巧刻完即升）。因思年兄大人此時居鄉無事，何不將《廣韻》取出，送一教館之人令其排寫（字要似《廣韻》大字之大），特須至、祭等一一指示耳。單寫大字，不寫小字，不過數萬字；寫成，交舍下刻之甚易。舍下管事者張茂才（鶴書，號琴堂）舍親，付之即可刻也。如有書函，揚州太守官封[26]最便（四十餘日即到）。

　　森按：此札討論刊刻《古韻廿一部》之事，王國維以爲其書即王懷祖遺稿《說文諧聲譜》，王氏〈高郵王懷祖先生訓詁音韻書稿敘錄〉云：

　　　　此書（森按：指王氏《說文諧聲譜》）文達在粵東時擬為刊行，未幾去粵，而稿本尚留學海堂。文達於嘉慶乙丑由雲南致文簡札，云：「《古韻廿一部》刻字之事，若元在粵，十日即成」云云。[27]

　　王國維以此札爲嘉慶十年乙丑所作；劉盼遂《高郵王氏父子年譜》嘉慶十年條下亦言：

---

[24] 阮元：《揅經室集》，頁 517。又阮元為斌良《抱沖齋詩集・序》，言：「嘉慶甲子，鐵冶亭師采輯長白諸公之詩，為《熙朝雅頌集》，命元刊刻於浙江，並撰跋語於後，洵藝林之盛事矣。」此文本集未收，見余《阮元揅經室遺文輯存》，《大陸雜誌》第 103 卷第 3 期（2001 年），頁 45。

[25] 張鑑等纂：《阮元年譜》，頁 60。

[26] 「封」字，《箋釋》釋作「書」（頁 229），誤。

[27] 王國維：《觀堂集林》（北京：中華書局，1959 年），卷 8，頁 32。

阮元來書，論刻《二十一部古均》事。[28]

王、劉二氏以此札爲嘉慶十年撰者，未詳所據，蓋以札中「年兄大人此時居鄉無事」之語，爲王伯申丁母喪居鄉時也。惟余考之，二家所定者實大謬不然。芸臺言「若元在粵，十日即成」，明此札當是阮氏去粵督後所撰。按《弟子記》，阮元由湖廣總督調補兩廣總督，在嘉慶二十二年八月，十月二十二日到任接印；道光六年六月調雲貴總督[29]。則此札必道光六年以後所撰甚明。若嘉慶十年，則芸臺尚在浙江巡撫任；七月，丁父憂里居。是年阮氏並未赴滇，焉有「由雲南致文簡札」之事？

復按下文言「堂中《經解》，若非夏道與厚民緊緊催辦，必致中輟。」所云「堂中《經解》」，即學海堂所刻《皇清經解》。《箋釋》云：「夏道，不詳，查無此人資料，即簡中之『夏升夫』其人。」[30]此誤釋「去」字爲「夫」，又誤「夏升夫」爲夏道之字。按夏道者，夏修恕也[31]，「道」則其官稱，時分巡廣東糧儲道也。《弟子記》道光五年八月條，阮福云：

> 是月，輯刻《皇清經解》。此書編輯者爲錢塘嚴厚民先生杰，監刻者爲吳石華學博，校對者爲學海堂諸生。福在署總理收發書籍出入、催督刻工諸事。[32]

其監刻者吳石華，即此札所言之吳蘭修，時任學海堂學博[33]。《弟子記》道光六

---

28 劉盼遂：《高郵王氏父子年譜》，頁 20。
29 張鑑等纂：《阮元年譜》，頁 125，又頁 151。
30 賴貴三：《箋釋》，頁 230。
31 夏修恕，字渾初，號森圃，江西新建人。嘉慶七年進士，歷官安徽按察使，降貴州思南府知府。
32 張鑑等纂：《阮元年譜》，頁 148-149。
33 吳蘭修，《清史列傳》卷 72、《疇人傳》卷 51 有傳。《碑傳集三編》卷 38〈吳蘭修傳〉云：蘭修，字石華，嘉應州人，嘉慶十三年舉人。道光元年，署番禺縣學訓導。四年，總督阮文達元建學海堂，與趙均董其役；堂成，舉爲學長，兼粵秀書院監院。補信宜縣學教諭。著《南漢紀》五卷、《南漢地理志》一卷、《南漢金石志》二卷、《宋史地理志補正》等。兼擅算術，撰有《方程論》；尤善依聲，論者謂嶺外之白石翁、玉田生也。

年六月條云：

> 是時編輯《皇清經解》將一載，已得成書千卷。今欲赴滇，大人將書交
> 付糧道夏公修恕接辦；至編輯者，仍嚴厚民先生也。[34]

又道光九年條云：

> 十二月，粵東將刻成《皇清經解》寄到滇南。福案：是書大人於道光五
> 年在粵編輯開雕。六年夏，移節來滇，迺屬糧道夏觀察修恕接理其事，
> 嚴厚民先生杰總司編集。[35]

札中言「夏升去即無人可出力，巧巧刻完即升」，明此札必撰於道光九年秋《經
解》刻成以後[36]。另考《揅經室續集》卷三有阮氏庚寅（道光十年）閏月〈與學
海堂吳學博蘭修書〉，正囑渠於學海堂纂刻王氏《古韻廿一部》事：

> 高郵王懷祖先生，精研六書音韻，欲著古音一書，因段氏成書，遂即輟
> 筆（原注：余三十年前即聞此論）。然其分廿一部，甄極《詩》、《騷》，剖析
> 豪芒，不但密于段氏，更有密于陸氏（森按：指陸法言）者。予屢欲併《廣
> 韻》而以古音分部，使便於擬漢以上文章辭賦者取用之，迄未暇為之計。
> 學海堂中，年兄深嫥古音，曷就段氏精審之，而進以王氏之學，定為《古
> 韻廿一部》，以群經、《楚辭》為之根柢，為之圍範，庶無隔部臆用之謬
> 乎！……年兄試再與堂中林、曾、楊諸子商榷寫定（即如廿一部至質須在
> 各韻中將各字提摘而出，而刪去彼韻之字），即可在堂中刊板成帙，不過數萬
> 大字，即可嘉惠學古之士。予雖老，亦樂得觀之。[37]

此芸臺之志也。據此信，知《古韻廿一部》者，蓋參酌段玉裁《六書音均表》，
而依王氏所分二十一部，歸併《廣韻》之字，「使便於擬漢以上文章辭賦者取用

---

[34] 張鑑等纂：《阮元年譜》，頁153。

[35] 張鑑等纂：《阮元年譜》，頁165。

[36] 按《昭代經師手簡》二編，陳壽祺〈與王伯申第三書〉云：「儀徵夫子在嶺南編輯《皇
清經解》，今秋刻竣，亦藝林大觀也。」則《經解》道光九年秋間刻成也。

[37] 阮元：〈與學海堂吳學博蘭修書〉，《揅經室續集》，頁132-133。

之」，「庶無隔部臆用之謬」。其書本無成稿，故芸臺囑吳蘭修就《廣韻》歸併之，與學海堂林伯桐、曾釗諸君商榷寫定。然則王國維以阮札所言《古韻廿一部》，謂即王懷祖《說文諧聲譜》；又言王氏「以定稿寄阮文達公於廣東。⋯⋯此書文達在粵東時擬爲刊行，未幾去粵，而稿本尚留學海堂。文達於嘉慶乙丑由雲南致文簡札云：『《古韻廿一部》刻字之事，若元在粵，十日即成』云云」[38]，懸論無根，殊非其實。王氏未考阮集〈與吳蘭修書〉，故爲此臆說耳。

今繹阮札「《古韻廿一部》刻字之事，若元在粵，十日即成，而至今杳然。吳蘭修辦事有名疲緩」云云之語，則此札必撰於道光十年以後無疑。蓋吳蘭修久而無成，故芸臺別爲之計，因勸王伯申讀禮之暇更爲之，「送一教館之人令其排寫」，成稿後，即於揚州付刻。下第七書亦言此事，合二札考之，則此札所言「年兄大人此時居鄉無事」者，當是道光十二年正月王懷祖卒後，伯申丁憂居鄉也，此札應作於道光十三年（參下第七書）。王、劉二氏誤以爲嘉慶十年王伯申居母喪時，前後相去將三十年，可謂失之遠矣。王氏爲學向極矜慎，不知何以有此誤？而劉盼遂既爲王氏父子譜其行事，乃其年月乖牾如此[39]，更不可解。《箋釋》以此札爲「希望王引之能協助他將《廣韻》付梓，並交待排寫的格式及內容」[40]，此睽目道黑白者，尤不足辨。

與王伯申書三

前接手函并課卷，已照來單出榜，榜上并寫明會同學院云云矣。濟寧老大人處，已將《文選》八十三條送到；又荐陳君（啟宗，乃注《春秋外傳》樹華之子）來覓館，一時無

---

[38] 王國維：《觀堂集林》，卷 8，頁 31-32。

[39] 劉盼遂《王氏父子年譜》道光十四年條下云：「阮伯元來第六書，又第二書。」（頁 30）劉氏復繫第二書於道光十四年，亦非。

[40] 賴貴三：《箋釋》，頁 229。

地，且延入署暫住矣。昨摺差回，接軍機水部童萼君書，云廿九日曾有一書與生，并文正師[41]詩稿等件，交年兄處摺差帶回。計此差十日到京，仍須七八日始能回到彰德；如此差由彰德回省，想已令其帶回。否則即加封包好，交與提調專差差人遞省，勿致遲舛為屬。以歲作科之例，已據禮部行文到豫，可以毋庸具奏矣。肅此，并候行祺，不具。伯申宮庶年兄學使，生阮元頓首。初七日大梁發。

森按：此札末記「初七日大梁發」，則是時芸臺任官河南。札中言王懷祖「荐陳君（啟宗，乃注《春秋外傳》樹華之子）來覓館，一時無地，且延入署暫住。」《箋釋》讀「乃注《春秋外傳》」為句，謂陳樹華之子「啓宗，阮元言其注《春秋外傳》」[42]，殊誤。按陳樹華字芳林，號冶泉，元和人。有三子，啓宗其季也。段玉裁《經韻樓集》卷八〈陳芳林墓志銘〉言：

> 乾隆辛丑（四十六年），余自巫山引疾歸，南陔多暇，補理舊業。得盧召弓（文弨）、金輔之（榜）、劉端臨諸君為友。盧、金二君為余言蘇州陳君芳林，以所著《春秋內外傳考正》五十一卷相示。余讀之，駭然以驚，曰：「詳矣，精矣！內、外傳乃有善本矣。」逐書其副藏於家，用以訂阮梁伯（元）《十三經校刊記》。[43]

陳樹華《春秋內外傳考正》以精核稱，有聲於時，惜其書迄未梓刻，稿本藏臺北國家圖書館。

劉盼遂《經韻樓文集補編》，有嘉慶九年段氏與王懷祖書，中云：

> 有陳芳林先生之子名啟宗，渠因失館出門，其人品行端方，亦翩翩書記。
> 執事倘能教誨之，必能不負，芳林固亦先生之故人也。[44]

據此，知陳啓宗之謁王懷祖，乃段玉裁所推薦。王氏復薦之芸臺，使赴開封覓

---

[41] 「師」字，《箋釋》釋作「卿」，誤。按阮元乾隆五十一年秋試，為朱珪所得士也。

[42] 賴貴三：《箋釋》，頁235。

[43] 段玉裁：《經韻樓集》，卷8，頁39。

[44] 劉盼遂輯：《經韻樓文集補編》（北平來薰閣書店，《段王學五種》所收，1936年），卷下，頁17〈與王懷祖第一書〉。

館。段氏另有與王懷祖書一通，劉盼遂《段集補編》失收，札中言：

> 陳兄啟宗以鄙札奉謁，中有「棘人」字[45]，彼于裁服未闋時取有拙札，遲
> 之又久而後行，乃又取札。不用後札而用前札，殊憒憒也。先生念舊，
> 廣為推轂，甚善。[46]

此信余考為嘉慶十三年夏所撰[47]。按芸臺嘉慶十二年十月服闋入都，署戶部右侍
郎。十一月十五日奉命赴河南審辦勒休知府熊之書控案，尋補兵部右侍郎；十
二月二十二日授浙江巡撫，暫署河南巡撫事。十三年三月初三日，豫撫清安泰
到任，交印啟程赴浙，二十八日行抵杭州接印。[48]然則此札必阮氏署理河南巡撫
時，即十三年一、二月間所撰[49]，與上引段氏嘉慶十三年夏與王懷祖書年月正合。
復按王壽同等〈伯申府君行狀〉，王伯申十二年服闋入都，補原官（右春坊右庶
子），八月簡放河南學政，在官三年。然則芸臺署理豫撫時，王伯申同在河南，〈行
述〉言：「豫省民風淳厚，學問稍乏根柢，府君謀於中丞阮芸臺先生，捐廉購《十
三經注疏》百餘部，分置各屬學宮，俾諸生鈔讀。」[50]可以想見二人之相得也，
故此札官、私事並言。

　　復考阮氏嘉慶十一年五月丁憂時，曾於所居文選樓集校宋元本《文選李善
注》，所集各本有馮寶伯據晉府諸本參校者，又陸敕先據錢遵王宋本所校者，及
顧千里校宋淳熙尤袤刊本[51]。此札言「濟寧老大人處已將《文選》八十三條送到」，

---

[45] 按即上引《段集補編》所收〈與王懷祖第一書〉，時段氏居父喪也。

[46] 見拙稿〈段玉裁年譜訂補〉嘉慶十三年條，《中央研究院歷史語言研究所集刊》第 60
本第 3 分（1989 年），頁 637-638。

[47] 同上註。

[48] 張鑑等纂：《阮元年譜》，頁 67-69。

[49] 按劉盼遂《王氏父子年譜》乾隆五十八年條云：「阮伯元來第三書」（頁 16）；嘉慶十三
年復出「阮元來第三書」（頁 21）。一信分繫兩處，前後相去十五年，蓋成書時前後失
於檢照也。

[50] 王壽同等：〈伯申府君行狀〉，《王氏六葉傳狀碑誌集》，卷 5，頁 4。

[51] 王文進：《文祿堂訪書記》（北平文祿堂排印本，1942 年），卷 5，頁 26；又拙作《阮元
揅經室遺文輯存》卷中〈集校宋元本文選李善注跋〉，《大陸雜誌》第 103 卷第 4 期（2001

蓋芸臺擬撰《文選校勘記》，故從王懷祖索其向所校訂者，時王氏官山東運河道，官署在濟寧也。其後顧千里爲胡克家校刻宋尤袤刊本《文選》，並爲《考異》十卷附後，故芸臺校本竟未付刻。《揅經室三集》卷四〈南宋淳熙貴池尤氏本文選序〉云::「元既構文選樓于家廟旁，繼得此冊，藏之樓中；別爲《校勘記》以貽學者。」又阮亨《瀛舟筆談》卷七云：「兄舊嘗校《文選》之誤若干條，又集高郵王氏等所校若干條，皆甚精確。戊辰（嘉慶十三年）又得南宋尤袤本《文選李善注》，屬〔嚴〕厚民校訂，厚民多所校正。時胡果泉先生（克家）亦別得尤袤本，屬顧千里校刻，甚爲精核。兄與厚民所校，與顧校亦互有詳略也。」[52]此其事也。今檢《讀書雜志》卷末〈餘編下〉有王氏考正《文選》訛誤者百十五條（其中八條爲王伯申之說），蓋即此札所言八十三條，後復有增益也。

其言朱石君（珪）詩稿事，按芸臺〈知足齋詩集後序〉云：

> 元奉命巡撫浙江，師嘗以詩寄示。爰請於師，得授全集，將刊之於板，師復命元選訂之。元乃與及門陳編修壽祺等共商刪存，以癸亥（嘉慶八年）以前編爲二十四卷。[53]

《弟子記》嘉慶八年二月條下記：「刻朱文正公《知足齋集》」[54]；中央研究院史語所傅斯年圖書館藏此集原刊本，題「嘉慶十年刊」。然據此札言「文正師詩稿等件，交年兄處摺差帶回」，按朱珪卒於嘉慶十一年十二月五日，年七十六，賜諡文正[55]，蓋其詩稿八年編定後，生前並未付刻，其刻當在嘉慶十三年四月芸臺再撫浙以後，《弟子記》所載非實錄也。

年），頁2。
52 阮元：《揅經室集》，頁621；阮亨：《瀛舟筆談》，卷7，頁22-23。按阮元此序云：「嘉慶丁卯（十二年），始從昭文吳氏易得南宋尤延之本，為無上古冊矣。」是芸臺得尤袤本在丁卯年，阮亨以為戊辰者，未核。
53 阮元：〈知足齋詩集後序〉，《揅經室集》，頁500。
54 張鑑等纂：《阮元年譜》，頁51。
55 阮元：〈太傅體仁閣大學士大興朱文正公神道碑〉，《揅經室集》，頁389。

與王伯申書四

承示經訓數十條，皆細閱過，條條精確不磨，銳見卓識，不勝贊歎。必如此，乃真能讀經也。所詮釋虛字十餘條，尤為精美，得未曾有。元嘗謂今人實事求是固多，而于虛文等處，轉未能細意體認。昔嘗有意作《詞氣釋例》一書，凡經典中用詞氣體例，逐一解釋本訓；又以經典中嚮來注、疏之誤會者附于下，如之、乎、也、者一概全載，首以《說文》、《爾雅》，以及子史中可證者亦旁通之（如「焉」字，即將「焉始乘舟」等注于下；「而」、「如」相通，亦將各處「而」、「如」互誤者附于下）。呂氏《東萊博議》卷末曾有解釋虛字文意一卷，惜乎太淺陋。今用此例為之，以為讀經者之助，亦甚妙也。元此刻心亂如蓬，不能執筆，即為之，亦不及弟之精博。據鄙意，何不將「逢，大也」諸條刪去，別入他稿，專將詞氣注成一帙乎？詞氣，古人最先者發聲，〈堯典〉中「都、俞」可證，《爾雅》中「爰、粵、于」諸詞是也。至于轉聲、收聲，後世乃多有之，不甚古也。故「也」、「焉」等，皆假借字；而「曰」、「于」等，皆本字也。匆匆具覆。引之仁弟足下，元頓首。

> 森按：此札年月，無實事可考，莫能詳也。惟按芸臺《定香亭筆談》卷四，其一條云：
>
>> 虞、夏、商古籍，詞氣簡少，至周始有「也」、「矣」等字。然「也」字始見于《毛詩》「其後也悔」，猶為轉聲；及中葉，始為句末收聲。故凡詞氣中有發聲、有轉聲、有收聲，經傳子史，體例非一，且有誤讀實字為虛字、虛字為實字者。《說文》中如「粵、乎、爰、乃」等為本字，「也、焉、雖、然」等為借字，當博采經傳而疏證之。故元欲仿《東萊博議》卷末之例，作《釋詞》一書，惜未暇成也。[56]
>
> 其言擬作《釋詞》一書，即此札所言「昔嘗有意作《詞氣釋例》一書」也。王

---

[56] 阮元：《定香亭筆談》（《文選樓叢書》本），卷4，頁26。

伯申《經傳釋詞》卷首〈自序〉言：

> 引之自庚戌歲（按乾隆五十五年）入都，侍大人質問經義，始取《尚書》
> 二十八篇紬繹之。而見其詞之發句、助句者，昔人以實義釋之，往往諸
> 篿為病；竊嘗為之說，而未敢定也。及聞大人論《毛詩》「終風且暴」、《禮
> 記》「此若義也」諸條，發明意恉，渙若冰釋，益復得所遵循，奉為稽式。
> 乃遂引而伸之，以盡其義類，自九經三傳及周秦、西漢之書，凡助語之
> 文，徧為搜討，分字編次，以為《經傳釋詞》十卷，凡百六十字。[57]

此序末繫嘉慶三年二月，蓋其書初稿即成於是時前後。按《昭代經師手簡》二
編，收有嘉慶三年三月望日焦循〈與王伯申書〉，中云：

> 阮閣學嘗為循述石臞先生解「終風且暴」為「既風且暴」，與「終竇且貧」
> 之文法相為融貫。說經若此，頓使數千年淤塞，一旦決為通渠。後又讀
> 尊作《釋辭》，四通九達，迥非貌為古學者可比。[58]

據此，可見嘉慶三年春王伯申《釋詞》成稿朋輩已有見之者，則芸臺此札必撰
於嘉慶三年以前無疑。復據此札言「據鄙意，何不將『逢，大也』諸條刪去，
別入他稿，專將詞氣注成一帙乎？」所云「逢，大也」之說，見《尚書述聞》「子
孫其逢」條[59]。《經義述聞》初刻本刊於嘉慶二年春，蓋王伯申先前曾以其書稿

---

[57] 王引之：《經傳釋詞·序》（南京：江蘇古籍出版社影印嘉慶 24 年王氏家刻本，2000 年），
卷首，頁 4。

[58] 羅振玉輯：《昭代經師手簡》二編，頁 18。

[59] 見《經義述聞》初刻本，冊 1，頁 82「子孫其逢」條；今本《述聞》卷 3 文字同。《箋
釋》此文失注。

按中央研究院史語所傅斯年圖書館藏王氏父子手稿，其一件末有王懷祖之語：「倉卒錄
得十八條，本欲再謄清稿呈閱，恐再遲則緩不及事。且案頭無書，不能考證，祗據意見
所到為之，故多所未安。務祈考訂原書，重加改正。文不成文，字不成字，惟知己諒之
而已。念孫叩。」此件李宗焜君所整理《高郵王氏父子手稿》一書，題〈經義雜志〉。
中有「子孫其逢」條，王懷祖原注：「《注疏》及監本皆不在案頭，祈寫入。此條本出足
下，不過增成之耳。」條末又有「此條足下再增成之可也」十字（頁 54，又頁 63）。考
〈洪範〉此文，舊讀並以「子孫其逢吉」五字為句，李惇《群經識小》始創說「子孫其
逢」句絕，「逢」字訓「大」，猶言其後必昌大耳；「吉」字別為一句（《經解》卷 720，

本數十事就正，芸臺因勸之將釋詞氣各條取出，別成一書。然則此札蓋撰於嘉慶元年前後與。芸臺〈經傳釋詞序〉云：

> 高郵王氏喬梓，貫通經訓，兼及詞氣。昔聆其「終風」諸說，每為解頤。
> 乃勸伯申勒成一書，今二十年，伯申侍郎始刻成《釋詞》十卷。[60]

所謂「乃勸伯申勒成一書」者，即此札所言「專將詞氣注成一帙」也。此序作於嘉慶二十四年小寒日，其言「今二十年」者，蓋舉其成數約略之言耳。然據此二文，可知王氏《釋詞》之為書實由芸臺啟之也。

與王伯申書五

前接手函，欣悉近祉安和，著述日富。昨過濰縣，晤莊葆誠，得讀《尚書》數條，極為精核。閱來函，中言體中欠豫，此正宜留意。吾弟賦質似弱，而治經又太銳，尚宜靜思息動以攝養之，至屬至屬[61]。春間曾將吳中珩《廣雅》本寄上，未知曾收到否？曾校畢否？念念。元近作《爾雅名義考》、《毛詩補箋》二種，卷帙尚少，秋間可有規模。又作〈釋且〉文一篇，內有一條言「且」與「祖」同義，同訓為「始」，凡經傳中言「既○且○」者，皆「終而又始」之義。如此似可為老伯「終風」、「終窶」、「終

頁13）。今據王氏「此條本出足下」云云之語，知此件蓋王懷祖溫經所得，寫錄以就正於李惇者。（阮氏《揅經室續二集》卷2〈高郵孝臣李君傳〉：「既長，博極群書，尤邃經傳，與同里賈君稻孫、王君懷祖同力于學。」是王、李二人同里交好也。）
又按：《述聞》嘉慶二年初刻本，王伯申序云：「旦夕趨庭，聞大人講授經義，退則錄之，終然成帙。」據此，則《述聞》所載王懷祖之說，乃王伯申錄記所聞於乃父者。劉盼遂則言：

> 王靜安師云：「在津沽曾見石渠先生手稿一篇，訂正《日知錄》之誤。原稿為『念孫案』，塗改為『家大人曰』。」盼遂案：據此事，知《經義述聞》中之凡有「家大人曰」者，皆石渠札記原稿，非經伯申融會疏記者也。（《高郵王氏父子年譜》，頁40）

今據王懷祖手稿「子孫其逢」諸條，似可為劉氏此說佐證也。

60　阮元：〈經傳釋詞序〉，本書卷首，頁1；又《揅經室一集》卷5。
61　此四字，《箋釋》釋「至囑之」，實則此為「至屬」重文，非「之」字也；下文「念念」，《箋釋》亦釋「念之」。

溫」加證，未知是否？刻考事已畢，旋省，日日在大明湖水木明瑟軒中坐臥，尚饒清趣。武虛谷及杭州朱朗齋，現已延致修纂《山左金石志》，此書若成，頗有可觀。草此奉佈，並候近安，不具。伯申仁弟足下，阮元頓首。

森按：此札言「刻考事已畢，旋省，日日在大明湖水木明瑟軒中坐臥」，《箋釋》讀「日日在大明湖」句，又「水木明瑟」四字爲句，解爲形容林木山泉之佳美勝景，而不知其爲軒名也。按阮氏《小滄浪筆談》卷一云：

> 小滄浪者，歷下明湖西北隅別業，即杜子美所言北渚也。魚鳥沈浮，水木明瑟，白蓮彌望，青山嚮人，至此者渺然有江湖之思。別業爲鹽運使阿雨牕（林保）所築，雨牕移任天津，方伯江滋伯（蘭）領之；方伯移任雲南，余乃領之。與學署相距一湖，少暇即放舟來讀書于此。或避暑竟日，或坐月終夜，筆床茶灶，夷猶其間。

又言：

> 「水木明瑟」四字，見《水經注·濟水》下，足以盡明湖之妙；如上沙陸氏水木明瑟園，乃借用也。故予題小滄浪軒額曰「水木明瑟」。[62]

芸臺有〈水木明瑟軒即事〉詩寫其勝境[63]。然則此札當爲阮氏提督山東學政時所撰。按《弟子記》，芸臺乾隆五十八年七月二十三日到任，六十年八月二十四日調任浙江學政[64]，在山左僅兩年。又按芸臺《山左金石志·序》云：

> 五十九年，畢秋帆先生奉命巡撫山東。先是，先生撫陝西、河南時，曾修《關中》、《中州》金石二志，元欲以山左之志屬之先生，先生曰：「吾老矣，且政繁，精力不及此，願學使者爲之也。」元曰：「諾。」先生遂

---

[62] 阮元：《小滄浪筆談》（嘉慶 7 年，《文選樓叢書》本），卷 1，頁 1-2。按芸臺〈小滄浪亭〉詩序：「小滄浪亭在鐵公祠旁，與學署近隔一湖。其後軒，元題爲『水木明瑟』，用《水經注》語也。夏秋間，每泛舟過之，茶灶書床，流連竟日，較之春秋行跡，頗分勞逸。」（《揅經室集》，頁 747）

[63] 阮元：《小滄浪筆談》，卷 1，頁 2-3。

[64] 張鑑等纂：《阮元年譜》，頁 12，又頁 14。

檢《關中》、《中州》二志付元，且為商定條例暨搜訪諸事。元于學署池上署「積古齋」，列志乘圖籍，案而求之，得諸拓本千三百餘件，較之《關中》、《中州》多至三倍，實為始修書之舉。[65]

畢沅巡撫山東在乾隆五十九年冬，《弟子記》載始修《山左金石志》在五十九年十二月[66]。而此札言「武虛谷及杭州朱朗齋，現已延致修纂《山左金石志》。」又言「近作《爾雅名義考》、《毛詩補箋》二種，卷帙尚少，秋間可有規模。」則此當為六十年所撰。又札言「刻考事已畢，旋省。」《弟子記》載四月秒試畢回省[67]，然則此札當為乾隆六十年五月所撰[68]，札中言「春間曾將吳中珩《廣雅》本寄上」（參下第九書）、「秋間可有規模」，時間正合。

其言「近作《爾雅名義考》、《毛詩補箋》二種」，二書未見。考臧庸《拜經日記》卷六卷首云：

> 內閣學士阮伯元補箋《毛詩》，督學山左時節錄下問，郵寄至楚。來書自言「語多武斷，質之同志，不以為謬，則當編錄付梓」。[69]

則《補箋》當時已有成稿，臧氏並為參訂若干事。其《爾雅名義考》一種，似未成書。今《揅經室一集》卷一〈釋心〉、〈釋鮮〉、〈釋磬〉、〈釋蓋〉、〈釋黻〉、〈釋矢〉、〈釋門〉、〈釋釋訓〉諸篇，蓋其遺也。札中所言〈釋且〉一篇，亦見《揅經室一集》卷一。

---

[65] 本書卷首；又《揅經室三集》卷3。末句「實為始修書之舉」，集本作「始為」（《揅經室集》，頁 596）。

[66] 張鑑等纂：《阮元年譜》，頁 13。

[67] 同上註，頁 14。

[68] 按劉盼遂《王氏父子年譜》乾隆五十八年條云：「阮伯元來第五書。」（頁 16）誤。

[69] 臧庸：《拜經日記》（嘉慶 24 年，《拜經堂叢書》本），卷 6，頁 1。

與王伯申書六

接到兩次手書，知近來下榻敝居，讀禮刻石，體中安善，為慰。葬地在天長、六合之間，想在冶山、棠山一帶，必有佳城。昔生看地至冶山，冶山山口南嶂開下，明明一脈至上陳庄，不必言佳城，即山水環抱，亦頗可樂，因買其庄。此處曾到過否？拙集蒙看出多少錯字，希隨時語舍弟改之。本朝戴氏等發明漢學固透矣，而自晉、宋以來蒙錮之疾，尚未說明。此事在魏收〈志〉及《十八賢行狀》狀內明明有其來路，大端皆道安、慧遠之所為。即如慧遠《毛詩》，精博之至，陸德明〈敘錄〉不避其為方外人而特著之，是道安、慧遠皆博精《詩》、《禮》，深明《倉》、《雅》之儒。試問《華嚴一切經音義》中所解釋之字[70]，半在《詩》、《禮》、《倉》、《雅》，此豈西域番僧之所知耶？生若有暇，尚欲在〈毛詩釋文〉[71]內尋出慧遠師之說，再在佛經《音義》內證之，如有相近相合者，則是真是儒者造佛經之確據矣。今年會榜殊不慊意，策題索性不□，不過一空而已。會元乃生所定，知其人甚靜細[72]，京中公論亦以為此元乃近科所無，特惜其人兩耳全聾，雖分部而無志于為官，為可惜耳。潘仕成已中而斥去，乃禮部之所斥，遂為戶部之所首舉。生到滇[73]，不病為幸，而又辦地震之災，殊為慘懼。肅此奉復，并候孝履，不具。伯申大宗伯年兄，生期阮元頓首，八月廿六[74]。

> 前說寫誌銘高姓（爽泉，名垲），頃問潘紅茶方伯，云已回杭，老尚能寫，但須潤筆數十方耳（山舟先生之字，元人字耳；高乃唐以上碑版之字，世之貴耳而賤目者不知也。生丁憂時，其人字尚未成）。尊阡不知在何處？聞在天長界內，然耶？舍下觀風巷宅

---

[70] 「解」字，《箋釋》釋「能」（頁 252），誤。

[71] 〈毛詩釋文〉者，即《釋文》中〈毛詩音義〉也。《釋文·序錄》載周續之、雷次宗並為《詩序義》，二人俱事惠遠法師，故芸臺言「欲在〈毛詩釋文〉內尋出慧遠之說」，蓋以〈毛詩音義〉中或引有周、雷二家義，可藉以推尋慧遠之說耳。《箋釋》標識、注解此文《毛詩》、《釋文》為二書，未得阮元之意也。

[72] 《箋釋》讀「細京中公論」五字為句，文不成義。

[73] 「滇」字，《箋釋》釋「值」，誤。

[74] 「六」字，《箋釋》釋「八」，疑非。

子空著，如上郡城，頗可住得。又啟。（仍有杭人何臻，乃高壈之弟子，其字可以有其師七分光景，如高不能寫，此人亦可。）[75]

森按：此札言「生到滇，不病為幸」云云，知在雲南作也。芸臺由兩廣總督調雲貴總督在道光六年六月，九月十三日接印；迄十五年三月擢體仁閣大學士，六月初八日交印，起程北上，在滇先後九年[76]。其間，八年、十三年兩度入京師，十三年三月初一日入覲，旋奉命充會試副總裁[77]。據此札「今年會榜殊不愜意」、「會元乃生所定」云云諸語，則此札當撰於道光十三年甚明。其會元，據《弟子記》所載此科中式者名錄，似為許楣[78]。《清史稿》卷三六四阮元本傳云：

> 道光十三年，由雲南入覲，特命典試，時稱異數。與大學士曹振鏞共事，意不合。元歉然以前次得人之盛不可復繼。[79]

曹振鏞，《清史稿》卷三六三有傳，史稱：

> 振鏞歷事三朝，凡為學政者三，典鄉、會試者各四。衡文惟遵功令，不取淹博才華之士。殿廷御試，必預校閱，嚴於疵累忌諱，遂成風氣。[80]

蓋曹氏為癸巳科總裁，其「衡文惟遵功令，不取淹博才華之士」，與芸臺專「以經義求士」者[81]，意自不相投，故此札言「今年會榜殊不愜意」，深歉未能如己未（嘉慶四年）科得人之盛也[82]。

---

[75] 《箋釋》以「前說寫誌銘高姓」以下一段，合下第七書為一通。然此段末有「又啟」字，知屬上為一通，下「冬半接京中來書」自為一通。

[76] 張鑑等纂：《阮元年譜》，頁 151，又頁 154，又頁 187，又頁 191。

[77] 張鑑等纂：《阮元年譜》，頁 177。

[78] 同上註。

[79] 趙爾巽等：《清史稿》（北京：中華書局點校本，1977 年），頁 11424。

[80] 同上註，頁 11406。

[81] 阮亨《瀛舟筆談》云：「己未科兄以經義求士，尤重三場策問，是以武進張皋文惠言、高郵王伯申引之、閩縣陳恭甫壽祺、德清許積卿宗彥、桐城馬魯陳宗璉、樓霞郝蘭泉懿行等，皆治經多所著述也。」（卷 7，頁 14）

[82] 按芸臺副朱珪總裁己未科會試，所取多積學之士，王引之、陳壽祺、張惠言、胡秉虔、許宗彥、馬宗璉、郝懿行、姚文田、張澍、吳嵩等，並在此榜，「論者謂得士如鴻博科，洵空前絕後也。」（《阮元年譜》，頁 21）

　　四月十日，榜發出闈。芸臺回宅，聞夫人孔氏（按孔名璐華，孔子七十三代長孫女）死訊，又悉長子長生三月二十七日病故，傷慟不可言狀。奉諭仍回雲貴總督之任，《弟子記》載「四月二十二日出京，時長途盛暑，大人神傷貌瘁。……六月二十八日，……入滇。」[83]札言「生到滇，不病爲幸」者指此。又《弟子記》載「七月二十二日地震，自省城南至臨安、開化十數州縣同時被災，壓斃男婦大小口數千人，房屋坍損數萬間。」札中所言「又辦地震之災」者是。然則此信作於道光十三年八月二十六日審矣[84]。

　　王伯申十二年正月丁父憂，懷祖遺命卜葬江蘇六合縣之北郊[85]。據此札，知翌年秋間猶未葬也。按伯申之孫恩錫等撰〈子蘭（壽同）府君行狀〉，云：「壬辰（道光十二年）春，曾王父棄養，府君隨大父扶柩旋里。將營兆域，府君以大父年且七旬，不任勞苦，因而究心於地理諸書，周歷相度，無間寒暑。年餘，得地於六合郊外之東王廟。至立向，諸堪輿互爭不決，府君虔卜得吉兆，向遂定，而大父之憂始釋。」[86]則以宅兆久而未決故爾。王伯申〈高郵湖西王氏先塋記〉云：「考石臞公墳，在六合東北鄉東嶽廟鎮南癸山，丁向。」[87]據芸臺撰王懷祖〈墓誌〉云：「道光十三年十二月庚子日，奉公柩葬于六合縣東北鄉東原王廟鎮之南原。」[88]是歷時近二年乃葬。其寫誌銘之高氏，《定香亭筆談》卷一云：「仁和高爽泉塏，工書，楷法絕似虞永興〈夫子廟堂碑〉。」高氏復能詩，芸臺錄其〈梅莊餞別徐惕庵太守〉、〈春草〉二首，並極清麗[89]。李桓《國朝耆獻類徵初編》卷四四二有黃安濤撰傳，云：「君書行草無不工，尤精小楷，大概樹骨於率更、

---

[83] 張鑑等纂：《阮元年譜》，頁 179。

[84] 按劉盼遂《王氏父子年譜》道光十四年條云：「阮伯元來第六書」（頁 30），誤。

[85] 王壽同等：〈伯申府君行狀〉，《王氏六葉傳狀碑誌集》卷 5，頁 14。

[86] 王恩錫等：〈子蘭府君行狀〉，同上，卷 6，頁 3。

[87] 王引之：《王文簡文集》（《高郵王氏遺書》本），卷 4，頁 26。

[88] 阮元：〈王石臞先生墓誌銘〉，《揅經室續集》，卷 2 之下，頁 94。按中華書局點校本缺此文。

[89] 阮元：《定香亭筆談》（《文選樓叢書》本），卷 1，頁 56-57。

河南而取姿於吳興。」又言:「四方載金幣乞書者踵門麕至,必饜其意以去。今大江南北寺觀、祠墓、園林碑版,不下數百處,咸以為我浙乾嘉以來梁山舟後一人而已。」[90]

至阮氏擬於「〈毛詩釋文〉內尋出慧遠師之說,再在佛經音義內證之」,以求「儒者造佛經之確據」云云,此其臆言耳。按《釋文·敘錄》詩類第言「宋徵士雁門周續之(本注:字道祖,及雷次宗俱事廬山惠遠法師)、豫章雷次宗、齊沛國劉瓛並為《詩序義》。」又《儀禮》類言雷次宗、周續之並注〈喪服〉耳[91],不言慧遠注解《毛詩》,隋、唐〈志〉亦不見載,今「欲在〈毛詩釋文〉內尋出慧遠師之說」,豈非刻舟求劍?欲進而求佛經為儒者所造之確據,鑿空尤甚。按芸臺〈孟子論仁論〉亦論及此:

> 佛經大指,具見《漢四十二章遺教》等經,不過如此,無大玄妙。自晉常山衛道安以彌天俊辯之高才,獨坐靜室十二年,構精神悟,始謂舊經為舛,此以晉人玄學入釋學之始。蓋舊經本非舛,然必以為舛,方能以玄學羼入變易之也。故蓮社魏道生曰:「自經典東流,譯人重阻,多守滯文,鮮通圓義,若忘筌得魚,始可言道矣。舊學僧徒,以為背經。」據此,可見晉宋人以老、莊玄學改增佛說之實據,舊學僧徒,拙守本經者,見其相背矣。道安既與佛圖澄合,互相標榜,符會如一;復令玄宗流布,分遣弟子四出。道安與慧遠入襄陽;慧遠又入廬山,與雷次宗、周續之、宗炳等合。雷次宗、周續之、宗炳與賈慧遠本皆通儒才士。慧遠少隨舅令狐氏游學許洛,博綜六經,尤善《莊》、《老》,從釋道安受業。周續之少從范寧通經,窮研《老》、《易》,預蓮社。宗炳富於學識,尤精玄理,入蓮社。雷次宗博學明《詩》、《禮》,入蓮社(原注:以上見《宋書》、《北

---

[90] 李桓:《國朝耆獻類徵初編》(臺北:明文出版社影印本,1985年),卷442,頁34。

[91] 陸德明:《經典釋文》(上海:上海古籍出版社景印北京圖書館藏宋刻宋元遞修本,1980年),卷1,頁20;又頁23。

魏書》及《蓮社高賢傳》，此《傳》宋以前名《蓮社十八賢行狀》）。周續之、雷次宗又同受《詩》義於慧遠法師（原注：見陸德明〈毛詩音義〉），謝靈運亦慧業文人。故晉宋以後，西僧如佛圖澄、鳩摩羅什等，多以神驗見異於世。至於翻經著論，非藉名儒文人之筆不能。踵事變本，引人喜入彼道如此。此以玄學入釋學而昧所從來之蹤跡也。……故由儒而玄，由玄而釋，其樞紐總在道安、慧遠之間。由釋而禪，其樞紐又在達摩、慧能之間。後儒不溯而察之，所以象山、陽明、白沙受蓮社、少林之給而不悟矣。[92]

斯芸臺討論儒、釋交涉之定論也，可補此札所言之疏略，今錄之以並觀焉。

與王伯申書七

冬半接京中來書，知〈墓銘〉已收到，冬間想已到家鄉矣。頃接粵中曾釗書，知《廿一部古韻》已上板，冬初前有等語，然則前書欲在揚另刻者不必矣。曾公書內又云：如「風」、「芃」等字亦須提出，究不知其所提者若干字也。此致，并候素履，不一。生阮元頓首。

森按：此札言「頃接粵中曾釗書，知《廿一部古韻》已上板。……然則前書欲在揚另刻者不必矣。」所謂「在揚另刻者」，即第二書囑王伯申「送一教館之人，令其排寫」，成稿後，即交阮氏文選樓刻印者也。然則此札當撰於第二書之後甚明；復據「冬半接京中來書，知〈墓銘〉已收到」之語，與下第八書合考之，則此書當作於道光十三年季冬。蓋是年夏秋間王伯申曾返京，故下言「冬間想已到家鄉矣」；其京中與芸臺書，則仲冬始寄到滇也。所言「墓銘」者，當指芸臺所撰〈王石臞先生墓誌銘〉，見《揅經室續集》卷二之下[93]；第八書亦言及墓

---

[92] 阮元：《揅經室集》，頁 183-184。

[93] 阮元：《揅經室續集》，頁 91-94，。

銘事，《箋釋》兩處均未能指實其事，不免疏陋。芸臺〈墓銘〉，應撰於是年秋間，劉盼遂《王氏父子年譜》繫於十二年[94]，未核。如其說，則與第八書「近年傷逝」之語不合（詳下），一也。再者，《弟子記》載十二年九月，阮氏上奏，乞入京覲見；十二月，奉到硃批「著來京陛見」，即於十六日交印，起程北上[95]。此札全未及入京之事，其非撰於十二年季冬可知，則〈墓銘〉亦不撰於十二年決矣。其言「冬間想已到家鄉」者，按王懷祖是年十二月庚子下葬，知其返鄉正爲乃翁葬事也。

今合第二、第七兩書繹之，阮氏擬刻《古韻廿一部》，屬吳蘭修辦之，久久無成，芸臺因勸王伯申於揚州請人另行排寫，稿成即交其家刻之。實則是書所以久而無成者，蓋《廣韻》之分韻，乃參酌魏晉六朝韻書，綜合古今、南北之音變，故其部居與古聲韻原多歧互。而王懷祖之考古韻，壹以群經、《楚辭》之用韻及《說文》形聲偏旁爲準則，原不以唐宋韻書爲依據，今欲割裂歸併《廣韻》二百六韻爲廿一部，其間離合歸屬，要非如芸臺所設想者，送一教館之人即可輕易爲之。王國維於芸臺此舉深不以爲然，譏之爲「後世一笑柄」，並斥阮氏欲「令一教館之人排寫，此事亦談何容易」、「此書粵中刻成與否雖不可知，即令刻成，乃任不知此學之人，將表中諸字任意出入，不如不刻之爲愈。」[96]此札言曾釗來書，謂《古韻廿一部》粵中已上板，故前擬在揚屬人排寫另刻者可不必矣。據下文「曾公書內又云，如『風』、『芃』等字亦須提出，究不知其所提者若干字。」蓋粵中之本即由曾釗排寫，而冬部「風」字與侵部「芃」字古韻同部，特不知其於二韻分併離合「所提者若干字」耳。

曾釗，字勉士，一字敏修，廣東南海人。道光五年拔貢生，官合浦縣教諭，調欽州學正。芸臺督粵時，開學海堂，以古學造士，特命釗爲學長。所著有《周

---

[94] 劉盼遂：《高郵王氏父子年譜》，頁 29。
[95] 張鑑等纂：《阮元年譜》，頁 174-175。
[96] 王國維：《觀堂集林》，卷 8，頁 32。

易虞氏義箋》七卷、《詩說》二卷、《詩毛鄭異同辨》二卷、《周禮注疏小箋》四卷、《面城樓集》十卷等。《清史稿》卷四八二、《清史列傳》卷六十九有傳[97]。

曾釗來書謂《古韻廿一部》已上板，似其刊成已在不遠矣。惟按曾氏《面城樓集鈔》卷四〈上阮雲臺相國書〉述其事云：

> 秋仲，李孝廉能定自京師還，奉到頒發江君韻書、王氏《二十一部韻表》，並擲回《二十一部韻》稿本，訓誨諄諄，不勝感佩。釗竊以為韻出於聲，聲著於字之偏旁，十而七八；其餘象形、指事諸文，雖非諧聲，而皆以聲載義，故即義可以尋聲之部分。第今世所傳之《廣韻》凡四刻，明中涓本、曹棟亭國朝刻本皆未見；顧寧人本與澤存堂本雖注有詳簡之分，而其韻字大略相同，往往疑澤存堂本訛者，檢顧本復如是。偏旁既誤，韻無所歸，不得不推原《說文》，以求其形聲之本；《說文》無者，又不得不旁徵《玉篇》、《集韻》，以求其沿訛之故。即如寢韻之「䑽」，為「朕」古文，甚不可解。觀《集韻》而後知為「䏠」之訛；據《款識》而後知「关」即「𢍱」之異文，「朕」、「滕」等字入蒸部。……凡此，皆以定字之偏旁，即以定字之聲韻，故旁涉《玉篇》、《集韻》，不以為繁也。[98]

觀其所述，則知此事牽涉文字偏旁之考訂及聲韻流變，非若芸臺原初設想「送一教館之人，令其排寫」之易易也。渠言「若元在粵，十日可成」，揆其初意，其書僅為俗學擬漢晉文章辭賦而設，故稍事歸併，即可成書。而曾氏乃務詳辨析，則以今本《廣韻》文字多訛誤，故不得不旁徵《篇》、《韻》諸書，以求偏旁沿訛之故；由字之體以定其聲，審其韻部之所從屬。若此，其書勢難期速成，斯與芸臺當日急於成書之情相去絕遠。曾釗此信未具年月，然味彼札稱「相國」及「京師」之語，當在道光十五年八月芸臺卸雲貴總督之任，返京供職以後事

[97] 趙爾巽等：《清史稿》，頁13280-81；《清史列傳》，中華書局點校本，頁5629-31。
[98] 曾釗：《面城樓集鈔》（光緒間，《學海堂叢刊》本），卷4，頁7-8。

也。其時王伯申已前卒[99]，芸臺亦逾古稀，於刻書之事意興已減，故曾釗《二十一部古韻》雖已成稿，芸臺閱後仍還之。其書迄未付刻，原書二卷，稿本現藏廣東省中山圖書館，下卷已亡佚[100]。是芸臺數年縈懷之《古韻廿一部》，終未刻成。抑余復爲其書未能早成幸也，庶無貽後人之譏[101]。

與王伯申書八

前接手函，具知近況，〈墓誌〉亦已收到。生近年傷逝，心境殊劣，因思古人絲竹之說，殊爲不確之事。公餘仍以遊園、把卷自遣哀情耳。《說文》「有」字之說，前接大意，誠爲要論。今另又敘成一則，抄以奉覽，以爲何如？亦欲年兄知生用心于此等事，尚不過昏憒耳。家鄉後進不知尚有可談者否？肅此奉致，並候孝履，不既。伯申尚書年兄，生阮元頓首。

有，《說文》：「日有食之，不宜有也。」此乃直是反話，于心久有不安。竊疑《說文》此處不能明晰，當曰：「有，從月又，又亦聲。月食也，《詩》曰：『彼月而食，則惟其常。此日而食，于何不臧？』《春秋》曰：『日有食之』，不宜有也。」如此似于心爲安，未知是否？希商訂之。

段氏言：「《春秋》言『有』，皆不宜有。」此似不然，「有蜚」等誠不宜有，「有年」豈亦不宜耶？況〈虞書〉言「有」者，皆對「無」爲言，「有鰥」、「有德」、「有能奮庸」、「懋遷有無」，豈皆不宜耶？「有」字乃倉頡造于〈虞書〉之前，「不宜有」之訓自是後起。

森按：此札「前接手函，具知近況，〈墓銘〉亦已收到」，與第七書所言，正同

---

[99] 據王壽同等所撰〈伯申府君行狀〉，王伯申道光十四年十一月二十四日病逝，年六十九。

[100] 《中國古籍善本書目》（上海：上海古籍出版社，1985 年），經部，頁 491；陽海清主編：《中南、西南地區省市圖書館館藏古籍稿本提要》（武昌：華中理工大學出版社，1998 年），頁 42 著錄。

[101] 余別有〈阮元刊刻《古韻廿一部》相關故實辨正〉一文，詳論其事，近刊。

一事,知亦十三年多所撰。前一札專爲告知《古韻廿一部》粵中聞已刻板事,此則與王伯申討論《說文》「有」字之說。

其言「生近年傷逝,心境殊劣」者,按《弟子記》,道光十二年二月,芸臺側室唐氏以病卒於雲南督署,年四十五。是年十二月十六日,芸臺入京覲見,而二十八日夫人孔氏旋病故滇署,時芸臺尙在道中,未得凶耗;明年三月二十七日,長子長生復病故于保定直隸清河道署。四月十日,芸臺春闈撤棘後,聞兩喪,慟悼之至。因於四月二十二日出京,過保定,哭住一日,料理柩眷回揚州事。六月杪入滇,七月二十二日雲南大地震,死者數千口[102]。蓋此一二年間,迭遭變故,其「心境殊劣」,自可想見。

至論《說文》「有」字之說,札中言「前接大意,誠爲要論」,知此說先前曾與王伯申討論及之。按《說文》月部本作:「有,不宜有也。《春秋傳》曰:『日月有食之。』从月,又聲。」[103]此則以「月食」爲「有」字本義,引《詩・十月之交》之文證之;又《春秋》但言「日有食之」,不書月食,芸臺因校刪許君引《春秋傳》文之「傳」字、「月」字[104],並退許君說解「不宜有也」爲《說文》別義。然此恣意增改許書舊文,未免鹵莽。今檢《揅經室續室》增訂本卷一有〈日有食之不宜有解〉一文,正申此義,惟彼文則仍許君舊文,不復增引《詩》文及校刪「月」字矣。其說略云:

> 「有」所以从月者,月食也,「月食」爲本義;有無之「有」乃假借字。……
> 不宜有日食之說,或亦是先儒之故說,但此似說《詩》之義,而非說《春秋》之義。《詩・十月之交》云云,此詩「日有食之」及《春秋》「日有食之」,兩「有」字祇當借訓爲有無之「有」,無「月食」本義在內。……

---

[102] 張鑑等纂:《阮元年譜》,頁 173-179。

[103] 許慎:《說文解字》(臺北:臺灣商務印書館影印日本靜嘉堂文庫藏宋刊本),卷 7 上,頁 4。

[104] 按嚴可均《說文校議》亦言:「日食始見隱三年經,月食不書。『傳』字、『月』字議皆刪。」(咸豐 2 年,江都半畝園刊本),卷 7,頁 8。

　　《詩》若曰：月食則尚為常有之事，日食則不臧，不宜有也。故凡說《詩》

　　及《春秋》「日有食之」，皆當先從《詩》此義以為「不宜有」，不可牽泥

　　「月食」之本義也。《說文》不是衍「月」字，大約許氏尚引有古說而脫

　　錯耳。[105]

今詳其文，說較此札所言者爲圓融，蓋王伯申亦不以其所改者爲然，《集》本當
參用伯申之說而改之。阮氏以「月食」爲「有」字本義，說似新奇，然此說絕
無文證，不過因「有」字從「月」而懸揣之耳。至芸臺言「『有』字乃倉頡造于
〈虞書〉之前，『不宜有』之訓自是後起。」按「有」字晚出，近世出土甲骨文、
金文並以「又」爲之，「有」字非古也。至「不宜有」之訓，此漢人說《春秋》
之義也，錢大昕《潛研堂答問》八云：

　　漢儒說《春秋》，以為「有者，不宜有之辭」，如「有蜚」、「有蜮」、「有

　　鸛鵒來巢」、「有星孛入於北斗」之類皆是。「日有食之」，月食之也，不

　　言「月食」而言「有食之」者，扶陽抑陰之義，亦見其「不宜有」也。《說

　　文》「有」從月，以月食日為不宜有，正與《春秋》義合。……竊意此文

　　當云『《春秋傳》曰：日有食之，月食之』，後人妄有改竄，遂失其旨耳。

　　[106]

桂馥《說文義證》亦言：

　　「不宜有也」者，《春秋》莊十八年「秋有蜮」，《穀梁》云：「一有一亡

　　曰有」；何休《公羊注》：「言『有』者，以『有』為異也。」桓三年「有

　　年」，賈逵云：「桓惡而有年豐，異之也，言有非其所宜有。」朱新仲曰：

　　「『有年』、『大有年』，桓、宣時也，『有』者不宜有，二公行不宜有此，

　　皆貶也。春秋二百四十二年之間，豈止此二三年豐熟哉？以是知二公不

[105] 阮元：〈日有食之不宜有解〉，《揅經室續集》，頁 39-40；按中華書局點校本缺此文。
[106] 錢大昕：《潛研堂文集》（上海：上海古籍出版社呂友仁點校本，1989 年），卷 11，頁
171-172。

宜有此也。」《釋例》：「劉、賈、許（森按：劉歆、賈逵、許淑也）因『有年』、『大有年』之經；『有鸜鵒來巢』，書所無之傳以為經。諸言『有』，皆不宜有之辭也。」[107]

許慎從賈逵受學，故本其說爲「有」字作解。芸臺言「不宜有」之說，「似說《詩》之義，而非說《春秋》之義」，恐未必然。

與王伯申書九

伯申大弟手啟：前曾有一函奉致，想已入覽。茲瀆者，在山東尋得吳中珩《廣雅》本，特為寄上老伯校正《廣雅》之用。元又鈔得一分，乞吾弟即用吳本代為一校，校畢存于尊處，俟桂未谷來京引見，將此二部統交彼帶回山東可也。草此，並候即安，不一。阮元頓首。

森按：此札云「在山東尋得吳中珩《廣雅》本，特爲寄上老伯校正《廣雅》之用」；第五書言「春間曾將吳中珩《廣雅》本寄上，未知曾收到否？」二書正相前後，則此札當爲乾隆六十年春間所作，時芸臺爲山東學政也。

吳中珩本《廣雅》，即明吳琯《古今逸史》本[108]。按此本世多有之，非罕覯之本，丁丙《善本書室藏書志》卷五載盧文弨《廣雅》校本，云「乾隆丙子正月，盧文弨以吳琯本校」[109]；又段玉裁跋劉台拱所校皇甫錄本《廣雅》云：「劉端臨以此本見借，凡與吳琯及他本異者，以朱圈之。」[110]皆是也。中央研究院

---

[107] 桂馥：《說文解字義證》（同治 9 年，湖北崇文書局刊本），卷 20，頁 40。

[108] 中央研究院史語所傅斯年圖書館藏《古今逸史》本《廣雅》，每卷首題「吳琯校」，或題「吳中珩校」，知「吳中珩《廣雅》本」即吳琯《古今逸史》本也。《箋釋》云：「吳中珩，疑為吳中行，明武進人，字子道，號復菴。……書室名賜餘堂，著有《賜餘堂集》。」（頁 273）張冠李戴，殊謬。

[109] 丁丙：《善本書室藏書志》（光緒 27 年，錢唐丁氏原刊本），卷 5，頁 6。

[110] 阮恩海：〈劉端臨先生遺書跋〉引，《劉端臨先生遺書》（臺北：藝文印書館影印本，1970 年），卷末〈跋〉，頁 4。

史語所傳斯年圖書館藏一吳中珩本，卷首有「高郵王氏藏書印」白文方印，中有王懷祖朱墨二色批校之語，其朱筆校語云「皇甫作某」者，蓋以皇甫錄本參校也。然則吳中珩本《廣雅》，王氏自有藏本。見存《廣雅》諸刻，陳景雲、黃丕烈等並以皇甫本爲最善[111]；王懷祖則以畢效欽所刻《五雅》本爲愈，王氏〈廣雅疏證序〉云：「《廣雅》諸刻本，以明畢效欽本爲最善，凡諸本皆誤而畢本未誤者，不在補正之列。」[112]知《疏證》以畢刻爲底本。蓋吳刻非善本，故《疏證》不更論列其是非也。

三、結語

綜上所考，其可得而言者如干事：

一、《昭代經師手簡》所收阮氏〈與王伯申書〉九通，第一書撰於嘉慶十年歲杪；第二書撰於道光十三年；第三書撰於嘉慶十三年一、二月間；第四書蓋作於嘉慶元年前後；第五書撰於乾隆六十年五月；第六書撰於道光十三年八月二十六日；第七書道光十三年季冬作；第八書亦道光十三年冬所撰；第九書則撰於乾隆六十年春。閔氏《年譜》、賴君《箋釋》於諸書年月並缺；劉氏《年譜》雖或及之，然各書繫年殆無一是者。此可據以訂補諸家之闕誤也。

二、阮氏擬刻《古韻廿一部》，王國維以爲嘉慶十年事，又謂其書即王懷祖遺稿

---

[111] 黃丕烈〈博雅跋〉：「余向收李明古家書，內有皇甫錄本《博雅》，詫為得未曾有，取余舊儲影宋鈔之本相勘，行款悉同，信乎陳少章先生云『皇甫本最佳』，誠不誣也。」（《蕘圃藏書題識》，1919年，金陵書局刊本，卷1，頁12）

[112] 王念孫：《廣雅疏證・序》（臺北：鼎文書局影印本，1972年），頁4。按王國維〈畢效欽刻五雅本廣雅跋〉云：「此書明刊本自皇甫錄本外，首推此本。胡文煥以下，便等諸自鄶。王石臞先生撰《廣雅疏證》，即以此為底本也。皇甫本余曾見之歸安蔣氏，黃復翁以景宋校過，其字佳於此本者無幾。」（徐復主編：《廣雅詁林》，南京：江蘇古籍出版社，1992年，頁1028）然則皇甫本、畢氏本固不相遠也。

《說文諧聲譜》。今夷考之，二說俱非。蓋王氏誤以第二書王伯申道光十二年丁父憂爲嘉慶十年居母喪也，故其所撰王懷祖《韻譜》諸書敘錄，年月舛錯，事實多乖牾也。

　　三、本文所考阮、王二家行實，可據以訂正諸書違誤者不少。如劉文淇言「嘉慶戊午（三年），儀徵相國注釋《曾子十篇》，刊於浙江使院。」實則此書初刻當在嘉慶十年，一也。阮氏所刻《熙朝雅頌集》，本集書跋言：「嘉慶九年九月開雕，四閱月而工竣。」其實是書開雕在嘉慶十年春，阮跋所記年月非實錄，二也。《雷塘庵主弟子記》：嘉慶八年二月「刻朱文正公（珪）《知足齋集》」，實則此書之刻當在嘉慶十三年以後，三也。另由第三書證知，嘉慶中阮氏曾撰《文選校勘記》，因胡克家校刊本及《文選考異》先出，其書竟未付刻；第五書考證芸臺著有《毛詩補箋》等，此並近人考論阮氏學術所鮮論及者。

二○○一年十月五日初稿；二○○
二年八月十五日寫定，壬午歲七夕也。

　　比閱《揅經室三集》卷二〈杭州靈隱書藏記〉言：「嘉慶十四年，杭州刻朱文正公、翁覃溪先生、法時帆先生諸集將成」云云，是朱珪《知足齋集》刻成在嘉慶十四年。十月十五日附識。

龍宇純先生七秩晉五壽慶論文集
2002 年 11 月　　　頁 515～528

劉師培的儒學觀

鮑國順[*]

一、引言

　　清末民初，是中國學術思潮掀起狂波巨浪的一個時期，此時所討論的問題，涉及範圍之廣，影響程度之深，都可以說是史無前例的。其中要求重新估定傳統文化的價值，是當時最主要的訴求之一，處於這種氣氛之下，兩千年來在中國傳統文化中，一直居於主流地位的儒家思想，自然便成爲被討論批評的主要對象。在這一波運動中，儒學雖然受到了嚴重的衝擊，甚至於承擔了一些原本不該承擔的責任，但是由於思想的開放，視野的擴大，許多前人習焉不察，不曾或疑的問題，反而在此時受到大家的注意，得到了一個公開討論澄清的機會，對儒學本身而言，這未嘗不是一種收穫。劉師培（1884-1919）一生只有三十六歲，享壽雖然不長，但是著述等身，識見卓犖，是當時學術界少數能夠引領風騷的人物之一。就儒學問題而言，他是近代原儒論的創始者，同時對孔子學說的本質、得失等問題，也都有一些真切而進步的見解，當然缺失也是在所不免的。以下分「儒的本義與儒家的起源」、「孔學的真相」，以及「儒學的基本精神」三節，對劉師培的思想，略作介紹，一方面可以認識劉師培在這一方面的成績，另一方面也可以藉此了解當時的學術風尚。

---

[*]　中山大學中國文學系教授。

二、儒的本義與儒家的起源

儒家為孔子所創，但是孔子並不是第一個儒者，那麼最早的儒者起於何時？他們原是什麼樣的身分？儒字的本義是什麼？儒家的起源為何？孔子所創立的學派為何稱為儒家？這些問題，清代以前，學者大抵都不甚在意，或依循成說，不曾有疑。直到二十世紀初葉，為了解決傳統與現代之間的矛盾與衝突，上述問題才連帶著開始受到學者的注意，逐漸發展的結果，一時之間，竟然形成一股討論的熱潮，而劉師培則是首開其先的人物。他作有〈儒家出於司徒之官說〉與〈釋儒〉兩篇文章，就是專門討論以上的問題，前者作於 1907 年，後者的年代，雖不可確知，但是應該與前篇撰寫的時間相去不遠。首先來看劉師培〈釋儒〉一文中，對儒字本義及其與儒家關係的解釋。他說：

> 儒字之名始於《周官》。《說文》：「儒，柔也，術士之稱。」說者鮮諳其義。今考《說文》訓術字云：「邑中道也」。邑中猶言國中，意三代授學之區必於都邑，故治學之士必萃邑中，即小戴〈王制篇〉所謂「升於司徒」、「升於國學」之士也。（原注：「儒為術士之稱，示與野人相區異。」）古代術士之學蓋明習六藝以俟進用，〈王制篇〉言：「樂正順先王《詩》、《書》、《樂》、《禮》以造士。」〈文王世子篇〉言：「春誦、夏絃、秋學《禮》、冬讀《書》。」〈王制篇〉又言：「司馬辨論官材，論進士賢者以告王，論定然後官，論官然後爵，位定然後祿。」均其徵也。[1]

劉師培以為儒的名稱，始見於《周官》，因此至晚周初即應有儒這一類人物的存在。儒的本義，原為術士之稱，古時只有官學而無私學，官學大抵設在比較繁榮進步的都邑之中，所謂術士就是在都邑官學裡就讀的學士。術士在官學裡學的是六經，為學的目的是為了學成以後可以為官用世，為了能夠順利獲得進用，因此儒者大都具有柔讓

---

[1] 《左盦集》卷 3〈釋儒〉，見《劉申叔先生遺書》（台北：華世出版社，1975 年），頁 1463。以下簡稱《遺書》。

的美德，《說文》以柔訓儒，即在說明儒者這種柔讓爲德以待聘用的特徵。劉師培說：

> 大戴〈入官篇〉云：「枉而直之，使自得之，優而柔之，使自求之，揆而度之，
> 使自索之。」《鹽鐵論》亦曰：「所以貴儒術者，貴其處謙退讓以禮下人。」鄭
> 君《三禮目錄》曰：「儒之言優也，柔也，其與人交接，常能優柔。」蓋儒者
> 以柔讓為德，以待用為懷，故字從需聲，許君以柔釋儒，即小戴〈儒行篇〉所
> 謂待聘、待問、待舉、待取也。[2]

後來孔子設教，以六藝教導弟子，弟子學成之後，即以所學出爲世用，此舉近於古代
術士之學，因此他所創立的學派就稱爲儒家。劉師培說：「降及孔子，以六藝施教，
俾爲學者進身之資，其學遂以儒家名。」[3]

以上是〈釋儒〉篇的要旨。〈儒家出於司徒之官說〉一文，也討論到同樣的問題。
儒家出於司徒之官，說見班固《漢書藝文志》，也是現存可見有關儒家起源問題的最
早說法，但是《漢書藝文志》只有結論，並沒有說明理由。劉師培除了肯定《漢書藝
文志》的說法之外，還更進一步爲儒家出於司徒之官作了說明，他的方法是從分析司
徒的職守入手。他說：

> 《周禮》大司徒職云：「因此五物者民之常，而施十有二教。」又云：「正月之
> 吉，始和布教于邦國都鄙，乃懸教象之法于象魏，使萬民觀教象。」又言：「以
> 鄉三物教萬民」、「以鄉八刑糾萬民」、「以五禮防萬民之偽」、「以六樂範萬民之
> 情」。是司徒之職，于經書土田以外，最要之職，不外教民。……《周官‧冢
> 宰》言：「儒以道得民」，道也者，即儒者教民之具也，蓋以道教民者謂之儒，
> 而總攝儒者之職者則為司徒，說者以司徒為治民之官，豈知司徒之屬，均以治
> 民之官而兼教民之責乎，舍施教而外，固無所謂教民之具也。試觀《周禮》地
> 官之職，鄉大夫受教法于司徒，而頒之于其鄉吏。又州長之官，各掌其教治政

---

2 《遺書》，頁 1464。
3 同前註，頁 1464。

令之法，以考其德行道藝而勸之。下至族、黨、比、閭之吏，亦各以治民之職，兼握教民之權。此豈古代在位之官，其學術言行均足為人民之表率哉？蓋所守之職然也。[4]

劉師培根據《周禮》設官分職的記載，考得司徒的職責，於經書土田之外，以教民為最重要。而司徒以下，如鄉大夫、州長、黨正、族師、閭胥、比長等各級地方官吏，也莫不以教民為其專責。此對古代司徒之屬的職守，及其與儒者的關係，解釋得非常清楚。不過比較特別的是，劉師培又進而推測說：「古代地方之吏以施教於民為專責，與儒者以道得民者相同，意鄉大夫以下諸職，均以儒者充其位。故當時之鄉官屬於土著之民，進者為鄉大夫，退則為鄉先生，（原注：「鄉大夫之位，大都以鄉先生為之，而鄉先生之稱，不得以鄉大夫括之。」）而化民之政，訓俗之權，均操於其手。」[5]後來由於封建制度的解體，以及社會的變遷，官學漸廢，私學勃興，九流十家，各以其道，爭鳴於世。其中孔子所創立的學派，倡導道德教育，與古代司徒之官的職守相近，因此《漢書藝文志》才有儒家出於司徒之官的說法。劉師培說：「至於東周，司徒之職漸廢，九流百家各持異說，惟孔子之說近于教民，以道德禮義之言為天下倡，欲漸復學校井田之制，雖出詞近迂、立身近偽，然在九流之中，與古儒者之學相近者，厥惟孔子，故其學以儒家為名，而班《志》溯其源起，以為出于司徒之官也。」[6]以上是劉師培在〈儒家出於司徒之官說〉一文中，對《漢書藝文志》「儒家出于司徒之官」一說所作的解釋。

　　此外，劉師培在〈儒家出於司徒之官說〉文中，進一步還討論到儒者角色的演變，他認為孔子所創立的學派，雖然稱作儒家，但是孔子及其後儒者的表現，與古代儒者的職守，並不完全相同。劉師培說：

　　　　特孔子以後奉其學者，均以儒為名，實則孔子之言，近于古代之儒者，而孔子

---

[4] 《左盦外集》卷9〈儒家出於司徒之官說〉，《遺書》，頁 1757。
[5] 同前註。
[6] 同前註。

之所行，則與古代之儒不同，孔子以後之儒，較之古代之儒，其行事尤為相遠。……自《史記》立〈儒林傳〉，班、范二史沿之，然後以通經之人為儒，夫兩漢經生均以師法相教授，與儒者教民之事亦復相符，惟其所教授者在於先王之成績，與化民訓俗之義迴殊，名之曰儒，蓋有儒名而無其實者也。[7]

古代儒者的本職，重在化民訓俗，孔子以道德禮義為天下倡，這種教言雖然與古代的儒者相近，但是他的行為表現，卻與制度化的化民訓俗尚有一段距離。到了兩漢，不論化民訓俗，僅以傳經的學者為儒，那差距就更遠了。

細審〈釋儒〉與〈儒家出於司徒之官說〉，可以發現兩文討論的問題雖然大抵相同，但是考察的角度，並不盡相同，而結論也不完全一致。前文是從考求「儒」字的本義起步，認為儒者的原始身分，是「明習六藝以俟進用」的「術士」，後篇則是從周代設官分職的制度入手，以為儒者的本職可能是古代「化民訓俗」的各級地方官吏。這兩種說法之間，需要進一步的疏通，今說明如下：

劉師培繼章學誠之後，同樣主張古時政教官師合一，學術掌於官府，又仕學合一，學貴致用，而六藝皆為先王之舊典成法。依此推論，官學中以六藝作為施教的教材，希望學者學成之後，可以出仕運用，自然合理。儒字本義，依《說文》所記，當作「術士」解，術士就是在都邑官學裡就讀的學士，術士所學，以六藝為主，所謂「古代術士之學，蓋明習六藝以俟進用」者，是指正在官學裡學習，尚未出仕的儒者而言。而「鄉大夫以下諸職，均以儒者充其位」云云，則是指儒者進身以後的事。無論是在學學習，或是已學成出仕，都是儒士。其後，王官失守，私學勃興，諸子之中，只有孔子以六藝施教，兼重學術傳授與德行教化，又以行道當時為首志，此與古代的術士儒者所學所行相符，因此孔子所創立的學派，便稱之為儒家。

再者，《漢書藝文志》從學術與王官的關係，提出「儒家出于司徒之官」的說法，劉師培也作了上述的闡釋。不過既然從官守的角度，推溯儒家是出於司徒之官，而在

---

[7] 《左盦外集》卷9〈儒家出於司徒之官說〉，《遺書》，頁1757。。

《周官》的體制中，司徒之上，尚有總領政教的太宰，循司徒的線索繼續上推，自然離不開太宰，因此劉師培又曾說：「儒家之說，總政教之大綱，班《志》謂其出于司徒之官，而不知其兼出於太宰之官者也。」[8]

在劉師培之後，章太炎作〈原儒〉，錢穆作《先秦諸子繫年》，都對儒與儒家的問題有所探討，特別是 1930 年胡適發表〈說儒〉後，更引發了學術界討論儒與儒家起源的熱潮，溯其原始，劉師培實是近代學術史上原儒論的創始人。

三、孔學的真相

清末民初有關儒學的爭議，孔學與宗教的關係，是備受矚目的論題之一。當時孔教問題的產生，康有為是主要的導火線，康氏以今文學家的立場，撰著《新學偽經考》、《春秋董氏學》、《孔子改制考》諸書時，已有將孔子神化為「教主」的言論。1898年又上奏光緒帝「請尊孔聖為國教立教部以孔子紀年而廢淫祀摺」，更欲藉政治的力量，立孔教為國教，隨即引起學者的注意與討論，保教反教的爭議，延及民初，猶未止息。劉師培在 1904 年先後發表〈論孔教與中國政治無涉〉、〈讀某君孔子生日演說稿書後〉二文，認為中國古代只有因敬祖尊天而生的鬼神教，並無孔教，孔子從未立宗教之名，孔門也沒有祈禱、入教等儀式，孔子書中凡提及教字者，指的都是教育教化，而不是宗教。到了六朝張融以儒釋道三教並列，始有儒教之名，後世相承，習稱孔學為孔教、儒教，但是迄未曾視孔教為一種宗教。至於一般中國人民崇奉孔子，主要是由於國家功令，與社會習慣使然，也並不是真正將孔子視為神明。因此他強烈主張「孔子者，中國之學術家也，非中國之宗教家也。」[9]認為應當依循周秦舊例，將孔子重新歸位於九流之一，這種見解可說是十分開明。

1906 年劉師培又發表〈孔學真論〉一文，探討孔子學說的真相，實際上就是在分

---

[8] 《左盦外集》卷 8〈古學出於官守說〉，《遺書》，頁 1728。
[9] 《左盦外集》卷 9〈論孔教與中國政治無涉〉，《遺書》，頁 1745。

析孔學的特質與得失。劉師培在該文中，首先認定孔子是集中國古代學術之大成者，他開宗明義即說：「周室既衰，史失其職，官守之學術，一變而爲師儒之學術，集大成者厥爲孔子。」[10]所以然者，劉師培分別從孔子與古代學術的關係，以及孔學與其他諸子學說的不同這兩個角度有所說明。就孔子與古代學術的關係而言，劉師培提出了下列兩點理由。

（一）孔子六藝之學得之史官，爲周代學術的正傳。劉師培認爲孔子述而不作，以六藝作爲施教的教材，而其六藝之學皆直接得之於周代的史官，例如：「《周易》、《春秋》得之魯史，《詩》篇三百得之輶軒，推之問禮於老聃，問樂於萇弘，而百二國寶書，則又孔子與左丘明如周觀之者也。」所以說：「孔子者固得周史學術之正傳者也。」[11]

（二）孔子兼明九流術數諸學，非僅儒學一家而已。劉師培認爲孔子之學，博而能大，原非儒學一家所能盡賅，只是秦以後僅傳儒學一支，致使後人只知孔子爲儒家，這是將孔學的範圍縮小了，並非孔學的原貌。

再就孔學與其他諸子學說的不同而言，劉師培同樣也列舉了兩點理由。

（一）孔學道藝並重，兼具師儒之長。師與儒二名，見於《周禮》，爲周代主掌教化的官吏，而其職守又各有偏重，《周禮·天官·冢宰》：「師以賢得民，儒以道得民」，大抵而言，師重在德行教化，儒偏於學業傳授。劉師培說：「孔子徵三代之禮，訂六藝之文，徵文考獻，多識前言往行，凡六藝諸書，皆儒之業也，即《中庸》所謂道問學。孔子衍心性之傳，明道義之蘊，成一家之言，集中國哲學之大成，凡《論語》、《孝經》諸書，皆師之業也，即《中庸》所謂尊德性。」[12]故孔子學術實兼備師儒兩者的長處。

（二）孔學崇尚實踐，具有政教合一的精神。劉師培說：「孔子之初，本求行道

---

[10] 《左盦外集》卷9〈孔學真論〉，《遺書》，頁1751。
[11] 同前註。
[12] 同前註，頁1752。

於世，及世不見用，乃垂之空言，六藝者皆先王之政典也，即使自著之書，亦專以事理爲主，而即基事理以發其道者也。」[13]也就是說孔學注重實踐，不尙空論，與古代「政教合一」的精神相合。

以上劉師培一方面從學術發展的角度出發，認爲孔子既得周史六藝之正傳，又兼明九流術數諸學，那麼所謂集中國古代學術之大成者，自然是非孔子莫屬了。另一方面，劉師培又從學說的性質著眼，認爲孔子雖然與諸子同屬私學，但是諸子著書立說，大抵是在宣揚自己的思想，並不重視德行教化，而且多屬空言，不重實事實理。孔子則不然，他教學立說的真精神，在於道兼師儒、學以經世，是唯一能與古代學術相合的學派，因此也只有孔子才能稱得上是集中國古代學術之大成者。

綜觀以上所論，其中孔子得周代學術正傳、孔學兼具師儒之長、孔學具有政教合一的精神三點，平實可信。唯有孔子兼明九流術數諸學一事，說法新奇，而其舉證，則頗有可議。劉師培說：

> 觀《漢書‧藝文志》於名家引孔子必也正名，於縱橫家引孔子頌詩三百，使於四方，不能專對，於農家引孔子所重民食，於小說家引孔子雖小道必有可觀，於兵家引孔子為國者足食足兵，所以證諸子學術不悖孔門，然即此而觀，可以知孔門不廢九流學矣。且孔子問禮於老聃，則孔子兼明道家之學。作《易》以言陰陽，如立天之道曰陰與陽、一陰一陽之謂道之類，是則孔子兼明陰陽家之學。言殊途同歸、言審法度，則孔子兼明雜家、法家之說。韓昌黎言孔墨相為用，以兼愛即孔子之汎愛眾，以尚儉即孔子稱禹無間然之義，說雖未確，然謂孔必用墨，墨必用孔，固屬不刊之確論，則孔子兼明墨家之學。唯其兼明諸子之學，故孔學之末流，亦多與九流相合。田子方受業於子夏，而子方之後，流為莊周，而孔學雜於道家。禽滑釐為子夏弟子，治墨家言，而孔學雜於墨家。告子嘗學於孟子，兼治名家之言，而孔學雜於名家。荀卿之徒，流於韓非、李

---

[13] 《左盦外集》卷9〈孔學真論〉，《遺書》，頁1752。

斯，而孔學雜於法家。陳良悅孔子之道，其徒陳相為神農之言，而孔學雜於農

家。曾子之徒流為吳起，而孔學雜於兵家。由是言之，孔門學術，大而能博，

此南郭惠子所以有「夫子之門何其雜也」之說，豈區區儒家一端所克該哉？[14]

上述論證，可以分為兩個方面。一是以《漢書藝文志》、韓愈〈讀墨子〉等書所記，從正面說明孔子兼明諸子之學。二是從孔學流傳於後世的情形，逆推孔學早已雜有各家的學說在內。事實上，這兩種說法都有待商榷。例如《漢志》評論諸子學派時，每引孔子之說，「以證諸子學術不悖孔門」，與韓愈〈讀墨子〉所說：「孔子必用墨子，墨子必用孔子」，是否皆可相信，歷來疑者甚多，並非全屬不刊之論，以此證明孔子兼明各家之學，並不合適。至於因為孔子曾經說過「殊途同歸」、「審法度」的話，因此就判定「孔子兼明雜家、法家之說」，更顯得輕率。又如以「孔學末流多與九流相合」的現象，逆證「孔子兼明諸子之學」，也不是全無問題。因為孔子歿後，弟子之間持說已各有不同，數傳之後，流而為別派，原是很自然的事，並不能據此反推孔子思想一定早已雜有該派的學說。如韓非、李斯受學荀子，荀子又原出孔子，若因此推論「孔學雜於法家」，而置荀子、韓非、李斯的個人性格與所處的時代環境於不顧，就不盡合理。依據劉師培所提出的證據來看，如謂孔子學術有與其他諸子相通的地方，尚有可信，必謂孔子原本兼明九流術數諸學，其後唯有儒學一家傳世，顯然並不確實。

其次，劉師培認為孔學也有缺失，並非盡善盡美，他歸納孔學的缺失，有以下四點。

（一）「信人事而並信天事」。劉師培認為孔子之學本以人事為重，但是他同時又相信天道，例如《春秋》一書，便有許多災變怪異的記載，這在孔子，或許只是想藉此天變以警戒人君而已。但是孔子的用心，一般人未必能體會得到，而災變的說法，則極易流於迷信，反而成了民智發展的阻力。劉師培說：「自孔子創天變之說以來，

---

[14] 《左盦外集》卷9〈孔學真論〉，《遺書》，頁1751。

於西漢則爲變異學，……於東漢則有讖緯學，……浸淫至今，遂爲民智進步的一大阻力，此固孔子所不及料者也。」[15]

（二）「重文科而不重實科」。劉師培認爲中國科學的興起，早於西方，但是因爲孔子重道輕藝，視實科爲末業，影響所及，反而延誤了中國科學的發展，他說：「孔子以藝學卑微下賤而輕之，爲其輕藝學故物理學未能發明，而中國實科之學至孔子悉已消滅無聞矣。……相傳至今，儒教遂高談性命，視科學爲無足重輕，而唯物派之學術於中國遂寂然未聞，不亦大可悲耶。」[16]

（三）「有持論而無駁詰」。劉師培以爲孔門師弟之間，只有單向的傳授，缺少彼此的討論辯難。而所以會造成這種現象，一是由於中國向來缺少論理思想，二是由於孔門教育的專制，前者與孔子無關，後者則孔子不能辭其咎。他說：「孔子之於弟子也，雖多謙遜之詞，如啓予者商也，吾無行而不與二三子之類是也，然弟子質疑問難者，頗爲孔子所不取，於顏子之不違如愚，則稱爲好學，於宰我子貢飾口辯者，悉以佞口斥之，故樊遲問仁問智而未達，反問之子夏。曾子聞喪欲速貧，死欲速朽而未知，反問之有子，則弟子之問難爲孔子所不樂聞明矣。有聽受而無問難，是爲教育之專制，此吾不能爲孔子諱者也。」[17]

（四）「執己見而排異說」。劉師培認爲古今中外，凡學術能自成一家言者，爲了伸張己說，難免會對異見加以駁斥，但是學術論辯，有一定的規則，不能流於意氣，專斷自是，而孔子卻是一個專斷的學者，孔門也是一個專斷的學派。他說：「孔子曰：『攻乎異端斯害也已。』是說也，爲儒教排外之鼻祖，蓋禁言論思想之自由，仍沿官學時代之遺法，故凡遇學術稍與己異者，即排斥不遺餘力，觀孔子之誅少正卯可以知其故矣。厥後孟子斥楊墨，而並及兵農縱橫諸家，荀子非十二子，並及於子思、子游，不獨於學術相異者斥之爲異端，即學術同而派別異者亦斥之爲曲說。不能以理相勝，

---

[15] 《左盦外集》卷9〈孔學真論〉，《遺書》，頁1752。
[16] 同前註，頁1753。
[17] 同前註。

而徒欲以氣相凌，其既也，荀卿之學流爲李斯之焚書，孟子之學流爲宋儒道統之說，學術定於一尊，於學術稍與孔孟異者，悉以非聖無法罪之。」[18]

上述對孔學缺失的四點評論，實互有得失。如就第一點而言，孔子對天道鬼神，基本上是採取一種敬而遠之的態度，既不否定也不迷信，並不是「信人事而並信天事」，而兩漢流行的災異讖緯學，實際上是受到陰陽家的影響，與孔子也沒有絕對的關係。劉師培在 1904 年作〈讀某君孔子生日演說稿書後〉，即曾謂災異之說，原爲古代社會的一般迷信，「非由孔子發明」[19]，孔子作《春秋》，不過是因襲其舊而已。又謂漢儒讖緯之說，爲古代鬼神教雜入儒家以後的產物，也「決非孔子學術之派別」[20]，這種見解，實比〈孔學真論〉所說爲妥切。就第二點而言，有關中國科學不發達的原因極爲複雜，當然不能完全歸罪於孔子，但是孔子重道輕藝、重人輕物的思想，有礙科學的發展，則是不可否認的事實。就第三點而論，孔門師弟之間，並非全以師說爲是，而無駁難，子見南子，子路不悅，便是明顯的反證。但是孔門學風溫柔敦厚，弟子少有問難，的確也是事實，只是劉師培「教育專制」的用語，稍爲過當而已。至於第四點，劉師培批評孔子堅執己見，觝排異說，又顯然過於深求。「攻乎異端」，不必一定解釋爲排斥異見，孔子誅少正卯事是否可信，也迄難定論，以此論定孔子學術專斷，不免過當。不過儒家自孟子、荀子以下，好爭正統，經常排斥其他學說爲異端，則仍是個不爭的事實。

兩千多年來，孔子對中國社會的影響，幾乎是無人可以企及，中國社會的問題，雖然不盡與孔子有關，但是由於孔子在中國歷史上的特殊地位，難免要承擔較多的責任。綜觀劉師培對孔學得失的分析與批評，雖然有些論證或許不夠精確，某些用語或許也不免過當，但是大體而言，可以看出他主要目的，一方面是在肯定孔子的歷史地位，另一方面則是爲了反對迷信，主張科學，反對學術專制，主張自由辯論，而這些

---

[18] 《左盦外集》卷 9〈孔學真論〉，《遺書》，1753-1754。
[19] 《左盦外集》卷 9〈讀某君孔子生日演說稿書後〉，《遺書》，頁 1747。
[20] 同前註。

都代表了當時知識份子對傳統文化的反省，以及對中國未來的期望，是有其一定的時代意義。

四、儒學的基本精神

　　劉師培出身於一個四代傳經的漢學世家，一生治學，服膺戴震、惠棟，注重實事求是，長於訓詁考辨，如果以清代漢宋學的標準來看，他可以說是一位典型的漢學家，但是這並沒有影響到他對儒學本質的認識。他一向認為儒學的基本精神，無論是就原始儒士的角色，或是孔子所創立的儒家而言，都是在於經世致用、道德教化，此由上文所述，已可窺見。基於這種認識，所以劉師培對於後世儒者的表現，往往便以此作為評斷的標準。例如他對明代泰州學派，以及對清代考證學的批評，便是兩個值得觀察的重點。

　　王陽明的傳人中，王畿以及以王艮為首的泰州學者，主張現成良知，不守禮教的思想與行為，原本即備受爭議。明亡以後，學者推究亡國的因素，大都以為王學末流空談心性，造成虛無不實的學風，要負最大的責任，而泰州學者更是被批判的焦點。劉師培本身的學術立場雖然與王學不同，但是他不僅沒有隨聲附和，反而對王畿、王艮、顏鈞、何心隱、李卓吾等人在化民成俗上的成就，極為肯定。如說：

> 陽明既歿，吳越楚蜀之間，講壇林立，餘姚學派，風靡東南，龍溪心齋，流風尤遠，從其學者，大抵摭拾語錄，緣釋入儒，以率性為宗，以操持為偽，以變動不居為至道，以蕩棄禮法為自然。甚至土苴六籍，芻狗聖賢，以為章句不足守，文字不足求，典訓不足用，義理不足窮，與晉人曠達之風相似。然流俗昏迷，至理誰察，得講學大師，隨機立教，直指本心，推離還源，如寐得覺，故奮發興起，感及齊氓，此雖陽明講學之功，然二王化民成俗之勳，豈可歿與？

又說：

> 泰州王心齋以鹽販而昌心學，從其學者如朱光信、韓貞之流，皆崛起隴畝之間，以化民成俗為己任，不復以流品自拘。又何心隱縱遊粵右，苗蠻亦復知書。李卓吾宅居麻城，婦女亦從講學。雖放棄禮法，近於正始之風，然覺世之功，固較漢宋之儒為稍廣矣。及周海門、羅近溪之徒，宣究陽明、心齋之旨，直指本心，隨機立教，講壇所在，漸摩濡染，幾及萬人，使仿其法踵行之，何難收教育普及之效哉。[22]

類此稱道的語言，在劉師培的著作中可以說是不一而足，由此可見他對儒學教化的精神，是非常注重的。

再者，清代的儒學是以訓詁考證為主要內容的時期，對清代考證學在整理詮釋古籍上的貢獻，以及無徵不信的治學精神，劉師培基本上是肯定的，但是透過他對清儒的評論，我們仍然可以感覺到他那種強烈的用世情懷。劉師培作有〈清儒得失論〉一文，該文從比較明清兩代儒學的風貌入手，以為「明儒之學以致用為宗」，而「清儒之學以求是為宗」[23]。「明儒之學，用以應事；清儒之學，用以保身。」[24]因為明人治學，重在經世，講求致用，因此「釋褐之士，莫不嫻習典章，通達國政，展布蘊蓄，不貳後王。或以學植躬，勇於信道，尊義輕利，以聖自期。」[25]這是一個道德和事功並重的時代。至於清儒的表現，則與明儒迥然有別。「蓋士之樸者，唯知誦習帖括，以期弋獲。才智之士，憚於文網，迫於飢寒，全身畏害之不暇，而用世之念泊於無形。加以廉恥道喪，清議蕩然，流俗沈昏，無復尊儒重道，以爵位之尊卑，判己身之榮辱。

---

[21] 見《南北學派不同論·南北理學不同論》，《遺書》，頁 663。
[22] 《國學發微》，《遺書》，頁 595。
[23] 同前註，頁 1782。
[24] 《左盦外集》卷 9〈清儒得失論〉，《遺書》，頁 1778。
[25] 同前註。

由是儒之名目賤，而所治之學亦異。然亦幸其不求用世，而求是之學漸興。」[26]明清兩代學風所以有如此的不同，劉師培以爲那是因爲清人以異族入主中原，爲了穩固政權，建國之初，便採取一連串恩威並濟的手段，例如一方面廣開制科，以收攬人心，另一方面又大興文字獄，以箝制讀書人的思想。清儒爲了明哲保身，不得不避談經世致用，轉而將心力投注在訓詁考據上，浸假反而形成有清一代講求實事求是的學術風潮。學求其是，此爲清儒之所得，但是不得學以致用，則是清儒之所失，得此失彼，劉師培事實上是感慨多於欣喜的。由此也可以看出劉師培的儒學觀，基本上還是認爲經世致用、道德教化，才是儒學的主要精神。

---

[26] 《左盦外集》卷9〈清儒得失論〉，《遺書》，頁1778。

龍宇純先生七秩晉五壽慶論文集
2002 年 11 月　　頁 529〜548

從毛先舒的《填詞名解》
談到〈南歌子〉的調名

張以仁[*]

張以仁[*]

一、前言

　　我多年在台大講授溫庭筠詞，相當喜愛他的〈南歌子〉七詞的明快真率而又不失其層曲深厚，頗累積了一些意見，想把它們寫出來以就教於同好。首先觸及的便是詞調的問題。在此一領域，清初毛先舒（1620-1688）的《填詞名解》是一本廣受徵引的著作，他以為〈南歌子〉一名後出，它的本名是〈南柯子〉。這樣的說法，顯然悖離了事實；接著又發現其說有待商榷處尚不止此。三百多年來，詞學界不乏高明，當然也有人指陳他的錯誤，但沿用他的說法的也大有人在，覺得不妨提出來討論一下，同時也引起了我對〈南歌子〉調名的問題進一步探索的興趣。

二、毛先舒《填詞名解》說法的質疑

　　清毛先舒《填詞名解》[1]卷一云：

　　　　〈南柯子〉。隋唐以來曲名多稱「子」，題采淳于棼事。一名〈南歌子〉，張衡
　　　　〈南都賦〉：「坐南歌兮起鄭舞」。此詞凡有五體，又唐劉采春有〈南歌子〉詞：

---

[*]　國立臺灣大學中國文學系兼任教授。

[1]　《填詞名解》，《四庫全書存目叢書》（臺北：莊嚴文化事業有限公司，1987 年 6 月），
　　集部，詞曲類。

「蘚蠟為紅燭」云云（原注：「《雲溪友議》作裴識詞」），乃五言絕句，與詞正異。

卷四云：

> 唐詞〈怨回紇〉，即五言律詩也；〈紇那〉〈南柯子〉，五言絕句也；〈三臺令〉，六言絕句也；〈漁歌子〉〈清平調〉〈小秦王〉〈浪淘沙〉〈欸乃曲〉〈八拍蠻〉〈阿那〉〈竹枝〉〈柳枝〉，皆七言絕句也。昔人各隨所賦名之，或歌法有異，遂別為數名焉。

這兩段資料，表達了下面這些意見，與本題有關：

一、〈南柯子〉是唐時的詞調，它後來又有〈南歌子〉一名。

二、〈南柯子〉得名與李公佐所撰〈南柯太守傳〉淳于棼的故事有關。〈南歌子〉一名則與張衡賦「坐南歌兮起鄭舞」有關。隋唐以來曲名多稱「子」。

三、〈南柯子〉有五體。

四、唐劉采春的〈南歌子〉詞（蘚蠟為紅燭）係五言絕句詩，不是詞體的〈南歌子〉。

五、唐詞〈紇那〉〈南柯子〉，都是五言絕句。

六、同一體製的齊言體唐詞之有不同調名，可能是隨所詠內容而予以不同的名稱，也可能是唱法不同所致。

這些意見頗有商榷的餘地：

一、就毛說第一點言，顯然以〈南柯子〉調名在〈南歌子〉之前。這種說法，今日詞學界大概不會有人同意。馬良春等編纂的《中國文學大辭典》便以為：「《填詞名解》以為原名〈南柯子〉，不確。」[2]〈南柯子〉調名，唐五代的詞學文獻上沒有出現過。就我所知，它最早出現在北宋人的作品中，下文有說。而〈南歌子〉調名，則始

2　馬良春、李福田主編：《中國文學大辭典》（天津：人民出版社，1991 年 10 月）。此語見〈南歌子〉條。

見於唐崔令欽的《教坊記》；敦煌曲中有〈南歌子〉九首，還存有該調的舞譜；溫庭筠有〈南歌子〉七首，載於《花間集》；唐人的筆記如范攄的《雲溪友議》也都提到〈南歌子〉[3]。崔令欽的生卒年不詳，但知玄宗天寶（742-755）時在世[4]，時當盛唐。吳熊和以爲「《教坊記》作於天寶末年。……多數當是開元天寶間已經流行並演奏于教坊的。」[5]然則，〈南歌子〉歌詞的出現，應更早於天寶末年（755）。那時寫〈南柯太守傳〉的李公佐恐怕還沒有出生[6]，當然也更不會有〈南柯子〉這個調名了。

二、就毛說第二點言，「南歌」一詞，可以溯源至張衡的〈南都賦〉；但是〈南歌子〉的得名，是否與〈南都賦〉有關，毛說也僅止於暗示。倒是張夢機《詞律探原》云：「張衡〈南都賦〉云：『坐南歌兮起鄭舞』，調名殆濫觴於此。」[7]襲毛說而用「濫觴」字樣，似乎更肯定二者的關係。我們固不可據此以謂東漢時代就已經有了這個詞調，也不宜因「南歌」二字的相同而遽認其命名的淵源。它是南方歌曲，創名者命之曰〈南歌子〉，應該是很自然的事，似無須熟讀張賦，強爲攀附。《中國文學大辭典》云：「此詞曲調本屬南音，故名〈南歌子〉。」自是平實之論。曲名稱「子」，是一種事實的陳述，但是否早到隋代，則須另有證據。今依據張夢機《詞律探原》稍作稽考，唐五代詞一五五調之中，以「子」爲名者二十七調。可以推源於隋代者不足十調，其中更無以「子」爲名者。小曲曰「子」，張夢機說：「任二北《教坊記箋訂》疑爲大曲摘遍，因先有大曲始產生小曲者，故名以『子』以別於大曲也。」[8]小曲從大曲中分出，有母子的關係，故名曰「子」？但〈南歌子〉似爲民間小曲，與〈南鄉子〉類似，不

---

[3] 見范攄《雲溪友議》卷10，收入《稗海》（臺北：藝文印書館，1965年影印本）。

[4] 見譚正璧編：《中國文學家大辭典》（臺北：河洛圖書出版社，1978年5月）。

[5] 見吳氏所撰：〈唐宋詞調的演變〉，《杭州大學學報》1980年第2期。

[6] 李公佐，生卒年不詳。唐憲宗元和初（806年）爲江淮從事。武宗會昌初（841）爲楊府錄事。宣宗大中二年（848）坐累削兩任官。即使他卒於此年，上溯到天寶末年（755），也有九十四年，他即使能活到這個歲數，也無法在嬰兒時寫出〈南柯太守傳〉來。他的傳奇著作，另外還有〈謝小娥傳〉〈馮媼傳〉等。見《太平廣記》卷四百七十五。

[7] 張夢機：《詞律探原》（臺北：文史哲出版社，1981年11月）。

[8] 同前註。

像是從大曲中分出。「子」是一種小稱，如「棋子」「鉤子」「釘子」「橘子」「瓜子」……之類。歌曲之短小者也稱爲「子」，如〈漁歌子〉〈江城子〉〈采蓮子〉〈生查子〉〈山花子〉〈何滿子〉〈西溪子〉〈更漏子〉〈采桑子〉……之類，只有〈破陣子〉六十一字，任二北謂此調出於大曲〈破陣樂〉，可能採母子之義。他如〈別仙子〉七十九字，應是「仙子」連文，與小義無涉；〈八六子〉杜牧所作，九十字，不知調名何所取義？不敢妄論。

三、就毛說第三點言，謂〈南柯子〉（〈南歌子〉）有五體，與萬樹《詞律》的四體，康熙欽定《詞譜》的七體都不相同。這種差異，也可能出自計算方式的不同。比如但從單、雙調，平、仄韻等大處著眼，說它只有三體，應該不算錯。《詞律》的方式大致如此。他雙調將歐陽修（鳳髻金泥滯）與石孝友（春淺梅紅小）分爲二體，便是從平、仄韻上分，雖然二者皆同爲五十二字。不過，他的單調計算卻是用字數爲條件，所以溫庭筠（手裡金鸚鵡）的二十三字與張泌（柳色遮樓暗）二十六字又分爲兩體，因此成爲四體。如果細分字數，雙調便不都是五十二字，另外尙有周邦彥（〈南柯子〉「膩頸凝酥白」）的五十四字（楊无咎有〈南歌子〉四首，其中二首爲五十四字），秦觀（靄靄迷春態）的五十五字。徐本立《詞律拾遺》因而爲《詞律》補此二體，便成爲六體了。但秦觀該詞，下片第三句「瞥然歸去斷人腸」下又重「斷人腸」三字，宋袁文《甕牖閒評》卷五以爲誤重，唐圭璋《全宋詞》因據以刪。《詞譜》便沒有五十五字一體。這樣算來，便只有五體。但如果再加上句法之異：譬如辛棄疾的五十二字體前後兩結俱作上四下五（「鑿個池兒⏦喚個月兒來」「有個人兒⏦把個鏡兒猜」），與毛熙震的「獨恨畫簾閒立⏦繡衣香」「髻慢釵橫無力⏦縱猖狂」作上六下三句法不同，於是又多了一體。《詞譜》沒有秦觀的五十五字體，卻多了一首無名氏的五十三字平韻體（夕露霑芳草）。此詞後結爲十字：「怎向人心頭⏦橫著個人人」，比五十二字的後結多了一字。這樣加起來，便成爲《詞譜》的七體了。事實上無名氏的五十三字體頗有問題，便是《詞譜》也覺得：「第一個人字，疑是衍文或襯字，無可考證，姑存之以備一格。」唐圭璋編《全宋詞》則逕刪去該「人」字，這樣就沒有所謂五十三字一

體了。「怎（《全宋詞》作「乍」）向人心頭」這句話，謂「人」是衍文，固無不可。視「頭」為襯字似亦無不可，但畢竟只是猜測，沒有直接的證據。《詞譜》但作說明而不予刪削，是最謹慎的態度。至於句法的問題是否可視為構成又一體的因素，則很值得斟酌。孫光憲的兩首〈南歌子〉，第一首（豔冶青樓立）的前結為「窈窕一枝芳柳入腰身」，九字一氣而下，不必停頓，後結「祇緣傾國著處覺生春」，則「國」字宜停頓，為四、五句法；第二首（映月論心處）前結「遙指畫堂深院□許相期」為六、三句法，後結「不似五陵狂蕩薄情兒」則九字一氣而下；李後主〈南歌子〉（雲鬢裁新綠）前後結（「一朵彩雲何事下巫峰」「怕被楊花勾引嫁東風」）皆九字一氣而下。三詞情況各不相同，是否須另加三體呢？這種情形，如將九字視為一個整體的句型，則上述種種頓挫變化，都只是句內的結構或節奏問題，有如五言詩的句式可以是二三、二一二、二二一，也可以是一四。七言詩通常是四三，也有二五、二二三、二四一、二二二一，也有五二[9]，另立新體，反嫌多事。然則此調若暫定為單調二十三字、二十六字平韻兩體；雙調五十二字、五十三字、五十四字平韻三體，加五十二字仄韻一體，凡六體，是否可以呢？如果刪去五十三字一體，則為五體，毛先舒是這樣計算的麼？

　　事實上還有別的問題：譬如格律的不同，是否也應構成區分的條件呢？毛熙震〈南歌子〉兩首，首句一為「遠山愁黛碧」，聲調為「仄平平仄仄」；另一句為「惹恨還添恨」，聲調為「仄仄平平仄」，後者為常式，而與前者差異甚大。然前者並非沒有同例，敦煌詞就有兩首與它一樣，一作「雪消冰解凍」，一作「自從君去後」。是否要另加一

9　參王力《古漢語通論》，臺北：泰順書局翻印，王協主編，刊落著者名，當時兩岸處敵對狀況故。該書舉例如曹植〈白馬篇〉：「仰手接飛猿」，是二三，也可以說是二一二；「借問誰家子」，是二三，也可說是二二一；陶淵明的〈飲酒詩〉第五首：「而無車馬喧」，則為一四；〈飲酒〉第五首：「問子為誰歟」，則是一三一。七言詩如曹丕的〈燕歌行〉，全篇都是四三句式（如「秋風蕭瑟天氣涼」「星漢西流夜未央」）；如杜甫的〈歲晏行〉：「況聞處處鬻男女」，則是二五，也可以說是二二一二；蘇東坡的〈荔支嘆〉：「知是荔支龍眼來」，是二五，也可是二四一或二二二一；又如杜甫的〈宿府〉：「午夜角聲悲自語，中天月色好誰看」，則是五二。

體呢？又孫光憲〈南歌子〉二首，第一首後結爲「祇緣傾國著處覺生春」，聲調爲「仄平平仄仄仄仄平平」；第二首後結爲「不似五陵狂蕩薄情兒」，聲調爲「仄仄仄平平仄仄平平」，與常式同，二者差異甚大，是否又要加一體呢？又敦煌詞有〈南歌子〉九首，除兩首有殘缺外，其他七首，皆爲雙調平韻[10]，其中「夜夜長相憶」一首，林玫儀《敦煌曲子詞斟證初編》以爲是雙調，然上下片協不同平韻，爲此調僅見；而字數則五十二字者一見，五十四字者二見，尚有五十六字者一見，更有五十七字者二見。其中上下片字數不一者四見，句式則更加零亂了。我們是否以民間詞爲藉口而不予理會？又如宋謝福娘、張時有〈南歌子〉五十六字平韻體，句式爲五七七二七、五七七二七，與以上所見者都不同（見唐圭璋《全宋詞》），是否因出於宋人話本小說而不予理會呢？然則，〈南歌子〉倒底有幾體呢？〈南歌子〉如此，其他詞調又如何呢？令人懷疑的是，體製的不同，能與同一樂曲配合嗎？後人談詞，每爭一字之平仄，認爲不可稍亂。但我們看到的卻大爲不然。如果依後人的尺度來看，這些詞當時是怎麼唱的呢？後世的規矩是從音樂發展出來的，還是從詞作發展出來的呢？起溫、韋、周、秦以叩之，是否「小處多拘，而大處反略」[11]呢？

四、就毛說四、五兩點言，實涉及聲詩與歌詞的分野問題。毛說既明言劉采春的〈南歌子〉（斛蠶爲紅燭）係五言絕句詩，與詞體無關（第四點），卻又舉例唐詞有五言絕句一類，而〈南柯子〉是其一（第五點）。事實上我們從未見過五言絕句的〈南柯子〉，毛氏的印象應該是來自劉采春（應該說是裴誠[12]）的〈南歌子〉。這就形成了

---

[10] 馬興榮、吳熊和等所編《中國詞學大辭典》以爲「敦煌曲子有〈南歌子〉七首，其中五首爲雙調。……協仄韻。……單片者二首，五句三平韻」，《全唐五代詞》則漏收兩首，皆待補正。參林玫儀：《敦煌曲子詞斟證初編》（臺北：東大圖書有限公司，1986年5月）。

[11] 用任二北：《詞學研究法》語。（重慶：商務印書館，1943年6月）。

[12] 范攄《雲溪友議》卷九末條載劉采春唱〈囉嗊曲〉事，未及〈南歌子〉。卷十首條言裴誠作〈南歌子〉三首，具載其辭，「斛蠶爲紅燭」在其中，亦非劉采春作。唯涉其女周德華唱〈楊柳枝〉事，亦與劉采春有關。二條所載事近似，又復頁次前後相接，疑毛氏混淆，乃誤以劉采春爲〈南歌子〉作者。范攄唐人，其說當有所據。張璋、黃畬所編《全唐五代詞》斷爲裴誠作，可從。又毛氏誤裴誠爲「裴識」。案：裴度子侹無作裴

一種有趣的矛盾。他到底要說什麼呢？〈南歌子〉是詞還是詩？五言絕句〈紇那曲〉是詞，何以五言絕句的〈南歌子〉不是詞？唐詞爲五言絕句體的尚有〈山鷓鴣〉〈麗人曲〉〈拜新月〉〈狀江南〉〈白鼻騧〉〈離別難〉〈囉嗊曲〉等，皆見張璋、黃畬所編的《全唐五代詞》，在毛氏心目中，它們是詩呢還是詞？《填詞名解》卷一於五言絕句的唐詞但及〈南柯子〉〈紇那曲〉〈囉嗊曲〉三調，其他的是不知而從闕呢？還是根本不承認它們爲詞？像〈狀江南〉一調，從天寶至貞元間，作者多達十一人[13]，它不類詩的唱和，而像詞的依式填製，它是詩還是詞呢？〈拜新月〉一調，係太宗所制「舊曲造新者五十八種」之一，屬般涉調[14]，卷一也不見提及，原因何在？什麼樣的五言絕句才是詞？標準在那裡？條件是什麼？我們看不到他的理據，卻看到多部詞學辭典都襲用了他的觀點，而認爲「唐人另有〈南歌子詞〉，係五言絕句詩。」[15]真有權威的架勢。

　　張璋、黃畬所編的《全唐五代詞》，依唐范攄《雲溪友議》，將這三首一般詞學者都認爲是五言絕句詩的〈南歌子〉採爲裴誠的詞，是有他們的尺度的。他們說：

> 唐人詩多可歌，其時詩、詞、曲界限並不分明。如〈竹枝〉、〈柳枝〉、〈浪淘沙〉、〈金縷曲〉、〈渭城曲〉（即〈陽關曲〉）等，本屬七言絕句，《花間集》、《尊前集》及《詞律》、《詞譜》等書卻收入詞中；而〈調笑〉、〈三臺〉諸詞，往往又被各家列於詩集之內。其他如〈一片子〉、〈踏歌詞〉、〈欸乃曲〉、〈憶江南〉、〈紇那曲〉、〈瀟湘神〉、〈拋球樂〉等，《全唐詩》既列在樂府，又收入詞類；且其命名不一，有名爲詞，有名爲曲，更有名爲曲子詞（如敦煌所發現）

識者。

[13] 見張璋、黃畬編：《全唐五代詞》（臺北：文史哲出版社，1986 年 10 月）。

[14] 見《填詞名解》卷四〈補遺〉。

[15] 此語見馬興榮主編之《中國古代詩詞曲辭典》（江西：新華書店，1987 年 7 月），編撰人有馬興榮、鄧喬彬等九人；又見馬良春、李福田等主編之《中國文學大辭典》（天津：天津人民出版社，1991 年 10 月）。以及《中國古典文學大辭典》（臺北：長春樹書坊，1987 年 3 月）。

　　者，殊難分辨。本編主要依照詞律、詞譜、詞話、詞史、《填詞名解》、《詞名

　　集解》及《敦煌曲校錄》等書所載詞調輯錄。其無詞體根據、或樂府詩無發

　　展為詞之跡象者，一般不收。……（見《全唐五代詞》凡例三）

第一、他們廣徵詞籍以為依據。第二、他們以樂府詩發展為詞的跡象作為參考。可以
唱的詩與可以唱的齊言體的詞，除了有音樂的不同外，應該是沒有什麼差別的。〈楊
柳枝〉是七言絕句詩，也是七言絕句體的詞。《全唐詩》既載於樂府，又收入詞類。
當它配六朝時〈楊柳枝〉的舊調時，它是樂府詩；當白居易翻成新聲時，他便是新添
聲〈楊柳枝〉詞了。宋王灼《碧雞漫志》卷五云：

　　《樂府雜錄》云：「白傅作〈楊柳枝〉。」予考樂天晚年與劉夢得唱和此曲調，

　　白云：「古歌舊曲君休聽，聽取新翻楊柳枝。」又作〈楊柳枝〉二十韻云：「樂

　　童翻怨調，才子與妍詞。」注云：「洛下新聲也。」劉夢得亦云：「請君莫奏

　　前朝曲，聽唱新翻楊柳枝。」蓋後來始變新聲，而所謂樂天作〈楊柳枝〉者，

　　稱其別創調也。

得此依據，舊曲新聲始別。否則，但憑文字的形式欲分辨何者為詩何者為詞，恐怕誰
也不能自命權威。裴諴與溫庭筠過從甚密，二人吃喝玩樂，經常混在一起[16]，都作了
〈南歌子〉詞。不會一人歌舊曲，一人唱新聲。溫氏長於音樂，王定保《唐摭言》說
他：「喜鼓琴吹笛，云：『有弦即彈，有孔即吹，何必桐爨與柯亭也。』」也許是他依
曲填詞，改變了五絕的舊式，加上三字，稍變聲調，更覺趁拍合節。從裴諴素樸的齊
言體歌詞，一變為溫庭筠的二十三字雜言體，再變為張泌二十六字雜言體。《詞譜》
云：「張泌本此添字。」即謂本溫氏二十三字體再添三字。可知其體舒緩，音節上頗
有回旋餘地。雙調常見的形式是二十六字體加上一疊。敦煌詞又加些襯字，任二北《敦
煌曲初探》云：「敦煌曲恣肆於襯字，遂較多六字。在溫體為『五五五五三』，在敦煌

---

[16] 《舊唐書·溫庭筠傳》云：「溫庭筠者，……能逐絃吹之音，為側豔之詞。公卿家無賴
　　子弟裴諴、令狐縞之徒，相與蒲飲，酣醉終日。」五代王定保所撰《唐摭言》亦有類
　　似記載。

體遂爲『五五七六六』或『五五七六五』，寖假而成別體矣。」其間發展線索可蹤。
這樣看來，〈南歌子〉歌詞的原始形式恐怕是裴諴的單片二十字的五絕體，而不是詞
學者們以爲的溫氏二十三字雜言體[17]。《歷代詩餘》以爲「單調二十六字。」賀新輝主
編之《宋詞賞鑑辭典》以爲「單調始見唐溫庭筠詞，二十六字。」[18]則可謂訛而又誤，
又不僅於事實之不明而已。

　　五、就毛詩第六點言，他對同一體製的齊言體唐詞之所以有不同調名，提了兩種
解釋：一是隨所賦內容而作不同的命名；二是因歌唱之法不同而有不同命名。前者側
重歌詞，後者偏專曲調。如以此說解釋詞調起源，似乎有他一定的道理。但以此解釋
同一體製的齊言體唐詞，則第一說實有枘鑿不入之弊。試想如果歌詞形式相同、唱法
相同，只是所詠內容不同，這與同調異名何異？與〈南歌子〉又名〈南柯子〉的情形
有何差別？從這個基點來看，他能認爲所舉七言絕句體的〈漁歌子〉〈清平調〉〈小秦
王〉〈浪淘沙〉〈欸乃曲〉〈八拍蠻〉〈阿那〉〈竹枝〉〈柳枝〉是同調異名而不是歌唱之
法不同嗎？顯然不能，他甚至不能認爲同是五言絕句體的〈紇那〉與〈南柯子〉（如
他所說）是同調異名，只是所賦不同而非唱法不同。然則他的第一種解釋是絕不能施
之於同一體製的齊言體唐詞身上的，這是因爲它們實際上是異調異名。不過，如果我
們把它借來解釋同調異名的形成，則是頗爲合適的，雖然同調異名的情形並不如此簡
單，這就與本文的第二項論題緊密聯繫起來了。

三、〈南歌子〉說名

　　前文已經說過了：〈南歌子〉調名，最早見於崔令欽的《教坊記》，時當盛唐。它

17　任二北《敦煌曲初探》云：「〈南歌子〉在晚唐爲單片二十三字之調，有溫庭筠詞七首
　　在，可信爲『真的，原始的調子也。』」他如張高寬、王玉哲等主編的《宋詞大辭典》、
　　賀新輝主編的《宋詞賞鑑辭典》、林煥文主編的《詞學辭典》……都作此說，不煩盡舉。
18　賀新輝主編：《宋詞賞鑑辭典》（北京：燕山出版社，1987 年 3 月）。

的問世，應該更早在崔氏著錄之前。這個調子，後來又有〈南柯子〉的別名。學者們
以爲係採李公佐〈南柯太守傳〉故事。於是像《中國古代詩詞曲辭典》便說：「〈南歌
子〉，一作〈南柯子〉。」萬樹《詞律》則在引溫庭筠〈南歌子〉調名下注云：「歌又
作柯」，彷彿溫詞又名〈南柯子〉。事實上溫詞從未見有任何版本或任何轉抄文獻作〈南
柯子〉的。張璋、黃畬的《全唐五代詞》共收詞二千五餘首，也不見〈南柯子〉之名。
〈南柯子〉一名，是因所賦不同而另創的新名，如毛先舒論齊言體唐詞所說呢（參上
文）？還是因爲「歌」「柯」音近而訛呢？似乎無法於倉卒之間圈選一個答案。而這
個調名，又有它自己進一步衍化的路向，值得探索。另外，〈南歌子〉的異名，當然
也不止毛先舒所說的一種，已有的紀錄，最多的達十種以上，其中也不乏可以討論之
處。因此下文擬分兩目來說，一是「從〈南歌子〉到〈悟南柯〉」，二是「〈南歌子〉
的其他異名」。

（一）從〈南歌子〉到〈悟南柯〉

我們知道，北宋詞中，已屢屢見到〈南柯子〉這個調名，今將有關資料簡介於下：
黃庭堅（1045-1105）有〈南柯子〉二首。
秦觀（1049-1100）一首。
賀鑄（1052-1125）一首。
陳師道（1053-1101）二首。
仲殊（？-1104）一首。
周邦彥（1056-1121）二首。
田爲（？）二首。
其中田爲（字不伐）生卒年不詳，他在徽宗宣和元年（1119）爲大晟府樂令。諸人年
輩似乎以他較晚。大致來說，這七位作者，幾乎都活躍在宋仁宗至徽宗那一段時間內，
時代相當接近。有的辭書，談到〈南柯子〉詞，但舉周邦彥爲例，如楊家駱主編的《詞

調辭典》[19]，馬興榮、吳熊和等主編的《中國詞學大辭典》[20]，不知並不只周邦彥一人用過〈南柯子〉調名，而周邦彥也不一定是最早的一個。這七位作者的十一首〈南柯子〉，除田爲題名「春景」一首外[21]，其他都夢無關，也就是說：都與〈南柯太守傳〉扯不上關係。如果照毛先舒的說法，調「隨所賦名之」，也就是說調名有取於詞，則他們都不是此名的創始者。而田爲在七人中可能時代最晚，創名之作，應不歸田。這樣看來，如果找不到別的資料，則「歌」一作「柯」，恐怕真是由於二字音近而改，其時南柯一夢的故事已成爲熟典。《中國詞學大辭典說》：「『南柯』用唐傳奇淳于棼故事，或是他人循『南歌』之音而改。」是經過思考後的說法，不是東抄西抄的資料。這個調名，雖常爲詞作者使用，但並未取代了〈南歌子〉原名。在兩宋，〈南歌子〉調名，還廣被採用。茲據唐圭璋所編《全宋詞》粗作統計，除無名氏不計外，使用〈南歌子〉調名的尙有作者六十七人，作品一七七首[22]。其中除石孝友六首之中的一首及無名氏九首中的一首爲仄韻體，万俟詠一首及劉辰翁二首爲單調二十六字平韻體外[23]，其他絕大多數皆爲雙調五十二字平韻體，上下片各二十六字，與毛熙震同。像溫庭筠的單片二十三字平韻體，晚唐五代及兩宋都再未出現過。使用〈南柯子〉調名的，北宋有上述黃庭堅等七人，詞作十一首。南宋則有作者周紫芝、陳與義、范成大等二十人（無名氏不計），詞作三十五首（含無名氏三首）。聲勢雖遠不及〈南歌子〉，但

---

[19] 楊家駱主編：《詞調辭典》（臺北：世界書局，1968 年 11 月）。

[20] 馬興榮、吳熊和、曹濟平主編：《中國詞學大辭典》（杭州：浙江教育出版社，1996 年 10 月）。

[21] 田爲〈南柯子・春景〉云：「夢怕愁時斷，春從醉裡回。淒涼懷抱向誰開。些子清明時候、被鶯催。　柳外都成絮，欄邊半是苔。多情簾燕獨徘徊。依舊滿身花雨、又歸來。」

[22] 其他別名不包括在內。例如賀鑄有〈醉厭厭〉二首，〈宴齊雲〉一首；朱敦儒有〈風蝶令〉一首；程垓有〈望秦川〉三首；張輯有〈斷腸聲〉一首。皆〈南歌子〉別名，不在此統計之內。若諸別名合計，則此調兩宋共有作者六十八人（加張輯，不包括無名氏），作品二百二十首（包括無名氏作品）。

[23] 〔金〕鄭子聃十首，亦單調二十六字平韻體，改名〈十愛詞〉，今但存一首，不在宋詞之列。

也不像別的異名的曇花一現。而且有一種現象也頗可注意，便是北宋採用〈南柯子〉調名的七人，其中黃庭堅、秦觀、賀鑄、仲殊四人也同時採用〈南歌子〉調名，共有詞九首[24]。南宋則沒有這樣的現象。似乎〈南柯子〉漸次有與〈南歌子〉分庭亢禮之勢。不止此也，〈南柯子〉更有它發展的路線，與南宋同時的雄蹠於中國北方的金、元，從〈南柯子〉分化出另一名稱，那便是全真教的〈悟南柯〉一名。

〈悟南柯〉一名，見於金、元全真教派道人如重陽子王喆、丹陽子馬鈺、長春子丘處機、清和真人尹志平、白雲子王丹桂等人的詞作：王喆《重陽分梨十化集》卷下有〈悟南柯〉一首，及丹陽子次韻一首。丘處機《磻溪集》卷六有〈悟南柯〉三首，尹志平《葆光集》有〈悟南柯〉四首，白雲子王丹桂《草堂集》有〈悟南柯〉一首[25]。馬鈺是丘處機的師兄，二人都是王喆的弟子。尹志平是丘處機的弟子，王丹桂是馬鈺的弟子。〈悟南柯〉之名，道味很濃，兩宋詞人，未見有用這個調名的。它比〈南柯子〉更適合道士的身分，也更富積極的向道哲意，很可能即該派祖師重陽真人王喆所創，而爲其弟子後學所遵用。全真派道士改易詞調舊名，甚爲習見。這個例子，並非特例，下文有說。楊家駱所編《詞調辭典》云：「〈悟南柯〉即〈南歌子〉，元丘處機詞名〈悟南柯〉。」不知全真派使用這個調名的不只丘氏一人，連他的師父與師兄都在唱和。《中國詞學大辭典》云：「其實王喆、馬鈺皆有〈悟南柯〉，馬詞繼王詞韻，丘處機當繼二人而作。」此說切合事理，如得朱麗娟〈丘處機《磻溪集》研究〉一文佐證[26]，則更加醒豁。朱文指出：「在《磻溪詞》四十九種詞調當中，有二十七個詞調是以道家、仙家語改易調名。」它們是：

〈無俗念〉（〈念奴嬌〉）。〈神光燦〉（〈聲聲慢〉）。〈月中仙〉（〈月中桂〉）。
〈上丹霄〉（〈上平西〉）。〈解怨結〉（〈解佩令〉）。〈恣逍遙〉（〈嫮人嬌〉）。

---

[24] 黃庭堅二首、秦觀三首、賀鑄二首、仲殊二首。

[25] 見白雲觀長春真人編纂：《正統道藏》（臺北：新文豐出版公司，1995 年 4 月），第 43 冊。

[26] 臺北：私立淡江大學中國文學系碩士論文，2000 年 1 月。。

〈爇心香〉(〈行香子〉)。〈萬年春〉(〈點絳唇〉)。〈望蓬萊〉(〈憶江南〉)。
〈報師恩〉(〈瑞鷓鴣〉)。〈悟南柯〉(〈南柯子〉)。〈鍊丹砂〉(〈浪淘沙〉)。
〈清心鏡〉(〈紅窗迥〉)。〈翫丹砂〉(〈浣溪沙〉)。〈無漏子〉(〈更漏子〉)。
〈好離鄉〉(〈南鄉子〉)。〈蓬萊閣〉(〈秦樓月〉)。〈下手遲〉(〈恨歡遲〉)。
〈離苦海〉(〈離別難〉)。〈水雲遊〉(〈黃鶯兒〉)。〈無夢令〉(〈如夢令〉)。
〈忍辱先人〉(〈漁家傲〉)。〈青蓮池上客〉(〈青玉案〉)。〈心月照雲溪〉(〈驀
山溪〉)。〈黃鶴洞中仙〉(〈卜算子〉)。〈金蓮出玉花〉(〈減字木蘭花〉)。〈玉
鑪三澗雪〉(〈西江月〉)。

她認爲:「這些新鮮的別名,都充滿了道家、仙家的色彩,一望即知是道教中人的創
製。」〈悟南柯〉當然不能例外。她又說:「這二十七個改調名的詞牌,除〈無俗念〉、
〈忍辱先人〉、〈金蓮出玉花〉、〈鍊丹砂〉、〈翫丹砂〉、〈好離鄉〉、〈下手遲〉、〈離苦海〉
等八種詞調未見於重陽詞的詞牌外,其餘皆已見於重陽詞。又其中〈金蓮出玉花〉、〈鍊
丹砂〉、〈翫丹砂〉、〈離苦海〉四種已見於馬鈺詞,故可能爲丘處機改易的詞牌,有〈無
俗念〉、〈忍辱先人〉、〈好離鄉〉、〈下手遲〉四種。」這樣看來,改易詞調舊名,竟是
全真派所習見之事,從重陽真人以下,不止一個弟子有此經驗。究其原因,或者與修
持有關。詩詞有其便於記憶之長,而創作的境界似乎與道教修鍊之道有相通之處。他
們大量創作詩詞、改易調名,是想以之詮釋其哲思嗎?或者便於開示其信眾嗎?

　　全真派的道士,也有同時使用〈南柯子〉調名的:如王喆有〈南柯子〉二首,見
《重陽全真集》卷四。馬鈺有十二首,見《漸悟集》卷下。長真子譚處端(也是王喆
弟子)有二首,見《水雲集》卷下。王丹桂《草堂集》〈悟南柯〉調名下有注云:「本
名〈南柯子〉」,顯示二者異名同實的衍化關係。不知〈南柯子〉也不是「本名」,它
的本名原是〈南歌子〉。全真派的道人是否清楚其間淵源呢?無法知曉,但在他們的
筆下,〈南歌子〉一名,顯然徹底不見了。《詞調辭典》說:「〈悟南柯〉即〈南歌子〉」,
全真派道人恐怕不會同意呢!而在丘處機的《磻溪集》中,更連〈南柯子〉一名也消

失不見。丘處機似乎比他的師父師兄更謹遵已改新名，所以改名之調，皆不見原名出現。但像香港中文大學黃兆漢撰寫〈丘處機的磻溪詞〉一文[27]，也說〈悟南柯〉的本名爲〈南柯子〉，前引朱麗娟文亦復如此，用全真教徒的知識來討論詞調的淵源，便將此調的歷史線索截斷了。

（二）〈南歌子〉的其他異名

〈南歌子〉的異名不只一個，毛先舒《塡詞名解》只說得一個，且誤認了本尊。萬樹《詞律》於目次〈南歌子〉調下云：「歌或作柯」、「又名〈春宵曲〉」、「又名〈望秦川〉〈風蝶令〉」。無論他以爲「柯」是誤字或否，他當然知道有〈南柯子〉一名。加上〈南歌子〉原名，共是五種。《詞譜》則舉別名七種，連原名共八種。它說：

> 〈南歌子〉，唐教坊曲名。此詞有單調雙調。單調者，始自溫庭筠詞。因詞有『恨春宵』句，名〈春宵曲〉。張泌詞本此添字，因詞有『高卷水晶簾額』句，名〈水晶簾〉。又有『驚破（仁案：應爲「斷」字）碧窗殘夢』句，名〈碧窗夢〉。鄭子聃有『我愛沂陽好』詞十首，更名〈十愛詞〉。雙調者……周邦彥詞名〈南柯子〉，程垓詞名〈望秦川〉，田不伐詞有『簾風不動蝶交飛』句，名〈風蝶令〉。

較《詞律》多了〈水晶簾〉〈十愛詞〉〈碧窗夢〉三種，並進一步說明了別名的由來，也指出了它們的出處，雖然並不完備。早年的文學或詞學辭書差不多都採用他的說法。張夢機《詞律探原》一書，雖是學術研究性著作，亦復如此。但《詞譜》的說法並不完備，它顯然尚漏收了〈悟南柯〉〈醉厭厭〉〈宴齊雲〉〈斷腸聲〉四名。這種情形並不足怪，兩宋至清，詞籍浩瀚，即使加上這四名，也不見得便無遺漏。〈悟南柯〉一名，可能爲全真派道士專用，上文已詳有述，此處不贅。像北宋詞人賀鑄的《東山

---

[27] 載於《道教文化》第 4 卷第 4 期，1986 年 11 月；亦見《道教研究論集》（香港：香港中文大學出版社，1988 年）。

詞》，便有〈醉厭厭〉一首（紫陌青絲鞚）（下片第三句脫四字，結句脫六字），及〈宴齊雲〉一首（橫跨三千里），都是雙調五十二字平韻體。二詞調名下皆有「〈南歌子〉」三字小注。賀鑄也有〈南歌子〉二首（繡幕深朱戶）（心蕩黃金縷）及〈南柯子〉一首（斗酒纔供淚），諸詞名稱雖異，格律全同。〈斷腸聲〉一名，見於南宋張輯的《東澤綺語債》，載有一首（柳戶朝雲濕），也是雙調五十二字平韻體，調名下有「寓南歌子」四字小注。這四個調名無疑都是〈南歌子〉的別稱，而不見《詞譜》提及。近年來文學及詞學方面的辭書寖多，逐漸有所改善。我所經目的，十一別名全部登錄者，已有楊家駱編的《詞調辭典》、王洪主編的《唐宋詞百科大辭典》、張高寬等主編的《宋詞大辭典》、馬興榮、吳熊和等主編的《中國詞學大辭典》等。王洪書多出〈恨春宵〉一調，那是把溫庭筠詞的「恨春宵」三字誤為調名了。這些辭典中，以馬興榮、吳熊和等主編的《中國詞學大辭典》最為詳備，且有新見。

　　這些別名的形成模式，《詞譜》似乎提供了一種說法：他以為新的名稱都取資於詞的內容，也正是毛先舒說的：「隨所賦名之」。這種說法，頗能說明部份情況，但並不能涵蓋所有易名現象，所以他不但對周邦彥的詞名〈南柯子〉，提不出解釋，對程垓的〈望秦川〉亦然。一個很明顯的例子，便是上文所說的〈悟南柯〉，它與〈南柯子〉調名實有孳乳衍化的關係，不一定取義於所賦內容；而〈南柯子〉，如前文所論，可能是因「歌」「柯」音近附會而成。所以《詞律》不說「又名〈南柯子〉」，但說「歌又作柯」，以示與其他異名有別。

　　至於這類別名形成的原因，則尤其不限於一端。有的是作者自己所創的，如賀鑄的〈醉厭厭〉、〈宴齊雲〉，程垓的〈望秦川〉，張輯的〈斷腸聲〉，以及《詞譜》所說的鄭子聃的〈十愛詞〉等，都屬此類。有的則是後人以新名改稱前人舊作，如《詞譜》稱溫庭筠〈南歌子〉又名〈春宵曲〉，張泌的又名〈水晶簾〉〈碧窗夢〉，都屬此類。溫庭筠〈南歌子〉之六有「恨春宵」句，清吳綺輯的《選聲集》已改稱〈春宵曲〉。調名下小字注云：「即〈南歌子〉第一體。」〈南歌子〉不只一體，世以溫氏單片二十

三字平韻者爲「第一體」，吳氏因之，顯有以〈春宵曲〉名代指單片二十三字的〈南歌子〉之意。張泌的〈南歌子〉因有「驚斷碧窗殘夢」句，吳綺所輯，已改稱〈碧窗夢〉，調名下有小字注云：「即〈南歌子〉第二體。」世以張泌單片二十六字平韻體爲「第二體」，吳氏因之，顯有以〈碧窗夢〉代指單片二十六字的〈南歌子〉之意。又如《詞譜》稱田不伐題名〈春思〉的〈南柯子〉爲〈風蝶令〉，也屬此類。因爲該詞編入南宋黃昇的《唐宋諸賢絕妙詞選》卷五時，尙名〈南柯子〉，顯示田不伐《洋嘔集》原貌不作〈風蝶令〉。

　　賦舊調以新名，如果是作者自己所爲，或者旨在標榜其詞的特點，也許還有自炫的喜悅。如果是他人所爲，或者由於贊賞它的傑出，不免有推崇肯定之意。然綜括言之，最主要的原因，應該是指稱上的方便。這由於詞調是一種共名，如果你像溫庭筠一樣作了七首〈南歌子〉，特別想要指稱某一首時，臨時挑選該詞某些突出的字眼作爲代表，是很容易發生的情況。從這個觀點來看，則吳綺恐怕也不是〈春宵曲〉一名的原創者。〈春宵曲〉之名既是從溫氏詞中「恨春宵」而來，則原但指稱其第六首〈南歌子〉，待泛指單片二十三字體，則應爲後日事。吳氏書既是「輯」來，調下小注似乎已暗示他的意見前有所承。田不伐〈春思〉一詞，《洋嘔集》調寄〈南柯子〉，如上所述。而〈風蝶令〉之名，亦見於朱敦儒（1081-1159）詞集《樵歌》，僅一首。該詞換頭爲「花外莊周蝶，松間御寇風」，有「風蝶」二字，因取爲名，是作者自創。朱敦儒年歲晚於田不伐，黃昇生卒年不詳，或謂「約宋理宗嘉熙末前後在世，時當公元一二四〇年」[28]，則尤晚於朱敦儒。疑〈風蝶令〉之名初創於朱氏，後之好事者見田詞含「風」「蝶」二字，因予改名，以炫博識，事應在《詞譜》之先而爲《詞譜》所採用。

　　作者自創新名，有的命意後人也不清楚，如程垓[29]《書舟詞》有〈望秦川〉三首，

---

[28]　見譚正璧編：《中國文學家大辭典》。

[29]　程垓，字正伯，眉山（今四川省彭山縣南）人。生卒年均不詳。譚正璧《中國文學家大辭典》云：「約宋哲宗紹聖中前後在世，與蘇軾爲中表。」宋哲宗紹聖凡四年，自公

題名〈早春感懷〉。三詞寫景寫情，看不出與調名的關係。是以《詞譜》無法像對〈春
宵曲〉等調名一樣取詞中資料給予解說。從一個讀者的立場看，程垓望中的秦川，是
在眼前呢？還是在心上呢？無法從詞中得到啟示，也許涉及他的生平經歷，便有待進
一步探索了。他另有〈南歌子〉五首，可見這三首改名〈望秦川〉應有特殊命意。他
之前，沒有人用過這個調名。是則改名的動機當是別有寄託。其次，上文提到自易調
名的金朝鄭子聃（1126-1180），《詞譜》說他「有『我愛沂陽好』詞十首，更名〈十愛
詞〉。」元于欽撰《齊乘》，記載了此事，云：

> 金末內翰，知沂州，作〈十愛詞〉，有云：「我愛沂陽好，民淳訟自稀。誰言
> 珥筆混萊夷。行見離離秋草，鞠圍扉。」俗有「登萊沂密，腦後插筆」之語。
> 子聃治沂，民淳訟簡，可比山谷江西道院之論，故云。後之為牧，疾民訟、
> 無德化、多恃刑罰，欲勝民者，能無愧乎！[30]

可為《詞譜》之證。此詞所譜，為張泌單調二十六字平韻體，非常罕見。因同調十首，
首句均作「我愛沂陽好」，乃改名〈十愛詞〉，一方面關照了首句，一方面也顯了它為
組詞的特色。這是其它別名所沒有的。

　　《詞譜》所提到的〈春宵曲〉〈水晶簾〉〈碧窗夢〉，則是後世改易的調名。《詞譜》
只說明了這些別名如何形成，並未進一步交代它們的出處。我們只知道清吳綺所輯的
《選聲集》將溫庭筠的〈南歌子〉第六首改稱〈春宵曲〉，將張泌的第二首〈南歌子〉
改稱〈碧窗夢〉。這些資料，既是「輯」來，而所作小注，旨在交代新舊名稱的關係，
顯示其前有所承，並非自創。然則他的根據何在？原創者為何許人？這些一時都無法
深究。尤其〈水晶簾〉一名，《詞譜》之外，更無呼應資料。我們知道吳綺的《選聲
集》將牛嶠的〈江城子〉第一首（鵁鶄飛起郡城東）改稱〈水晶簾〉，調名下小注云：
「即〈江城子〉第一體。一名〈江神子〉，亦有雙調。」這是因為詞中有「簾捲水晶

元 1094 至 1097。
[30] 見《欽定四庫全書珍本》（臺北：商務印書館，1973 年），第 114 集。

漁（魚）浪起」句之故。但遍查《花間集》各種版本，「水晶」皆作「水樓」，則此名有誤易之嫌。吳氏未察，亦失檢。又《詞譜》卷二十六錄無名氏〈水晶簾〉，云：「雙調，九十八字，前後各十句，五仄韻。」下有「翰墨全書」四小字，似謂出於明王宇《翰墨全書》。《中國詞學大辭典》則謂「見《翰墨大全》丁集卷三」，二者所言不知是否相同。手頭無書，無法查證。好在與本文關係不大，暫且擱下。總之，吳氏資料的來源在《詞譜》之前，惟該詞詠消暑閒情，通詞無「水晶」字樣，不知何以有〈水晶簾〉之名，難道別有創調之人，更早於無名氏麼？同一名稱，指代有異，皆與張泌〈南歌子〉無關。

作者喜據舊調以創新名，除全真教派外，大概莫過於南宋的張輯[31]。他把〈南歌子〉改爲〈斷腸聲〉，見於所著《東澤綺語債》，調名下有小字注「寓南歌子」四字，僅一首。因後結爲「無奈愁人把作斷腸聲」，乃采末三字以爲名。他不只改易了〈南歌子〉，也將〈桂枝香〉改作〈疏簾淡月〉（下片有「疏簾淡月，照人無寐」句）、〈賀新郎〉改作〈貂裘換酒〉（下片有「把貂裘、換酒長安市」句）、〈念奴嬌〉改作〈淮甸春〉（下片末句作「舊游休問，柳花淮甸春冷」）、〈齊天樂〉改作〈如此江山〉（下片有「如此江山，更蒼煙白露」句）、〈好事近〉改作〈釣船笛〉（下片末句作「恰釣船橫笛」）……等等，都是。有些詞一名兩改，如〈好事近〉，一改〈釣船笛〉，一改〈倚鞦韆〉（下片末句作「倚鞦韆斜立」）。〈點絳唇〉一改〈南浦月〉（下片句末作「邀月過南浦」），一改〈沙頭雨〉（下片末句作「遙隔沙頭雨」）。〈謁金門〉一改〈花自落〉（下片末句作「無風花自落」），一改〈垂楊碧〉（下片有「垂楊如此碧」句）。……這種情形，正如張泌的〈南歌子〉，一名〈水晶簾〉，一名〈碧窗夢〉相似。不同的是，張泌詞的新名是他人改易的。這些名字，都向詞中取得，且都在下片之末或末句，也許正是全詞的重點部份。他存詞四十四首，改變調名的竟有二十五首之多。其中有題名的十首，沒有題名的則有十五首；未改調名的十九首，其中多數都有題名，沒有題

31　張輯，公元 1216 年前後在世，當宋寧宗嘉定中。見譚正璧《中國文學家大辭典》。

名的只有〈念奴嬌〉〈祝英臺近〉〈徵招〉三首，分別寫賞遊、別情、懷遠，與調名無關也看不出其他深意。張輯爲人，不求聞達，放浪湖山，以布衣終老。宋馮去非目之爲東仙[32]，可見他的瀟脫不羈，他喜改易調名，以調名顯示內容重點，不受舊名約束，則是頗有古意，並與其性格有關。

　　以上所說到的〈南歌子〉的別名共十一種，它們是〈南柯子〉、〈悟南柯〉、〈春宵曲〉、〈水晶簾〉、〈碧窗夢〉、〈十愛詞〉、〈望秦川〉、〈風蝶令〉、〈醉厭厭〉、〈宴齊雲〉、〈斷腸聲〉。這些別名，即使作者自創，當代及後世皆罕見詞人援用，正因爲它取材於特定的內容，專屬的詞句，私屬性極高之故。一般詞調的情形也正可藉由此例以窺其大概；而〈南歌子〉調名雖擁有十二種之多，然成爲此調公認的名稱，除〈南歌子〉外，則只有〈南柯子〉〈悟南柯〉兩種。〈悟南柯〉在南宋、金、元時代，只見全真教派使用，他們亦或使用〈南柯子〉調名，卻從未使用〈南歌子〉原名。至於他們以〈南柯子〉爲〈悟南柯〉的本名，是昧於源流呢？還是繼別爲宗的意思呢？一時無法深究。但事實上他們的作品已完全滌淨了歌詞藝術的內涵而成爲道士的符咒了。

後記

　　余近年依溫庭筠體得〈南歌子〉詞近百首，間或抄呈宇純兄嫂一粲，幸蒙獎賞，有華袞之榮。近日台大農學院荷田香好，余晨間漫步，頗得留連之樂。因以「閒居拾趣」爲題，得〈南歌子〉二十首，其一則宇純兄爲景中人。特錄於下，誌其因緣，以助歡笑，並祝

遐齡，更頌澤福。詞云：

　　　　白是龍公髮，紅爲沼澤荷。閒興在吟哦。畫材都有了，入詩麼？

宇純兄爲余學長，論交且數十年，亦愛晨間閒步。相遇或一笑而過，或揮手致意，或

---

[32] 見唐璋圭璋編《全宋詞》所附張輯小傳。

停步寒暄，水淡茶香，純任自然。其學經則詩、禮，子則孟、荀，尤長於文字聲韻之學，兩岸獨步，爲識者所推重。今雖白髮盈顛，猶喜康健如昨，研究著作不斷，知學能養壽也。

以仁記於台大蝸居，民國九十一年盛夏。時年七十有三。

龍宇純先生七秩晉五壽慶論文集
2002 年 11 月　　頁 549～568

辛棄疾〈水龍吟·登建康賞心亭〉
的寫作年代

吳宏一[*]

一

　　辛棄疾是南宋初年著名的愛國詞人。南宋高宗紹興十年（1140），他生於山東歷城，當時淮水以北的中原地區，已在異族金人統治之下。雖然如此，辛棄疾卻自幼秉承祖訓，志切國讎，剛滿二十一歲那年，就乘機起義，並於二十三歲時率眾南歸。此後一直到寧宗開禧三年（1207）六十八歲去世為止，他都在南宋偏安的小朝廷，擔任判官、安撫之類的地方官，其間還曾兩度落職家居，投閒置散者共約二十年之久。這對於一向以氣節自負、以功業自許的辛棄疾來說，當然覺得有志難伸，滿腔鬱憤。因此，他藉詞來做為陶寫之具，留下了不少器大聲閎、志高意遠的作品。〈水龍吟·登建康賞心亭〉就是其中的名篇之一。

　　為了討論的方便，茲據鄧廣銘《稼軒詞編年箋注》卷一抄錄原詞如下：

> 楚天千里清秋，水隨天去秋無際。遙岑遠目，獻愁供恨，玉簪螺髻。落日樓頭，
> 斷鴻聲裏，江南遊子。把吳鉤看了，欄干拍遍，無人會，登臨意。　　休說鱸
> 魚堪膾，儘西風、季鷹歸未？求田問舍，怕應羞見，劉郎才氣。可惜流年，憂
> 愁風雨，樹猶如此！倩何人喚取，紅巾翠袖，搵英雄淚？

　　此乃鄧氏據稼軒詞傳世的刊本彙合比勘而成，所以字句標題與讀者所記或有出入。例如標題「登建康賞心亭」，《花菴詞選》本僅作「賞心亭」，而歷城王詔本、辛

---

[*]　香港中文大學中國語言及文學系講座教授。

啓泰本等，則作「旅次登樓作」。又如「遠目」，四卷甲集本作「遠日」；「鱠」，多本作「膾」；「紅巾翠袖」，四卷甲集本作「盈盈翠袖」等等。這些有歧異的字句，在下文討論時，如與本文所論有關，都會在涉及處提出來討論。

　　辛棄疾的這首詞，從清代以後，逐漸受到論詞者注意。像劉體仁《七頌堂詞繹》說它結句難得[1]；鄧廷楨《雙硯齋詞話》說它「獨繭初抽，柔毛欲腐，平欺秦、柳，下轢張、王」[2]，陳廷焯更從頭到尾加以讚美，說是「起二語蒼蒼茫茫，筆力雄健可喜。」「落落數語，不數王粲《登樓賦》。」「結得風流悲壯」[3]陳洵也一樣從全篇的修辭結構來分析此詞的長處[4]。當然也有前人認為此詞大醇而小疵的，例如譚獻就這樣說：「裂竹之聲，何嘗不潛氣內轉。起句嫌有獷氣。」[5]不管是讚美或批評，都反映出此詞受到清代論詞者的注意。

　　不過，清人評論此詞，多就鑑賞的觀點，作主觀的概括性的說明，很少對這篇作品的寫作背景，作理性客觀的考察。嘉慶間辛啓泰、清末沈曾植等人，雖曾為稼軒詞編年箋證，但過於簡略，而且未及此詞。這跟民國以後的研究者頗不相同。民國以後，評論此詞的人，除了對詞句的解釋、典故的出處，多所注明闡述之外，在知人論世方面也頗為用心，對此詞寫作的背景和著成的年代，更不斷的發表新的說法。這些新的說法雖然分歧，卻關係到鑑賞與考證之間的關係，頗有探討的價值。筆者這篇論文，

---

[1] 劉體仁《七頌堂詞繹》云：「詞起結最難，而結尤難於起，蓋不欲轉入別調也。『呼翠袖，為君舞』、『倩盈盈翠袖，搵英雄淚』，正是一法。」《詞話叢編》（北京：中華書局，1986年），頁618。

[2] 鄧廷楨《雙硯齋詞話》所論，是認為稼軒詞有兩種風格，一則如〈金縷曲〉之「甚矣吾衰矣」等，「誠不免一意迅馳，專用驕兵」，一則如〈水龍吟〉之「楚天千里清秋」等，有含蓄、寄託之妙，略近於婉約。（《詞話叢編》，頁2528-2529）。同時人沈道寬《話山草堂詩鈔》卷一有〈論詞絕句〉云：「稼軒格調繼蘇辛，鐵馬金戈氣象嚴。我愛分叙桃葉渡，溫柔激壯力能兼。」與此可以同參。

[3] 見陳廷焯：《白雨齋詞話》。據唐圭璋：《宋詞三百首箋注》（香港：中華書局，1961年），頁158轉引。

[4] 參閱陳洵：《海綃說詞》。唐圭璋：《宋詞三百首箋注》，頁158引文頗詳。

[5] 見譚獻《譚評詞辨》，卷2。據龍榆生《唐宋名家詞選》（香港：商務印書館，1953年），頁248轉引。

即爲此而作。

二

〈水龍吟‧登建康賞心亭〉的寫作年代，至目前爲止，歸納起來，至少有四種不同的說法。

第一種說法是主張作於南宋孝宗乾道五年（1169），當時稼軒三十歲，正在建康府通判任上。

據筆者所知，最早主張這種說法的，是梁啓超。梁氏在民國十七年九至十月間，斷斷續續於病榻之側，草就《辛稼軒先生年譜》一書，已將此詞繫於乾道五年（1169）編年詞之下，並加「考證」云：

> 此詞年月絕無考。惟詞中「落日樓頭，斷鴻聲裏，江南遊子。把吳鉤看了，欄
> 干拍遍，無人會，登臨意」及「倩何人喚取，盈盈翠袖，搵英雄淚」等語，確
> 是滿腹經綸，在羈旅落拓或下僚沈滯中勃鬱一吐情狀。當爲先生詞傳世者之最
> 初一首，故以冠編年。[6]

一方面說「此詞年月絕無考」，是表示沒有直接證據可以證明此詞的確切寫作年月；一方面又說「當爲先生詞傳世者之最初一首」，「當」字自有推測之意。如何推測而知呢？梁啓超根據的是詞中「落日樓頭」乃至「倩何人喚取，盈盈翠袖，搵英雄淚」

---

[6] 梁啓超《辛稼軒先生年譜》係民國十七年九至十月間，臥病時所作，全稿未成而梁氏已
於是年十月十二日逝世。民國十八年十一月十二日梁啓超弟梁啓勳爲此作跋時即云：
「此譜止於（稼軒）六十一歲，尚缺七年，未竟。」參閱中華書局 1936 年 4 月初版本，
頁 61。鄧廣銘〈《辛稼軒年譜》及《稼軒詞疏證》總辨正〉一文，說梁啓此書「是梁任
公于民國十八年（1929）患病期內所編撰者，屬稿未完，便病於醫院中。在任公先生逝
世後，這書未即付印，直到去年（1935），由林宰平先生出面編輯了《飲冰室合集》和
《專集》，這部未完成的最後遺作，方得于今年在中華書局印了出來。」所言與事實多
不合，不知何故。又、鄧氏此文，原載《國聞周報》第 14 卷第 7 期，1937 年 2 月出版，
後收入《鄧廣銘治史叢稿》一書（北京：北京大學出版社，1997 年 6 月）。

等語。他認爲從這些詞句的語氣中，可以看出辛棄疾在羈旅落拓或下僚沈滯中的沈鬱之情。事實上，梁啓超的推測，仔細推究起來，只是一種推測而已，根本無從獲得此詞何以一定編於乾道五年的結論。

假使說因爲詞題下有「登建康賞心亭」數字，因而推定此詞爲辛棄疾任官建康時所作，那麼，梁啓超的《辛稼軒先生年譜》中，自己都說稼軒「曾兩度建康，一爲右兩年（按、指乾道四年、五年）之任通判，一爲乾道九年淳熙元年之任江東安撫司參議」，則梁啓超何以能確定此詞必爲乾道五年稼軒三十歲通判建康府時所作，而不是後來淳熙元年擔任江東安撫司參議官時的作品？退一步說，辛棄疾通判建康府，如上述梁氏所云，既有乾道四年、五年兩年之久（按、如據鄧廣銘《辛稼軒年譜》，辛棄疾之任建康府通判，則始於乾道三年），梁啓超又如何確定此詞成於乾道五年而非之前呢？

可見梁啓超認爲此詞是乾道五年（1169），辛棄疾三十歲在建康府通判任上所作，這種說法靠不住，大有商榷餘地。

然而，由於梁啓超的聲望地位，他的這種說法，歷來談論或選注稼軒詞的學者，引用者卻大有人在。像流傳頗廣的胡雲翼《宋詞選》、社科院文學所主編《唐宋詞選》等，都是採用此一說法。包括筆者在民國六十五年（1976）主編的長橋版《江南江北》（宋詞賞析），撰稿人劉漢初也是如此。當然後來也有一些學者（像夏承燾、唐圭璋等人，見下文）比較謹慎，雖然沿用此說，卻籠統的說此詞是稼軒二十九歲至三十歲時所作，以便配合辛棄疾乾道四年五年曾任建康府通判的事實。易言之，第一種說法，基本上是認爲此詞成於稼軒首次官建康時。

第二種說法是主張作於孝宗淳熙元年（1174），當時稼軒三十五歲，在江東安撫司參議任上。

主張這種說法的是鄧廣銘。他在 1939 年完成《辛稼軒年譜》和《稼軒詞編年箋注》二書初稿，前者 1947 年始由商務印書館印行，後者則於 1956 年始由上海古典文學出版社初版。這兩本書後來一再修訂再版，流行既廣且久。鄧廣銘在《辛稼軒年譜》

的「淳熙元年」一欄下，注明：「本年春，辟江東安撫司參議官」，更於《稼軒詞編年箋注》卷 1 中，著錄了〈水龍吟‧登建康賞心亭〉一詞，除了「校」「箋注」外，另加「編年」說明：

> 右詞充滿牢騷憤激之氣，且有「樹猶如此」語，疑非首次官建康時作。蓋當南歸之初，自身之前途功業如何，尚難測度；嗣後乃仍復沉滯下僚，滿腹經綸，迄無所用，迨重至建康，登高眺遠，胸中積鬱乃不能不以一吐為快矣。

說明「疑非首次官建康時作」，其實就是否決了梁啓超的說法。他認為稼軒首次官建康時，不管是三十歲，或是二十八、九歲，南歸未久，年事尚輕，「自身之前途功業如何，尚難測度」，不應該有「樹猶如此」這樣感傷的詞句，也不可能像詞中那樣「充滿牢騷憤激之氣」。

鄧廣銘的說法，自有其道理，但我們要注意：第一、他說的是「疑非首次官建康時作」，「疑」當然是推測之詞，表示不能確定；第二、他跟梁啓超一樣，推測此詞的寫作年代，事實上都無確證，根據的都只是詞中作者所用的語句和典故，特別是詞題下的「登建康賞心亭」數字。

鄧廣銘是研究宋遼金史的專家，特別是對於辛棄疾的生平與作品，更有精湛獨到的研究，因此他主張此詞應是淳熙元年辛棄疾三十五歲時所作的說法，問世以來，廣被讀者所引用，逐漸替代了梁啓超的首次官建康之說。至目前為止，可以說是影響最大的一種說法。

第三種說法是主張作於乾道三年（1167）稼軒二十八歲未任建康府通判之前。

主張這種說法的，是蔡義江與蔡國黃。他們早在 1978 年冬就合寫了一篇論文，題為〈辛棄疾漫游吳楚考〉，發表在 1979 年第 2 期《北方論叢》上。後來在 1987 年合撰《辛棄疾年譜》時，還是堅持此一說法[7]。

---

[7] 見蔡義江、蔡國黃：《辛棄疾年譜》（濟南：齊魯書社，1987 年 8 月）。〈辛棄疾漫游吳楚考〉一文亦作為「附錄」收錄其中，見該書頁 301-311。

　　他們最主要的根據，是辛棄疾在乾道六年（1170）上給丞相虞允文的〈九議〉中，有以下的一段文字：

> 某頃游北方，見其（按、指金國）治大臣獄，往往以礬為書，觀之如素楮然，置之水中則可讀，交通內外，類必用此。

　　根據「頃游北方」這一句，把「頃」解作「前不久」，因而認定辛棄疾「在乾道六年以前不久，曾經去過金國。乾道四至六年，他在建康任上，當然沒有去金國的可能。唯一可能潛入金國的只有乾道三年。上〈九議〉與此行只隔三年，所以才說『頃游北方』。」此外，蔡義江、蔡國黃還舉了稼軒〈品令〉一詞的「迢迢征路，又小舸、金陵去」等等，來證明「辛棄疾很可能在北方經春歷夏，到了秋天才輾轉回國的」，回到金陵後，「登上了賞心亭，寫下了他那首傳誦千古的佳作〈水龍吟‧登建康賞心亭〉」。

　　看起來似乎言之有據，但細按之，則仍有問題。下文會有進一步的討論。

　　第四種說法是主張成於辛棄疾南歸後不久。

　　主張這種說法的是夏承燾和唐圭璋等人。上述蔡義江、蔡國黃〈辛棄疾漫游吳楚考〉一文，曾有這樣的一段話：

> 夏師瞿禪先生曾謂此詞成於稼軒南歸後不久，乃早年之所作。我們全同意這一看法。夏先生未明言詞作於何年，據我們的考查，它應該是乾道三年（1167）秋辛棄疾（廿八歲）已漫游了楚地，並自金國潛歸後，再至建康時的作品。[8]

據此，我們知道夏承燾的說法是「未明言詞作於何年」，只是強調乃早年之作而已。我們再查夏承燾、盛弢青合編的《唐宋詞選》，在選錄稼軒此詞時，卻有這樣的介紹文字：

> 作者從一一六八（宋孝宗乾道四年）至一一六九（乾道五年）在建康任通判，這首詞可能是這時作的。在他南來的那年（1162 年），高宗傳位給孝宗。次年，

---

[8]　蔡義江、蔡國黃：〈辛棄疾漫游吳楚考〉。

孝宗出師伐金，這本是作者報國抗敵的好機會，可是南宋王朝把他放在江陰作簽判，過著他「官閒心定」的生活。這詞所說「可惜流年」大概是為此發的感慨。[9]

仔細比對，可發現夏承燾的說法，其實是根據梁啓超的主張而略變其說而已。同樣的，唐圭璋在《宋詞三百首箋注》（香港：中華書局，1961 年）中，始則主張辛棄疾三十歲時所作；後來又在其主編的《唐宋詞鑑賞集成》（香港：中華書局，1987 年）由鄭孟彤執筆的該詞賞析中，說此詞作於乾道四至六年通判建康之時，雖然前後不一，但顯然都離不開首次官建康府之說，因此可以併入第一種說法之中。

三

歸納以上所論，可以說歷來討論此詞寫作年代的，主要有三種說法。這三種說法，拿來和當時的時代環境、作者的生活經歷互相對照，可以說都大有商榷的餘地。

以下逐項列舉史實加以說明：

第一種說法的首次官建康府之說，主要的問題，上引鄧廣銘的話中，其實已經點明了重點所在。第一、詞中「充滿牢騷憤激之氣」，而且有「可惜流年，憂愁風雨，樹猶如此」這種近似中年感傷的語句，不應出於年近三十的辛棄疾之口；第二、「南歸之初，自身之前途功業如何，尚難測度」，辛棄疾當時不可能有這樣「牢騷憤激」的心境[10]。不過，鄧廣銘的質疑，都還止於合理的推測而已，如果我們從當時的時代

9　見夏承燾、盛弢青：《唐宋詞選》。另外夏承燾與吳無聞合寫的《唐宋詞欣賞》（天津：百花文藝出版社，1980 年）對此詞的寫作年代也含糊其詞。又、張淑良、王雲峰〈辛棄疾〈水龍吟・登建康賞心亭〉等三詞作年新證〉一文（《許昌師專學報》1991 年第 4 期）引用此說時，頗多訛誤，甚至誤引資料，說夏承燾主張此詞作於稼軒二十三歲南渡之初。其他如吳則虞 1957 年選注《辛棄疾詞選集》時，主張作於稼軒二十九歲時，其實亦略變梁啟超之說而已。

10　蔡義江、蔡國黃〈辛棄疾漫游吳楚考〉一文，也說此詞「梁啟超將它編於通判建康之時，顯然與辛棄疾當時的心情不合。」

大環境入手，似乎更能解決解問題。

　　陳江風〈辛詞〈水龍吟‧登建康賞心亭〉作年考辨〉一文[11]，是支持鄧廣銘之說的，他在主張此詞作於淳熙元年（1174）辛氏再官建康的同時，對梁啓超的說法，還列舉了不少史實來做爲駁斥的依據。茲申論如下：

　　一、如果此詞作於乾道五年，則與當時朝廷主戰備戰的大環境不合。辛棄疾在乾道六年（1170）作〈九議〉上丞相虞允文，其中有「朝廷規恢遠略已三年矣」之語，足見從乾道三年（1167）開始，孝宗已有備戰之意。據《宋史‧孝宗本紀》所載，孝宗即位之後，起用主戰派將領虞允文，並擢爲丞相，曾對他說：「丙午之恥（靖康恥），當與丞相雪之。」修城防，備軍馬，計劃水陸兩軍夾攻金國，形成與金國抗戰的氣氛[12]。連梁啓超的《辛稼軒先生年譜》都曾這樣說：「蓋自丁亥、戊子（公元1167、1168）以來，已覺和議不可恃，有備戰之意。」[13]在這種形勢下，辛棄疾會「牢騷憤激」嗎？

　　二、根據楊萬里爲虞允文所寫的碑文，虞氏一向以舉賢任能爲事，「及爲相，首用韓元吉、林光朝、林枅、丘崈、呂祖謙、王質、辛棄疾……，一時得人之盛，廩廩有慶歷、元祐之風。」[14]可知辛棄疾能由江陰簽判、廣德軍通判擢爲抗金重鎮建康府通判，或與虞允文之推薦有關。通判建康府，是他仕途升遷的開始，這個時候他會寫「牢騷憤激」的這首〈水龍吟〉嗎？

　　三、辛棄疾在任建康府通判時，當時的建康知府兼行宮留守史正志、江西東路計度轉運副使趙彥端、淮西軍馬錢糧總領葉衡、江西東路計度轉運判官韓元吉等，都是與他常有來往的主戰派的朋友。俊才雲蒸，聚集建康，該是何等令人振奮之事！乾道四年（1168）辛棄疾爲趙彥端祝壽所作的〈水調歌頭〉：「聞道清都帝所，要挽銀河

[11] 陳江風：〈辛詞〈水龍吟‧登建康賞心亭〉作年考辨〉，見河南省社會科學院文學研究所編《文學論叢》第2輯，河南人民出版社，1984年3月，頁77-86。
[12] 見《宋史》卷33〈孝宗本紀〉。
[13] 見梁啟超：《辛稼軒先生年譜》乾道六年之「考證」部分。此據臺北中華書局景印1936年4月初版本，頁10。
[14] 見陳江風：〈辛詞〈水龍吟‧登建康賞心亭〉作年考辨〉及楊萬里：《誠齋集》，卷120。

仙浪，西北洗胡沙」，爲史正志所賦的〈滿江紅〉：「袖裏珍奇光五色，他年要補天西北」[15]，都是情緒高昂，盼望完成抗金復國、北定中原的功業。這跟〈水龍吟‧登建康賞心亭〉所呈現的風格是大不相同的。

四、鄧廣銘《辛稼軒年譜》在乾道五年（1169）稼軒三十歲這一年的譜主記事一欄下，說辛棄疾本年前後「患癩疝疾」，陳江風據此以爲〈水龍吟〉不大可能作於是時[16]。

基於以上的四個理由，梁啓超的主張，此詞作於乾道五年或稍前的說法，應該不能成立。

第二種說法，再度官建康時所作之說，鄧廣銘其實並未完全加以確定。他在《稼軒詞編年箋注》中，只是將該詞編年於淳熙元年（1174）而已。他說的是「疑非首次官建康時作」。根據他所編的《辛稼軒年譜》，辛棄疾再次到建康府任官時，已是淳熙元年（1174），所以他就將此詞繫於該年。同時他根據詞中有「樹猶如此」之語，認爲辛棄疾在「沉滯下僚，滿腹經綸，迄無所用」之後，「迨重至建康，登高眺遠」，才比較有可能寫下這首作品。關於這一點，蔡義江、蔡國黃的〈辛棄疾漫游吳楚考〉，曾經提出以下的質疑：

「非首次官建康時作」的判斷是正確的，但以詞中「樹猶如此」一語，便將其作年推遲到二次官建康之時，則不免泥於典故。何況，棄疾到金陵的機會盡多，當其與賈瑞一行奉表渡江南歸時，高宗即於紹興三十二年（1162）正月十八召見於建康，何必定要到十二年之後，在建康充葉衡帥屬時才是「重至」呢？再說，辛棄疾與葉衡的交誼，實爲他以後的騰達奠定了基礎。這一年春天，葉自建康被召入爲執政，後來又任了右丞相，竭力向孝宗推薦辛棄疾雄才大略。於是辛又被召見，遷爲倉部郎官，沒有幾個月，便出任江西提點刑獄。所以，

---

[15] 所引詞作，俱見《稼軒詞編年箋注》卷1。
[16] 陳江風：〈辛詞〈水龍吟‧登建康賞心亭〉作年考辨〉。

那兩年的詞作中，並無自己「沉滯下僚」的「牢騷憤激」。……鄧先生將此詞
編入淳熙元年，與他自己的說法產生了明顯的矛盾。[17]

這真是以子之矛，攻子之盾。蔡義江、蔡國黃利用了鄧廣銘著作中所臚陳及考證
的資料，來質疑鄧廣銘對此詞編年的說法，恐怕鄧廣銘也難以作答。揆諸當時的時代
環境及作者的生活經歷，淳熙元年（1174）春，辛棄疾三十五歲時，被辟為江東安撫
司參議官，當時的行宮留守葉衡，是他的舊識。《宋史》辛棄疾本傳即云：「辟江東
安撫司參議官，留守葉衡雅重之。」不久，葉衡入相，又馬上推薦辛氏慷慨有大略，
因此辛棄疾被召見，遷倉部郎官；翌年六月，又很快出任江西提點刑獄，帶兵去剿擊
茶商軍。在這種情況之下，辛棄疾真不大可能有所謂「沉滯下僚」的「牢騷憤激」。
因此，鄧廣銘的再至官建康時所作的說法，也難以成立。

上文說過，陳江風的〈辛詞〈水龍吟・登建康賞心亭〉作年考辨〉一文，是贊成
鄧廣銘之說的，但他也不能不於文中這樣說：

鄧廣銘先生提出此詞作為公元一一七四年二次官建康時，甚有道理。唯其論證
稍欠詳實，且考證中亦自有相矛盾處。[18]

陳江風除了就蔡義江、蔡國黃所提出的質疑力加辯解之外，主要是引用稼軒詞的若干
篇章，和〈水龍吟・登建康賞心亭〉本身的詞句和典故，來做為內證，證明淳熙元年
辛棄疾三十五歲時有創作此詞的可能。

陳江風的論文，很有條理，在某些地方也很有新意，像他就作品本身去找內證，
分析詞中的典故時，就頗能言人所未曾言。不過，他所舉出來的一些例證，缺乏足夠
的說服力，還有值商榷的地方。下節將會討論，此不贅。

第三種說法，是蔡義江、蔡國黃主張的，所謂作於乾道三年（1167）辛棄疾未任
建康通判時之說。

這種說法最要的根據，是〈九議〉中的「某頃游北方」一段文字，把「頃」解作

---

17 蔡義江、蔡國黃：〈辛棄疾漫游吳楚考〉。
18 陳江風：〈辛詞〈水龍吟・登建康賞心亭〉作年考辨〉。

「前不久」，因此認定此詞係辛棄疾乾道三年「漫游吳楚」之後，曾經潛歸金國，經春歷夏，秋歸金陵之後所作。然而，這種說法的最大問題，也在於「某頃游北方」的「頃」這個字。按照現代漢語的用法，「頃」當然作「前不久」解，但在古代漢語中，它卻往往解作「當初」「起先」。在蔡義江、蔡國黃的論文發表後不久，吳小如即在同一刊物上發表了〈釋頃〉一文，詳列例證，證明「頃」字在當時實有「先前」「當初」之意，而不作「前不久」解。因此，辛棄疾所謂「頃游北方」，所見實爲南渡前在北方生活的親身見聞[19]。

至於蔡義江、蔡國黃舉稼軒〈品詞〉的「迢迢征路，又小舸、金陵去」等等例子，陳江風也舉證說此「去」字，是離去之意，不是現代漢語中「到」「往」的意思，與蔡氏文中所述，大相逕庭，判若秦越。更重要的是建康府（江寧）通判，按宋制，例由知州資序人差充，添差通判爲朝士差充，如果像蔡義江他們所說辛棄疾係以「無官無職的游子身分」驟登通判，是不合宋制的。而且，蔡義江他們所說的辛棄疾「漫游吳楚」之說，以及說乾道三年辛氏是「無官無職的游子身分」等等意見，其實都是根據梁啓超和鄧廣銘早期的說法。梁啓超《辛稼軒先生年譜》乾道三年「考證」有云：「先生此兩年是否仍留江陰任，無可考。據宋人諸說部書，先生似有一時期失職，流落金陵」。鄧廣銘的《辛稼軒年譜》舊版對於辛棄疾乾道元年至三年的行蹤，亦假定有投閑置散、流落吳江之事，但他在八十年代之初，看到了《鉛山辛氏宗譜》第一本的〈宋兵部侍郎賜紫金魚袋（辛公）稼軒歷仕始末〉之後，已經採信其說，認爲在乾道元年之前，約隆興二年（1164）的秋冬之際，辛棄疾已由江陰簽判改廣德軍通判。如此說來，在通判建康之前，即乾道元年至三年，辛棄疾是在廣德軍通判任上，並無流落金陵或吳江之事，亦非「無官無職的游子身分」。蔡義江、蔡國黃的說法，亦因此而不攻自破了[20]。

---

[19] 見《北方論叢》1979 年第 6 期。此文後收入吳小如：〈詞語叢札〉，《讀書叢札》（北京：北京大學出版社，1987 年），頁 308-310。

[20] 陳江風：〈辛詞〈水龍吟‧登建康賞心亭〉作年考辨〉。鄧廣銘的說法，見《稼軒詞編年

四

歷來有關此詞寫作年代的說法，及其值得商榷的問題，已如上述。那麼，辛棄疾這首〈水龍吟‧登建康賞心亭〉，究竟著成於什麼時候呢？

筆者以爲既然沒有所謂外緣或所謂外證資料，可以直接證明此詞的寫作年代，那就不妨從作品本身或所謂內證來嘗試探索。事實上，梁啓超、鄧廣銘等人推測此詞的寫作年代，也是從此入手的。

首先觸及的，是〈水龍吟〉詞牌底下的小序文字：「登建康賞心亭」。建康即金陵，也就是今天的南京，這是盡人皆知的地理常識，不用多說。賞心亭，據《景定建康志》的記載，是當時建康府下水門城上的名勝，登茲樓以四望，可以「下臨秦淮，盡觀賞之勝」。這還只是就近景而言，如果天色晴朗，在它樓頭，其實還可以遠眺淮河流域一帶。周邦彥〈西河‧金陵懷古〉所說的「賞心東望淮水」，即是一證。劉禹錫〈金陵五題‧石頭城〉所說的「淮水東邊舊時月，夜深還過女牆來」，亦諒非詩人誇張之辭。辛棄疾的朋友丘崈（1135-1208），亦頗多登建康賞心亭之作，如其〈水調歌頭〉之「一雁破空碧，秋滿荻花洲。淮山淡掃，欲顰眉黛喚人愁。落日歸雲天外，目斷清江無際，浩蕩沒輕鷗。有恨寄流水，無淚學羈囚。」其〈菩薩蠻〉亦云：「壺邊擊斷歌無節，山川一帶傷情切。」也都可與辛氏此詞同參並讀。

辛棄疾詞中提到「賞心亭」的作品共三篇，除此詞之外，尚有〈念奴嬌‧我來弔古〉、〈菩薩蠻‧青山欲共高人語〉，但這首〈水龍吟〉是最有名的一篇。就因爲它題下有「登建康賞心亭」這幾個字，梁啓超和鄧廣銘等等學者，才可以在寫作「年月絕無考」的情況之下，推測它的寫作年代。假設沒有這幾個字，像上文提到的歷城王詔本、辛啓泰本等等，題的不是「登建康賞心亭」而是「旅次登樓作」的話，那麼，梁

箋注》（上海：上海古籍出版社，1993 年 10 月），新增訂本，1991 年 6 年所撰〈增訂三版題記〉。《辛稼軒年譜》（上海：上海古籍出版社 1997 年 5 月），增訂本〈題記〉中亦有說明。讀者可以比對參閱。

啓超、鄧廣銘等等學者的種種推測，就完全失去立論的依據了。當然，「旅次登樓作」
的「登樓」，所登的樓仍然可以是建康賞心亭，但「旅次」二字，則必非官建康府通
判或任江東安撫司參議之時。如果真的如此，此詞的寫作年代，可以在乾道三年
（1167，稼軒二十八歲）之前，也可以在淳熙元年（1174，稼軒三十五歲）之後。因
爲辛棄疾要去建康府，並非在建康任官時才可以去，上引蔡義江、蔡國黃的〈辛棄疾
漫游吳楚考〉一文就說過：「辛棄疾到金陵的機會盡多」。

詞的上片，重點在「登臨意」。開頭兩句：「楚天千里清秋，水隨天去秋無際」，
是寫登臨所見。「清秋」點明季節，「秋無際」的「秋」則寫秋光、秋天的景物。秋季
佳日，天高氣爽，最宜「登高賦新詩」，對一般人而言，此真所謂良辰美景，賞心樂
事。「賞心亭」之取名，或即與此有關。可是作者來此登高眺遠時，不但無法「聊暇
日以消憂」，而且在「賞心東望淮水」時，看到江南周圍的千里秋光，水隨天去之際，
卻同時看到了「山圍故國周遭在」的那些剩水殘山。

「遙岑遠目，獻愁供恨，玉簪螺髻」三句，承上文寫登臨所見，但更深入一層，
由景而入情。「遙岑」即遠山，「岑」本義是高而小的山巒，「玉簪螺髻」正是它們最
美麗而貼切的形容。這些形狀像玉簪螺髻的遠山，在作者「東望淮水」時，映著水色
天光，自然呈現在作者眼前。淮水是當時南宋與金國的邊界，淮水以北，就是金人所
統治的「淪陷區」，包括作者的故鄉山東濟南一帶。因此作者看到這些遠山時，不由
得引起滿腔的家仇國恨，也因此化無情爲有情，說是遠山「獻愁供恨」。愁，是鄉愁；
恨，是國恨。這跟下片所用的典故是前後呼應的。「遠目」四卷本甲集作「遠日」，因
下文緊接「落日樓頭」，故以「遠目」爲佳。吳則虞在選注稼軒詞，提到此詞板本異
文時，曾經說這是作者後來自己更改的。

「落日樓頭，斷鴻聲裏，江南遊子。」三句，點出登高臨遠者的身分。別人在此
登高望遠，賞心無限，爲何作者偏偏有「愁」有「恨」呢？那是因爲作者是客居江南
的游子。古人安土重遷，不慣離鄉背井，一旦辭親遠遊，便常常懷鄉念家。辛棄疾不

561

但是愛國詞人，更是性情中人，所以不可能不思念故土。「落日樓頭，斷鴻聲裏」，對
仗頗工，可以合看，一則照應上文，說明登高臨遠的時間和地點，一則藉此秋天黃昏、
孤鴻獨飛、蕭瑟飄零的氣氛，來烘托作者做為「江南遊子」的心情。有此「江南遊子」
一句，此詞自是作者二十三歲奉表南歸以後所作無疑。

　　「把吳鉤看了，欄干拍遍，無人會，登臨意」，是作者的直抒胸臆，承應上文的
「獻愁供恨」，說明下文何以英雄有淚。前兩句的「把」字，是領句字，而「吳鉤看
了，欄干拍遍」則是對仗成文，藉用典表明心意。歷來注解「吳鉤」的人，每每引用
杜甫〈後出塞〉的「少年別有贈，含笑看吳鉤」，以及李賀〈南園〉的「男兒何不帶
吳鉤，收取關山五十州」，來說明辛棄疾志在報國的用意，頗為允當；事實上，辛棄
疾的前輩愛國詞人張孝祥（1131-1169），在其〈水調歌頭・和龐佑父〉一詞中，亦云：
「湖海平生豪氣，關塞如今風景，剪燭看吳鉤」，可見「吳鉤」一典，在當時蓋有報
國殺敵的寓意共識。同樣的，注解「欄干拍遍」時，一般學者也多引用劉概「懷想世
事，吁唏獨語，或以手拍欄干」的典故，劉概嘗有詩云：「讀書誤我四十年，幾回醉
把闌干拍。」[21] 拿來和稼軒此詞合看，也頗能道出辛棄疾自覺報國無從的憾恨。就因
為如此，在別人登上賞心亭登高臨遠而賞心悅目之際，作者卻北望神州，別有懷抱，
胸中充滿懷鄉報國之情，所以說：「無人會，登臨意」。「登臨意」三字，是上片的重
心所在，以上所有的景物描寫，俱為登臨所見，而下片所有的情感抒發，亦即登臨所
感。所以這三個字承上啟下，在詞中有極重要的地位。

　　下片承接「登臨意」，重點在「英雄淚」。明代王世貞《藝苑卮言》所說的「稼軒
輩撫時之作，意存感慨」，清代周濟《宋四家詞選目錄序論》所說的「稼軒斂雄心，
抗高調，變溫婉，成悲涼」，指的應該就是這類作品。

　　下片開頭，先是連用了三個典故。第一個典故出自《晉書・張翰傳》及《世說新
語・識鑒》篇，是張翰見秋風起而思故鄉吳中蓴羹鱸膾的故事；第二個典故出自《三

---

[21]　以上有關「吳鉤」「欄干拍遍」的典故，俱見鄧廣銘：《稼軒詞編年箋注》，卷1。劉概，
　　青州壽光人，其人其詩諒為稼軒所熟悉。可參閱王闢之：《澠水燕談錄》，卷4。

國志‧魏志‧陳登傳》，是劉備責備許汜求田問舍，不能憂國忘家的故事；第三個典故出自《世說新語‧言語》篇，是桓溫經金城見所種柳樹而嘆年華流逝的故事。這三個典故常被引用，並非僻典，而且辛棄疾運用這三個典故，有其特別用意，本來或許由此可以窺見其寫作背景，可是歷來注解詮釋者，卻往往因爲誤解或故意曲解而扭曲了它的原意。

例如 1962 年胡雲翼《宋詞選》注此詞時，就這樣說：

> 後段曲折迂迴地寫出他的抑鬱心情。首先陳述自己不像張翰那樣為了「蓴羹鱸膾」而回故鄉，又以許汜的「求田問舍」為羞恥，同時為了不能替國家出力，又發出年華虛擲的感嘆，從而引起英雄失路的深切苦痛。[22]

說得非常簡略，而且偶有故意含糊其詞的地方，以致誤導了讀者。1979 年張碧波的《辛棄疾詞選讀》，在譯解這三個典故時，同樣有曲解原意處。例如「休說鱸魚堪膾，儘西風、季鷹歸未」這三句，張碧波語譯如下：「不要說什麼鱸魚可做成好菜，盡管西風吹起，張翰到底回家鄉沒有？」照字面直譯，大致是不錯的，「休說鱸魚堪膾」如果譯爲「不要說鱸魚又到了可以切成細片享用的季節」，當然更好，但奇怪的是他接著卻解釋說：「這是寫作者不學張翰棄官歸家、忘情國事的思想態度。」「意思是說，我不同意張翰爲考慮個人生活的安適而忘掉國家的命運」[23]。讀者比對張碧波的語譯及說明，只要稍加留意，當可發現二者之間，有很大的差異。詞句原意很明白，作者拿張翰來自比，說張翰在洛中見秋風起，想起此際家鄉蓴羹鱸膾的美味，就可以拋棄名爵，千里命駕南歸，回想自己，何嘗不懷念故鄉的風味，但如今儘管秋風已起，自己能像張翰那樣，說要回去就回去嗎？意思很明白，是拿張翰來比擬自己，這也是運用典故最常見的一種方式，哪裏可見「不學張翰」、「不同意張翰爲考慮個人生活的安適而忘掉國家的命運」？否則，客觀的事實是張翰已回家鄉去了，詞句爲什麼還說「季

---

[22] 胡雲翼：《宋詞選》（上海：中華書局上海編譯所，1962 年 2 月），頁 259-261。
[23] 張碧波：《辛棄疾詞選讀》（哈爾濱：黑龍江人民出版社，1979 年），頁 17-21。

鷹歸未」呢？這樣的曲解，當然是受到「辛棄疾是愛國詞人」的影響，因此不敢對其人格及情感生活有絲毫的懷疑。但是愛國詞人也是人，懷念故鄉本來就是人之常情，更何況是特重鄉土情誼的古人呢！鄧廣銘《稼軒詞編年箋注》卷 1〈木蘭花慢‧滁州送范倅〉有云：「秋晚蓴鱸江上，夜深兒女燈前。」〈滿江紅‧飲冷泉亭〉有云：「恨此中風物本吾家，今爲客。」辛棄疾怎麼會不想念家鄉！

　　1980 年，夏承燾在《唐宋詞欣賞》書中，與吳無聞合寫的此詞賞析，對「休說」三句有這樣的分析：

> 這意思是說，現在「盡西風」的深秋時令又到了，連大雁都知道尋蹤飛回舊地，何況我這個漂泊江南的游子呢？然而自己的家鄉如今還在敵人的鐵蹄蹂躪之下，想回去也回去不了呀！「盡西風、季鷹歸未？」既寫了有家難歸的鄉思，又抒發了對異族入侵的仇恨和對不思復國的南宋朝廷的激憤，確實收到了一石三鳥的效果。鄉思，與前面的「游子」呼應，是「落日」、「斷鴻」背景裏「游子」的真情流露……。[24]

除了「盡西風」的解釋有待商榷之外，其他的譯解闡釋，我想是有關此詞注解中比較合情合理的。可是令人奇怪的是，一到後面，歸結上文時，夏承燾等人又要說辛棄疾「不學爲吃鱸魚膾而還鄉的張季鷹」了。「不能像」張翰和「不學」張翰之間，語意是大不相同的。

　　第二個典故：「求田問舍，怕應羞見，劉郎才氣」三句，看歷來的注解詮釋，就更令人感到疑惑了。

　　「求田問舍」即購置土地房產，這在古代英雄人物心目中，是貪財之舉，會被瞧不起的。《三國志‧魏志‧陳登傳》說許汜到下邳去拜訪陳登（元龍），陳登對他非常

---

[24] 夏承燾、吳無聞：《唐宋詞欣賞》。常國武《辛稼軒詞集導讀》（成都：巴蜀書社，1988年）評析此詞時，亦云過片「休說」等句「或以爲作者在這裏表示不願意像張翰那樣貪圖安樂而忘懷國事。筆者以爲非是。」又說：「正不必爲了拔高作者思想境界，將詞中所有語句皆貼緊愛國一端來作解釋，否則反覺膠柱鼓瑟，拘攣不化。」

冷淡，不但不殷勤接客，還自己睡上床，叫許汜睡下床。後來許汜和劉備一起談論天下人才時，許汜批評陳登「湖海之士，豪氣不除」，劉備聽了，當面責備許汜說：「君有國士之名，今天下大亂，帝主失所，望君憂國忘家，有救世之意，而君求田問舍，言無可采，是元龍所諱也，何緣當與君語？」並且說如果是他自己，將「欲臥百尺樓上，臥君於地，何但上下床之間邪？」這個故事特別強調了有志之士應該憂國忘家，應該救世而非求田問舍，謀取私利。「元龍豪氣」和「劉郎才氣」，是稼軒詞中常常歌詠的對象，他以此自許，是毫無疑問的。所以，自胡雲翼以來，歷來注釋者說辛棄疾以許汜求田問舍為羞恥，甚至有人把這幾句譯為：「我更不願像許汜那樣求田問舍，只知自私自利而不顧國家大計，怕被劉備那樣的英雄人物輕視鄙夷。」[25]可是，從用典的習慣及上下文的語氣來看，就如同拿張翰自擬一樣，這裏的「求田問舍」，也應該是作者拿許汜來自擬，意思應該是說：自己如今像許汜一樣求田問舍，不能憂國忘家，想想可真是羞見那才氣蓋世的劉備。這樣的解釋，馬上會觸及一個很基本的問題：辛棄疾是愛國大詞人，人格應該是完美無缺的，他真的會求田問舍嗎？歷來注解者之所以迴避字面上的解釋，其原因即在於此。

要解決這個問題，並不困難，只要查查辛棄疾究竟有沒有求田問舍的事實，就知道答案了。

根據鄧廣銘《辛稼軒年譜》的記載及其所引述的資料，例如洪邁的〈稼軒記〉、陳亮的〈與辛幼安殿撰書〉等[26]，我們從中可以知道，至遲在淳熙八年（1181）前後，辛棄疾已經「求田問舍」了。在是年冬被彈劾罷官之前，他已經在江西上饒的帶湖，買了土地，大興土木，建築了讓朱熹「以為耳目所未曾睹」的房舍。淳熙八年房舍已經建成，則「求田問舍」之事，當亦在此年之前無疑。鄧廣銘《辛稼軒年譜》說辛棄疾在四十一歲擔任湖南安撫使任上，已經構建江西上饒居宅，作新居上梁文，並已自

---

[25] 見畢寶魁：《宋詞三百首譯注評》（瀋陽：遼寧古籍出版社，1979年），頁282。

[26] 洪邁之文，見《洪文敏公集》，卷6；陳亮之書，見《龍川文集》，卷21。二者亦俱見於鄧廣銘《辛稼軒年譜》一書所引述。

號稼軒居士，應該是可靠的說法。而且鄧廣銘《稼軒詞編年箋注》卷 1 編年於淳熙八年的作品，像〈沁園春‧帶湖新居將成〉的上片：

> 三徑初成，鶴怨猿驚，稼軒未來。甚雲山自許，平生意氣；衣冠人笑，抵死塵埃。意倦須還，身閒貴早，豈為蒓羹鱸膾哉！秋江上，看驚弦雁避，駭浪船回。

像〈菩薩蠻〉的上片：

> 稼軒日向兒童說，帶湖買得新風月。頭白早歸來，種花花已開。

從這些作品中，都可以明白看到淳熙八年（1181）辛棄疾四十二歲「求田問舍」的事實，以及他在仕途遭遇挫折時「驚弦雁避，駭浪船回」的心情，所以他才感嘆的說：「意倦須還，身閒貴早，豈為蒓羹鱸膾哉！」想必這個時候，顧不得「憂國忘家」；也想必在這種一時消沈的時候，會「怕應羞見，劉郎才氣」。

從梁啟超、鄧廣銘以來，研究者都把「登建康賞心亭」的這首〈水龍吟〉，視為乾道年間或淳熙元年，即稼軒三十五歲以前的作品，所以可能在此期間找不到辛棄疾「求田問舍」的事實，但如果我們換一個角度考慮，這首作品是成於淳熙元年稼軒三十五歲以後呢？特別是稼軒四十一、二歲開始「求田問舍」之後。

過去絕大多數的學者，太敬愛辛棄疾了，所以對於他的「求田問舍」，寧可信其無，可是事實畢竟是事實，不容否認。羅慷烈〈漫談辛稼軒的經濟生活〉一文說得好：

> 論者對於古代傑出文學家，往往務求形象完美，這是古今流行的傳統作風。其實他們不是神，是具有七情六欲的血肉之軀，為人處事斷然不會一生白璧無瑕的，論者如果被感情蒙蔽，自然看不出來。[27]

事實上，把「求田問舍」這三句視為辛棄疾夫子自道的，早已有人，只是大家不注意而已。俞陛雲（1868-1950）在《唐五代兩宋詞選釋》中，對此詞下片已有如下

---

[27] 羅慷烈此文，原載香港《明報月刊》1982 年 8 月號，後收入《詞學雜俎》（成都：巴蜀書社，1990 年 6 月初版）。鄧廣銘後來針對此文，撰寫〈讀《漫談辛稼軒的經濟生活》書後〉一文，見《鄧廣銘治史叢稿》，頁 543-554。筆者以為鄧氏之文，並未足以推翻羅氏原有的推論。

解析：

下闋寫旅懷，即使歸去奇獅卜築，而生平未成一事，亦羞見劉郎。

「奇獅卜築」就是辛棄疾後來的「期思卜築」，也在帶湖附近，所謂瓢泉新居者是。俞陛雲的看法，可惜未曾有人提及。

第三個典故，是鄧廣銘據以推測此詞「疑非稼軒首次官建康時作」的理由之一，原因是這個典故不但有舊地重至、感嘆流光之意，而且還有事隔多年的意味。《世說新語·言語》篇，說：「桓公北伐，經金城，見前為琅琊時種柳，皆已十圍，慨然曰：『木猶如此，人何以堪！』攀枝執條，泫然流淚。」這個典故常見輾轉引用，卻似乎都未深究其意。桓溫是晉成帝以迄晉廢帝時舉足輕重的大臣，他在晉成帝咸康元年（335），求割丹陽郡之江乘縣，另立琅琊郡。琅琊郡原在今山東諸城一帶，晉元帝過江後，因盡失江北之地，所以又僑置此郡。郡治就在「金城」，即今江寧縣北。桓溫在咸康七年（341）曾作琅琊內史，等到晉廢帝太和四年（369）北征前燕，由姑孰赴廣陵途中，經過金城時，年已六十，前後相距約三十年。辛稼軒應用這個典故，取其地點（金城）與建康賞心亭相近，極為巧妙。事實上，上文所說的張翰家鄉（吳中），也都在「江南游子」的「江南」範圍之內。足見辛棄疾的用典故，掉書袋，真非常人所能及。不但如此，辛棄疾所用的這第三個典故，在「憂愁風雨」的陪襯之下，更令人有飽經滄桑之感。上面引用過陳江風的論文中，他就曾舉出張炎〈憶舊游〉的「俯仰十年前事」，以及姜夔〈永遇樂·北固樓次稼軒韻〉的「前身諸葛，來游此地……」，藉此證明宋人使用此典，也多有此意[28]。因此，辛稼軒這首〈水龍吟〉，不可能成於南歸之初，也不可能作於通判建康或江東安撫司參議官任上。配合前文來看，最有可能的寫作年月，必在淳熙七、八年，即稼軒四十一、二歲以後。

至於下片最後三句：「倩何人喚取，紅巾翠袖，搵英雄淚」，總結上文，是英雄失路的沈痛語。《史記·魏公子列傳》說信陵君在完成存趙救魏兩大功業之後，名震

---

[28] 陳江風：〈辛詞〈水龍吟·登建康賞心亭〉作年考辨〉。

天下，受到魏安釐王的猜忌，因此多近醇酒美人；辛棄疾此詞結語，亦當有此意。早年志切國讎，南歸後仍以北定中原爲念，但青春逐漸老去，功業卻未完成；雖然懷念家鄉，卻不能歸去；雖然有救世之心，卻落到求田問舍的田地。這種英雄失路的悲哀，或許真的唯有醇酒美人才有助於麻醉自己吧。

最後要補充說明的是，此詞曾收入稼軒弟子范開所輯刊的《稼軒詞甲集》之中。此集係淳熙十五年（1188）正月前所編成，故此詞之寫作年代，自可確定必在淳熙十四年（1187）稼軒四十八歲之前。

五

歸結以上所論，筆者以爲：

一、梁啓超、鄧廣銘乃至蔡義江等人，對此詞寫作年代的推測，都與史實諸多不合，難以成立。

二、此詞並無外緣資料足以確證寫作年月，唯有求諸內證，就作品本身探索其寫作背景。時爲秋晚，地屬建康，自無問題，而通觀全詞，亦可理解此詞之寫作必與家愁國恨有關。

三、「休說鱸魚堪膾」三句，「求田問舍」三句，皆作者運用典故以自比擬，說自己欲歸鄉而不得，欲報國而不得，如今竟落到「求田問舍」之不堪境地。歷來注釋詮說者，因敬愛辛棄疾而棄其「求田問舍」之事實於不顧，因而每有曲解其詞意處。

四、辛棄疾自淳熙八年（1181）四十二歲起，已在江西上饒帶湖購置新居，其「求田問舍」當在此年之前。故此詞之寫作年代可推知應在淳熙七、八年之間。

五、自「可惜流年」三句用典看，配合此詞曾收於范開所輯刊《稼軒詞甲集》之事實，此詞之寫作年代，應在辛棄疾四十一、二歲至四十八歲之間，亦即淳熙七、八年到淳熙十四年之間。

龍宇純先生七秩晉五壽慶論文集
2002 年 11 月　　　頁 569～578

釋「他日」
——並略窺傳統文人的用詞習慣

鄧仕樑[*]

一

　　「他」字《說文》作「佗」。段注以爲隸變爲「他」，用爲「彼」之稱[1]。「他」有「別的」、「其他的」之意，因此可與別的詞素合成：「他人」、「他邦」、「他鄉」、「他事」、「他物」、「他故」等詞。大抵凡在「我」以外，或與「此」相對的事物，都可以冠以「他」字構成一詞，意義本來很明確。

　　但是，在表示時間方面，在「今」以外的時間，如果都用「他」字，如與「今日」相對的「他日」，則有兩個可能：一是指過去之時，一是指未來之時。在秦漢典籍裏，「他日」正有「昔日」、「來日」二義。用作「昔日」義的如：

　　　　《左傳》：「使民不嚴，異於他日。」[2]

　　　　《孟子》：「他日君出，則必命有司所之。」[3]

　　　　《孟子》：「吾他日未嘗學問。」[4]

---

[*]　香港中文大學中國語言及文學系教授。

[1]　《說文解字》：「佗、負何也。從人它聲。」段玉裁注：「負字蓋淺人增之耳。小雅：『舍彼有罪，予之佗耳。』傳曰：『佗、加也。』此『佗』本義之見於經者也。佗之俗字爲駝、爲駄。隸變『佗』爲『他』，用爲彼之稱。」見《說文解字注》（上海：上海古籍出版社影印本，1981 年），第八篇上，頁 13。

[2]　《左傳》襄公二十五年，見《春秋左傳正義》（上海：世界書局，1935 年影印阮刻《十三經注疏》本），卷 36。下文所引孟子皆用此本。

[3]　《孟子·梁惠王下》，《孟子注疏》，卷 2 上。

[4]　《孟子·滕文公上》，《孟子注疏》，卷 6 上。

《史記》：「佗日指動，必食異物。」[5]

用作「來日」義的如：

《孟子》：「他日歸。」[6]

《孟子》：「他日又求見孟子。」[7]

《史記》：「他日又復問政於孔子。」[8]

由上面的例子，可見《孟子》《史記》二書，都以「他日」兼指兩義。尤其值得注意的是，《孟子》書中以「他日」指「往日」的，趙岐都沒有加註，只有在〈陳仲子〉章「他日歸」句下注云：「他日、異日也。」[9]這可能表示到了東漢趙岐（約108—201）之世，「他日」作「往日」解是比較常見的用法，故不須加註。另一可能是〈陳仲子〉章用的「他日」，較易使人混淆，故趙氏注明義猶「異日」。又「異日」一詞，結構和「他日」沒有甚麼不同，本來只能看作別於「今日」的日子，不一定是「來日」。趙氏以「異日」爲注，大概到了他的時代，「異日」指來日的意義已經固定了。

當然，根據上下文義，「他日」指「往日」還是「來日」，是不難分辨的。但有些特別的情況，譬如兩句連用，一指往昔，一指將來，要是都用「他日」，自然是行不通的。這在古漢語裏並非沒有明確的表達方法，如陸機〈短歌行〉：

來日苦短，去日苦長。[10]

以「去日」與「來日」對舉，則過去與將來之義甚明。不過倘若單用「他日」，而按之文義，又有未盡明確的地方，則不免造成混淆。這裏且取〈文賦序〉「他日殆可謂曲盡其妙」句中的「他日」爲例，加以論述。

5　《史記‧鄭世家》，《史記》（北京：中華書局標點本），卷42，頁1766。

6　《孟子‧滕文公下》，《孟子注疏》，卷6下，此章習稱〈陳仲子〉章。

7　《孟子‧滕文公上》，《孟子注疏》，卷5下。

8　《史記‧孔子世家》，《史記》，卷47，頁1911。

9　《孟子‧滕文公下》。

10　〔梁〕蕭統編、〔唐〕李善等注：《六臣註文選》（北京：中華書局，1977年影印宋淳熙本），卷28，樂府下。

二

要分辨「他日」一詞到底指往昔還是將來，必須細辨上下文理，因此不得不把陸機〈文賦序〉全篇引錄於下：

> 余每觀才士之所作，竊有以得其用心。夫放言遣辭，良多變矣，妍蚩好惡，可得而言。每自屬文，尤見其情。恆患意不稱物，文不逮意，蓋非知之難，能之難也。故作〈文賦〉，以述先士之盛藻，因論作文之利害所由，他日殆可謂曲盡其妙。至於操斧伐柯，雖取則不遠，若夫隨手之變，良難以辭逮，蓋所能言者，具於此云。

李善在「他日」句下注云：

> 言既作〈文賦〉，佗日而觀之，近謂委曲盡文之妙理。《論語》鯉曰：「它日又獨立。」趙岐《孟子章句》曰：「它日、異日也。」[11]

顯然李善是以將來之時解「他日」的。而五臣注云：

> 謂賦成之後，異日觀之，乃委曲盡其妙道矣。[12]

更明言「他日」是「賦成之後」的「異日」。以後的學者，可能受了李善和五臣的影響，大抵都無異辭。但對於〈文賦序〉的理解，也有持不同意見的。俞正燮〈文賦注書後〉云：

> 陸士衡〈文賦序〉：「他日殆可謂曲盡其妙。」注云：「他日觀之，近謂委曲盡文之妙理。」其說難通。蓋本文係謂他日殆可曲盡其妙，士衡言賦之所陳，才力難副，存此妙旨，冀他日曲為驗之，如沈休文言「如日不然，以俟來哲」也。[13]

---

[11] 見《六臣註文選》，卷 17，〈文賦〉及注。

[12] 見《六臣註文選》，卷 17，〈文賦〉注。

[13] 見俞正燮：《癸巳存稿》（上海：上海商務印書館，1957 年），卷 12，〈文賦注書後〉，頁 357。

俞氏與李善不同之處，最主要在對「曲盡其妙」的理解。李善謂此賦「曲盡文之妙理」，
俞氏則以為賦之所陳，自己作文未必做得到，故冀於他日作文時曲為驗其妙理。對於
「他日」為將來的解釋，則二家並無分歧。另一位《文選》研究者黃侃對「他日」的
解釋也無異議，不過以為原句尚欠妥貼，他說：

> 「謂」是羨文。此言今以能為難，他日庶幾能之耳。[14]

黃氏深識文理，他顯然以為即使接受李善以「他日」為「異日」的解釋，原句中有一
「謂」字於文理是不通的。也就是說，作「他日殆可曲盡其妙」始合語法。從句子結
構看，「他日殆可曲盡其妙」與「他日殆可謂曲盡其妙」實不相同，如果照李善的解
釋，用今天的話可以這樣說：

> 做好了〈文賦〉，將來再看它，大概可以說這篇賦能曲盡文之妙理了吧。

黃氏則以為應解作：

> 要明白為文之道本來不難，自己寫作要合乎文理才是難事。現在寫文章還做不
> 到的，只有期諸將來了。

基本上俞黃二家見解相通，而與李氏不同，但三家都是以將來解「他日」的。俞黃二
君看出李氏之說難通，故別有說。黃氏更看出如用俞說，則句中的「謂」字很不好解，
因提出「謂」是羨文之論。黃氏的分析從句法著眼，考慮似比前人周詳。不過，諸本
《文選》及《陸士衡集》都是有「謂」字的，因此黃說也不無可疑之處。難解的原因，
是不是由於諸家都執著「他日」為未來之義呢？假如我們採取另一個看法，把句中的
「他日」作「往昔之日」或「前代」解，也許會有新的體會。現在且把「非知之難」
以下幾句換了一個解釋，用現代的話寫出來：

> （做文章的道理）要知道不算難，要實踐才是難事。因此我作這篇〈文賦〉，
> 由前輩文人的盛藻，論到寫作的利害關鍵。前代（之作）大抵可說已能曲盡文
> 之妙理，後世本來不難取則，但下筆為文，變化無方，有時不能用文詞表達出

---

14 見黃侃：《文選黃氏學》（臺北：文史哲出版社，1977 年），頁 93。

來。能夠說明白的，我都寫在這裏了。

我以爲這樣解釋，把「他日」理解爲「昔日」即「前代」，是頗合上下文義的，要是可成一說，倒可以避免了黃氏刪字以求合文理的辦法。其實錢鍾書也說過：

> 夫「他日」句承「先士盛藻」來，則以「昔日」之解為長。[15]

我覺得其說有可取處。不過恐怕這也不是絕對的，不然就不會有那麼多學者作「異日」去解釋了。李善的影響，其實很不少，除了傳統的學者，今天可見的三個〈文賦〉英譯本，都把「他日」作「來日」理解[16]。這裏產生的疑惑，當然是由於「他日」一詞含義的不穩定。考《文選》所收的作品，除〈文賦序〉外，用「他日」的尚有其他二處。陳琳〈爲曹洪與魏文章書〉曰：

> 間自入益部，仰司馬揚王遺風，有子勝斐然之志，故頗奮文辭，異於他日。[17]

潘岳〈馬汧督誄〉云：

> 賁父曰：他日未嘗敗績，而今敗績，是無勇也。[18]

案潘岳此處全用《禮記》之文，李善注已經給它指出來了。又二文中的「他日」李善並未注，但這兩處「他日」指往日是頗明顯的，可能李善因此不加注。在這裏，我們還有一個疑問：「他日」本來算得是個常用詞，爲什麼整部《文選》裏，用「他日」

---

[15] 錢鍾書《管錐篇》（北京：中華書局，1979 年），第 3 冊，頁 1180。

[16] E. R. Hughes: *The Art of Letters – Lu Chi's "Wen Fu"* (New York, 1951)「他日」句譯作 "Some day it may almost come to be said that I have in a lopsided way explored this mystery." Achilles Fong（方志彤）: "Rhymeprose on Literature: The Wen-fu of Lu Chi"（收在 *Studies in Chinese Literature*, Cambridge: Harvard University Press , 1966）譯作 "May it be considered, someday, an exhaustive treatment." 二家並用李善注。Shih-hsiang Chen（陳世驤）: "On Literature"（收在 *Anthology of Chinese Literature*, Penguin Books, 1967）此句譯作 "Perhaps some other day the secret of this most intricate art may be entirely mastered." 則似用黃侃說。有趣的是，英語 the other day 構詞性質正同於漢語的「他日」，但明顯地指過去之日，與現代漢語「他日」指將來之日有異。（如 Collins Cobuild *English Language Dictionary* 謂 the other day, the other evening, the other week etc to refer to a day, evening, or week in the recent past.）至於未來之日，英語用 some day 表示。（Collins Dictionary 謂 some day means at a day in the future.）

[17] 見《六臣註文選》，卷 42。

[18] 見《六臣註文選》，卷 57。

的例子那麼少呢？《文選》所錄，不少屬魏晉以還之作，可能時至魏晉，已經有人覺得義可兩指的詞，用起來殊不方便。陸機的弟弟陸雲，在寫給兄長的一封信裏，用了「往日」、「昔日」各一次[19]，不知道這能不能說明當時人傾向於用意義比較明確的詞。

三

前文引述了錢鍾書對文賦「他日」的意見。錢氏並以為「他日」得作「昔日」、「往日」解，唐世尚然，如杜甫〈秋興〉「叢菊兩開他日淚」，李商隱〈野菊〉：「他日未開今日謝」，都是其例。徵引詳博，極有見地[20]。時至今天，「他日」專指將來是不成問題的。我們倒不妨嘗試探索一下；「他日」的詞義是從甚麼時候開始固定下來的？

大抵在中唐以後，除了錢氏所舉李義山的例子，用作「往日」之義的已經不多了。舉幾個較常見的例子，如張籍〈送遠曲〉：

> 他日知君從此去。[21]

李賀〈高軒過〉：

> 他日不羞蛇作龍。[22]

杜牧〈寄沈褒秀才〉：

> 他日憶君何處望。[23]

顯然都是指將來的。

到了宋代，文學作品裏的「他日」，已經不容易找到用「往日」之義的例子。不過也有特例，下文試予說明。

---

[19] 陸雲〈與兄平原書〉：「兄往日文雖多瓌鑠，至於文體，實不如今日。……適欲白兄，可因今清靜，盡定昔日文。」見〔清〕嚴可均輯：《全晉文》（北京：中華書局，1965年影印本），卷102，頁7。書中用「往日」、「今日」、「昔日」，而未用「他日」。

[20] 見《管錐篇》，第3冊，頁1180。

[21] 見《張籍詩集》（上海：中華書局，1958年），卷1，頁3。

[22] 見王琦集解：《李長吉歌詩》（北京：中華書局，1962年），卷4，頁154。

[23] 見《樊川詩集注》（北京：中華書局，1962年），頁367。

且從蘇軾詩文裏先舉幾個例子。東坡〈題王逸少帖〉：

> 為君草書續其終，待我他日不匆匆。[24]

〈江行唱和集敘〉：

> 將以識一時之事，為他日之所尋繹。[25]

又〈答王庠書〉：

> 此雖迂鈍，而他日學成，八面受敵。[26]

三例毫無疑問，「他日」指的都是將來。不過，從正統詩文去探求當時一般用詞的情況，頗有些局限。因為好古之士，有時可能故意用一詞的古義。東坡用「他日」的例子，一時不能搜羅得周備，但也可發現他有時是用「往日」之義的。如〈十二月二十八日蒙恩責授檢校水部員外郎黃州團練副使〉第二首有一句：

> 嶺上縱歸他日馬。[27]

這裏用《淮南子》塞翁失馬的故事。故事略謂塞上之人，馬無故亡而入胡。居數月，其馬將胡駿馬而歸。詩中所謂「他日馬」，顯然是「昔日」亡去之馬，故用「歸」字。可見宋人用「他日」，並不是絕對不用「往日」之義。不過正如上面提出的，可能這是文人故意用古義的結果，宋人一般用「他日」指將來是不必懷疑的。這也許在正統詩文以外的日常用語裏看得更清楚，如《朱子語類》有一句：「他日長進亦只在這裏。」[28]可惜當時日常用語不易全面檢索，但如果同意到了此時，「他日」的意義固定了，正好見出詞義越來越趨向於明確、穩定。也許文人用詞，喜歡打破常規。打破常規之道，

---

[24] 見《蘇軾詩集》（北京：中華書局，1982 年），卷 25，頁 1342。

[25] 〈江行唱和集敘〉，又稱〈南行前集敘〉，見《蘇東坡全集》（臺北：世界書局，1969 年影印本），卷 24，頁 307。

[26] 〈又答王庠書〉，見《經進東坡文集筆略》（北京：文學古籍刊行社，1957 年），卷 46，頁 785。

[27] 見《蘇軾詩集》，卷 19，頁 1006。

[28] 見佐藤仁編：《朱子語類第一卷至第十三卷語句索引》，頁 283。

通常不外是創造新詞，即所謂「自鑄偉詞」[29]。但另一個打破常規的方法，就是故意用古義，如王漁洋最膾炙人口的〈秋柳〉詩有兩句：

他日差池春燕影，祇今憔悴晚煙痕。[30]

句中的「他日」分明是「昔日」的意思。〈秋柳〉四首，感搖落而興詠，深致今昔之慨。此聯的「他日」、「祇今」是全篇的關鍵。漁洋是不是故意用「他日」的舊義，藉蘆用詞增加一點點眷懷往昔的色彩，以渲染全詩的氣氛呢？這倒是值得讀者深思的。

四

這篇小文，目的在探討一個詞義的演變，並略窺古代文人用詞的態度和習慣。這裏可以作簡單幾點總結：

一、「他」字在詞義上表示與「此」相對，因此在時間上「他日」可指與「今日」相對的過去或未來之時。

二、在秦漢時代，「他日」的意義不穩定。

三、到了魏晉，今天所見的例子還不能確定它偏於指「往日」還是「來日」。不過從《文選》篇章的用例而見，以用於指「往日」較普遍。

四、唐代此詞仍有兩指的情況，但中唐以後，似乎指將來的用法漸漸固定了。

五、宋代以來，一般用以指將來，但也偶有例外，尤其是在文人的詩文裏，可能有故意指往昔的。由於中國詩文的傳統並不排斥用古義，所以到了清代，仍可發現有名的詩句用為「往日」之義的。

一般的說，一個詞由義可兼指到詞義固定下來，是語言的合理發展。我們不必問到底「他日」指「往日」還是「來日」比較適當，《荀子》的語言理論：「名無固宜，

---

[29] 見《文心雕龍‧辨騷篇》。范文瀾：《文心雕龍註》（香港：商務印書館，1960 年），頁 47。

[30] 王士禎〈秋柳〉四首之一，見《漁洋精華錄箋註》（臺北：中華書局，1968 年影印本），卷 1，頁 21。

約之以命，約定俗成，謂之宜」[31]，到底是對的。所以，只要大家認同某種用法就是合宜了，這樣至少可以避免像〈文賦〉那句話含義的爭論。探討這個問題的最大困難，是文人用詞的好奇尚古，因此往往有例外的情況，但一般的方向，還是可以看出來的。

　　另外還有一個和「他日」相類似的詞，就是「他年」。此詞到唐代杜詩仍有指過去的[32]，但在後世，「他年」指將來，殆已無疑義。例證甚多，不煩徵引，比較觀之，倒可以窺見這類詞義變化的痕跡。

---

[31] 見《荀子，正名篇》，〔清〕王先謙：《荀子集解》（上海：商務印書館，1929 年），卷 16，頁 23。

[32] 杜甫〈存歿口號〉之一：「玉局他年無限笑，白楊今日幾成愁。」見《杜詩詳注》（北京：中華書局，1979 年），卷 16，頁 1451。

龍宇純先生七秩晉五壽慶論文集
2002 年 11 月　　頁 579～592

談舍人對八體的看法是否有所軒輊

胡　緯[*]

一

　　黃季剛先生在他那本《文心雕龍札記》中已經十分明確地指出，舍人對八體本無軒輊，他說：

> 彥和之意，八體並陳，文狀不同，而皆能成體，了無輕重之見存於其間。下文云：「雅與奇反，奧與顯殊，繁與約舛，壯與輕乖。」然此處文例，未嘗依其次第。故知塗轍雖異，樞機實同，略舉畛封，本無軒輊也。

　　如果別無異議，本文，甚至許多論著實無討論的必要；但後來范文瀾先生寫成《文心雕龍註》一書，並且在該書對乃師「八體」之說有不同的意見，他說：

> 案彥和於新奇輕靡二體，稍有貶意，大抵指當時文風而言。

自此以後研究《文心》的，討論舍人對八體是否有所軒輊，便眾說紛紜。歸納起來大概有四種不同的看法：（一）如黃季剛先生等全部肯定八體。（二）這種看法的人最多，如：范文瀾、劉大杰、蔣祖怡、周振甫等，他們認為舍人肯定典雅、遠奧、精約、顯附、繁縟和壯麗六體，貶抑新奇和輕靡二體。（三）詹鍈等認為舍人肯定典雅、精約、顯附、壯麗四體，不贊成遠奧、繁縟、新奇和輕靡等四體。（四）俞元桂等認為舍人肯定典雅、壯麗、精約、顯附和新奇五體，反對遠奧、繁縟和輕靡等三體；而張可禮卻在五體中的新奇，用遠奧取代了，即反對繁縟、新奇和輕靡等三體。歸納上述四種觀點，可以看到盡管大家認識上有較大的歧異，但異中有同，那就是大家都認為

---

[*]　曾任教香港中文大學中國語言及文學系。

舍人對典雅、精約、顯附和壯麗四種風格是肯定的，這種一致的看法，應當說是切合舍人的實際論述的。他們的論述雖然都符合某一方面的事實，但未能照顧到整體問題。現在我試從：（一）八體的名稱；（二）舍人對八體的描述；（三）對八體所舉的文例；（四）舍人對八體整個問題的看法；及（五）舍人的基本立場等五方面加以論述。

二

爲了簡化問題，各家肯定的四體暫不討論，雖然有等學者認爲舍人即使肯定此四體，但還是在此四體中有最理想的一體。本文主要從字義的分析入手，討論較詳細；對舍人的基本立場及舍人對八體整個問題的看法，則取現成的結論。

一般語義學 General Semantics 有把詞分成理性語 Reasonable Word 及情感語 Emotional Word 的做法。而語言學中又有所謂情感意義 Emotive meaning，有時我們稱爲 affective meaning 其他有稱爲 connotation 或 connotative meaning 即所謂暗涵意義、內涵、內涵意義等都是指同一的東西。在王宗炎主編的《英漢應用語言學詞典》對這條有以下的界說：

> 指一個詞或短語的中心意義（Denotation）以外的意義，即附加意義。這種附加意義是人們對該詞或短語所指的人或事物所懷有的情感或所持的態度。

英國語義學家杰弗里·N·利奇（G Leech）所著的語義學第二章把意義分爲七類，其中便有屬於聯想意義的情感意義[1]。在普通的語文課本中也有所謂情感色彩，而衍生出褒義、貶義和中性義。伍謙光先生編著的《語義學導論》中，他更指出分析「感受性語義特徵」的方法[2]。文學評論的作品我們不能苛求它如科學作品一樣，所用的詞語盡用理性詞，甚少含有附加意義的，如果我們要求一本文學評論的作品沒有褒貶，沒

---

[1] 杰弗里·N·利奇著、李瑞華等譯：《語義學》（上海：外語教育出版社，1985 年）。

[2] 伍謙光：《語義學導論》（長沙：湖南教育出版社，1988 年），頁 124-130。

有感情成份的，那實在太不可思議了。爲了簡化，我們只探討這具有爭論的「四體」的名詞和舍人對這「四體」的描述是否用了貶意，它用了中性義當然最好，即使用了褒義，我們也接受。因爲各家均肯定的其餘四體，也有用上了很多褒義詞的。

三

（一）八體的名稱

1.遠奧

根據〈體性篇〉所說的：「奧與顯殊。」「遠奧」是偏義的，它偏於「奧」的方面，而不偏於「遠」的方面。「奧」字在《文心》十二篇中，出現了十八句。它的本義是指「室之西南隅」，可引申爲「深不易窺見」解。如：「雖奧非隱」（〈隱秀〉）、「詩文宏奧」（〈比興〉）、「選言弘奧」（〈詔策〉）。此處無褒貶義。它也可解作「深刻」，如：「經以典奧爲不刊」（〈總術〉）、「奧者複隱」（〈總術〉）。也可解作「疑難」與「隱」字較近，有貶意。如：「追觀漢作，翻成阻奧」（〈練字〉）。而「遠」字在《文心》二十七篇中，出現了五十一句。在這裡可解作「深遠」，如：「志惟深遠」（〈物色〉）、「寄深寫遠」（〈附會〉）、「觀其涯變幽遠」（〈才略〉）。

「遠奧」是一個相對的概念，對一些人是深，對另一些人可能是淺，因爲，它沒有固定的標準。但純就「遠奧」言，它有一個特性，就是必須通過一番思索、熟慮，始能理解。〈隱秀篇〉云：「隱者，文外之重旨也。」重旨是無法一目了然的，而必須通過一番思索。其實一篇「遠奧」的作品與它作者的個性，學養有相當密切的關係。學養深厚，博覽群籍，自然思理深刻，迥出常人之長，其文也隨而「遠奧」。〈宗經篇〉云：「牆宇重峻，吐納自深。」便是這個意思。個性沈靜的，思想也較易深刻。唐宋後人多不言「遠奧」，而講含蓄、講委婉、講飄逸、講曠達、狀難寫之景，含不盡之

情，纏綿鬱郁，百折千迴，如凌虛御風，可望而不可及。此類作品大柢多寄懷感時，其旨遠，其辭玄，其言曲而中，其事肆而隱。從以上的分析「遠奧」這一個名詞，應該沒有貶意。

2.繁縟

根據〈體性篇〉所說的：「繁與約舛。」「繁縟」是偏義的，它偏於「繁」的方面，而不偏於「縟」的方面，「繁」字在《文心》二十八篇中，出現了五十五句。可解作「多也」，如：「春秋聘繁」（〈書記〉）、「神理更繁」（〈正緯〉）。如果獨用「繁」卻有「繁雜」、「繁蕪」、「碎亂」的意思便是貶辭了，如：「蕪者亦繁」（〈總術〉）、「則繁而不珍」（〈物色〉）、「繁雜失統」（〈風骨〉）、「辭或繁雜」、「游心窺句，極繁之體」、「乃情苦芟繁也」、「芟繁剪穢」（以上均見〈鎔裁〉）。至於「縟」字在《文心》十四篇中，出現了十六句。主要解作「繁采飾也」，如：「采縟於正始」（〈明詩〉）、「儒行縟說以繁辭」（〈徵聖〉）。也可與「褥」字通，如：「焜耀似縟錦之肆」（〈才略〉）。

「繁縟」一詞，即指繁多藻麗，如：「不以繁縟為巧」（〈議對〉）、「繁縟絡繹」（〈比興〉）、「率乖繁縟」（〈定勢〉）。是屬褒辭。所以「繁縟」之「繁」絕非貶義，是指譬喻廣博，丹采醞郁，分枝佈派，光輝燦爛之作。上面已說過：「繁與約舛」，「繁縟」與「精約」體適相反。〈定勢篇〉也云：「斷辭辨約者，率乖繁縟。」但二體之不同，一則辭富，一則言簡。如太史公之《史記》敘兩千六百年之史實，上起黃帝，下終漢武，都五十萬言。而班固《漢書》，敘西漢二百年史，自高祖起義，迄孝平王莽之篡漢，長達八十萬言，其豐儉不同，懸殊若此。所以陸機〈文賦〉云：「要辭達而理舉，故無取乎冗長。」王充《論衡·自紀篇》云：「蓋文多勝寡，世無一卷，吾有百篇，人無一字，吾有萬言，孰為智者。」可見古人對文章繁簡的看法，往往很是不同。今舍人以「繁縟」與「精約」並列為二體，自是兼采眾長，絕無偏廢之意。〈文鏡秘府論〉分文體為六，其三曰：「體其淑姿，因其壯觀，文章交映，光彩傍發，綺艷之則也。」此即「繁縟」的風格，都是指一些在抒情寫物說理的作品，它們能做到辭采紛披，喻義博該。所以從以上的分析，「繁縟」這一個名詞，應該也沒有貶意。

3.新奇

根據〈體性篇〉所說的：「雅與奇反。」「新奇」是偏義的，它偏於「奇」的方面，而不偏於「新」的方面。「奇」字在《文心》二十七篇中，出現了四十九句。除了在普通義上指不平凡的事物，如：「無待錦匠之奇」（〈原道〉）；也會指單數，如：「奇偶適變，不勞經營」（〈麗辭〉）。如與「正」有關聯的：「酌奇而不失其貞」（〈辨騷〉）、「四觀奇正」（〈知音〉）、「奇正雖反，必兼解以俱通」（〈定勢〉）。有作褒義解，是引伸而指作品動人，如：「奇文郁起，其〈離騷〉哉」（〈辨騷〉）、「而漢武嘆奇，晉景稱善者」（〈附會〉）。也有作貶義解，是指作品空虛、怪誕、庸俗，如：「辭人愛奇，言貴浮詭」（〈序志〉）、「舊練之才，則執正以馭奇，新學之銳，則逐奇而失正」（〈定勢〉）「今經正緯奇，倍擿千里，其偽一矣」（〈正緯〉）、「若依義棄奇，則可與練字矣」（〈練字〉）。「新」字在《文心》二十九篇中，出現了四十七句。有作「初也」解，如：「新學之銳」（〈定勢〉）、「使刃發如新」（〈養氣〉）。又有作專有名詞，指書名，如：「賈誼新書」（〈諸子〉）、「新序該練」（〈才略〉）。也有與「舊」對舉，即作「更舊曰新」，如：「該舊而知新」（〈練字〉）、「則雖舊而彌新矣」（〈物色〉）、「辭必窮力而追新」（〈奏啓〉）。

既然「雅」與「奇」是對舉的，而我們也知道「雅」字也可訓「正」，從這個去路，知道舍人對「奇」字是接納的，所以也可成體性中的一體。「新」字在我國文化中佔有一十分重要的席位，如《大學》云：「湯之盤銘曰，苟日新，日日新，又日新。康誥曰，作新民。詩曰：周雖舊邦，其命維新。」如果從「通變」的原理說，就是中國文化的生命需具有創造力。但在舍人的心目中「新」字有時不是那麼值得人稱賞，而是一個貶義，它與「訛」字相等看待，如〈通變篇〉中所謂：「宋初訛而新。」為什麼宋初的文學作品，在更舊換新的過程中，會變成訛濫呢？這就是因為那文學生命在生長過程中，失去了繼承力、持續力，這生命便會畸型，便會訛濫，好像患了癌症一樣。所以要「矯訛翻淺」便得「還宗經誥」（〈通變〉）了。這也可以明白為什麼舍

人說：「雅與奇反」了。其實，愛「奇」是人的天性，所謂：「俗皆愛奇。」（〈史傳〉）而「愛奇反經之尤。」（〈史傳〉）在舍人當時所處的環境，就是愛奇反經，文學的生命缺乏了持續力、繼承力，以至「曄燁之奇意，出乎縱橫之詭俗也。」（〈時序〉）當時的文風是：「宋初文詠，體有因革，莊老告退，而山水方滋，儷采百字之偶，爭價一句之奇，情必極貌以寫物，辭必窮力而追新，此近世之所競也。」（〈明詩〉）又：「自近代辭人，率好詭巧，原其為體，訛勢所變，厭黷舊式，故穿鑿取新。察其訛意，似難而實無他術也，反正而已。故文反正為乏，辭反正為奇。效奇之法，必顛倒文句，上字而抑下，中辭而出外，回互不常，則新色耳。」（〈定勢〉）我已經說過，舍人對「奇」是接受的，所謂：「奇正雖反，必兼解以俱通。」（〈定勢〉）但很可惜「新學之銳，則逐奇而失正。」（〈通變〉）「奇」是可以接受的，但「失正」卻是不可接受的。所謂：「跨略舊規，馳騖新作，雖獲巧意，危敗必多，豈空結奇字，紕繆而成經矣？周書曰：『辭尚體要，弗惟好異。』蓋防文濫也。」（〈風骨〉）從以上的分析，我們也可以明白了舍人對「新奇」接受的程度了。

　　4.輕靡

　　根據〈體性篇〉所說的：「壯與輕乖。」「輕靡」是偏義的，它偏於「輕」的方面，而不偏於「靡」的方面。「輕」字在《文心》十五篇中，出現了二十四句。有作「重」之對，如：「雖復輕采毛髮」（〈序志〉）、「喪服舉輕以包重」（〈徵聖〉）。有作「小也」、「淺薄也」解，如：「罪疑惟輕」（〈麗辭〉）。有作「容易」解，如：「使味飄飄而輕舉」（〈物色〉）。有作「隨便」解，如：「輕言負誚」（〈知音〉）。有作「賤也」、「鄙夷」解，如：「今詔重而命輕者」（〈詔策〉）、「故魏文稱文人相輕」（〈知音〉）。最後，也是主要與文學評論有關的，有作褒義，意有近「輕巧」的，如：「安仁輕敏」（〈體性〉）、「辨要輕清」（〈奏啟〉）。有作貶義，解「浮華」也，如：「稍入輕綺」（〈明詩〉）。「靡」字在《文心》二十一篇中，出現了三十一句。這字可解「趨向」，如：「風化所靡」（〈正緯〉）。可解作「無也」，如：「其詳靡聞」（〈誄碑〉）。如果作密宜切，讀支韻，則可解作「消滅」解，如：「金石靡矣」（〈諸子〉）。又可

通「縻」，作「用繩子繫著」解，如：「胥靡之狂歌歟」（〈諧讔〉）。又可解作「細緻」，如：「故裁密而思靡」（〈體性〉）。與文學評論有關，作褒義，有「輕麗」、「美好」之意，如：「求其靡麗」（〈章表〉）。又作貶義，則解作「浮靡」，如：「靡而非典」（〈樂府〉）。

如果我們根據上段有關文學評論的觀點對這兩個字的分析，我們知道這兩個字的意思非常接近，從貶義看，這兩個字都是指「浮華」；從褒義看，這兩個字有細緻，精巧及美好的意思。〈明詩篇〉云：「晉世群才，稍入輕綺、張、潘、左、陸、比肩詩衢，采縟於正始，力柔於建安，或片文以為妙，或流靡以自妍，此其大略也。」我們已分析過在《文心》中，「輕」字跟「靡」字均有作褒義及貶義，但合成「輕靡」一詞，作八體之一，則舍人頗有微辭。所謂：「後之作者，採濫忽真，遠棄風雅，近師辭賦，故體情之製日疏，逐文之篇愈盛。」（〈情采〉）即可見一斑了。

（二）舍人對八體的描述（只討論有爭議的四體）

1.遠奧

舍人把「遠奧」描述為：「遠奧者，複[3]采曲[4]文，經理玄[5]宗者也。」（〈體性〉）「複采」即采藻繁複。「曲文」即文辭曲隱，與「複采」義同。「複采曲文」，即文辭繁複曲隱。「經理玄宗」的「經理」本指經營治理，這裡表示研求論述的意思。「玄宗」一般認為是指宗教玄理。有指「玄宗」只屬於佛教之教義。也許「玄宗」一詞與宗教玄理不無聯繫，但不必拘泥某一宗教，其實「玄宗」是指幽遠深隱之理。「經理玄宗」

---

[3] 范注：「馥當作複。〈總術篇〉云：『奧者複隱。』」范文瀾：《文心雕龍注》（香港：商務印書館，1960 年）。

[4] 王利器以為：「『馥采典文』疑作『複采曲文』。」《文心雕龍校證》（臺北：明文出版社，1985 年）。

[5] 有作「元宗」者。楊明照以為：「『玄』字是。」《文心雕龍校注拾遺》（上海：上海古籍出版社，1982 年）。

即鑽求或論說幽深之理，實際上是指文章義理幽深微妙。要探討舍人在整個句子中有無貶意，則要看他對「曲」、「玄」二字的看法。「曲」、「玄」也和上文所談到「遠奧」有相對的觀念，所以也應作如是觀。「遠奧」之體即文辭繁複曲隱，文理幽遠玄妙的風格。黃季剛先生把「遠奧」界定爲：「理致淵深，辭采微妙。」

2.繁縟

舍人把「繁縟」描述爲：「繁縟者，博喻釀采，煒燁枝派者也。」（〈體性〉）這裡的「博喻釀采」的「博喻」即廣譬，廣爲譬喻。〈學記〉：「不學博依，不能安詩。」鄭注：「博依，廣譬喻也。」疏：「博，廣也；依，謂依倚也。謂依倚譬喻也。」「釀」本指釀酒；「釀采」，指經營采藻雕飾。「煒燁枝派」的「煒燁」，又作「煒曄」，義爲「顯明」。陸機〈文賦〉：「奏平徹以閑雅，說煒曄而譎誑。」本篇「煒燁」，形容文辭光彩斑爛。「枝派」之「枝」，本即樹木旁出的枝條；「派」，本指水的分支，支流。「枝派」連用，這裡作形容詞，形容文章辭采蔓延紛披。可見「繁縟」一體，是指文章廣譬博喻，富有雕采，采藻彪炳，文采紛披的意思。明顯的，這種描述了無貶意。黃季剛先生界定「繁縟」爲：「辭采紛披，意義稠複。」

3.新奇

舍人把「新奇」描述爲：「新奇者，擯古競今，危側趣詭者也。」（〈體性〉）「擯」就是絕棄、排摒；「擯古」即指絕棄古訓，也就是爲文不宗法儒家經典。「競今」，即趨今（「競」指追逐），「今」對古而言。「擯古競今」，即棄古趨今，也就是〈通變篇〉所說的：「競今疏古。」「危側趣詭」的「危側」，本指險峻傾斜，這裡形容趨新逐異者所行險邪傾側。「趣詭」，即追逐詭異。所以好務「新奇」之體，便擯棄陳法，競尚新格，砌辭險僻，用事詭異。其特點在形式上翻空立奇，故弄技巧。明顯的是有貶意，除非能「執正以馭奇」（〈定勢〉）。黃季剛先生對它所下界定爲：「詞必研新，意必矜刱。」

4.輕靡

舍人把「輕靡」描述爲：「輕靡者，浮文弱植，縹緲附俗者也。」（〈體性〉）「浮

文」，指文辭虛浮。「弱植」的「植」當指「植義」，即文章的立義。〈檄移篇〉云：「故
其植義颺辭，務在剛健。」「弱植」，指作品立義柔靡。《左傳‧襄公三十八年》云：
「其君弱植。」「弱植」指軟弱，與舍人所用的「弱植」含意有聯繫，但並不相同。「縹
緲附俗」的「縹緲」，是指隱約恍惚，這裡指虛浮游離。「附俗」，即趨俗，隨於流俗。
明顯的，「輕靡」一體是指作品虛浮柔靡的一種風格。這種作品，文詞浮華，題材荏
弱，意義恍惚，阿世附俗，其特點在文辭輕麗，內容虛浮。顯然所描述的，是隱含貶
意。黃季剛先生界定「輕靡」為：「辭須蒨秀，意取柔靡。」

　　由以上的分析中，季剛先生對各體的界定，大致上並沒有用到貶義，但本文要探
討的是舍人對之是否有軒輊之分，並非季剛先生的看法，更不是「八體」這些概念是
否有軒輊之分。明顯的，只要懂得甚麼是褒貶義，而對《文心》有初步的認識，都不
能否認：舍人在描述各體所用的字眼，不只是含有理性意義（conceptual meaning 用
Geoffrey Leech 語），而且還有褒貶的成份，尤有進者對「新奇」及「輕靡」二體更有
貶義。

（三）對八體所舉的文例

　　范文瀾先生不同意乃師的個看法，其中一個視為最有力的理由是：

　　　　次節列舉十二人，每體以二人作證，獨不為末二體舉證者，意輕之也。

他所稱的末二體就是指「新奇」和「輕靡」，所以他又說：

　　　　案彥和於新奇輕靡二體，稍有貶意，大抵指當時文風而言。

舍人所舉的例子如下：

　　　　賈生俊發，故文潔而體清；長卿傲誕，故理侈而辭溢；子雲沈寂，故志隱而味
　　　深；子政簡易，故趣昭而事博；孟堅雅懿，故裁密而思靡；平子淹通，故慮周
　　　而藻密；仲宣躁銳，故穎出而才果；公幹氣褊，故言壯而情駭；嗣宗俶儻，故
　　　響逸而調遠；叔夜雋俠，故興高而采烈；安仁輕敏，故鋒發而韻流；士衡矜重，

故情繁而辭隱。(〈體性〉)

舍人大概是依作家時代先後列舉，似乎不是與首六體配對。范文瀾先生把十二家配入六體，已有不少學者指出其並非適宜。反而有趣的是，季剛先生在他那本《札記》中，卻為「八體」每體都舉出兩篇作品作為例子。不幸得很，先生竟為「輕靡」一體舉了兩個較劣的例子。這使我們對「了無軒輊」一語的信心，打了一個很大的折扣。

黃先生所舉的〈恨賦〉，其中有兩句「孤臣危涕，孽子墜心。」正是舍人最為詬病的，他曾說：「自近代辭人，率好詭巧，原其為體，訛勢所變，厭黷舊式，故穿鑿取新，察其訛意，似難而實無他術，反正而已。故文反正為乏，辭反正為奇。效奇之法，必顛倒文句，上字而抑下，中辭而出外，回互不常，則新色耳。」(〈定勢〉)江淹強改「墜涕危心」為「危涕墜心」。這便是辭人為文而造情之過了。季剛先生又舉出〈北山移文〉作為例子。這篇作品呂向認為：「鍾山在都北。其先，周彥倫隱於此山，後應詔出為海鹽縣令，欲過此山。孔生乃假山靈之意移之，使不許得至。」但考《南齊書·周顒傳》，顒曾為剡令，山陰縣令，未嘗為海鹽令，一生仕宦不絕，未嘗有隱而復出之事，呂向之說，不符史實。所以朱東潤先生在他那本《中國歷代文學作品選》該文解題云：「按本文是一篇遊戲文章，其中所言周顒隱而復出事，恐未必都有事實根據。」本文自然有一定的文采，既是遊戲文章，似乎未能稱為佳作。

（四）舍人對八體整個問題的看法

在〈體性篇〉中有云：「八體雖殊，會通合數，得其環中，則輻輳相成。」我想這是舍人對「八體」整體的看法。從「輻輳」一詞也許引發出季剛先生對「軒輊」的聯想。句中的「會通」、「環中」、「輻輳相成」都是表明了渾圓無缺，無所偏重的意思。車輻各條如輕重不均，那個車輪滾動起來便很有問題的了。這段說話便是舍人對「八體」整體看作是了無軒輊的一個明証。

（五）舍人的基本立場

舍人在《文心》的基本立場也不少，現在只引出以下兩則與本文有關的略加討論：

1.通變訛變

「通變」在《文心》是一個很重要的概念。季剛先生在他的〈札記〉中對「通變」有這樣的註腳：「文有可變革者，有不可變革者。可變革者，遣辭捶字，宅句安章，隨手之變，人各不同。不可變革者，規矩法律是也，雖歷千載，而粲然如新，由之則成文，不由之而師心自用，苟作聰明，雖或要譽一時，徒黨猥盛，曾不轉瞬而為人唾棄矣。」舍人是鼓勵變和新的，但要植根於古。是「變世俗之文，非變古昔之法也。」如果變化更新而違反古法便是訛變。

2.詩人辭人

舍人認為文章的好壞，主要是受作者創作動機的影響。動機不外有兩種，就是：為情而造文，為文而造情。〈情采篇〉有云：「昔詩人篇什，為情而造文；辭人賦頌，為文而造情。何以明其然？蓋風雅之興，志思蓄憤而吟詠情性，以諷其上，此為情而造文也。諸子之徒，心非鬱陶，苟馳夸飾，鬻聲釣世，此為文而造情也；故為情者要約而寫真，為文者淫麗而煩濫。」舍人是文質並重的，但卻認為質先於文，要為情（質）而造文。

四

經過以上的分析，舍人對於「八體」有無軒輊之分，便十分明顯了。舍人對「八體」整體的看法是要「輻輳相成」，應該是無輕重之異。只要我們能把「遠奧」看作「深思熟慮」，而不要把「繁縟」與「繁雜」混為一談，又能看到舍人強調「執正以馭奇」，把「輕靡」看作「輕敏」，「巧緻」便可以了，但在他分別描述各體之時，確有褒貶之分。至於他所舉的例子，只是大致依時序列舉，並非有意對體入位，故不能

胡亂對應，強作解人。至於季剛先生很明確的指出「八體」了無軒輊之分。而他在界定「八體」時，也大致避免用到有褒貶義的詞語，但很不幸的，當他舉例時也逃不過舉了有貶意的例子。

現在學界之所以對「舍人視八體有無軒輊」的看法有如此大的分歧。只不過季剛先生注意的是舍人對「八體」的整體看法，而其他的學者則從舍人對各體的個別描述，更加上又看到季剛先生所舉的一些例子，故認為有所軒輊。而舍人何以對「八體」整體的看法與個別的看法會有所分歧呢？

六朝文學批評與當時的「人材學」有相當密切的關係，以前我們對人格的看法是有人品的含意，是有褒貶的，但今天我們看人格便不是這樣。如 G. A. Kimble 在他那本 *Principle of General Psychology* 界定「人格」一詞為「人格為一種固定的特徵之單一的組成。它使每一個人與其他的人由于各別的具不同的特徵而互相分開，同時，並決定了別人對他的相對關係。」這正是英文 character 與 personality 的分別。梁實秋先生對這兩個詞彙有以下的說法：這兩個詞均表示人之品質，「character 指道德方面的品格，尤指是非之觀念等；……personality 兼指內在與外表之性格，此等性格常決定他人所得之印象。」現代心理學一般都是把人格看作是 personality，我們看 G. A. Kimble 的定義便可知曉。大多數人把「八體」視作今天文學理論中的「風格」Style。舍人在《文心》中也有「風格」這一個詞，不過與今天的用法迥異。如「亦各有美，風格存焉。」（〈議對〉）又：「雖〈詩〉、〈書〉雅言，風格訓世，事必宜廣，文亦過焉。」（〈夸飾〉）這裡的「風格」是指教訓的規範。今天的風格學 stylistics 與語言學關係密切，語言學與心理學發展到今天都是屬于社會科學的範疇，無軒輊褒貶自是科學的特色。舍人對「八體」整體的看法是「無軒輊之分」已是很了不起了。如果我們要求他用今天風格學的觀點看「八體」實是強人之難。「擯古競今」與「浮文弱植」，顯然與舍人的基本立場，通變觀念互相抵觸。所以不自覺反映在他描述個別體性上，而有褒貶的色彩顯露在個別的字眼中。季剛先生既然強調舍人對「八體」了無軒輊之分，所以在界定「八體」時也小心翼翼，避免在字彙中混入情感的色彩。但百密一疏，在舉例時

也難免挑了一個舍人心目中認爲壞的例子，不是「詩人」的作品，卻是「辭人」的。因此，這也難怪自范文瀾先生以還，這麼多學者對這個課題，各抒己見，但是各人只看到事情的一面，因此眾說紛紜，莫衷一是。但不幸中之大幸，這個文心的課題卻遠不如「風骨」般難有定論。由於各學者對這個課題，都能確確切切的看到它其中的一幅「東牆」，但沒有回首看看它的「西牆」而已。如果各人都肯對它作一環視，不致各照隅隙，而多觀衢路，便不會引起這許多分歧的了。

龍宇純先生七秩晉五壽慶論文集
2002 年 11 月　　頁 593～612

「大同」思想與晚清文學的新變

蔣英豪[*]

一

自鴉片戰爭以後，西方文化挾堅船利砲，在中國沿海地區建立了橋頭堡，進而以摧枯拉朽之勢，長驅直入。開明的中國知識分子，在亡國滅種的危機底下，開始張開眼睛去看西方，並以西方的社會文化、典章制度與中國的相比較。他們對比較所得，顯然也大吃一驚：他們發覺一向視為安身立命之所的社會，竟是如此千瘡百孔，而儒家文化中視為理想、從未實現過的大同理想，卻竟然在遙遠的西方社會中實現了！

所謂大同，是指中國儒家經典中一種政治社會理想，見於《禮記‧禮運》：

> 大道之行也，天下為公，選賢與能，講信修睦。故人不獨親其親，不獨子其子；
> 使老有所終，壯有所用，幼有所長，矜寡孤獨廢疾者皆有所養；男有分，女有
> 歸。貨，惡其棄於地也，不必藏於己；力，惡其不出於身也，不必為己；是故
> 謀閉而不興，盜竊亂賊而不作，故外戶而不閉。是謂大同。[1]

在中國有文獻可考的歷史中，《禮記‧禮運》所說的大同始終是一個美麗的理想，是二千多年來中國「理想國」的源頭，但在現實中從來沒實現過。它停留在理想的階段，是因為它要實現，便要靠人的素質的提升與轉化，要破私立公，去私存公。中國歷史上並不存在讓它實現的條件。

當西方文化在中國排闥直入之際，晚清知識分子或藉西方文獻的翻譯、或親身遊

---

[*]　香港中文大學中國語言及文學系教授。
[1]　《禮記‧禮運》，見《十三經注疏》（北京：中華書局，1980 年），頁 1414。

歷西方國家，或耳聞西方國家的種種，才知道西方國家已發展出民主政制、選舉制度，有育嬰堂、養老院、醫院等社會福利設施以保障國民福祉，有學校以教育兒童，有工廠以供人勞動、賺取生活所需，有完善的商業網絡以通有無，有嚴謹的治安措施如警察制度以維持社會治安，而生活之素質，又遠在當時中國之上，他們遂驚覺中國二千多年不能實現的大同理想，已經在西方社會實現了。出於見賢思齊之心，他們對西方社會有不少稱羨之辭；出於救亡的危機意識，他們主張中國學習西方，融入世界社會以圖生存。

晚清時期重要的思想家大都有這種世界化、一體化的理想，他們有些就乾脆套用「大同」一詞以概括這種理想。應該指出，他們的「大同」思想已超出了《禮記‧禮運》的水平，他們深信這種「大同」不單是理想，而是可行的，易於實現的，並且可使中國免於亡國滅種的厄運。正是由於這種「大同」的理念，晚清文化、社會各方面的改革、維新、革命思潮浪接一浪，其最終極的目標，顯然是要實現中國的世界化，使中國與整個世界合而爲一。晚清時期中國思想與文學的發展，其軌跡與此完全相合。

二

晚清以世界化、一體化爲目標的「大同」思想，始於魏源（1794-1857）。魏源認識西方的過程，源於編寫《海國圖志》。《海國圖志》之編纂，是由當時在廣東主持禁煙、與英國人直接交涉的林則徐（1785-1850）啓其端的。林氏基於了解敵情的需要，於 1840 年編成《四洲志》，還未出版，已自覺追不上時代的需要，乃決定補充材料。鴉片戰爭爆發，林則徐於 1840 年 10 月革職，翌年 8 月，魏源會林則徐於京口。林則徐把《四洲志》書稿並積存的有關外國的資料交給魏源，囑他撰《海國圖志》[2]。當時林則徐已得流放伊犁之旨，自知無法完成增修的工作，只好請魏源賡續己志。魏源終

---

[2] 參李漢武：《魏源傳》（長沙：湖南大學出版社，1988 年），頁 37-39。又見來新夏：《林則徐年譜》（上海：上海人民出版社，1985 年），頁 364。

於不負所托，於 1842 年 12 月寫成《海國圖志》。

《海國圖志》的編寫過程，是魏源認識西方、認識世界的過程，也是一個傳統知識分子的蛻變過程。過程中最觸目的，便是「大同」思想的形成。《海國圖志》在介紹美國時，對其民主制度發出了由衷的讚美：

> 廿七部酋分東西二路，而公舉一大酋總攝之。匪惟不及世，且不四載即受代，一變古今官家之局，而人心翕然，可謂不公乎！議事聽訟，選官舉能，皆自下始，眾可可之，眾否否之，眾好好之，眾惡惡之，三占從二，舍獨徇同，即在下須議之人，亦先由公舉，可不謂周乎！[3]

> 墨利加洲以部落代君長，其章程可垂奕世而無弊。[4]

魏源在稱讚美國的民主制度時，他心中盤亙著並以之作比較的是《禮記‧禮運》中的大同，我們從「可謂不公乎」句與論選舉諸句可知。他肯定了美國的民主制度是「天下為公」的極則，不單如此，從「可不謂周乎」句與「垂奕世而無弊」句，可知他認定這種制度是切實可行的，是值得效法的。

《海國圖志》還套用了《禮記‧禮運》「天下一家」及《論語‧顏淵》「四海之內皆兄弟」的話，說：

> 豈天地氣運，自西北而東南，歸中外一家歟！[5]

> 聖人以天下為一家，四海為兄弟。故懷柔遠人，賓禮外國，是王者之大度；旁咨風俗，廣覽地球，是智士之曠識。[6]

魏源口中的「天下」、「四海」，已經不是孔子時代的中國了，而是五大洲、五大洋的世界。他甚至覺得稱「天下一家」還不夠，而逕稱「中外一家」。從「中外一家」的提法可以知道，「居天下之正中」、「率土之濱，莫非王臣」的狹隘觀念已徹底粉碎，

---

[3] 魏源：《海國圖志》（上海：積山書局，1895 年〔光緒乙未〕石印本），卷 59，〈外大西洋墨利加洲全洲總論〉。

[4] 同前註，百卷本，〈總敘〉。

[5] 同前註，卷 5，〈東南洋各國敘〉。

[6] 同前註，卷 76，〈西洋人瑪吉士地理備考敘〉。

非但如此，有文化有學識的紅鬚綠眼的「鬼子」，《海國圖志》也爲之盡摘「蠻狄羌夷」之稱，而譽爲「奇士」，引爲「良友」：

> 夫蠻狄羌夷之名，專指殘虐性情之民，……謂本國而外，凡教化之國皆謂之夷狄也。……誠知乎遠客之中有明禮行義，上通天象，下察地理，旁徹物情，貫串古今者，是瀛寰之奇士，域內之良朋，尚可稱之曰夷狄乎！[7]

由此可見，魏源的「大同」思想，已超越《禮記·禮運》的水平，而有很清晰的現代意義。

《海國圖志》以「知夷情」爲目的，其所介紹的西方世界，是這樣一個科技進步、商業發達、文明開化、自由民主的「大同世界」。它吸引了魏源，也吸引了萬千中國人，促使他們同心努力，把中國推向這個新世界。

自魏源以後，兼具思想家與文學家身分的中國知識分子，在接觸西方之後而抱持「大同」思想的，爲數至夥，蔚然形成一代的風氣。下面選介其中有代表性的幾位。

王韜（1828-1897）的「大同」思想，與魏源有一脈相承的關係。他像魏源那樣，認爲華夷之別，在於教化之有無，而不在地域與種族。〈華夷辨〉說：

> 自世有內華外夷之說，人遂謂中國爲華，而中國以外統謂之夷，此大謬不然者也。……然則華夷之辨，其不在地之內外，而繫於禮之有無也明矣。苟有禮也，夷可進爲華，苟無禮也，華則變爲夷，豈可沾沾自大，厚己以薄人哉！[8]

大同的最大障礙是人我之別的私心，大同主義者首先要破除的就是這種私心。王韜視大同社會、全球一體化爲必然之趨勢，他在〈六合將混爲一〉中說：

> 上下四方謂之六合，是統地球言之。……凡今日之挾其所長以凌制我中國者，皆中國之所取法而資以混一土宇也。……故謂六合將混而爲一者，乃其機已形，其兆已著。[9]

---

[7]　魏源：《海國圖志》卷 76，〈西洋人瑪吉士地理備考敘〉。

[8]　見《弢園文錄外編》（瀋陽：遼寧人民出版社，1994 年），頁 387。

[9]　同前註，頁 200-201。

值得注意的是他視當時中國之受侵凌爲學習西方之機緣與進於大同之先兆。在〈原道〉
中他更明確指出學習西方爲大同之基：

> 今日歐洲諸國日臻強盛，智慧之士造火輪舟車，以通同洲異洲諸國，東西兩半
> 球足跡幾無不遍，窮島異民幾無不至，合一之機將兆於此。……故泰西諸國今
> 日所挾凌侮我中國者，皆後世聖人有作，所取以混同萬國之法物也。此其理，
> 中庸之聖人早已燭照而券操之。其言曰：「天下車同軌，書同文，行同倫。」
> 而即繼之曰：「天之所覆，地之所載，日月所照，霜露所墜，舟車所至，人力
> 所通，凡有血氣者莫不尊親。」此之謂大同。[10]

顯而易見，王韜對列強武力入侵中國與中國世界化二者關係的「解讀」，與他長期與
西方傳教士的交往有密不可分的關係，這是他的「大同」思想的特點。除此以外，他
對世界一體化遠景的看法與其他晚清知識分子是很一致的。

康有爲（1858-1927）也像魏源那樣，在西學的刺激下興起了「世界大同」的憧
憬，不同的是康有爲寫了《大同書》，很細緻的描繪這個大同世界的具體情況；他不
單要走向世界，也要改造世界。

《大同書》主要寫於 1901-1902 年之間，其時康有爲居印度大吉嶺。但他的融匯
古今中外的大同理想，卻起源很早。他在萬木草堂講學時，便曾宣講大同理想[11]。康
有爲的大同理想，其基礎是《禮記·禮運》大同篇。康氏在寫《大同書》之前，1884
年曾作〈禮記·禮運注〉，結合公羊三世之說及他當時對西方社會的認識，提出了他
的「大同」理想。《大同書》洋洋灑灑二十萬言，仍是以《禮記·禮運》大同篇爲基
本骨幹，但康氏同時融入了很強的宗教成分。在《大同書》中，康有爲雖以美國、瑞
士等國聯邦政府的民主共和制度爲大同基礎[12]，但他認爲西方社會卻是不完美的、有

---

[10] 《弢園文錄外編》，頁 5。
[11] 梁啟超 1901 年作〈南海康先生傳〉，撮述康有爲之大同理想，謂「先生現未有成書，而
吾自十年前受其口說」，見《飲冰室合集》（北京：中華書局，1998 年），文集 6，頁 83。
[12] 湯志鈞：《改良與革命的中國情懷》（香港：商務印書館，1990 年），頁 110。

缺陷的、有待改善的。他以宗教的角度來看世界，視古今中外眾生皆沉淪苦海，他則以救世主自命，以脫眾生於苦海爲職志。因此康氏的「大同」思想與其他晚清思想家有同有異，同者是他們都是結合《禮記‧禮運》與西方社會現狀，肯定西方科技與政制的成就，以學習西方作爲共進於大同的途徑，這正是康氏和改良派講「維新」的基礎；不同的是康氏的「大同」世界是理想的，宗教的，遙不可及的，而其他思想家的「大同」世界是現實的，易於實現的，正因如此，康氏的過於「理想」的《大同書》在滿清覆亡前是「秘不示人」的[13]。

譚嗣同（1865-1898）在 1897 年寫成的《仁學》，以「通」爲其主題，其中「通中外」是很重要的一個環節，書中也有很明晰的「大同」思想：

> 故私天下者尚儉，其財偏以壅，壅故亂；公天下者尚奢，其財均以流，流故平。夫財均矣，有外國焉，不互相均，不足言均也。[14]
>
> 地球之治也，以有天下而無國也。……無國則畛域化，戰爭息，猜忌絕，權謀棄，彼我忘，平等出；君主廢則貴賤平，公理明則富貴均。千里萬里，一家一人。視其家，逆旅也；視其人，同胞也。……若西書中《百年一覺》者，殆彷彿《禮運》大同之象焉。[15]

總括而言，晚清思想家言「大同」，他們的眼光是望向西方的，他們的目的是借世界化、一體化使中國立身於世界社會，免於滅亡，這可說是晚清思想家很普遍的訴求。

三

「大同」思想在晚清文學作品中也有很清晰的反映。晚清作家有機會衝出中國去看世界，他們在作品中記下了海外游歷的所見所感，而因接觸異域文化與社會而興起

---

[13] 《大同書》的甲、乙兩部在 1913 年才發表，全書則在康氏死後七年 1935 年才出版。
[14] 見蔡尚思、方行編：《譚嗣同全集》（北京：中華書局，1981 年），頁 327。
[15] 同前註，頁 367。

世界一體化訴求，也見於許多作品之中，這些作品構成了晚清文學的重要特色。

　　魏源的〈澳門花園聽夷女彈洋琴歌〉是較早期出現的因文化接觸而興大同之想的近代詩。在鴉片戰爭之後，魏源最想看的地方是澳門與香港，一個在葡萄牙人手上經營了近三百年，一個是英國的新殖民地。他從紙上材料對這兩地有不少認識，可惜不曾親歷其境。這兩個城市背後的西方文化和在他背後的中國文化，終於在 1847 年得以接觸，這對魏源的震撼是不言可喻的，他自己就曾說「自過嶺南詩一變」、「文非海外不沈雄」[16]。

　　〈澳門花園聽夷女彈洋琴歌〉是一首奇特而開風氣的詩，詩前附有很詳細的題記：

> 澳門自明中葉為西洋市埠，園亭樓閣，如游海外，怪石古木，珍禽上下，多海外種。其樊禽之所，網其上以銅絲，縱橫十丈，高五丈，其中池沼樹木，飛浴啄息，空曠自如，忘其在樊也。園主人曰委理多，葡萄亞國人，好客，延登其樓，有洋琴如半几，架以銅絲，請其鼓，則辭不能。俄入內，出其室，按譜鼓之，手足應節，音調妍妙，與禽聲、海濤聲隱隱應和。鼓罷復出其二子，長者九歲，冰肌雪膚，瞳翦秋水，中原未之見也。主人聞予能文，乞留數句，喃喃誦之，大喜，贈洋畫而別。[17]

詩是一首七古：

---

[16] 魏源：《魏源集》（北京：中華書局，1976 年），頁 814。

[17] 當時與魏源同行的可能有湯貽汾（1778-1853）。湯貽汾因為有訪緝天地會朱姓人犯的任務在身，有意識到處走動，在澳門時也到過很多洋人家中。魏源因著這個關係，也就得以登堂入室，造訪一些洋人的居所。湯貽汾在 1847 年寫的〈七十感舊〉的注文與魏源這段題記頗為相似：「澳門為西洋諸九貿易來粵者所居。……有良園，寬十餘畝，卉多不知其名，其張罘罳蓋異鳥千百於其間，飛鳴上下，不知在羅網中。琴制藏金絲於木櫝，飾牙牌十餘於櫝面，按牌成聲，牌仍隨指而起。予以訪緝朱逆，得歷遍諸夷之家。夷女為予鼓琴一曲。」見《琴隱園詩集》卷 32，此轉引自李瑚：《魏源詩文繫年》（北京：中華書局，1979 年），頁 102。這條材料也是魏源 1847 年作嶺南之游的旁証，因為湯貽汾生於 1778 年，至 1847 年剛七十歲。又林則徐在鴉片戰爭前曾「命澳門同知轉喻葡官委黎多宣布禁煙宗旨」（見《林則徐年譜》，頁 228），此委黎多與魏源在此詩題記中提及的澳門葡國人委理多不知是否同一個人。

天風吹我大西洋，誰知西洋即在澳門之島南海旁。

怪石磊磊木千章，園與海濤隔一牆。

樓上人通百鳥語，鳥聲即作琴聲譜，自言傳自龍宮女。

蟬翼纖羅髮鬖鬖，廿絃能作千聲彈。初如細雨吹雲間。

故將兒女幽窗態，寫出天風海浪寒，似訴萬里關山難。

倏然風利帆歸島，鳥啼花放檣聲浩。

觸碎珊瑚拉瑟聲，龍王亂撒珍珠寶。

有時變節非絲竹，忽又無聲任剝啄。

風風雨雨海上來，蕭蕭落落燈前簇。

突并千聲歸一聲，關山一雁寥天獨。

萬籟無聲海不波，銀河轉上西南屋。

嗚呼！誰言隔海九萬里，同此海天雲月耳。

膝前況立雙童子，一雙瞳子翦秋水。

我昔夢蓬萊，有人長似爾。

鞭騎么鳳如竹馬，桃花一別三千紀。

嗚呼！人生幾度三千紀，海風吹人人老矣。[18]

詩的題記和詩的正文充滿了對新鮮事物的好奇和對異國文化的好感。在面對面接觸西方文化之前，魏源憑著紙上材料，對西方文化已深有好感。如果說軍事實力、船堅炮利是魏源又恨又愛的西方文化陽剛、壯美的一面，則澳門之行的一次鋼琴演奏顯然使魏源陶醉於西方文化陰柔、優美的一面。在此之前，魏源顯然不曾接觸過西方音樂，但他憑著開放的心靈，領會到音樂、人、自然的奇妙融和，這種融和是沒有時空和種族的界限的，他的體會更是超越時空與種族的。

詩中清楚表現了魏源在面對面接觸西方文化時的那種閑適自在的感覺。所有新事

---

[18] 魏源：《魏源集》，頁740。

物對他來說只是新奇，但並不怪異，是可以從容欣賞、樂於接受的。他寫西人小孩，用了這樣的句子：「冰肌雪膚，瞳翦秋水」，「一雙瞳子翦秋水」，「中原未之見」，「蓬萊有人長似爾」，可見他在「美」的面前完全忘形。

值得注意的是這次文化交流並不是單向的。在魏源筆下，葡人委理多也是風雅之士，他也會欣賞魏源的藝術，會欣賞中國文化。他主動要求魏源題字，並誦而「大喜」。魏源一向深信在文化交流中，中國也會有所貢獻，而不是一面倒的吸收、學習。他的心理是很健康、很平衡的，這首詩正展示了他對於文化交流的不亢不卑的卓識。這正是大同世界的基礎。詩中「誰言隔海九萬里，同此海天雲月耳」兩句，語帶雙關，既指澳門即西洋，西洋即澳門，又隱示中國西方，雖有種種相異，但無妨於大同。然則魏源心目中的「大同」世界，不單是西方世界，更是東西相融的世界。魏源這方面的識見，確是迥不可及。

魏源詩歌中展示出對「大同」世界的企盼，〈澳門花園聽夷女彈洋琴歌〉並不是孤例。他在 1852 年作〈偶然吟十八章呈婺源董小槎先生爲和師感興詩而作〉，其中第八首也表達了對東西文化交流的看法，很值得注意：

> 四遠所願觀，聖有乘桴想。所悲異語言，筆舌均悅惘。
>
> 聰誰介萬蘆，舌異公冶長。所至對瘖聾，重譯殊煩快。
>
> 若能決此藩，萬國同一吭。朝發暘谷舟，暮宿大秦港。
>
> 學問同獻酬，風俗同抵掌。一家兄弟春，九夷南陌黨。
>
> 繞地一周還，談天八紘放。東西海異同，南北極下上。
>
> 直將周孔書，不圍禹州講。因想肇闢初，聲音孰分壤。
>
> 破碎混沌天，吾怨軒羲往。[19]

詩中魏源探討了文化交流中的語言障礙問題。他認爲在他走向世界的過程中最大的障礙是不諳外語。他想衝出中國去看世界，可惜語言的隔閡妨礙了他對世界的了解，也

---

[19] 魏源：《魏源集》，頁 580。

妨礙了世界對他的了解。他忽發奇想：如果有一天全世界的人都能用同一種語言溝通，那會是多美麗的世界！沒有語言的阻隔，國與國、人與人、東方與西方的距離馬上縮短了（「朝發暘谷舟，暮宿大秦港」）；文化交流全無凝滯（「學問同獻酬，風俗同抵掌」）；這就是人類的大同社會（「一家兄弟春，九夷南陌黨」）。遠在世界語運動還未在中國萌芽之前，魏源已經作出了類似的訴求，他是個真心的大同主義者，他是中國近世世界主義的先行者。難得的是他知道在走向世界、融入世界的過程中，中國不單是接受者，中國也可以對世界有所貢獻（「直將周孔書，不囿禹州講」）。這真是不亢不卑的態度。

　　黃遵憲（1848-1905）因爲他的外交官職業，長期在外國生活，對西方國家有深入的認識，他一如魏源、洪秀全（1814-1864）、康有爲、譚嗣同以至孫文（1866-1925）那樣，以「師夷長技」、學習西方作爲通往大同的手段，也以大同爲其終極理念。《人境廬詩草》中有好些詩是以謳歌大同爲主題的。1894 年元旦日作於駐新加坡總領事任內的〈以蓮菊桃雜供一瓶作歌〉，就是寫種族大同。新加坡當時是英國殖民地，華人人口最多，有十五六萬，其次是巫族人和印度人，約有十萬，英國人則有約三千人[20]。新加坡種族雖多，但相處卻頗融洽，使黃遵憲感受深刻。〈以蓮菊桃雜供一瓶作歌〉就是借眾花同瓶寫異族共處的種種情況。詩中首先寫眾花的顏色與形態：「蓮花衣白菊花黃，夭桃側侍添紅粧。雙花並頭一在手，葉葉相對花相當。」他寫到眾花之不同，但他更強調相異之和合（「相對」、「相當」）。他在詩中用了一連串的比喻去表達和合之美與盛：

> 濃如栴檀和眾香，燦如雲錦紛于色。
> 華如寶衣陳七市，美如瓊漿合天食。
> 如競笳鼓調箏琶，蕃漢龜茲樂一律。
> 如天雨花花滿身，合仙佛魔同一室。

---

[20] 見薛福成：《出使四國日記》（長沙：湖南人民出版社，1981 年），頁 14。這是光緒十六年（1880）的人口數字。

　　如招海客通商船，黃白黑種同一國。

從「濃如」句到「蕃漢」句，他以五種比喻（栴檀、雲錦、寶衣、瓊漿、笳鼓箏琶）、五種感覺（嗅覺、視覺、觸覺、味覺、聽覺）去寫眾花並列相襯的美善。「如天雨花」和「如通海客」是另外兩個比喻，仍是寫眾花和合之美與盛；天雨花的比喻，著重帶出宗教的意味，謂不同宗教信仰的種族可以和平共處；海客的比喻，則帶出「黃白黑種同一國」的種族融和共處的詩旨。詩人以樂觀的口吻表達他對人類種族大同的期望：

　　眾花照影影一樣，曾無人相無我相。

　　傳語天下萬萬花，但是同種均一家。

他以確定不移的聲調說出人就是人，不必強加區分。詩中一再強調「一律」、「一室」、「一國」、「一樣」、「一家」，正是對「大同」、一體化的謳歌。他是個真心的「大同」主義者。

　　黃遵憲在戊戌政變後放歸故里的第二年（1899），仿龔自珍以〈己亥雜詩〉總結一己平生的經歷與志事之例，寫了〈己亥雜詩〉八十八首。在這組詩中，他一而再、再而三的提到「大同」：

　　絮棉吹入化春衣，渡海山蒪足療饑。

　　一任轉輸無內外，物情先見大同時。（第十九首）

　　滔滔海水日趨東，萬法從新要大同。

　　後二十年言定論，手書心史井函中。（第四十七首）

　　蠟餘忽夢大同時，酒醒衾寒自嘆衰。

　　與我周旋最親我，關門還讀自家書。（第八十八首，末首）[21]

第十九首詠物質文明的交流，第四十七首論社會文化的大同，末首堅持以大同為其終極理想，可謂「一篇之中三致志焉」。在戊戌維新失敗後，黃遵憲仍然堅信「變從西

---

[21] 黃遵憲撰、錢仲聯箋注：《人境廬詩草箋注》（上海：上海古籍出版社，1981 年），頁 808、826、847。

法」是中國唯一的出路，他也深信這是不可逆轉歷史趨勢。龔自珍在〈己亥雜詩〉中重提他在嘉慶二十五年（1820）寫的〈西域置行省議〉，並且充滿自信的說「五十年中言定驗」[22]；新疆建行省實現於光緒九年（1883），距龔氏初提此議六十三年。黃氏仿龔氏之例，他的預言比龔氏更準，就在二十年後的 1919 年，爆發了五四運動，標誌著新文化運動與新文學運動的成功和中國世界化的實現。

康有爲在戊戌政變後流亡海外，所作詩多寫海外風物，其中也借其聞見以抒發「大同」的理念。1905 年，康有爲游法國巴黎，坐過熱氣球上天，寫了〈巴黎登汽球歌〉：

超超乎我今日上青天，杳杳乎俯視地上山與川。

身輕浩蕩入雲霧，腳底奇特聳峰巒。

巍樓峻宇如蟻穴，車馳馬躍似蟻旋。

千尺鐵塔宇內高第一，下覽若插尖筆端。

大道蕩蕩轉羊腸，么麼牌坊拿破侖。

青丘綠壑大如掌，乃是州里裒倫大公園。

巴黎天下大都會，百萬戶口繞風煙。

人民城郭數歷歷，回風飄我天上船。

渺渺青霄游惝恍，不知是何世界何川原。

德英羅馬俱冪冪，埃及突厥何圜豚。

或者已渡東亞海，臨眄禹域為潸然。

或者以我惡濁世，突出諸天之外焉。

諸天世界多樂土，一星一界何殷繁。

禮樂文章皆特別，七寶絢爛生妙蓮。

音聲有樹樂自發，其論微妙入神顛。

其俗大同無爭鬥，其世太平人聖賢。

22　龔自珍：《龔自珍全集》（香港：中華書局，1974 年），頁 516。

> 神漿飲罷顏色好，香積食既善見宣。
>
> 但有喜樂不哀怒，長壽無量億萬千。
>
> 忽視地球眾生苦，哀爾多難醉腥羶。
>
> 諸天億劫曾歷盡，無欣無厭隨所便。
>
> 不忍之心發難滅，再入地獄救斯民。
>
> 特來世間尋煩惱，不願天上作神仙。
>
> 復自虛空降塵土，回望蒼蒼又自憐。
>
> 問我何能上虛空，汽球之製天無功。
>
> 汽球圜圓十餘丈，中實輕氣能御風。
>
> 藤筐八尺縣球下，圓周有闌空其中。
>
> 長繩縋地貫筐內，繩放球起漸漸上蒼穹。
>
> 長繩一割隨風蕩，飄飄碧落游無窮。
>
> 繼我登者球墜地，諸客骨折心忡忡。
>
> 吾女同璧後來游，球不復用天難通。
>
> 我幸得時一升天，天上舊夢猶迷濛。[23]

這首詩有兩點很值得注意。一、它以詩歌的形式概括了《大同書》的主題；自「諸天世界多樂土」句到「不願天上作神仙」句，正是《大同書》中大同世界的的撮述。二、它表達了對新事物新科技的由衷讚美（「問我何能上虛空」兩句），並表現了詩人對這種新事物有充份的了解和描述的能力（自「汽球圜圓十餘丈」至「飄飄碧落游無窮」諸句）。他肯定科技造福人類，也視之為實現大同的基礎。

　　同年，康有為游美國首都華盛頓，參觀了美國開國總統華盛頓（George Washington, 1732-1799）的墓園，作〈游花嫩岡謁華盛墓宅〉：

　　頗他瑪水綠潺潺，花嫩岡前草樹芬。

---

[23] 康有為：《萬木草堂詩集》（上海：上海人民出版社，1996年），卷7，頁189。

衣劍摩娑人聖傑，江山秀絕地萌文。

卑宮尚想堯階土，遺冢長埋禹穴雲。

不作帝王真盛德，萬年民主記三墳。[24]

這首詩對民主制度致以最大的敬意。其中很清楚有他早年一再仔閱讀的魏源《海國圖志》和徐繼畬（1795-1873）《瀛寰志略》的影響在。魏源對「匪惟不世及，且不四載即受代」的美國民主政制深表讚嘆，認為是至公之制[25]；徐繼畬對華盛頓開國而「不僭位號，不傳子孫，而創為推舉之法」，譽為「天下為公」[26]。康有為在現實政治上雖然主張君主立憲，但他的大同理想卻是以行民主聯邦制的美國、瑞士為模式的。

　　除了詩歌，晚清作家也借小說去表達他們的「大同」思想，其中最特出的是梁啟超（1873-1929）的《新中國未來記》。此小說自 1902 年 11 月起在《新小說》連載，在第 1、2、3 號（1902 年 11 月至 1903 年 1 月）刊登一至四回。到第 7 號（1903 年 8 月）續刊第五回[27]。在動筆之前，梁氏曾構思五年。梁氏在小說中展示了他對人類未來「大同」社會的憧憬。按照梁氏原來的計劃，這小說是史詩式作品，是康有為大同理想的文學版。在初刊前三個月，梁啟超主編的《新民叢報》對《新中國未來記》內容有如下的介紹：

　　此書起筆於義和團事變，敘至今後五十年止。全用夢幻倒影之法，而敘述皆用史筆，一若實有其人，實有其事者焉。令讀者置身其間，不復覺其為寓言也。

　　其結構，先於南方有一省獨立，舉國豪傑同心協助之，建設共和立憲完全之政

---

[24] 《萬木草堂詩集》，卷 8，頁 210。

[25] 《海國圖志》，卷 59，〈外大西洋墨利加洲全洲總論〉。

[26] 參熊月之：《西學東漸與晚清社會》（上海：上海人民出版社，1994 年），頁 247。事實上晚清政治家宗仰華盛頓的人很多。革命派的領導人孫中山（1866-1925）在倫敦脫難後曾致書翟理思（Herbert Allen Giles, 1845-1935），說自己「於人則仰中華之湯武暨美國華盛頓焉」。見 Lo Hsiang-lin（羅香林）: *Hong Kong and Western Cultures*（Tokyo: The Centre for East Asian Cultural Studies, 1963），插圖頁 40。

[27] 《飲冰室合集》只收此書第一至四回，見專集 89。阿英《晚清文學叢鈔·小說一卷》（北京：中華書局，1960 年）則收全五回。以下引用〈新中國未來記〉俱據《晚清文學叢鈔》。

府，與全球各國結平等之約，通商修好。數年之後，各省皆應之，群起獨立，為共和政府者四五。復以諸豪之盡瘁，合為一聯邦大共和國。東三省亦改為一君主立憲國，未幾亦加入聯邦。舉國國民，戮力一心，從事於殖產興業，文學之盛，國力之富，冠絕全球。尋以西藏、蒙古主權問題與俄羅斯開戰端，用外交手段聯結英、美、日三國，大破俄軍。復有民間志士，以私人資格暗助俄羅斯虛無黨，覆其專制政府。最後因英、美、荷蘭諸國殖民地虐待黃人問題，幾釀成人種戰爭，歐美各國合縱以謀我，黃種諸國連橫以應之，中國為主盟，協同日本、非律賓等國，互整軍備。戰端將破裂，匈加利人出而調停，其事乃解。卒在中國京師開一萬國平和會議，中國宰相為議長，議定黃白兩種人權利平等、互相親睦種種條款，而此書亦以結局焉。[28]

照梁氏的構想，中國由受到列強侵凌之積弱到與列強平起平坐的富強，主要是從取法西方著手，經濟上「從事於殖產興業」，政治上行共和立憲之制，終能達成世界化、一體化的宏願，實現「黃白人權平等，互相親睦」的大同理想。是以此書雖是小說，其實也可視作維新派的改革藍圖與改革理想。

四

除了文學作品，晚清文學家的文學思想及文學理論中也展示了很清晰的「大同」思想。其中最值得注意的是黃遵憲的「言文合一」之說和王國維（1877-1927）的「文無中外」之說。

中國自先秦至晚清的語文狀況，基本上是書面語與口頭語分途。千百年來讀書人習慣於此，看不出這種狀況對教育的負面影響。黃氏從1877年到1895年有機會在日本和美國長居，對外國的語文狀況有所認識，他以此對比中國的語文狀況和文學的語

28　見陳平原、夏曉虹編：《二十世紀中國小說理論資料·第一卷》（北京：北京大學出版社，1989年），頁44。

文問題，從而對中國語文的發展前景和文學的功能問題有了更明確的看法；他深信中國語文要走西方（包括日本）語文的路，他要求中國語文世界化。在 1887 年寫成、1890 年出版的《日本國志》中，他全面而又深入的討論了中國語文各方面的問題，其中最值得留意的是他對書面語和口語差距的問題的看法。黃氏說：

> 余聞羅馬古時，僅用臘丁語，各國以語言殊異，病其難用。自法國易以法音，英國易以英音，而英、法諸國文學始盛。耶穌教之盛，亦在舉《舊約》《新約》就各國文辭普譯其書，故行之彌廣。蓋語言與文字離，則通文者少，語言與文字合，則通文者多，其勢然也。[29]

黃氏在這裡討論的語文教育的成效。他舉西方語文的狀況為例，以見言文合一、用白話文為書面語是一條無可避免的路。黃氏又進一步提出了取法白話小說的主張，他說：

> 若小說家言，更有直用方言以筆之於書者，則語言文字幾幾乎合矣。余又烏知乎他日者不更變一文體為適用於今、通行於俗者乎？嗟夫，欲令天下之農工商賈婦女幼稚皆能通文字之用，其不得不於此求一簡易之法哉！[30]

黃遵憲認為中國文獻中言文合一，至今適用、易為一般人所接受之最佳範例，莫如白話小說。為推廣教化、達到宣揚改良的目的，便應取法白話小說。事實上黃遵憲一貫重視白話小說。早在 1878 年，他在日本與日本友人筆談時便極度推崇《紅樓夢》，認為「《紅樓夢》乃開天闢地，從古到今第一部好小說，當與日月爭光，萬古不磨者。」[31] 而在 1902 年聞梁啓超在日本創辦《新小說》雜志，以白話小說宣揚維新理想，興奮竟至忘形[32]。黃氏在這方面的見解，也與他取法西方、共臻大同的理念有密切關係。他的見解不單影響了維新派的語文與文學觀，也為二十世紀新文學的出現導夫先路[33]。

---

[29] 黃遵憲：《日本國志》（廣州：富文齋，1890 年），卷 33，頁 7。

[30] 同前註。

[31] 見鄭子瑜、實藤惠秀編校：《黃遵憲與日本友人筆談遺稿》（東京：早稻田大學東洋文學研究會，1968 年），頁 182。

[32] 見黃遵憲以「布袋和尚」署名致梁啓超書，載吳天任：《清黃公度先生遵憲年譜》（臺北：臺灣商務印書館，1985 年），頁 169-170。

[33] 如果我們把胡適在 1916 年到 1918 年寫的〈文學改良芻議〉和〈建設的文學革命論〉等

　　王國維的「文無中外」的文學、學術大同思想也很值得留意。王氏受到叔本華思
想的影響，在學術和文學上都反對功利主義，主張擺脫現實政治和個人利害的純學術
研究、純文學創作，從這個角度看來他與晚清以梁啓超爲代表的學術、文學主流是背
道而馳的，是反潮流的。但其實他與晚清自魏源以來的思想家有一個共同的信念，就
是「大同」世界的追求，從這個角度來看，他與梁啓超等人又有共通的地方，並非完
全對立。不過由於王氏的基本思想是反政治、反功利，他所追求的「大同」也就不是
政治社會的大同，而是學術世界、文學世界的大同。他文學事業的終極目標之爲世界
化，與晚清其他文學家並無二致。

　　晚清思想家的大同思想，本身既是一個目標，也是一種向傳統攻擊的手段，其目
的是使中國離開舊傳統而走向新世界。王國維的學術、文學大同思想，其要諦與此並
無不同。王國維的論學之文，處處顯示這種大同思想，其中尤以在 1904 年寫的〈論
近年之學術界〉表現得最清楚：

> 然由上文之說，而遂疑思想上之事，中國自中國，西洋自西洋，此又不然。何
> 則？知力人人之所同有，宇宙人生之問題，人人之所不得解也。具有能解此問
> 題之一部分者，無論其出於本國或出於外國，其償我知識上之要求而慰我懷疑
> 之痛苦者，則一也。同此宇宙，同此人生，而其觀宇宙人生也，則各不同，以
> 其不同之故，而遂生彼此之見，此又大不然者也。學術之所爭，只有是非真偽
> 之別耳。於是非真偽之外，而以國家、人種、宗教之見雜之，則以學術爲一手
> 段，而非以爲一目的也。未有不視學術爲一目的而能發達者，學術發達，存於
> 其獨立而已。然則吾國今日之學術界，一面當破中外之見，而一面毋以爲政論
> 之手段，則庶可有發達之日歟！[34]

晚清論學術大同的文字，沒有比這說得更具體透徹的了。王氏在 1906 年寫的〈奏定

　　新文學的奠基論文和黃遵憲的觀點相比，我們會驚訝於二者的相似；胡適這兩篇論文俱
　　見《胡適學術文集・新文學運動》（北京：中華書局，1993 年）。
[34]　王國維：《王觀堂先生全集》（臺北：文華出版公司，1968 年），冊 5，頁 1741。

經學科大學文學科大學章程書後〉，更清楚交待了學術大同與打破舊傳統之間的關係：

> 今日之時代，已入研究自由之時代，而非教權專制之時代。……異日發明光大
> 我國之學術者，必在兼通世界學術之人，而不在一孔之陋儒，固可決也。[35]

正因爲對傳統陋儒及其學術的不滿，又基於學術大同的信念，王國維在〈教育小言十則〉（1906）中甘冒天下之大不韙，提出「欲興高等教育，則其教員必聘諸外國」；至於經學、國史、國文科的教師，無法聘任外國教員，「則甯虛其講座，以俟諸生自己之研究，而專授以外國哲學文學之大旨，則其研究本國之學術，必有愈於當日之耆宿者矣。」[36]這種在當時駭人聽聞的言論，正是基於學術大同的理想而發。

文學方面，王氏在 1907 年撰〈人間嗜好之研究〉，也明確提出了文學無國界的看法：

> 真正之大詩人，則又以人類之感情為一己之感情，更進而欲發表人類全體之感
> 情。彼之著作，實為人類全體之喉舌。[37]

王氏的文學大同思想，可能受他所崇敬的德國作家歌德（王氏稱「格代」，Johann Wolfgang von Goethe, 1749-1832）影響。歌德說：

> 一般說來，民族仇恨是個怪東西。你會發現，在文化水平最低的地方，民族仇
> 恨最強烈。可也有一種文化水平，在達到它以後民族仇恨便會消失，在一定程
> 度上人民已處於超民族的地位，視鄰國人民的哀樂為自己的哀樂。這種文化水
> 平正適合我的性格。[38]

歌德又堅信「只有屬於全人類的文學才是真正有價值的文學。」[39] 歌德的文學大同思想對王國維可能會有所影響。王氏在 1904 年撰〈德國文豪格代希爾列爾合傳〉在

---

[35] 同前註，冊 5，頁 1863。
[36] 同前註，冊 5，頁 1890、1892。
[37] 同前註，冊 5，頁 1801-1802。
[38] 楊武能：《歌德與中國》（北京：三聯書店，1991 年），頁 76。
[39] 同前註，頁 82。

比較歌德與席勒時便指出歌德是「世界的」[40]。

事實上王國維在介紹西方文學家的時候，往往著眼於「世界性」。他介紹席勒（王氏稱「希爾列爾」，Friedrich Schiller, 1759-1806），說他是「世界的文豪」、「世界大詩人」[41]。他介紹托爾斯泰（Lev Nikolaevich Tolstoy, 1828-1910），說他「非俄國之人物，而世界之人物也；非一時之豪傑，而千秋不朽之豪傑也」[42]。這跟梁啓超在 1903 年寫〈近世第一大哲康德之哲學〉中稱讚康德（Immanuel Kant, 1724-1804）「非德國人而世界之人也，非十八世紀之人，而百世之人也」是如出一轍的[43]。他倡導文學大同，也正是爲了借鑑西洋，以補己之不足。他在〈德國文豪格代希爾列爾合傳〉中就慨嘆：「胡爲乎文豪不誕生於我東邦！」[44]

學術大同與文學大同的思想，決定了王國維文學批評與文學創作的特性。在他看來，學術無中外，文學也無中外。他以世界文學的眼光、借用外國的批評理論及批評角度來評論中國文學作品，把中國文學作品與外國文學作品相提並論，以衡量作品的價值，因而提出了許多傳統文論中未有的新見解，爲中國文學批評的世界化奠下基礎。他一反時人「新學詩」或羅列新事物、或揣搉新名詞的慣例，以詩詞作爲探索人生問題的工具，把叔本華的悲觀哲學融匯在詩詞裡面，形成了獨樹一幟、形式雖舊、但帶有濃厚現代氣息的文學作品，與西方以文學探索人生問題的作品並無二致，而成爲新文學的先導。

錢鍾書（1910-1998）在《談藝錄》中曾把王國維早歲探討人生問題的詩作與黃遵憲寫西洋事物的「海外詩」及嚴復的「西學詩」比較，他很欣賞王氏能鎔匯西方哲學思想而不見痕蹟，而對黃氏的「食洋不化」深致不滿：

（黃遵憲）差能說西洋制度名物，掎摭聲光化電諸學，以為點綴，而於西人風

---

[40] 見《王國維哲學美學論文輯佚》（上海：華東師範大學出版社，1993 年），頁 300。

[41] 〈教育家之希爾列爾〉，載《王國維哲學美學論文輯佚》，頁 258。

[42] 〈脫爾斯泰傳〉，載《王國維哲學美學論文輯佚》，頁 322。

[43] 載《飲冰室合集》（北京：中華書局，1989 年），文集 13，頁 50。

[44] 《王國維哲學美學論文輯佚》，頁 301。

雅之妙，心性之微，實少解會。其詩有新事物，而無新理緻。……王靜安少作
時時流露西學義諦，庶幾水中之鹽味，而非眼裡之金屑。其觀堂丙午（1906）
以前詩一小冊，甚有詩情作意。[45]

錢氏雖是就詩而言，其說也可借用來評論黃王二人的文學思想。「說西洋制度名物」
與「流露西學義諦」在中國文學走向世界的過程中是兩個完全不同的階段，只有鎔匯
「西學義諦」，走向世界才真算完成。從這個角度來看，黃遵憲與王國維二人在中國
文學走向世界一事上有先進、後進，野人、君子之別，但他們對新文學的影響卻是同
樣重要的。

五

　　晚清文學是傳統文學與五四新文學之間的過渡時期。這段時期的中國文學，受了
大同思想的推動，在七、八十年間迅速蛻變，由與世隔絕而融進世界。在外來文化入
侵而出現的亡國危機中，晚清文學家卻看到了文學大同的美麗遠景。這個大同的理念
引領了他們的文學道路，使他們在短短幾十年間，成就了中國文學史上的巨變，也實
現了中國文學的世界化。在他們的文學作品與文學思想中，我們看到了形成新文學的
要素，也看見了世界文學的曙光。這是研究中國新舊文學交替的學者所不應忽視的。

---

[45] 錢鍾書：《談藝錄》（香港：龍門書店，1965 年），頁 30。

龍宇純先生七秩晉五壽慶論文集
2002 年 11 月　　頁 613～630

論鍾理和短篇小說〈阿遠〉

徐士賢[*]

一、前言

　　研究、教授臺灣文學有年，發現一個有趣的現象：重要的作家往往有其專屬「封號」，這封號當然並不是得自官方，而是來自文學研究者發自內心的仰慕之忱。遠的如明末意外渡海來臺的詩人沈光文，享有臺灣「文獻初祖」美譽；提倡臺灣新文學厥功至偉的賴和，被尊為「臺灣新文學之父／母」；於是而後有「薄命詩人」楊華，有日據時代「臺灣第一才子」呂赫若[1]。至於戰後第一代「臺籍作家」[2]鍾理和則於肺結核復發猝逝之後，被文友陳火泉稱為「倒在血泊裏的筆耕者」[3]。於是數十年來無論撰文研究鍾理和、或寫文字紀念他的，往往順手拈來，加以援用[4]。

---

[*]　世新大學中國文學系講師。

[1]　〔清〕全祖望：《鮚埼亭集》，（臺北：文海出版社，1988 年影印《近代中國史料叢刊》本），卷 27〈沈太僕傳〉說沈光文是「海東文獻，推為初祖。」王詩琅〈賴懶雲論〉稱賴和是臺灣新文學「の育の親」。楊華生前貧病交迫，1936 年 5 月 30 日懸樑自盡，得年不到四十，的確「薄命」。至於呂赫若，除了文學創作，還擅長男高音，曾參加過日本東京寶塚劇團歌劇演出，並在臺灣公演過日語舞臺劇、辦過個人獨唱會，允宜得到「第一才子」的美稱。

[2]　當時無論官方或私人，稱呼臺灣本土作家皆用此詞，本土作家間也多以「臺籍作家」自稱。詳見李麗玲：《五○年代國家文藝體制下台籍作家的處境及其創作初探》（新竹：國立清華大學文學研究所中文組碩士論文，1995 年），第一章的討論。

[3]　陳火泉與鍾理和同為《文友通訊》一員，1964 年 10 月《台灣文藝》第 5 期中，是他首次以〈倒在血泊裏的筆耕者〉為題，悼念鍾理和。

[4]　如張良澤 1974 年出版的文學研究、評論集，係以討論鍾理和為主題，即名為《倒在血泊裏的筆耕者》。另《北京晚報》1980 年 8 月 13 日也刊登了一篇同名的文章，介紹鍾理和。又如 1994 年 12 月《聯合文學》第 11 卷第 2 期也以之為專輯名，紀念鍾理和。再如 1999 年 10 月《漢家雜誌》第 62 期「人文鄉土—美濃客家專輯」中，張良澤又一

　　考察這些前輩作家的「封號」，吾人不難發現確實有凸顯該作家特色的效果。即以鍾理和而言，陳火泉的神來之筆既說明了鍾理和堅持文學創作，死生以之的精神；也暗示文學界乃至於當時的社會大眾，並未對此種堅持給予適當的回報。「筆耕」讓人聯想到爲稻粱謀，而煮字的結果，卻並不足以療飢，作家連改善生活的願望都頻頻落空，健康日差，終至咯血而亡[5]。這些印象當然概略地描繪了鍾理和，卻也限制了我們對他的全面理解。粗心的讀者，看到「倒在血泊裏的筆耕者」只會在心中浮現一個嘔心瀝血，猶自兀兀窮年，至於盡瘁以終的文人形象；稍微讀過鍾氏作品的，最多聯想到鍾理和所寫，取材自他「同姓之婚」及居家養病、教子等等稱不上得意的生活。其實鍾理和的小說即使取材自個人生活，仍飽含著社會關懷。過分注意他個人的悲劇，反而容易窄化了鍾理和研究的視野。

　　本文之所以選擇鍾氏的小說〈阿遠〉加以分析，即因這篇小說能跳出作者自傳的影射，且獲致了一定之成就。尤其本篇所關切的人物，乃是一下階層的身心障礙者。對此一身心障礙者，作者於同情之外，復極可貴地表現出帶著懺悔心情的肯定。凡此種種皆展現了異於鍾氏其他作品的文學風貌。因之研究鍾理和的文學創作，若捨棄〈阿遠〉不談，個人以爲是殊爲可惜的。

二、故事大要與發表經過

　　鍾理和筆下的阿遠是一個鄉下弱智婦女，在敘述者「我」的回憶中，「她的儀表

次以〈倒在血泊裏的筆耕者〉爲題，介紹鍾理和。

[5]　《鍾理和全集（6）》（高雄：高雄縣立文化中心，1997 年），頁 114-119 收入鍾理和 1957 年 10 月 30 日致廖清秀函，寫道：「妻一個婦人，爲了扶養病中的丈夫，殘廢的長子，和幼小的次子，力耕三四分薄田、養豬、和給人做工，由天未亮起一直做到深更。」又說：「從今年二月起，我已在本鎮一家代書處做事了…私人機構的報酬是微薄得可憐的，但畢竟比沒有強！合起四分薄田的收入和妻養豬所得，至少可讓我心愛的人們有兩碗飯吃」。然而收入微薄的代書工作，也因爲體力不支，不久後便辭去了。鍾理和亦曾規劃養雞，仍未成功。

狀貌男不像男，女不像女；高高的個子，粗粗的骨骼，扁扁的鼻子，濃濃的眉毛。」[6]除了弱智外，她並無肢體上的問題，但是她走路的姿勢永遠是一拐一拐的，「我」不禁納悶她為什麼不能走得更好些。這個婦女長得既黑又愚笨，在她身上完全找不到一點女人該有的靈秀。而且，她原是個外村人，不知何時突然在村子裏住下，不明不白突然成為村民阿貴的太太。這樣新鮮的事，在十歲大的孩子（「我」當時的年紀）眼中，自是令人嘖嘖稱奇；而這樣的人，也就成了村中小孩捉弄的對象。每每他們就愛在看到她時，手拉著手將她圍在圈子裏，不讓她走，要看她窘迫已極，坐地乾嚎的模樣。又或者故意藏起她的鋤頭，看她怎麼完成她的任務——撿拾牛糞，以畚箕裝回家。

不錯，阿遠的「丈夫」只叫她放牛和收集牛糞，而她除了難看了點、傻了點，工作卻很盡責。每天兩次中午和傍晚回家時，她的牛總是餵得很飽，畚箕裏也裝滿了牛糞。但是由於她對性乃至於性別的無知，無意中維護了自己的性自主權——阿貴與她總是性事難諧。這在阿貴卻是大不妙，終於他決定以人易牛，再貼對方二十元，把太太賣予外村牛販。此事當然成為全村笑柄。所幸阿貴之兄阿榮據報趕來，在交易現場阻止了一場人倫鬧劇。

事後，「我」隨家人搬離村子，阿貴得急病而死，阿榮也搬離村子。阿遠被家人拋棄，蓬頭垢面流浪街頭將近一年。這是「我」第一次回村時發現的事。等到「我」第二次回去，才又看到阿遠回復到昔日光著頭皮，穿著齊膝長衫的放牛生活。只緣她很會放牛、撿拾牛糞，是農村經濟中有用的勞動力，這才被鄰人收容了。其後，該村大規模外移，「我」卻擔心起阿遠會不會再被拋棄，是否再有家庭願收留她。然而這一切都沒有答案，因為「我」已經很久沒回去了！

〈阿遠〉這篇小說似乎命運多舛，根據張良澤的研究，此文作於 1951 年 1 月 19日[7]，卻遲至 1959 年 9 月 13 日才得以發表在《聯合副刊》上。投稿時，作者本人卻有

6　鍾理和：〈阿遠〉，《鍾理和全集（1）》（高雄：高雄縣立文化中心，1997 年），頁 33。

7　張良澤：〈鍾理和作品概述〉，《倒在血泊裏的筆耕者》（臺南：大行出版社，1974 年），頁 20。

些猶豫。先是鍾理和在 1959 年 8 月 12 日致函鍾肇政時說：

> 今再寄上〈阿遠〉。這本是舊作，標題為〈女人與牛〉，原只有第二三四之三節，
> 形式我也以第三人稱寫。但為了在字數上配合星期小說，我強在首尾加上兩
> 節……形式便也由第三人稱改為第一人稱，標題〈女人與牛〉改為〈阿遠〉。
> 但寫後重讀，才覺得很亂，加上去的部分也很勉強，特別是第一節，尤以前半
> 段（第一節）為然。又：自第三人稱改為第一人稱之際，也未能把口氣改得圓
> 融中肯，因而讀起來便覺不很順口。[8]

鍾肇政則於 8 月 27 日回函：「〈阿遠〉仍在我這兒，近日內擬投聯副一試。首尾加添
處似未成大病，唯結構仍嫌因此鬆散」[9]。再於 9 月 14 日去函云：「〈阿遠〉已登出，
奉上剪報乙份」[10]。由此可見，無論是鍾理和或是他的文壇諍友鍾肇政，原先都並不
看好這個短篇。只緣長篇小說《笠山農場》已於 1956 年得了獎，加上林海音此時正
主持聯副編務，並極力提拔臺籍作家[11]；從事了大半輩子文學創作，卻屢遭退稿挫敗
的鍾理和，才乘此機會略嫌勉強地將舊作修改，由鍾肇政代為投稿。

　　然而，這篇小說真的這麼不成功嗎？或者正如鍾理和安慰廖清秀的：「據我所知，
每一個作家，其實是每一個藝術家，一生中不止一千次懷疑自己的創造能力」[12]；作
者只因缺乏自信，或將作品視如己出，而愛深責切，對〈阿遠〉有如此嚴苛的批評，
也是不難理解的。撇開作者的自我批評，回到文本，吾人當能更客觀地分析〈阿遠〉
的得失。下文先針對主旨與寫作技巧兩方面提出筆者的研讀心得。

---

[8] 錢鴻鈞：《台灣文學兩鍾書》（臺北：草根出版公司，1998 年），頁 218。
[9] 同前註，頁 220。
[10] 同前註，頁 224。
[11] 夏祖麗：《林海音傳》（臺北：天下文化出版社，2000 年），頁 161-166 自林海音的角度
對這段掌故有較全面的記載，可以參照。
[12] 引自 1958 年 3 月 3 日鍾理和致廖清秀函，見《鍾理和全集（6）》，頁 135。

三、主旨探討

論者常謂鍾理和最喜寫自己的生命經歷與生活瑣事，尤以人生後期，隱居美濃時特別如此。這話隱然暗示他較少關懷社會之作。究其實，寫生命經歷與表現社會關懷，在鍾理和筆下原本可並行不悖，所爭在孰爲主從，孰隱孰顯而已。

鍾理和小說的強烈社會性，早在他二十七歲寫〈泰東旅館〉對僞滿州國治下的人性批判中即已一覽無餘[13]；於描寫農村生活的晚期作品裏，自然不妨仍可經由作者巧思，寄寓他的社會關懷。較少爲研究者注意及的〈阿遠〉就是這麼一篇小說。它既描寫了農村中常見的人與事，也抒發了作者對小說主人翁阿遠的濃厚關懷。

關懷始於承認他人同樣有追求像樣生活的權利，因此小說中成年後的「我」代作者立言：

> 一個人生而貧窮，……然而他未始不可以用他的努力和智慧去改造他那惡劣的環境，人類過去的歷史便是由這些人所創造的無數動人的故事集合而成。[14]

亦即作者讚許貧窮者透過努力與智慧改變環境；而對於身心遭受永久損傷的人，他又如何看待他們的人生呢？「我」認爲那是無法彌補的人間最大不幸，因而認爲旁人應該幫助他們，而不該嘲弄甚至欺侮他們。所以，當「我」長大了，聽說阿遠先被家人拋棄，又重被鄰人收留時，他是「感到滿意和安慰」的。

然而，這種關懷仍不免是以上對下，稱不上平等。本篇主旨如僅止於此，其價值恐怕還值得商榷；如吾人細心推求，將發現作者的旨趣尙在進一步肯定人的普遍尊嚴。此所以阿遠雖是個其貌不揚的弱智婦女，鍾理和卻將她塑造成能自食其力的角色。她所需要的，不過是村人平等的眼光，與些許生活上的照料而已。「我」在十數年後，回想起當初的捉弄於她，而萌生極大歉意，正是對當年自己嘲弄了不幸者尊嚴

---

[13] 鍾理和：〈泰東旅館〉（殘稿），《鍾理和全集（3）》，頁183-270。
[14] 鍾理和：〈阿遠〉，《鍾理和全集（1）》，頁31-32。

的懺悔。小說最後，「我」再一次跳出來，發表議論：

> 現在，大家都如此珍視牛屎，而阿遠之撿拾牛屎是不後於任何人的，不！如由
> 這方面看來，她應該是一個勤勉的人。那麼，她是否會因此獲得更多的重視呢？
> 更好的待遇呢？可以不再流浪街頭作喪家之犬呢？[15]

喪家之犬是沒有尊嚴的，作者此語無異重申了本篇的主旨：再卑微的人對社會也可以
有所貢獻，人們應該讓他們活得更有尊嚴。

　　爲了凸顯本篇主旨的特殊，吾人不妨看看同樣寫於 1951 年，且有著類似關懷的
〈老樵夫〉[16]。樵夫邱阿金自十餘歲起，親自參與了家鄉山野的開墾工作。他因此對
於人世是問心無愧，而引以自豪的。但是，到老來，親人好友卻一個個離開人間，孤
伶伶的他成了無人關心的社會邊緣人。卑微的樵夫身分，似乎不祥的土公仔（埋棺守
墳人）兼職，讓村人寧可選擇遺忘他。作者讓老樵夫不斷自認對得起所有人，更安排
了一段他「死去活來」後，雖然無人聞問，仍堅持憑己力獨活下去的情節作結。由此
看來，〈老樵夫〉自然也旨在表現對社會上弱勢者尊嚴的維護。

　　然而，老樵夫固然「卑微」，畢竟身心並無異狀；他對社會的貢獻也比阿遠明顯
可見許多。相較之下，鍾理和在〈阿遠〉中肯定、讚美了生活需人照顧的弱智者，可
謂將人人平等觀推到了極致，這是〈阿遠〉一篇極值得稱道的地方。

　　綜上所述，吾人應可確認肯定人性普遍尊嚴，隱寓作者對社會上弱勢者懺悔贖罪
之心，即本篇主旨所在。至於原來篇題〈女人與牛〉用意爲何，略事推敲，當亦不外
諷刺當時社會嚴重忽視身心障礙女性之基本人權，將其與供人役使的獸類等同視之的
錯謬觀念了。

---

[15] 鍾理和：〈阿遠〉，《鍾理和全集（1）》，頁 44。
[16] 鍾理和：〈老樵夫〉，《鍾理和全集（3）》，頁 157-168。

四、寫作技巧分析

（一）小中見大的手法

〈阿遠〉這篇小說最成功的地方，個人以為在於小中見大，透過短短的篇幅、簡單的故事而見證了人性的善惡與臺灣農村的變化。就前者而言，正當阿遠被賣時，村人們的反應是純粹看熱鬧者有之；假借仗義執言，實際上故意要讓阿貴出醜者有之。反應最正面的當然是阿貴的哥哥阿榮。他得知以人易牛正進行時急急忙忙地跑來，鍾理和這麼形容：

> 地下的人群急向兩邊退開，讓出一條路來。阿榮跑得滿面通紅、額頭上的汗珠大點大點的往下滴著，不住咻咻地喘氣。他馬不停蹄地迳向家裡奔去，一邊屬聲大罵：
>
> 「再不中用，也還是一個人；人換牛，沒聽說過的事！我姓宋，祖宗傳下，世代清白，不能叫你平白的就給抹上泥……！」[17]

如此激動的表現，特別提到人不能和畜牲相提並論，終於阻止了阿遠的被賣。可是等到阿貴死後，阿榮也搬到別村去，終究沒有把阿遠也帶去，不免為德不卒的缺憾。再來看看鍾理和怎麼寫那些村婦們：

> 婦女們三三兩兩的做成許多小團體。她們用秘密而關切的口氣熱情地談論著，言語間泛帶著大量做作與誇大的感嘆詞，眼睛吃驚地張開著，她們不時舉手向對方的肩頭冷不防的就是一拍，對方猛吃一驚，於是談話咽住了，接著，兩人便吃吃大笑起來。這樣一來，她們的精神更有了，談話也就更加起勁，嘴唇綴著一泡白沫。[18]

---

[17] 鍾理和：〈阿遠〉，《鍾理和全集（1）》，頁 42。
[18] 同前註，頁 38。

這也發生在以人易牛的場景中，她們看到另一女性即將被賣，似乎無動於衷，反倒頗為興奮。也許鍾理和在這裡是要描寫村婦的無知，談不上臧否人性。然而，愚昧無知不常是罪惡的根源嗎？

至於本村牛販子羅阿興，他先指出阿貴此舉無異出資請人汙辱自己妻子，甚至教導阿貴如何善待阿遠。還戳破外村牛販以三寸釘鎮住頑牛，意欲詐取阿遠的欺騙行為，端的是個智勇兼備的正義之士。但是，當初就是他將此醜事傳播出去的；後來他更被指控曾出低價欲買那頑牛，遂行詐騙勾當。對照起他當場評述這事件時口沫橫飛、剽悍得意的樣子。顯然羅阿興之所以出面，無非一為破壞同行交易，再則要讓阿貴露乖出醜，最終是個人英雄主義作祟罷了。尋常人物的小奸小壞，在這裡被描寫得異常清晰。

當然，阿貴因與其妻性事難諧，竟發奇想，不惜「賠本」將妻換牛，心中所念僅有勞動價值相等與否，毫無人倫觀念，該是鍾理和最欲批判的對象。

就後者——見證臺灣農村變化而言，鍾理和在小說故事中安排了一段遷村的情節，那是因為：

> 淡水河的治水工事迫臨村子，工事完成之日，我們的村子在耕地，交通，用水等各方面都將發生極大的困難，那將名副其實的變成為一個死村，村人都紛紛作遷家之計。[19]

河川整治工程迫得村人必須遷村，這個變化與負面影響，透過小說被記錄下來。再者，遷村帶來了對人性的考驗，於是阿遠初次被拋棄，但同時這也彰顯了人性的可貴。畢竟，她流浪街頭近一年後，還是有人願意收留她。平情而論，他們雖或是看中她有生產力，但由她再被收留後，恢復了往日形貌，不再蓬頭垢面看來，此種收留之舉，應該總有些同情心的作用在內吧。

另外一段描寫種菸業在美濃大規模展開以後，農家視牛糞如寶貝的情節，也足以

---

[19] 鍾理和：〈阿遠〉，《鍾理和全集（1）》，頁43。

讓我們感受到他的微言大義。有一天「我」因整夜失眠，而在曙色初現時走到大路上散步，看到一個鄰人，正笨拙地撿拾牛糞。他形容那鄰人用腳「扒攏牛屎便自兩端執著狗薑葉捧起來，但牛屎卻自葉縫漏掉了。他試了幾遍，都沒有成功。」[20]這讓「我」想起種菸業興盛之後，曾見過有人用帽子盛裝牛糞，於是：

> 便教他用笠兒。他摘下笠子，笠子已舊，有好些葉子已脫掉了。他先拿著看了
> 一會，才決心把它放在地上，然後把狗薑葉裡的牛屎移到那上面去。這回他便
> 成功地把牛屎捧起了。[21]

自全篇情節安排而言，這段文字存在之必要，顯然是在於深細地描寫一個場景，以帶進後續阿遠撿牛糞的故事；但是「我」如此理解這鄰人撿拾牛糞的動機：「這是當然的，他不會把牛屎留給後面的人撿去」[22]。敏銳的讀者，當可感到此語多少有些褒貶的意思在內。農村經濟的轉向，便這麼影響著農民看待事物的眼光。

　　從以上所引的兩個例子，我們可以看到五〇年代臺灣農村經濟建設帶來的變化與影響。一方面是人性受到考驗，另一方面則直接影響了農民對事物貴賤的價值判斷。雖然此類情節與描寫在小說中只是一個背景，然而以鍾理和對小說「構成因素」中背景一事的重視，相信他是有意識地記錄了農村的改變。甚且有可能是先定下時代社會的背景，再順勢安排人物、事件的走向[23]。由此可以證明他對於社會大環境仍然關心，而且是極富洞察力的。只因時代與他的個人經歷都已不可與二十七歲寫〈泰東旅館〉時同日而語了[24]，筆下自然少見批判、抗議的火氣。就算如此，如此吉光片羽式的記

---

[20] 鍾理和：〈阿遠〉，《鍾理和全集（1）》，頁 32。

[21] 同前註，頁 33。

[22] 同前註，頁 32。

[23] 鍾理和極注重小說的背景，他在 1957 年 5 月 30 日致廖清秀函即云：「小說的構成要素有三：人物、事件、背景。人物加上事件，便是舊體的故事小說，再加上背景，才是現代的生活記事體的小說。至少寫實主義的作品是離不開背景的。有的甚至用背景的烘托來決定人物和事件的發展。」見鍾理和：《鍾理和全集（6）》，頁 102。

[24] 與鍾理和感情極好的同父異母弟鍾和鳴在 1950 年 10 月 14 日，因基隆中學事件被槍決，同日鍾理和的日記用粗黑的筆補記下「和鳴死」三字。鍾鐵民在 2001 年 11 月 29 日《中

錄也是極其珍貴的。

（二）精細的描寫

其次我們注意到鍾理和的觀察與描寫極為細膩，試看這一段人與牛的格鬥：

> 牛販子把手中的牛繩交給阿遠，乾嗽了幾聲，怯怯地向人們掃過一眼，也隨進
> 屋去了。

> 阿遠接過牛繩，便把牛往牛欄牽。牛混身肌肉一陣一陣地抽顫，搖著頭。牠走
> 到欄門口就不走了，朝著欄門跳來跳去，趁空兒又想往外溜。阿遠使盡氣力，
> 弓起身子往前拉，牛頭被拉得伸長得和牛繩成了直線。但牠的四條粗腿卻穩實
> 地抵住地面，彷彿已生了根；牠的眼睛則驚駭中帶著冥頑執拗的閃光。[25]

人與牛的對峙、氣氛的緊繃，加上對悍牛一舉一動，乃至於眼神的捕捉，無不合情合
理，富有層次感：牛的肌肉顫動，因牠害怕；繼之則搖頭拉繩，具體抗拒。當牠意識
到要被關進一個陌生的空間，自然更加努力跳動逃竄。阿遠於是被迫使上蠻力，這時
牛繩既已緊繃，頑牛無計可施，只好來個落地生根，以最原始的不妥協精神與人耗下
去。鍾理和便於此時叫讀者注意到牠的目光。仔細分析完這段文字，相信真正有過農
村生活經驗的人，會同意鍾氏確實已極盡描摹之能事。

再以上文所引村婦圍觀的場面為例，她們三三兩兩結成許多小團體，起先似乎還
能顧及當事人顏面，以「私密而熱切的口氣」談論著，進而轉為誇張、做作，配合上
突然拍肩、大笑等動作，自然也就愈來愈帶勁，最後甚至嘴角全是口沫，完全顧不得
自己的形象。作者豈不同樣精確地掌握了人們以他人隱私為談笑之資時，那種初時假

央副刊》發表〈鍾理和及其作品〉的演講，因此提及與鍾理和一起回到臺灣的文學
青年「仍舊充滿熱情，期待一個新中國趕快強起來，因此有了新的社會運動，這使得我
的叔叔、父親的那批好友，不是被槍斃就是被關，而我父親因為正好生病在醫院開刀，
幸運地逃過一劫」。「後來他回鄉養病，此後十年，不再過問社會上的事」。

[25] 鍾理和：〈阿遠〉，《鍾理和全集（1）》，頁38。

意關切，一旦談開便全無顧忌的心理變化嗎？

　　就兒童心理、行為的描寫而言，〈阿遠〉也有不錯的表現。為了給阿貴賣妻易牛安排行為動機，且須符合第一人稱的限知敘事觀點，鍾氏的設計是，這群兒童因除夕夜聚賭場所地利之便（賭場就在阿遠家後面荒廢的菜園中），無意中聽到僅僅一壁之隔的阿遠房中，阿貴求歡不成，半強迫又無效的尷尬情事。當阿遠顯然因對男女之事的無知而驚怕尖叫，「我」的感覺是彷彿「挨了打的母豬」，再多聽幾句，知道是那回事了，那群小孩則「恰似當頭給澆了盆冷水，毛骨悚然，一時間都呆呆的說不出話」。[26]對身心尚未發育成熟的孩童，這是典型的反應。

（三）成功的角色塑造

　　本篇小說中主要角色的塑造，同樣極為成功：阿遠長得像男人不說，她的婆婆因不耐煩幫她梳頭，乾脆給她剃了個大光頭。被剝奪了外在性別特徵的她，當然馬上給人「有病」的印象；再看她分明已成年，卻連性別也分不清楚，罵起人來不分男女，一律是「臭×」對付；遇到孩童的捉弄，不但無力自行脫困，連坐地大哭，都只是乾嚎，絲毫沒有眼淚。凡此種種，都是弱智者的特徵，而被鍾理和敏銳的捕捉到了。更精彩的是，某次阿遠的鋤頭被「我」藏了起來，使她挨了阿貴一頓打。此後，就算阿貴給她豬屎夾子來代替鋤頭，她仍堅持徒手撿拾牛糞，再也不敢使用工具。這代表常常在弱智者、自閉症患者身上出現的過度制約化行為模式[27]。鍾理和的正確描寫，證

26　這段描寫見鍾理和：〈阿遠〉，《鍾理和全集（1）》，頁 34-35。

27　綜合林天德：《變態心理學》（臺北：心理出版社，1999 年），頁 134-136 的說明，自閉症患者大多有智障的傾向，而智障患者中也有不少是兼患自閉症的。文中阿遠至少表現出不懂與人建立友誼、肢體僵硬、用語簡單稀少、生活自理有問題等大致合乎自閉症與弱智的特徵。再者根據溫世頌：《心理學》（臺北：三民書局，2000 年），頁 147 對制約（conditioning）的討論，可發現文中阿遠因丟失鋤頭被打，導致她不再敢使用功能與鋤頭類似的豬屎夾子，此正符合心理學中因害怕懲罰而心生恐懼的制約行為。而一般成人皆能認知處罰之起，純因遺失鋤頭，阿遠卻推申成使用鋤頭也將導致處罰，並及於鋤

明他的觀察極為仔細。隨著情節進展，讀者越發看到阿遠的「傻」，當高潮段落來臨時，她的「傻」也同時發展到了頂點。她竟幫忙阿貴牽那頭牛入欄，渾然不知幾乎全村人都知道的秘密——阿貴要將她賣身換牛。可憐阿遠畢竟力不能勝過牛：

> 猛的母牛噴了下鼻子，又撇了下腦袋。阿遠一跟蹌，顛出好遠。然後啪嚓一聲跌倒在地上，她起來，在地上作直了身子，好像作夢似的，楞著眼睛向前直視，臉色蒼白了。她連連眨了幾下眼睛，嘴角邊的肌肉簌簌地抖動著，但她並沒有哭，卻轉變成一句話：「臭×！」[28]

跌跤這一段，鍾理和對阿遠的塑造可說是繪形繪影、有聲有色，立體極了。

作者處理羅阿興自吹自擂的一段，也是極為精采的：

> 我羅阿興雖說是一個牛販子，不吹牛，跟郭秀才一個桌面喝過酒，談過話。你，來賣嗎？狗屁……郭秀才要肯正眼看你一下，我的羅字倒著寫！那一次，我跟郭秀才一塊喝酒，說起是青年人有用還是老年人有用。郭秀才搖著腦袋說：「先進於禮樂，野人也；後進於禮樂，君子也」——你們都知道，這是書本上的句子哪！當下我就接口說：「而用之，則吾從先進。」郭秀才樂得眼睛也沒了縫，翹起大拇指說：「就是和你還談得幾……」[29]

短短幾行文字，精確描摹了傳統讀書人動不動咬文嚼字的德行，與半瓶醋羅阿興的嘴臉。尤其是這句「你們都知道，這是書本上的句子哪！」活脫脫地讓我們看到一個讀書不廣，卻愛自誇的邊緣人物。進言之，客家族群重視文化的傳統，亦在這段文字中得到了反面的呈現。論者或許會因鍾理和在日記與創作中，對美濃社會的文化衰退多有批評，而懷疑客家族群是否真有重視文化的傳統。實則，鍾理和的批評，只反映其個人嚴格的我群批判標準；客家文化研究者，比較客家族群與其他族群後，大都同意

頭之替代物。此種反應，顯然是錯誤或至少是過度的，弱智者或自閉症患者卻常有類似行為模式。

[28] 鍾理和：〈阿遠〉，《鍾理和全集（1）》，頁 39。

[29] 同前註，頁 41。

前者對文化的重視程度，確實較高[30]。

〈阿遠〉中鍾理和對客家族群的農村社會，不論是上下階層人物，甚至是動植物的精確掌握，如同張良澤所說，應是得自於他從大陸回台後，生活一直未曾脫離農民，對農事及農村的人與物十分熟悉的緣故[31]。

（四）特殊的結構安排

本篇小說的情節安排，頗為繁複。故事一開始，敘述者「我」因見到鄰人撿拾牛糞的笨拙動作，於是掉進童年的回憶中。先想起當年同樣勤勞而笨拙的阿遠，再整個回憶起以人易牛的荒唐事件。回憶結束後，時間回復到了十數年後的現在，「我」下意識地將阿遠與當前的環境聯想在一起，覺得她撿拾牛糞的勤勉，並不輸給任何一個人。這麼一來，時間點從開始到結束，剛好是一個圓。

又故事開始時，作者點到了種菸業的興盛，暗示農村經濟環境的改變；而回憶末尾，阿遠的被拋棄、再被收留，與日後的不知所終，也全肇因於河川整治帶來的遷村行動，遂重新扣回與篇首相同的命題——農村經濟環境的改變。如此安排，使小說情節堪稱環環相扣、首尾呼應，頗見緊湊。鍾理和自評：「寫後重讀，才覺得很亂」實嫌太苛；鍾肇政說：「首尾加添處似未成大病」[32]，看出所添段落與原文並無不相容，則較持平，唯仍未道出經此一改，結構反而較為繁複，自有其佳妙。

---

[30] 例如羅香林：《客家研究導論》（台北：南天書局，1992 年）第十五章談到客家人「講究體面，注重文墨」。又說：「滿清末年，功名可以捐納得之……不過這類功名，實際上不為社會所重，故必有真字墨，能做詩做文，能講幾句起碼經史，至少也要進學遊泮，到了相當年紀，纔得稱為紳士……科舉廢後，……鼓勵子弟出就新學，沒有在中學以上學校畢業的人，簡直沒人看得上眼，就是有錢有勢，也還是銅臭，不為社會所尊；反之，苟其人文墨程度，在鄉人眼裡認為有點不錯，那就貧苦一些，亦無傷其人的社會地位……」羅阿興引《論語》字句而沾沾自喜，可視為同一種社會風氣下的產物。

[31] 所引略見彭瑞金：〈葉石濤－張良澤對談——秉燭談理和〉，《台灣文藝》第 54 期（1977 年 3 月），頁 11。

[32] 錢鴻鈞：《台灣文學兩鍾書》，頁 220。

（五）曲筆的使用

更值一提的是，如此嚴肅的社會關懷與人道關懷，以及稱得上有血有淚的人生悲喜劇，鍾理和卻是以含蓄的筆法來表現的。作者並不直接批判人性與社會的黑暗面，而是以自我反省、懺悔，溫和地暗示著。當他抒發議論時，總是希望給讀者一絲光明的盼望。這種處理方式，使洶湧的暗潮，得以隱藏在表面的平穩之下。一旦刊登在聯副「星期小說」上，遂使雅俗得以共賞。一般讀者可以欣賞其中的鄉土氣息；有心者則能爲其隱義觸動，感覺餘味無窮。進言之，配合這種含蓄的筆法，其開放式的結篇看似缺少收束，反而更能引人反省、深思。

五、改寫得失平議

經過上文對〈阿遠〉一篇主旨與寫作技巧的深入分析，本文當回頭審視〈阿遠〉改寫諸問題。

鍾理和改寫〈阿遠〉的動機，主要是爲了能在「星期小說」上刊出。針對此點，其考量是篇幅不夠長，及須配合「星期小說」的風格。在技術上，因此有幾個做法：（一）、在原有的二三四節之外,增加首尾兩節；（二）、敘事觀點由第三人稱改爲第一人稱；（三）、由近乎純描寫改爲間用抒論的手法；（四）、題目由〈女人與牛〉改爲〈阿遠〉。

小說家創作的目的，固是爲了成就偉大藝術，卻也有尋覓知音的心態。一篇作品若完全不計較他人接受與否，既不免「孤芳自賞」的譏誚，似乎便直如未曾寫就。本文已肯定〈阿遠〉一篇主旨，也指出其批判社會的曲筆所在，則爲了在讀者群較大的《聯合副刊》刊登而作修改，自也無「曲學阿世」之嫌，是其改寫動機，實無可議之處。

然而，就寫作技巧及藝術成就的高低而言，鍾氏爲充篇幅而加的兩節，乃是「我」

的現身說法,便嫌流於太露。尤其是第一段初始以讚美、肯定及懺悔爲主軸的文字,因太顯豁,太偏向議論,乃顯得缺乏餘韻。愚意以爲,首尾加添處,固然已經鍾理和處理,而產生結構較爲繁複的特色;作者若能再細心落筆,仍以含蓄的筆法處理之,效果當更佳。亦即鍾氏所說「太亂」並不成立,部分文字「太露」才是本篇小說的最大問題。循此思路,改〈女人與牛〉爲〈阿遠〉則是不錯的決定。蓋因原篇名的批判企圖太過明顯,以小說主人翁的名字爲篇名,則遠爲含蓄,容許每一讀者有不同的體會。

最後必須論其敘事觀點的改變。在鍾理和看來,改第三人稱爲第一人稱是爲了配合首尾兩節的議論,乃不得已而爲之。唯以〈阿遠〉改寫後的效果而論,則改採第一人稱的優點卻顯而易見。其一在於令所謂的反省不僅限於檢討他人,也在檢討敘事者「我」(乃至於作者本人)當年缺乏同理心的行爲,以及如今的無能爲力。小說因此增加了深度。其二爲作者寫阿遠的先是幾乎被賣,繼而屢經波折,最後不知所終。其人生雖有起伏,文字卻是極爲平實。第一人稱限知敘事觀點配合上回憶的口吻,與全篇平實筆調,頗爲一致,且使小說開放式的結尾更爲合理。至於鍾氏自稱,改寫時未能把口氣改得順口,則似乎見仁見智,不容易有定論。筆者反覆誦讀,並不感到不順口,即是一例。

總之,圍繞此篇改寫諸問題,吾人應可下一結論。即改寫頗爲成功,部分文字「太露」問題,不過是大醇小疵,不足以否定全篇之藝術價值。

六、與〈孔乙己〉的比較

鍾理和 1957 年 10 月 30 日致廖清秀函,提到:「五四之後新文學風起雲湧,像魯迅、巴舍、茅盾、郁達夫等人的選集,在台灣也可以買到。這些作品幾乎令我廢寢忘

食。在熱愛之餘，偶爾也拿起筆來亂畫」[33]。另外張燕萍《人間的條件——鍾理和文學裡的魯迅——》一書將鍾理和與魯迅的文學淵源，作了較爲詳細的整理[34]。因而我們可以確定，魯迅這位「橫眉冷對千夫指，俯首甘爲孺子牛」的新文學先鋒，曾經深深影響過年輕時的鍾理和。

或許因爲在鍾理和與魯迅的作品中，描寫身心障礙者的都很罕見，閱讀完〈阿遠〉，魯迅筆下的孔乙己第一個浮現筆者腦海。原來魯迅在小說〈孔乙己〉中，也曾化身爲一個十二歲的酒店小夥計，見證了落拓書生孔乙己由替人抄書，淪落爲偷書賊，再淪落爲乞丐，終至被丁舉人打斷了腿，無人聞問、默默以終的悲慘經過[35]。比較兩篇小說，我們不難發現，同樣是身心障礙者，也同樣屈居弱勢，孔乙己面對的社會，遠比阿遠所面對的冷酷許多，他的下場也很明確是悲慘的。例如，〈阿遠〉中固然也有負面角色，卻絕無壞到如丁舉人一般；而孔乙己悲慘的斷腿，只博得「看客」們的訕笑，他最終是以沾滿了泥的雙手「走」出人群，走進文學史的。

吾人實不知鍾理和寫〈阿遠〉時是否想到過〈孔乙己〉，然而若將兩文並看，確爲一件饒富興味的事。要之，鍾理和刻意在〈阿遠〉結尾，給讀者留下光明的可能性；實要比魯迅的枯冷、荒漠，來得可親許多。撇開時空背景的相異不談，謙虛而溫和的鍾理和，宜乎與渾身傲骨、自承對文化改革不抱任何希望的魯迅有如此差異。

七、結論

鍾理和文學的創作與發表，主要集中在五〇年代，其人可謂當時臺灣本土寫實文學的代表性作家。1960 年 8 月 4 日鍾理和過世，他一直未曾等到言論尺度較寬的時代

---

[33] 引自 1957 年 10 月 30 日鍾理和致廖清秀函，見《鍾理和全集（6）》，頁 114。唯原文「巴舍」疑「巴金、老舍」之誤。

[34] 張燕萍：《人間的條件——鍾理和文學裡的魯迅—》（臺中：靜宜大學中文研究所碩士論文，2000 年）。

[35] 周樹人：《魯迅全集》（北京：人民文學出版社，1996 年），第 1 卷。

來臨。大環境固然令他不能自由「吶喊」。相對地卻也成就了他沉穩內斂、樸實無華的文字風格，因而類似〈阿遠〉這樣的小說，當然不復年輕時的犀利；然而在自我要求真與誠的原則下，這篇技巧成熟、內容豐富，關懷面也頗寬廣的作品，還是有許多微言隱義，值得我們深入探討。

本文既已指出〈阿遠〉的主旨極值注意，也深入剖析了其寫作技巧與改寫的得失，認係瑕不掩瑜，最終且與魯迅的〈孔乙己〉作一比較。凡此種種，皆在小說的大關節處著眼，其目的無非借一短短的〈阿遠〉指出鍾理和的文學，既不是孤立的存在，他的社會關懷尤其是始終一貫的。不同的文字風格在鍾氏文學作品中，往往標示了社會環境對作家的限制，與作家的自我調適耳。

引用書目

王詩琅　1936　〈賴懶雲論〉，收入《賴和先生全集》（臺北：明潭出版社，1979 年）。

全祖望　1804　〈沈太僕傳〉，《鮚埼亭集》（嘉慶九年借樹山房刻本），收入《近代中國史料叢刊影印本》（臺北：文海出版社，1988 年）。

李麗玲　1995　《五〇年代國家文藝體制下台籍作家的處境及其創作初探》，新竹：清華大學文學研究所碩士論文。

林天德　1999　《變態心理學》，臺北：心理出版社。

周樹人　1919　〈孔乙己〉，發表於《新青年》第六卷第四號，收入《魯迅全集（第一卷）》（北京：人民文學出版社，1996 年）。

夏祖麗　2000　《林海音傳》，臺北：天下文化出版社。

陳火泉　1964　〈倒在血泊裏的筆耕者〉，《台灣文藝》第五期。

張良澤　1974　〈鍾理和作品概述〉，《倒在血泊裏的筆耕者》（臺南：大行出版社）。

張燕萍　2001　《人間的條件－鍾理和文學裡的魯迅－》，臺中：靜宜大學中文系碩士論文。

彭瑞金　1977　〈葉石濤－張良澤對談——秉燭談理和〉，《台灣文藝》第 54 期。

溫世頌　2000　《心理學》，臺北：三民書局。

錢鴻鈞　1998　《台灣文學兩鍾書》，臺北：草根出版公司。

鍾理和　1997　《鍾理和全集》，高雄：高雄縣立文化中心。

鍾鐵民　2001　〈鍾理和及其作品〉，演講於明道中學；發表於 2001 年 11 月 29 日《中央副刊》。

羅香林　1933　《客家研究導論》，初版於廣東省興寧縣，臺一版（臺北：南天書局，1992 年）。

國家圖書館出版品預行編目資料

龍宇純先生七秩晉五壽慶論文集

龍宇純先生七秩晉五壽慶論文集編輯委員會編. – 初版. –
臺北市：臺灣學生，2002[民 91]
面；公分

ISBN 957-15-1158-7 (精裝)

1. 漢學 – 論文，講詞等
2. 中國語言 – 論文，講詞等
1. 中國文學 – 論文，講詞等

030.7   91021063

龍宇純先生七秩晉五壽慶論文集 (全一冊)

編　　　　者：龍宇純先生七秩晉五壽慶論文集編輯委員會
出　版　者：臺　灣　學　生　書　局
發　行　人：孫　　　善　　　治
發　行　所：臺　灣　學　生　書　局
　　　　　　臺北市和平東路一段一九八號
　　　　　　郵 政 劃 撥 帳 號：00024668
　　　　　　電　話：(02)23634156
　　　　　　傳　眞：(02)23636334
　　　　　　E-mail：student.book@msa.hinet.net
　　　　　　http://studentbook.web66.com.tw

本書局登
記證字號：行政院新聞局局版北市業字第玖捌壹號

印　刷　所：宏　輝　彩　色　印　刷　公　司
　　　　　　中和市永和路三六三巷四二號
　　　　　　電　話：(02)22268853

定價：精裝新臺幣八〇〇元

西 元 二 〇 〇 二 年 十 一 月 初 版